DICIONÁRIO BÁSICO DE
FILOSOFIA

HILTON JAPIASSÚ
DANILO MARCONDES

DICIONÁRIO BÁSICO DE
FILOSOFIA

4ª EDIÇÃO ATUALIZADA

5ª reimpressão

ZAHAR

Copyright © 1989, 1991, 1996, 2006 by Hilton Japiassú e Danilo Marcondes

Grafia atualizada segundo o Acordo Ortográfico da Língua Portuguesa de 1990, que entrou em vigor no Brasil em 2009.

Capa
Gustavo Meyer

CIP-Brasil. Catalogação na Fonte
Sindicato Nacional dos Editores de Livros, RJ

J39d 4.ed.	Japiassú, Hilton, 1934-2015 Dicionário básico de filosofia / Hilton Japiassú, Danilo Marcondes. – 4ª ed. atual. – Rio de Janeiro: Zahar, 2006.

Inclui bibliografia e índice
ISBN 978-85-7110-095-4

1. Filosofia – Dicionários. I. Marcondes, Danilo, 1918–. II. Título.

CDD: 103
08-2564   CDU: 1(038)

[2021]
Todos os direitos desta edição reservados à
EDITORA SCHWARCZ S.A.
Praça Floriano, 19, sala 3001 – Cinelândia
20031-050 – Rio de Janeiro – RJ
Telefone: (21) 3993-7510
www.companhiadasletras.com.br
www.blogdacompanhia.com.br
facebook.com/editorazahar
instagram.com/editorazahar
twitter.com/editorazahar

SUMÁRIO

PREFÁCIOS   VII

DICIONÁRIO   1

BIBLIOGRAFIA CONSULTADA   287

ÍNDICE DE NOMES E ASSUNTOS   289

PREFÁCIO À QUARTA EDIÇÃO

"Prefaciar" (do latim *proefari*: dizer antes) pode significar advertência, aviso, introdução, notícia, preâmbulo ou prolegômenos a uma obra e a seu autor. Queremos apenas antecipar o que o presente *Dicionário* contém de novo nesta quarta edição, revista e substancialmente ampliada e atualizada, o que se faz necessário após os 15 anos da primeira edição. Neste sentido, vários verbetes foram enriquecidos com dados bibliográficos, informações biográficas foram atualizadas e mais de 250 novas entradas foram acrescentadas, incluindo verbetes conceituais, sobre filósofos e sobre as principais obras que marcaram o pensamento filosófico.

Todo dicionário é criticável. Em especial quando se trata de filosofia. Afinal, em verbetes necessariamente concisos, procura-se congregar os mais relevantes sistemas de pensamento; reunir os principais conceitos que dividiram o espaço intelectual no curso da história dos homens e das coisas; recensear as palavras que dizem as coisas e os homens. Cada filósofo utiliza um jargão específico, terminologias variam de um autor a outro. Por isso, preocupados com centros de interesse estritamente conceituais, esboçamos aqui um conjunto que não se ajusta voluntariamente a nenhum sistema filosófico. Não fizemos uma escolha eclética ou dogmática, mas quisemos manter uma tensão vigilante entre os diferentes conceitos e seus respectivos polos de pensamento.

Ao contrário da ciência física, que impõe respeito, a filosofia frequentemente levanta suspeita. Notadamente porque seu *logos* é fragmentado. Platão já nos advertia: "O meio mais radical de abolir toda espécie de discurso consiste em isolar cada coisa de todas as outras, porque é a combinação recíproca das formas que dá origem, em nós, ao nascimento do discurso" (*Sofista*, 259). Quem poderá unificar o *logos* filosófico? Um dicionário? Certamente que não. Cada especialista já sonhou em fazer o seu. Sentiu-se chamado a suplantar os outros pela exaustividade, pela profundeza e pela exatidão. Um dicionário real aparece sempre como um desmentido a um dicionário imaginário.

Quanto à natureza do propósito filosófico, quem poderá elucidá-la ou fundá-la sem as proezas verbais de uma retórica falaciosa e sem o charme de uma persuasão não racional? Quem poderá fundá-la sem o pedantismo de uma sapiência que fala por falar ou para se fazer admirar? Que cita sem discernimento para fazer de conta que prova coisas que só racionalmente seriam provadas? As palavras se "põem" opondo-se. Mas, sobretudo, expondo-se. Não se esconde o juízo por detrás das citações. A filosofia toma o partido da linguagem contra a violência. Prefere a discussão ao argumento pomposo. Não permite a ninguém reivindicar, para si, a razão a mais racional. Tampouco a verdade a mais verdadeira ou a experiência a mais experimental. É possível que alguém venha a descobrir, nas páginas deste dicionário, "verdades mais verdadeiras" que outras. Ou que venha a deplorar a persistência de "erros mais errôneos" que outros. É lamentável, mas compreensível. Afinal, desde a Antiguidade o ensino da filosofia existe sob diversas formas. Depois de Kant, praticamente todos os grandes filósofos foram docentes, sendo seu ensino realizado em uma linguagem precisa e metódica. O sentido das palavras não corresponde ao que cada um imagina ou deseja, embora seja necessário um rigor suscetível de impor-se a todos. Apesar de utilizar a língua de todo o mundo, a linguagem filosófica confere às palavras um sentido mais preciso. E por vezes, a fim de garantir o rigor das análises e demonstrações, precisa inventar conceitos que lhe correspondam.

Permanecem assim, nesta quarta edição, nossos propósitos essenciais: tornar o pensamento filosófico acessível aos não especialistas, oferecendo-lhes um *instrumento de trabalho* capaz de ajudá-los a terem um primeiro acesso aos conceitos fundamentais da filosofia e aos mais importantes pensadores que, de uma forma ou de outra, marcaram nossa chamada "cultura ocidental".

Os Autores

NOTA

Esta é a primeira reimpressão do *Dicionário básico de filosofia* após a morte de Hilton Japiassú, falecido em 2015 aos 81 anos. A ideia deste dicionário surgiu de uma conversa entre Jorge Zahar e ele no final dos anos 80. Não contávamos até então no Brasil com nenhuma publicação desse tipo original em língua portuguesa. Lembro-me de quando Japiassú, meu colega na PUC-Rio e então já um autor e professor consagrado, convidou-me para participar com ele da empreitada. Agradeci e disse-lhe que minha formação e minha visão de filosofia eram muito diferentes da dele – ao que ele respondeu que era por isso mesmo que me convidava, porque um dicionário não podia apresentar uma visão única de filosofia, e deveria antes ser fruto de um esforço colaborativo. E foi essa resposta que me fez aceitar o convite. Creio que poucos filósofos e professores de filosofia seriam capazes de apresentar tal abertura de pensamento e visão pluralista. Foi uma excelente experiência, em que aprendi muito, e mostrou-me a importância do trabalho em conjunto. Guardo até hoje as fichas em papel em que escrevemos e reescrevemos, através de longas discussões, as primeiras versões da maioria dos verbetes que se seguem.

Danilo Marcondes

PREFÁCIO À PRIMEIRA EDIÇÃO

Ao longo dos séculos, a reflexão filosófica vem tecendo uma história apaixonante. E a descoberta progressiva das leis do pensamento humano constitui uma conquista cujo relato ainda não terminou. Essa epopeia deixou marcas profundas em nossa cultura e em nossa língua. Inúmeras são as palavras e as expressões que conhecemos bem, mas cuja fonte permanece subterrânea. As palavras filosóficas abrem-nos um campo de ação praticamente infinito: o do pensamento dos homens e de tudo o que existe no universo. Porque a filosofia possui uma vocação universal. Deixando às outras disciplinas do saber a preocupação de designar o particular e o concreto, ela trabalha sobre aquilo que unifica a diversidade das aparências: o geral ou abstrato. Aos leigos ou profanos, ela parece falar uma língua estrangeira. No entanto, mesmo em nossas conversas cotidianas ou em nossas leituras de jornais e revistas, deparamo-nos com termos forjados pela filosofia: *conceito, gnose, maiêutica, hermenêutica, dialética, análise, teoria* etc. Não falam de modo complicado os filósofos o que poderiam dizer de maneira simples? Claro que a faculdade de abstrair não constitui privilégio dos filósofos, mas da espécie humana. Mas como todos os saberes (da carpintaria à física atômica), a filosofia tem necessidade de palavras suscetíveis de designar com precisão os objetos de sua reflexão. Ela precisa de termos técnicos. Nosso esforço, neste *Dicionário básico de filosofia*, consistiu em dar a esses termos uma definição acessível a todos e, quase sempre, esclarecida pela etimologia.

Muitas palavras da língua filosófica perderam seu caráter erudito ao serem utilizadas pela língua comum com um sentido por vezes bastante alterado. Algumas se tornaram tão familiares que sua origem filosófica nem mesmo é suspeitada. Contudo, nem sempre os grandes filósofos empregaram a linguagem de todo mundo. Mas a maioria de suas palavras pertence à linguagem universal. Por exemplo, as que possuem um sentido técnico particular (*ser, devir, duração, extensão* etc.) e as que exprimem uma noção constituindo o objeto de uma reflexão aprofundada (*causa, espaço, liberdade, verdade, razão* etc.).

Certamente os especialistas vão criticar esta obra, tachando-a de incompleta. E terão toda a razão. Porque nosso objetivo não foi o de recensear *todas* as palavras e expressões filosóficas utilizadas por *todos* os filósofos. Tampouco foi o de dar conta da vida e do pensamento integral de *todos* os filósofos. Nossa ambição, bem mais modesta, foi a de ajudar o leitor não especializado a fazer um justo *juízo* da "utilidade" da filosofia e de seu impacto sobre nossa língua e a *identificar* os mais importantes filósofos do passado e do presente. Palavras inocentes encerram, por vezes, abismos de questões. O que é o *acaso*? O que é o *destino*? O que é a *verdade*? Convidamos os leitores a não temerem a vertigem. Porque a filosofia aí está para explorar esses abismos e elucidar certos enigmas.

A estrutura deste dicionário foi concebida tendo em vista permitir aos leitores, quaisquer que sejam seu objetivo de leitura e seu nível de conhecimento, consultarem com relativa facilidade os mais variados "verbetes" da filosofia, desde a Antiguidade até os nossos dias. Classificados alfabeticamente, sobre eles o leitor tanto pode praticar uma leitura contínua de informação geral quanto uma leitura seletiva de pesquisa. De qualquer modo, torna-se possível detectar facilmente as ligações entre conceitos aparentemente distintos, embora interdependentes. Apesar de não pretenderem sacrificar-se a uma vulgarização deformante ou a simplificações abusivas, todos os verbetes foram redigidos para serem compreendidos e assimilados, sem grandes esforços, por qualquer leitor dotado de uma cultura mediana e desprovido de conhecimentos filosóficos específicos, o que se justifica pelo caráter básico desta obra. Neste sentido, destacamos a importância de se compreender um conceito filosófico sempre em um contexto determinado. O mesmo vale para a obra de um autor, para uma corrente de pensamento ou para um período histórico. Por isso, procuramos, sempre que possível, ilustrar nossas definições com passagens de obras filosóficas clássicas, especialmente relevantes no caso em questão.

Não foi nossa intenção omitir *a priori* nenhum vocábulo e nenhum "pensador", em função de critérios subjetivos. Todos os filósofos considerados o foram em razão de sua importância histórica e de suas contribuições reais para o debate cultural. Nesse domínio, nem sempre se consegue evitar todo o arbítrio. Alguns pensadores, por exemplo, como Freud, Lacan e outros, que não se consideram filósofos, foram por nós levados em conta porque tiveram uma inserção, por vezes decisiva, na esfera da filosofia. Outros, notadamente os "orientais", por muitos considerados filósofos, não foram por nós levados em conta. Porque não tomamos o termo "filosofia" em sua acepção ampla, suscetível de incluir o pensamento oriental, mas no sentido que adquiriu a partir de sua origem grega ocidental.

Por outro lado, muitos dos filósofos contemporâneos não se encontram em nosso repertório. Privilegiamos aqueles que, a nosso ver, mais vêm se notabilizando por sua produção filosófica e que, de um modo ou de outro, vêm dando uma importante contribuição aos debates intelectuais de nosso tempo. Quanto aos "pensadores" ou filósofos nacionais (brasileiros), optamos por consagrar um verbete àqueles que, em condições tão adversas, exerceram, no passado, certa influência na formação do pensamento brasileiro e já se encontram dicionarizados, não incluindo nenhum dos vivos. A fim de não cometermos injustiças com os filósofos brasileiros da atualidade, em plena atividade intelectual e em processo constante de amadurecimento de seu pensamento, evitamos dedicar-lhes verbetes específicos, elaborando um verbete geral denominado "filosofia no Brasil" (com a colaboração de Aquiles Guimarães e Antônio Rezende), tratando da formação histórica do pensamento brasileiro e do período contemporâneo, com suas principais correntes. Isso explica por que nomes da importância de Marilena Chauí, José Arthur Giannotti, Sérgio Paulo Rouanet, Gerd Bornheim, Emanuel Carneiro Leão, Roland Corbisier, Henrique Cláudio de Lima Vaz, dentre outros, não se encontram neste dicionário.

Os Autores

Abelardo, Pedro (1079-1142) Filósofo medieval francês, destacou-se sobretudo nos campos da lógica e da teologia. É autor de diversos tratados de lógica, dentre os quais a *Dialectiva* e a *Lógica "ingredientibus"*, de grande influência em sua época. Escreveu também obras de teologia como o *Sic et non* (Pró e contra), em que sistematiza uma série de controvérsias religiosas na forma característica do método escolástico, e a *Introdução à teologia*, depois condenada pela Igreja. Em relação ao problema dos universais, manteve uma posição conhecida como *conceitualismo. Foi discípulo de *Roscelino, um dos principais defensores do *nominalismo nesse período, e de Guilherme de Champeaux, defensor do *realismo, contra o qual polemizou posteriormente. Para Abelardo, os universais são conceitos, "concepções do espírito", realidades mentais que dão significado aos termos gerais que designam propriedades de classes de objetos. É importante também a contribuição de Abelardo à lógica e à teoria da linguagem — a ciência *sermocinalis* — sobretudo quanto à sua discussão da noção de significado; bem como à ética, considera a intenção do agente fundamental na avaliação de um ato como bom ou mau. Abelardo foi uma personalidade controvertida, que se envolveu em inúmeras polêmicas durante sua vida, as quais narrou em sua *História de minhas calamidades*, sendo célebres suas desventuras amorosas com Heloísa.

absolutismo (do lat. *absolutus*, de *absolvere*: destacar, separar de) Regime político no qual o *soberano (encarnando a autoridade do Estado) detém um poder sem limites.

absoluto (lat. *absolutas*, de *absolvere*: desligar de, absolver) **1.** Diz-se daquilo que não comporta nenhuma exceção ou restrição. Ex.: poder absoluto, necessidade absoluta.
2. Diz-se do que é em si e por si, independentemente de qualquer outra coisa, possuindo em si mesmo sua própria razão de ser, não comportando nenhum limite e sendo considerado independentemente de toda relação com um outro. Ex.: Deus é o Ser absoluto de quem tudo depende, em relação ao qual tudo é relativo.
3. Independente de toda e qualquer referência convencional. Assim, *movimento absoluto* é o que não pode ser referido a nenhum ponto fixo no espaço; *espaço absoluto* é o que independe dos objetos que o preenchem; *tempo absoluto* é o que independe dos fenômenos que nele acontecem. *Oposto a* relativo.
4. Para Hegel, a filosofia kantiana representa o ponto extremo da separação entre o homem e o absoluto. As formas que o espírito assume (formas naturais, históricas e religiosas) se recapitulam e se anulam no e pelo saber filosófico, que se identifica com seu próprio objeto, consequentemente, com o saber absoluto. Assim, o absoluto é ao mesmo tempo definido como *ser* e como *resultado*, como um racionalismo que unifica o mundo e o pensamento, pois o universo é regido pela razão, sendo as mesmas as leis do pensamento racional e as leis da natureza: "O que é racional é real, o que é real é racional" (Hegel).

abstração (lat. tardio *abstractio*, de *abstrahere*: separar de) **1.** Operação do espírito que isola, para considerá-lo à parte, um elemento de uma representação, o qual não se encontra separado na realidade. Ex.: a forma de um objeto independentemente de sua cor.
2. Processo pelo qual o espírito se desvincula das significações familiares do vivido e do mundo das percepções para construir *conceitos.
3. Na filosofia hegeliana, o momento da abstração ou do *universal abstrato, por oposição ao universal concreto, constitui a etapa do entendimento no devir do espírito. A atitude filosófica que lhe corresponde é a do dogmatismo.
4. Na linguagem corrente, as palavras "abstrato" e "abstração" possuem uma certa conotação pejorativa. Assim, dizemos de alguém que "ele se perde em abstração", dá preferência às "ideias abstratas" e não se atém aos "fatos concretos". Notemos o sentido paradoxal da expressão "fazer abstração de", que significa "afastar, não se levar em conta". Há a ideia de separação (algo é isolado de seu conjunto), mas com o objetivo de não se ocupar dele. No sentido filosófico, quando algo é isolado por abstração, é para se fixar nele a atenção.

abstrato (lat. *abstractus*) **1.** Diz-se daquilo que é considerado como separado, independente de suas determinações concretas e acidentais. Uma *ideia abstrata* é aquela que se aplica à essência considerada em si mesma e que é retirada, por abstração, dos diversos sujeitos que a possuem. Ex.: a brancura, a sabedoria, o orgulho etc. Ela é tanto mais abstrata quanto maior for sua *extensão: o vivente é mais abstrato do que o animal, pois compreende também o vegetal.
2. Produto da abstração que consiste em analisar o real mas considerando separadamente aquilo que não é separado ou separável. *Oposto a* concreto.

absurdo (lat. *absurdus*: discordante, incongruente) **1.** Aquilo que viola as leis da lógica por ser totalmente contraditório. É distinto do *falso*, que pode não ser contraditório. Ex.: a existência do movimento perpétuo. A *demonstração por absurdo* é aquela que demonstra uma proposição tentando provar que sua contraditória conduz a uma consequência manifestamente falsa; ora, de duas proposições contraditórias, se uma é verdadeira, a outra será necessariamente falsa, e vice-versa. *Ver* Zenão de Eleia.
2. O pai da filosofia do absurdo é Kierkegaard. Em sua oposição ao hegelianismo, ele afirma a impossibilidade de incluir totalmente o *indivíduo (como subjetividade) numa sistemática racional e a necessidade de fundar uma ética religiosa alicerçada na crença de uma transcendência inacessível. O absurdo é a distância da *subjetividade* relativamente à razão considerada como uma tentativa para estabelecer um sistema racional do mundo: é a distância entre o finito e o infinito, isto é, o lugar do silêncio de Deus.
3. Na filosofia existencialista, impossibilidade de se justificar racionalmente a existência das coisas e de lhes conferir um sentido. Sartre, ao ligar o absurdo e a existência de Deus, define-o como a impossibilidade, para o homem, de ser o fundamento de sua própria existência: o homem é "uma paixão inútil", destinado a "ex-sistir", a ser para além dele mesmo como uma consciência, como um *para-si*, isto é, um nada; ele está "condenado a ser livre", a ser responsável por seu ser e por sua própria razão de ser.
4. A partir das obras de Camus e de Kafka, fala-se muito do absurdo, notadamente no domínio da moral ou da metafísica, para designar o "incompreensível", o "desprovido de sentido" e o "sem finalidade".

abulia (gr. *abulia*: irreflexão, imprudência, de *a*: ausência e *boi*: vontade) Sintoma adquirido ou natural dolorosamente sentido, revelando o enfraquecimento da vontade consciente de alguém e designando a existência provável de uma neurose ou psicose que o impede de tomar uma decisão.

Academia **1.** Escola filosófica fundada por Platão em 388 a.C. nos arredores de Atenas, assim chamada porque situava-se nos jardins do herói ateniense Academos. Durou até o ano 529 da era cristã, quando as escolas pagãs foram fechadas por ordem do imperador romano Justiniano, e seu último líder, Damáscio, emigrou para a Pérsia, onde fundou um importante núcleo de pensamento grego. A longa existência da Academia, embora não signifique uma continuidade de pensamento, é responsável, no entanto, pela preservação da obra de Platão e pela formação de uma tradição do pensamento grego clássico.
2. *Nova Academia* é a escola filosófica cética fundada por *Arcesilau (316-241 a.C.) e continuada por *Carnéades (c.215-129 a.C.), para os quais não existe verdade, mas tão somente opiniões mais ou menos prováveis. *Ver* Nova Academia.
3. A partir do séc. XV, o termo "academia" passa a designar os diversos tipos de sociedades científicas, filosóficas ou literárias. As mais conhecidas e influentes são a Royal Society of Sciences, de Londres (1662), e a Académie des Sciences, de Paris (1666).

ação (lat. *actio*) **1.** O fato de agir (oposto ao pensamento). Ex.: a ação de andar, um homem de ação.
2. Atividade de um indivíduo da qual ele é expressamente a causa e pela qual modifica a si mesmo e o meio físico (opõe-se a paixão, passividade).
3. Enquanto sinônimo de *prática* (oposto de especulação ou teoria), o termo "ação" designa o conjunto de nossos atos, especialmente os atos voluntários suscetíveis de receberem uma qualificação moral. A ação supõe uma liberdade implicando o ultrapassamento da ordem da natureza. Contudo, o simples querer não produz a ação: esta só se realiza pela mediação de causas naturais. *Ver* praxis.

acaso (lat. *casus*) **1.** O acaso é aquilo que não podemos prever, o que permanece indeterminado. Na filosofia antiga e renascentista, assemelha-se ao destino acidental da criação do mundo e à contingência dos acontecimentos futuros, quer dizer, à sua não necessidade. Todo o esforço do homem consistiu em reduzir a possibilidade do acaso. Os mitos, a religião e a ciência tentam contê-lo nos limites da certeza e do conhecido. Num certo sentido, é aquilo que não conhecemos ainda, é o nome que damos à nossa ignorância: a característica dos fenômenos fortuitos é a de que dependem de causas muito complexas que ignoramos ainda. Cournot deu uma definição célebre do acaso, fazendo dele o resultado de duas séries de acontecimentos independentes que concorrem acidentalmente para produzir um fenômeno: saio de casa para visitar um amigo e, na rua, um vaso de flores cai sobre minha cabeça. Contudo, o acaso não é somente o produto de séries totalmente independentes, como nos mostra todo jogo de azar. Hoje, depois que se começou a matematizar o acaso, ele está ligado à noção de probabilidade e à teoria dos jogos. Assim, conseguimos medir a eventualidade do aparecimento de um acontecimento. Além disso, o acaso se tornou o princípio de explicação em física: o princípio de indeterminismo de Heisenberg tende a reduzir a causalidade direta em microfísica; também as teorias da evolução, em biologia molecular, submetem o acaso a uma certa "finalidade".

2. Na linguagem corrente, a palavra *acaso* é frequentemente utilizada para designar a causa fictícia daquilo que acontece de modo imprevisto; melhor ainda, é o nome que damos à ausência de causa, àquilo que parece não resultar nem de uma necessidade inerente à natureza das coisas nem tampouco de um plano concebido pela inteligência: tudo o que nos parece indeterminado ou imprevisível aparece-nos como efeito do acaso. *Ver* indeterminismo.

acidente (lat. *accidens*, de *accidere*: acontecer) **1.** Tudo aquilo que não pertence à *essência ou natureza de uma coisa, não existindo em si mesmo mas somente em outra coisa. Ex.: a forma ou a cor pertencem a uma coisa que subsiste em si mesma: a *substância.

2. É *acidental* tudo aquilo que pode ser mudado ou supresso sem que a coisa mesma mude de natureza ou desapareça. Na metafísica clássica, o acidente se opõe à substância e à essência: todo acidente só existe na substância.

acosmismo (al. *Akosmismus*, do gr. *a*: privação, e *kosmos*: mundo) Termo criado por Hegel para designar a posição de Espinoza relativamente a Deus. Hegel não aceita que ele seja acusado de ateísmo, porque, longe de negar Deus, confundindo-o com o mundo, faz o mundo penetrar em Deus.

adequação (lat. *adaequatio*) Correspondência exata. Ex.: na filosofia escolástica, a *verdade é definida como a adequação entre a *inteligência e a coisa.

adequado (lat. *adaequatus*, de *adaequare*: tornar igual) **1.** Diz-se daquilo que corresponde exatamente a seu objeto e ao fim visado.

2. A *ideia adequada* é aquela que possui todas as propriedades intrínsecas da ideia verdadeira (Espinoza).

***ad hominem*, argumento** Expressão latina para designar o argumento polêmico que dirigimos contra aquele com quem discutimos, mas que tem apenas valor singular.

admiração (lat. *admiratio*: espanto, surpresa). Para Aristóteles, a filosofia começa com a admiração. Para Descartes, a admiração "é a primeira de todas as paixões", dando força a quase todas as coisas: ela "é uma súbita surpresa da alma levando-a a considerar com atenção os objetos que lhe parecem raros e extraordinários"; ela "não possui o bem ou o mal por objeto, mas somente o conhecimento da coisa que admiramos".

Adorno, Theodor Wiesegrund (1903-1969) Filósofo alemão, fundador, juntamente com Horkheimer, em 1924, da famosa escola de Frankfurt, que originou-se no Instituto de Pesquisas Sociais de Frankfurt. Exilou-se por motivos políticos na Inglaterra (1933) e depois nos Estados Unidos (1937); retornando em 1949 à Alemanha, lecionou na Universidade de Frankfurt e reorganizou o Instituto de Pesquisas Sociais. Inicialmente dedicou-se ao estudo de Kierkegaard, sobretudo à sua noção de subjetividade, passando depois à análise da dialética em um sentido crítico à formulação de Hegel. Desenvolveu uma *teoria crítica* da *ideologia da sociedade industrial e de sua cultura, que marca distintamente a posição da escola de Frankfurt. Formulou o conceito de "indústria cultural" para caracterizar a exploração comercial e a vulgarização da cultura, principalmente através do rádio e do cinema. Denunciou sobretudo a ideologia da dominação da natureza pela técnica, que traz como consequência a dominação do próprio homem. É famosa, nesse sentido, sua polêmica com Popper e sua crítica ao *positivismo. Adorno destacou-se também como musicólogo, tendo sido ligado a Alban Berg, um dos criadores da música atonal, e escrevendo uma série de estudos sobre a música desde Wagner até a música popular e o *jazz*. Suas obras principais são: *Kierkegaard, construção do estético* (1933), *Dialética do esclarecimento* (1947, com Horkheimer), *Filosofia da nova música* (1949), *Dialética negativa* (1966), *Teoria estética* (1968), *Três estudos sobre Hegel* (1969). *Ver* Frankfurt, escola de.

adquirido/inato Na linguagem filosófica, o inato e o adquirido se restringem estritamente ao domínio da teoria do conhecimento, nada tendo a ver com uma diferença qualquer entre os homens. Assim, as *ideias inatas*, defendidas por Descartes, são as ideias de nosso espírito que não nos advêm pela experiência. Ex.: as ideias de Deus, de causa, de pensamento. As *ideias adquiridas*, ao contrário, são as que são apreendidas pela experiência: as ideias de cor, de consistência, de sabor etc. Trata-se de uma distinção essencialmente lógica, não cronológica. Em termos modernos, psicólogos e biólogos preferem falar de *disposições inatas*; p. ex., no homem, a faculdade de falar. *Ver* ideia; inatismo.

adventício (lat. *adventicius*: que vem de fora) Para Descartes, ideias adventícias são representações que provêm dos sentidos: "Entre minhas ideias, umas parecem que nasceram comigo (inatas); as outras me são estranhas e vêm de fora (adventícias); e as outras foram feitas e inventadas por mim mesmo (factícias)". *Ver* ideia.

afeição (lat. *affectio*: maneira de ser, disposição; simpatia, estima) No pensamento filosófico, *afeição*, significando mais ou menos "sentimento terno", está ligado ao verbo *afetar*: comover, perturbar. Assim, afetar significa exercer uma ação sobre uma coisa ou sobre alguém; e afeição é a modificação resultante dessa ação sobre aquele que a sofre. Em psicologia, afeição designa um certo estado da sensibilidade; os sentimentos e as sensações são afeições, mas a ternura constitui apenas uma afeição entre outras (de prazer, de dor, de cólera etc.).

aforismo (gr. *aphorismós*: definição) *Máxima que exprime de forma concisa um pensamento filosófico, geralmente de caráter moral. Ex.: *Os pensamentos* de Marco Aurélio, e os aforismos de Schopenhauer, intitulados *Parerga und paralipomena* (Acessórios e restos). O estilo aforismático é característico de filósofos e pensadores tão diversos quanto, p. ex., Nietzsche e Wittgenstein, e reflete, sobretudo no pensamento moderno e contemporâneo, uma concepção filosófica mais questionadora, provocativa e sugestiva do que propriamente teórica e sistemática.

a fortiori (expressão latina: com mais forte razão) Um raciocínio é considerado *a fortiori* quando ele vai do "mais" ao "menos", do universal ao particular, do geral ao especial. Ex.: na oposição das proposições subalternas do tipo "Todo A é B", *a fortiori* dizemos que "algum A é B".

agnosticismo (ingl. *agnosticism*, do gr. *agnostos*: desconhecido) **1.** Termo criado por Thomas Henry Huxley, na segunda metade do séc. XIX, para designar a incapacidade de conhecimento de tudo o que extrapola os sentidos.
2. Por extensão, doutrina segundo a qual é impossível todo conhecimento que ultrapassa o campo de aplicação das ciências ou que vai além da experiência sensível. Em outras palavras, doutrina segundo a qual todo conhecimento metafísico é impossível. Diz David Hume: "Quando percorremos as bibliotecas, o que devemos destruir? Se pegarmos um volume de teologia ou de metafísica escolástica, p. ex., perguntamo-nos: contém ele raciocínios abstratos sobre a quantidade ou o número? Não. Contém raciocínios experimentais sobre questões de fato ou de existência? Não. Então, lançai-o ao fogo, pois só contém sofismas e ilusões."
3. Em nossos dias, é muito comum a confusão entre agnosticismo e *ateísmo. No entanto, o agnosticismo não pretende negar a existência de Deus, mas somente reconhecer que não podemos afirmá-la ou negá-la; ademais, não se limita ele à questão da existência de Deus. *Ver* teísmo; deísmo.

agnóstico Diz-se do indivíduo que não acredita no sobrenatural, em Deus ou no divino. Em outras palavras, agnóstico é alguém que declara ser incognoscível tudo o que se encontra para além da experiência sensível.

Agostinho, sto. (354-430) Aurélio Agostinho, bispo de Hipona, nasceu em Tagaste, hoje Souk-Ahras, na Argélia, e é um dos mais importantes iniciadores da tradição platônica no surgimento da filosofia cristã, sendo um dos principais responsáveis pela síntese entre o pensamento filosófico clássico e o cristianismo. Estudou em Cartago, e depois em Roma e Milão, tendo sido professor de retórica. Reconverteu-se ao cristianismo, que fora a religião de sua infância, em 386, após ter passado pelo maniqueísmo e pelo ceticismo. Regressou então à África (388), fundando uma comunidade religiosa. Suas obras mais conhecidas são as *Confissões* (400), de caráter autobiográfico, e *A cidade de Deus*, composta entre 412 e 427. Sto. Agostinho sofreu grande influência do pensamento grego, sobretudo da tradição platônica, através da escola de Alexandria e do neoplatonismo, com sua interpretação espiritualista de Platão. Sua filosofia tem como preocupação central a relação entre a fé e a razão, mostrando que sem a fé a razão é incapaz de promover a salvação do homem e de trazer-lhe felicidade. A razão funciona assim como auxiliar da fé, permitindo esclarecer, tornar inteligível, aquilo que a fé revela de forma intuitiva. Este o sentido da célebre fórmula agostiniana *Credo ut intelligam* (Creio para que possa entender). Na *Cidade de Deus*, sto. Agostinho interpreta a história da humanidade como conflito entre a Cidade de Deus, inspirada no amor a Deus e nos valores cristãos, e a Cidade Humana, baseada exclusivamente nos fins e interesses mundanos e imediatistas. Ao final do processo histórico, a Cidade de Deus deveria triunfar. Devido a esse tipo de análise, sto. Agostinho é considerado um dos primeiros filósofos da história, um precursor da formulação dos conceitos de historicidade e de tempo histórico. A influência do pensamento agostiniano foi decisiva na formação e no desenvolvimento da filosofia cristã no período medieval, sobretudo na linha do *platonismo. Tanto as *Confissões* quanto as *Retratações* (escritas no final de sua vida) fazem dele um precursor de Descartes, de Rousseau e do existencialismo: "Se eu me engano, eu existo." *Ver* patrística.

Agrippa, Heinrich Cornelius (1485-1535) O pensador cético Agrippa (nascido em Colônia, Alemanha) desempenhou um papel importante nas primeiras décadas do séc. XIV não somente com suas especulações teosóficas, herméticas, cabalísticas e gnósticas, que suscitaram vivas polêmicas, mas sobretudo por ter-se convertido num dos grandes promotores do *ceticismo*, contra o qual iria contrapor-se Descartes. Num mundo onde nada é seguro, onde tudo é possível, nada é verdadeiro, proclama Agrippa, só há lugar para a *dúvida. Se nada é seguro, só o erro é certo. Portanto, temos de aceitar a incerteza e a vaidade das ciências e contentar-nos com a fé pura e simples em Deus. Obras principais: *De occulta philosophia* (1510) e *De incertitudine et vanitate scientiarum* (1526). *Ver* ceticismo.

Alain (1868-1951) Professor, jornalista e defensor da liberdade individual. Emile-Auguste Chartier, mais conhecido pelo pseudônimo de Alain (nasceu em Mortagne, França), influenciado por Montaigne e Comte, tornou-se um representante típico de um racionalismo cético e de um *liberalismo pacifista bastante extremado, embora hostil ao marxismo e à psicanálise. Obras principais: *Système des beaux-arts* (1926), *Propos* (entre 1920 e 1935), *Éléments de philosophie* (1941).

Albert, Hans (1921-) Filósofo e sociólogo alemão, professor na Universidade de Mannheim, procurou desenvolver um racionalismo crítico inspirado em Popper, questionando a crítica dialética e o método hermenêutico. Segundo Albert, o racionalismo crítico deve ser aplicado não só a uma proposta de fundamentação da ciência, mas também à interpretação da própria ação humana. Obras principais: *Tratado da razão crítica* (1968), *Construção e crítica: ensaios para a filosofia do racionalismo crítico* (1972), *Desvarios transcendentais: os jogos linguísticos de Karl-Otto Apel e seu deus hermenêutico* (1975).

Alberto Magno, sto. (c.1200-1280) Homem de saber enciclopédico, donde seu apelido *Doctor Universalis*, conhecido sobretudo por ter sido mestre de Tomás de Aquino e um dos principais responsáveis pela introdução e difusão do pensamento de Aristóteles na tradição filosófica e teológica medieval. Nasceu na Alemanha e pertenceu à Ordem dos Dominicanos, tendo sido professor na Alemanha e em Paris. Escreveu comentários a praticamente todas as obras de Aristóteles, e divulgou as ciências grega e islâmica no Ocidente cristão. *Ver* escolástica.

alegoria (gr. *allegoria*) 1. Representação de uma ideia por meio de imagens. Ex.: uma alegoria da justiça. Diferentemente do símbolo, a alegoria é um simbolismo concreto: "O símbolo está para o sentimento assim como a alegoria está para o pensamento" (Alain). *Ver* metáfora.
2. Relato apresentando um problema filosófico sob a forma de um simbolismo. Ex.: a alegoria da caverna de Platão. A alegoria pode ser considerada um simbolismo concreto, embora seu procedimento guarde frequentemente algo de abstrato,

enquanto o símbolo vale por si mesmo e pelos sentimentos que sugere, servindo para atingir o que a razão não consegue alcançar: os personagens de uma alegoria são percebidos mais como a personificação de uma ideia do que como pessoas. Enquanto a alegoria é clara, o símbolo guarda algo de obscuro e de equívoco.

alegria (lat. *gaudium*: gáudio, satisfação, alegria) Sentimento de plena satisfação de alguém, de natureza essencialmente moral, manifestando-se pela exuberância (gritos, risos, gestos desordenados, lágrimas) ou pela paz interior e serenidade do espírito: "A alegria é uma agradável emoção da alma consistindo no gozo que ela tem do bem que as impressões do cérebro lhe representam como seu" (Descartes); "A alegria é um prazer que a alma sente quando considera garantida a posse de um bem presente ou futuro" (Leibniz). *Oposto a* *tristeza e *diferente de* *prazer.

Alexandre de Afrodísias (sécs. II-III d.C.) Filósofo grego peripatético de Afrodísias, na Cária, que floresceu no séc. II da era cristã. Foi discípulo de *Arístocles de Messena. Notabilizou-se primeiramente por seus comentários sobre Aristóteles, mas no Renascimento gozou de certo prestígio por seus próprios escritos filosóficos: *Sobre o destino; Sobre a alma*, e alguns outros.

Alexandria, escola de Nome pelo qual é conhecida uma importante corrente filosófica neoplatônica que floresceu nos três primeiros séculos da era cristã em Alexandria, no Egito, um dos grandes centros culturais da época, incluindo pensadores judeus e cristãos. Destacam-se dentre seus principais representantes o judeu Fílon (c.20 a.C.-c.50 d.C.), e os cristãos Orígenes (c.185-254) e Clemente (séc. III). *Ver* neoplatonismo.

algoritmo (de al-Korismi: matemático árabe do séc. IX) Em um sentido mais amplo e geral, trata-se de um procedimento ou sequência de instruções para a realização de uma operação de cálculo em um número finito de passos.

alienação (lat. *alienatio*, de *alienare*: transferir para outrem; alucinar, perturbar) **1.** Estado do indivíduo que não mais se pertence, que não detém o controle de si mesmo ou que se vê privado de seus direitos fundamentais, passando a ser considerado uma coisa. **2.** Em Hegel, ação de se tornar outrem, seja se considerando como coisa, seja se tornando estrangeiro a si mesmo. **3.** Situação econômica de dependência do proletário relativamente ao capitalista, na qual o operário vende sua força de trabalho como mercadoria, tornando-se escravo (Marx). Para Marx, a propriedade privada, com a divisão do trabalho que institui, pretende permitir ao homem satisfazer suas necessidades; na realidade, ao separá-lo de seu trabalho e ao privá-lo do produto de seu trabalho, ela o leva a perder a sua essência, projetando-a em outrem, em Deus. A perda da essência humana atinge o conjunto do mundo humano. As alienações religiosas, políticas etc. são geradas pela alienação econômica. De modo particular, a alienação política é exercida pelo Estado, instrumento da classe dominante que submete os trabalhadores a seus interesses. A alienação religiosa é aquela que impede o homem de reconhecer em si mesmo sua humanidade, pois ele a projeta para fora de si, num ser que se define por tudo aquilo que o indivíduo não possui: Deus; ela revela e esconde a essência do homem, transportando-a alhures, no mundo invertido da divindade (Feuerbach). **4.** Os termos "alienado" e "alienação" ingressam no vocabulário filosófico graças a Hegel e a Marx. Se, em Hegel, a alienação designa o fato de um ser, a cada etapa de seu devir, aparecer como *outro* distinto do que era antes, em Marx, ela significa a "despossessão", seguida da ideia de escravidão. Assim, quando dizemos hoje que o trabalho é um instrumento de alienação na economia capitalista, estamos reconhecendo que o operário é *despossuído* do fruto de seu trabalho. *Ver* fetichismo; reificação. **5.** Hoje em dia, podemos falar de outra forma de alienação: não se trata apenas de uma alienação do homem *na* técnica ou *pela* técnica, nem tampouco somente da alienação do Eu (como acredita Marx), mas de uma alienação em relação ao próprio mundo: o homem não somente se perde em sua produção, mas perde seu próprio mundo, que é ocultado, esterilizado, banalizado e desencantado pela técnica, com tudo o que implica de sentimento de absurdo, de privação de norma, de isolamento de si, de falta de comunicação etc.

alma (lat. *anima*: sopro vital) **1.** Por oposição ao *corpo, a alma é um dos dois princípios do composto humano: princípio da sensibilidade e do pensamento, fazendo do corpo vivo algo distinto da matéria inerte ou de uma máquina.

2. Na filosofia aristotélico-escolástica, a alma humana, que é uma alma pensante, constitui o princípio mesmo do pensamento. Ela é um princípio de vida; "ato primeiro de um corpo natural organizado" (Aristóteles) ou, então, "forma de um corpo organizado tendo a vida em potência".

3. Para Descartes, alma é sinônimo de pensamento ou de *espírito: "Sou uma substância cuja essência toda ou a natureza não é outra senão a de pensar." Depois de instituir o *cogito* como verdade primeira, Descartes conclui: "A proposição 'Eu existo' é necessariamente verdadeira todas as vezes que a pronuncio ou que a concebo em meu espírito. De sorte que eu, quer dizer, a alma, pela qual sou o que sou, é inteiramente distinta do corpo." Mas quem sou eu, quando duvido? Uma coisa que pensa, uma *res cogitans*, uma mente (*mens*). Assim se funda a distinção da alma (imortal) e do corpo (parte da *res extensa*).

4. Para outros filósofos, Schelling, p. ex., a alma é o princípio de unidade e de movimento sustentando a continuidade do mundo (orgânico e inorgânico) e unindo toda a natureza num organismo universal. Essa ideia da *alma do mundo* já é bastante frequente nos sécs. XVI e XVII.

5. Observemos que, na filosofia antiga e clássica, alma é sinônimo de espírito e se opõe a corpo. Contudo, enquanto o corpo se destrói, seu princípio oposto, a alma, é indestrutível: donde a "imortalidade da alma"; não se fala da "imortalidade do espírito". No vocabulário contemporâneo da filosofia, só se emprega o termo "espírito". Aliás, depois de Kant, os problemas concernentes à existência de Deus ou à imortalidade da alma não revelam mais da filosofia.

6. Hegel fala da *"bela alma"* para designar uma atitude existencial do indivíduo que procura preservar sua pureza moral, sem se engajar na ação, refugiando-se na pureza de seu coração.

Alquié, Ferdinand (1906-1985) Professor honorário na Universidade de Paris-Sorbonne, o francês Ferdinand Alquié possui uma obra bastante rica versando tanto sobre os filósofos do séc. XVII quanto sobre metafísica, poesia e o surrealismo. Destacou-se por ter editado as obras completas de Descartes na França e por estar publicando as de Kant. Sua preocupação filosófica fundamental consiste em refletir sobre a dualidade entre a consciência intelectual e a consciência afetiva. Acredita numa filosofia eterna, pois defende a tese segundo a qual todos os grandes filósofos, apesar de suas diferenças, praticamente disseram a mesma coisa: em nome do ser, fizeram uma crítica do objeto. Obras principais: *Le découverte métaphysique de l'homme chez Descartes* (1950), *La nostalgie de l'être* (1950), *La critique kantienne de la méta-physique* (1968), *Signification de la philosophie* (1971), *Le cartésianisme de Malebranche* (1974), *Le rationalisme de Spinoza* (1981).

alteridade (do lat. *alter*: outro) **1.** Caráter do que é *outro e se opõe ao mesmo: "Outro se diz dos seres que possuem pluralidade de espécie, de matéria ou de definição de sua substância: o Outro apresenta significações opostas às do Mesmo" (Aristóteles).

2. Do ponto de vista lógico, negação estrita da identidade e afirmação da diferença.

Althusius, Johannes (1557-1638) A importância do pensador alemão Althusius reside no fato de ter sido ele o fundador da doutrina do *direito natural. Com sua obra principal, intitulada *Política* (1603), torna-se o primeiro defensor dos direitos dos povos. Como huguenote (ou calvinista), não somente criticou as barbaridades perpetradas pelo catolicismo na horrível noite de São Bartolomeu (todos os huguenotes foram mortos em Paris) como também deu uma interpretação racional do Estado e da sociedade em geral. Surge a ideia de "povo", tendo autoridade para destituir o rei quando ele não agir em seu interesse. O Estado nada mais é do que o mandatário do "povo" (a burguesia), o verdadeiro soberano.

Althusser, Louis (1918-1990) Filósofo marxista francês, desenvolveu uma interpretação original do pensamento de Marx na perspectiva *estruturalista*, combatendo o humanismo marxista e o marxismo-leninismo. Procurou analisar as bases teóricas do pensamento de Marx, estabelecendo diferentes etapas no desenvolvimento de sua argumentação, que caracterizou recorrendo ao conceito de *Bachelard de corte epistemológico, privilegiando sobretudo a fase madura correspondente a *O capital*. Buscou, assim, desenvolver a teoria marxista a partir do conceito de ciência empregado por Marx, considerando entretanto a ciência não apenas como fenômeno de *superestrutura, mas como produção de conhecimento, chegando inclusive a propor uma teoria do processo de produção do conhecimento. O materialismo dialético de Marx se caracterizaria assim como teoria filosófica, procurando Althusser investigar as bases epistemológicas dessa teoria, bem como seu papel político. Obras principais: *A favor de Marx* (1965), *Ler "O* *capital*" (1966-1968, com outros autores, dentre os quais Balibar, Establet, Rancière), *Lenin e a filosofia* (1969) e o influente *Ideologia e aparelhos ideológicos de Estado* (1970).

altruísmo Conceito estabelecido por Augusto Comte para designar o amor mais amplo possível ao outro, vale dizer, a inclinação natural que nos levaria a escolher o interesse geral de preferência a nossos próprios interesses. Em seu sentido mais moral, por oposição a egoísmo e a egocentrismo, altruísmo designa a atitude generosa que consiste em sacrificar efetivamente seu interesse próprio em proveito do interesse do outro ou da comunidade.

ambiguidade (lat. *ambiguitas*: duplo sentido) **1.** Duplo sentido de uma palavra ou de uma expressão.
2. Condição do ser humano que reside na impossibilidade de fixar, previamente, um sentido para sua existência. "Não devemos confundir a noção de ambiguidade com a de absurdo. Declarar a existência absurda é negar que ela possa dar-se um sentido; dizer que ela é ambígua é afirmar que o sentido jamais lhe é fixado, que ele deve incessantemente ser conquistado" (Simone de Beauvoir).

amicus Plato... "Sou amigo de Platão, porém muito mais amigo da verdade" é uma frase de Aristóteles quando se vê obrigado a criticar as posições de seu mestre: não devemos confundir a ordem psicológica do afeto e a cognitiva da verdade.

amizade (lat. *amicitia*: amizade) Sentimento recíproco entre duas pessoas desprovido de caráter sexual e estabelecendo-se sob o signo da igualdade e do respeito aos mesmos direitos e deveres: "A amizade é a união de duas pessoas ligadas por um amor e por um respeito iguais e recíprocos" (Kant). Um ditado latino diz: "A amizade torna iguais."

amnésia (gr. *amnesia*: esquecimento, ausência de memória) Perda total ou parcial da memória, geralmente após um choque físico ou psíquico. Seu interesse filosófico está ligado às teorias concernentes à memória e ao esquecimento: não sendo totalmente real e "sincera", pode ser *alegada* ou *simulada*.

Amônio Sacas Filósofo grego (nascido em Alexandria) que floresceu na primeira metade do séc. III da era cristã. Tendo abandonado o Cristianismo, fundou o *neoplatonismo em Alexandria, onde Plotino, Orígenes e Longino foram seus discípulos.

amor (lat. *amor*: afeição, simpatia) **1.** Tendência da sensibilidade suscetível a transportar-nos para um ser ou um objeto reconhecido ou sentido como bom. Ex.: o amor materno, o amor da glória.
2. Sentimento de inclinação e de atração ligando os homens uns aos outros, a Deus e ao mundo, mas também o invidíduo a si mesmo. Em outras palavras, inclinação para uma pessoa, sob todas as suas formas e em todos os graus, desde o amor-desejo (inclinação sexual) até o amor-paixão e o amor-sentimento. "O amor é uma emoção da alma causada pelo movimento dos espíritos, levando-a a unir-se voluntariamente aos objetos que lhe parecem ser convenientes" (Descartes).
3. *Amor ablativo* é a tendência oposta ao egoísmo, ao amor possessivo, pois se define pela doação e pelo devotamento ao outro. Ex.: o amor ao próximo.
4. O chamado *amor puro* é aquele que se tem apenas para com Deus, na mais total e perfeita gratuidade. "O amor é essa afeição que nos faz encontrar prazer nas perfeições daquele que amamos, e nada há de mais perfeito que Deus. Para amá-lo, basta considerarmos suas perfeições. As perfeições de Deus são as de nossas almas, mas Ele as possui sem limites." (Leibniz)
5. *Amor platônico* é aquele que prescinde de toda sensibilidade para alegrar-se com as belezas intelectuais ou espirituais e com a essência mesma no belo.
6. Nietzsche retoma dos estoicos a expressão "*amor fati*", literalmente "amor do destino" (implicando uma ideia de fatalidade), para designar a alegria e o desejo do filósofo por aquilo que deve acontecer: o futuro.

amor-próprio 1. Em seu sentido amplo, designa o amor de si ou a opinião favorável que alguém pretende dar de si aos outros; "falta de amor-próprio" seria "ausência de orgulho legítimo".
2. No sentido filosófico, sentimento egoísta no qual podemos encontrar a origem interesseira das ações humanas. Segundo Pascal, traduz o estado de pecado pela "morte de Deus" no homem. Para Rousseau, representa a passagem do estado de natureza ao de sociedade: "Não devemos confundir *Amor-próprio* e *Amor de si*: duas paixões muito

diferentes por sua natureza e seus efeitos. O *Amor de si* é um sentimento natural que leva todo animal a velar por sua própria conservação e que, dirigido no homem pela razão e modificado pela piedade, produz a humanidade e a virtude."
3. Em seu sentido atual, sentimento que o sujeito experimenta quanto a seu valor pessoal, de sua própria dignidade e do respeito de si: "consciência" de sua auto estima.

amoral (gr. *a*: privação, e lat. *moralis*) **1.** Diz-se do que não é suscetível de ser qualificado moralmente ou que se revela estranho ou contrário ao domínio da moral.
2. Diz-se do que se apresenta como desprovido não somente de moralidade, mas de todo e qualquer senso moral. Ex.: o indivíduo amoral é aquele que nem mesmo tem consciência dos juízos morais.

amoralismo Doutrina ou atitude que rejeita ou desconhece o valor dos imperativos éticos e das práticas morais. *Ver* imoralismo.

Amoroso Lima, Alceu (1893-1983) ensaísta, professor universitário e pensador brasileiro (nascido no Rio de Janeiro). Formado pela Faculdade de Ciências Jurídicas e Sociais do Rio de Janeiro, foi catedrático de introdução à ciência do direito, de economia, de sociologia e de literatura em várias escolas superiores do Rio até 1963. Exerceu a crítica literária em vários jornais, sob o pseudônimo de *Tristão de Ataíde*. Participou do movimento modernista de 1922. Convertido ao catolicismo em 1928, passou a exercer uma forte influência no meio intelectual brasileiro, sobretudo por sua crítica literária e por seus numerosos ensaios sobre direito, pedagogia, sociologia e a situação política nacional. Não sendo propriamente um filósofo, desenvolveu um pensamento bastante marcado pelos filósofos cristãos preocupados com a defesa de um "humanismo integral". (*Ver* Maritain, Jacques). Tornou-se, assim, um líder do catolicismo dito "progressista" no Brasil. Presidiu o Centro Dom Vital, de 1928 a 1963. Foi membro da Academia Brasileira de Letras. Seus livros mais importantes são, além de sua obra ficcional: *Adeus à disponibilidade e outros adeuses* (1928), *Debates pedagógicos* (1932), *Pela reforma social* (1933), *Mitos de nosso tempo* (1943), *Humanismo pedagógico* (1944), *O trabalho no mundo moderno* (1959) e *Revolução, reação ou reforma* (1964). *Ver* filosofia no Brasil.

análise (gr. *analysis*, de *analyein*: desligar, decompor um todo em suas partes) **1.** Divisão ou decomposição de um todo ou de um objeto em suas partes, seja materialmente (análise química de um corpo), seja mentalmente (análise de conceitos). Opõe-se à *síntese, ato de composição que consiste em unir em um todo diversos elementos dados separadamente. Alguém que possui um espírito de síntese, por oposição a quem possui um espírito analítico, é aquele que é apto para considerar as coisas em seu conjunto.
2. Procedimento pelo qual fornecemos a explicação sensata de um conjunto complexo. Ex.: a análise de um romance, de um fato histórico.
3. Método de conhecimento pelo qual um todo é dividido em seus elementos constitutivos. "O segundo preceito (do método) consiste em dividir cada uma das dificuldades em tantas partes quantas possíveis e quantas necessárias fossem para melhor resolvê-las" (Descartes). Opõe-se ao método da síntese, indo das proposições mais simples às mais complexas: "Conduzir por ordem meus pensamentos, a começar pelos objetos mais simples e mais fáceis de serem conhecidos, para galgar, pouco a pouco, como que por degraus, até o conhecimento dos mais complexos" (Descartes).
4. "A operação que conduz do exame de uma totalidade T à proposição 'P faz parte de T' chama-se análise" (Bertrand Russell).

analítico/analítica 1. Que diz respeito à análise ou à analítica; que se faz por meio de análise. *Oposto a* sintético.
2. Oposto a juízo *sintético, o juízo analítico é aquele cujo atributo pertence necessariamente à essência ou à definição do sujeito. Ex.: os corpos são extensos.
3. Uma *proposição é analítica* quando se pode validá-la ou invalidá-la sem recorrer à observação, embora ela não forneça nenhuma informação sobre a realidade.
4. Em Aristóteles, a *analítica* é a parte da lógica que trata da demonstração; em Kant, é a parte da lógica transcendental (analítica transcendental) que tem por objeto "a decomposição de nosso conhecimento *a priori* nos elementos do conhecimento puro do entendimento", isto é, das categorias.

analogia (gr. *analogia*: proporção matemática, correspondência) **1.** Paralelo entre coisas diferentes levando-se em conta o seu aspecto geral.
2. Identidade de relação unindo dois a dois os termos de vários pares. É o caso da proporção matemática A, B e C, D, que se escreve: "A:B::C:D" e se

enuncia: "A está para B como C está para D". Donde a igualdade proporcional $\underline{A} = \underline{C}$.
 B D

3. Identidade de relações entre seres e fenômenos (analogia entre queda e gravitação, entre o boi e a baleia).

4. *Raciocínio por analogia* é uma inferência fundada na definição de características comuns. Assim, um corpo que sofre na água o chamado impulso de Arquimedes deve sofrer o mesmo impulso no ar, pois as características comuns à água (líquido) e ao ar (gás) definem o fluido. As descobertas científicas frequentemente consistem na percepção de uma analogia, ou seja, de uma identidade entre dois fenômenos sob a diversidade de suas aparências. Ex.: a analogia do raio e da centelha elétrica descoberta por Franklin.

anamnese (gr. *anamnésis*: ação de lembrar-se) Na filosofia platônica, a anamnese consiste no esforço progressivo pelo qual a consciência individual remonta, da experiência sensível, para o mundo das ideias. *Ver* reminiscência.

anarquia (gr. *anarchia*: ausência de chefe, de comando) **1.** Estado de uma sociedade não organizada ou desorganizada e desprovida de *governo capaz de manter a ordem institucional.
2. Desorganização ou desordem, de fato ou voluntária, num grupo social, por falta de uma autoridade ou liderança.

anarquismo Doutrina política que repousa no postulado de que os homens são, por natureza, bons e sociáveis, devendo organizar-se em comunidades espontâneas, sem nenhuma necessidade do Estado ou de um governo. Trata-se de uma concepção política que condena a própria existência do Estado. "Repudiamos toda legislação, toda autoridade e toda influência privilegiada, patenteada, oficial e legal, mesmo oriunda do sufrágio universal, convencidos de que jamais poderá funcionar senão em proveito de uma minoria dominante e exploradora contra os interesses da imensa maioria submissa" (*Bakunin). Assim, como conjunto de teorias sociais possuindo em comum a crença no indivíduo e a desconfiança relativamente aos poderes que se exercem sobre ele, o anarquismo aprova o que dizia Proudhon: "Ser governado é ser vigiado, inspecionado, espionado, dirigido, legisferado, regulamentado, enquadrado, doutrinado, pregado, controlado, rotulado... por seres que não possuem nem a ciência nem a virtude."

anarquista Partidário do anarquismo, isto é, do individualismo total e absoluto, rejeitando, sumariamente, toda autoridade individual ou coletiva e podendo chegar, em alguns casos, a defender a "propaganda pelo fato", caracterizada por atentados e terrorismos políticos. *Ver* libertário.

Anaxágoras (499-428 a.C.) Filósofo da Ásia Menor (nascido em Clazomenas), considerado o fundador da escola filosófica de Atenas. Amigo e partidário de Péricles, foi acusado de impiedade e de ateísmo por seus inimigos, pois se recusava a prestar culto aos deuses nacionais. Banido de Atenas em 434 a.C., morreu em Lâmpsaco. Considerado por Diógenes Laércio "o primeiro que acrescentou a inteligência (*nous*) à matéria (*hylé*)", Anaxágoras sustentava que, para explicar tudo o que acontece e que muda, precisamos adotar a hipótese de um número infinito de elementos, de germes ou "sementes"("*omoiomerias*"), que se diferenciam entre si qualitativamente, que possuem propriedades irredutíveis, de cuja combinação nascem todas as coisas. Assim, o princípio de todas as coisas são essas "sementes" que se misturam e se separam. Inicialmente, estavam "todas juntas", confundidas e sem ordem num primitivo caos. Mas foram ordenadas pelo espírito, pela inteligência, pela mente ou "*nous*".

Anaximandro (610-547 a.C.) Filósofo da escola *jônica, o grego (natural de Mileto e discípulo de Tales) Anaximandro estabeleceu que o princípio de todas as coisas é o ilimitado (o *apeiron*). Para ele, tudo provém dessa substância eterna e indestrutível, infinita e invisível que é o *apeiron*, o ilimitado, o indeterminado: "o infinito é o princípio" (*arché*); e o princípio é o fundamento da geração das coisas, fundamento que as constitui e as abarca pelo indiferenciado, pelo indeterminado. A ordem do mundo surgiu do caos em virtude desse princípio, dessa substância única que é o *apeiron*.

Anaxímenes (588-524 a.C.) Filósofo da escola *jônica, o grego (natural de Mileto e discípulo de Anaximandro) Anaxímenes ensinou que a substância originária não poderia ser a água (como acreditava Tales) nem tampouco o *apeiron* (como dissera Anaximandro), mas o *ar infinito* (*o pneuma apeiron*) que, através da rarefação e da condensação, forma todas as coisas. O ar recobre toda a ordem do universo como um elemento vivo e dinâmico. Como a alma humana, ele é como um sopro, um hálito que informa toda a matéria: "Da mesma maneira que nossa alma, que é ar, nos mantém unidos, também o sopro e o ar mantêm o mundo inteiro."

andrógino (do gr. *andros*: homem, e *gyné*: mulher) Ser que, na origem (segundo Platão, no *Banquete*), aparece como um terceiro gênero composto dos dois sexos. Dotado de força prodigiosa, revolta-se contra os deuses. Para puni-los de seu orgulho, Zeus corta cada um em duas metades. Doravante, tendo a nostalgia da unidade perdida, as duas partes (de sexos diferentes) vão tentar encontrar sua metade complementar e unir-se a ela. Assim se explicaria o nascimento do amor sexual.

Andrônico de Rodes Filósofo grego peripatético que floresceu no séc. I a.C., em Roma. Organizou, catalogou e publicou as obras de *Aristóteles. Foi o primeiro que deu a conhecer aos romanos as doutrinas filosóficas de Aristóteles e de *Teofastro. Atribui-se a ele o termo *"metafísica", com o qual denominou um conjunto de textos de Aristóteles.

angústia (lat. *angustia*: estreiteza, aperto, restrição) **1.** Mal-estar provocado por um sentimento de opressão, seja de inquietude relativa a um futuro incerto, à iminência de um perigo indeterminado mas ameaçador, ao medo da morte e às incertezas de um presente ambíguo, seja de inquietude sem objeto claramente definido ou determinado, mas frequentemente acompanhada de alterações fisiológicas.
2. Neurose caracterizada por ansiedade, agitação, fantasias, fobias e por um sentimento confuso de impotência diante de um perigo eventual, real ou imaginário.
3. Em Kierkegaard, estado de inquietude do existente humano provocado pelo pressentimento do pecado e vinculado ao sentimento de sua liberdade. Em Heidegger, insegurança do existente diante do nada: o sentimento de nossa situação original nos mostra que fomos lançados no mundo para nele morrer. Em Sartre, consciência da responsabilidade universal engajada por cada um de nossos atos: "A angústia se distingue do medo, porque o medo é medo dos seres do mundo, enquanto a angústia é angústia diante de mim."

animal-máquina Teoria elaborada por Descartes e desenvolvida por Malebranche segundo a qual os animais não passam de autômatos aperfeiçoados, desprovidos de sensibilidade e de inteligência. Quanto aos homens, não são máquinas, porque neles há o *cogito*. Contudo, o corpo humano, enquanto *res extensa*, isto é, enquanto extensão, funciona como uma máquina, vale dizer, como um mecanismo análogo ao das máquinas feitas pelo homem (como um relógio, p. ex.).

animal político Expressão utilizada por Aristóteles ao definir o homem como "*zoôn politikón*" ("animal político"). Queria dizer que, por oposição aos outros seres vivos, o homem é um animal destinado, por sua natureza, a viver na *cidade (na *pólis*), o que não implica que tenha um gosto natural pelas lutas eleitorais ou pelas discussões políticas no sentido que lhes damos hoje.

animismo (al *animismus*, do lat. *anima*: alma) **1.** Doutrina segundo a qual a alma constitui o princípio da vida orgânica e do pensamento.
2. Concepção que consiste em atribuir alma às coisas. Em outras palavras, crença segundo a qual a natureza é regida por almas ou espírito análogos à vontade humana.
3. Em seu sentido estrito, o animismo é uma teoria antropológica que tem por objetivo explicar as crenças religiosas dos povos primitivos através de uma *personificação* dos fenômenos naturais, sob a forma de vontades múltiplas e contraditórias. Contudo, os fenômenos animistas se verificam também no chamado "homem civilizado", especialmente nos doentes mentais e nos que são dominados por um pensamento infantil.

aniquilamento (lat. *annihilare*: reduzir a nada) Destruição total de um ser particular ou de um ser geral. Trata-se de uma redução ao nada (*nihil*). Assim, para os materialistas, a morte constitui o aniquilamento do ser humano, vale dizer, de sua individualidade, só permanecendo a matéria de que seu corpo é composto.

Annales, escola dos (*école des Annales*) Também chamada de *Nova História* (Nouvelle Histoire), a escola dos Anais é um movimento que, pretendendo ir além da visão positivista dos historiadores que veem a história como crônica de acontecimentos (*histoire événementielle*), tem como objetivo renovar e ampliar o quadro das pesquisas históricas. Fundada na França por Lucian Febvre e Marc Bloch (1929), em torno da revista *Annales: économies, sociétés, civilisations*, essa corrente de pensamento abre o campo da história para o estudo de atividades humanas até então pouco investigadas. Substitui o tempo breve da história dos acontecimentos pela longa duração (*longue durés*), capaz de tornar inteligíveis os fatos de civilização ou as "mentalidades". Rompendo com a compartimentação estanque das disciplinas sociais (história, sociologia, psicologia, economia, geografia humana etc.), privilegia, em suas investigações, os métodos pluridisciplinares. Uma das principais obras representativas desta corrente é *O Mediterrâneo e o mundo mediterrâneo no período de Felipe II*, de Fernand Braudel.

Anselmo, sto. (1033-1109) Considerado um dos iniciadores da tradição escolástica, sto. Anselmo nasceu em Aosta, na Itália, e foi arcebispo de Canterbury, na Inglaterra. Distinguiu-se sobretudo por ter formulado o célebre argumento *ontológico para demonstrar a existência de Deus, em seu *proslogion*, retomado depois por Descartes e criticado por Kant. É também autor de diálogos como *De veritate* e *De grammatico*, em que apresenta um tipo de análise conceitual muito influente no desenvolvimento da filosofia medieval. Em várias de suas obras, procurou conciliar a fé e a razão, na linha do pensamento de sto. Agostinho. *Ver* escolástica.

antecedente (lat. *antecedens*, de *antecedere*: preceder) **1.** Nas ciências experimentais, o antecedente é um fenômeno ou fato que precede outro fenômeno, estando ligado ao consequente por uma relação invariável ou lei.
2. Antecedentes (geralmente no plural) são particularidades hereditárias ou acontecimentos do passado pessoal de um indivíduo, servindo para explicar quer suas anomalias psíquicas do momento, quer certos comportamentos considerados associados ou criminosos no presente.

antinomia (gr. *antinomia*: contradição entre leis) Conflito da razão consigo mesma diante de duas proposições contraditórias, cada uma podendo ser demonstrada separadamente. Inventadas pelos céticos gregos, as antinomias fazem prevalecer a contradição de princípio entre diferentes enunciados e, a partir daí, a vaidade de todo conhecimento. Na filosofia de Kant, a antinomia designa o fenômeno de oscilação da tese à antítese, a razão se encontrando diante do enunciado de duas demonstrações contrárias, mas cada uma sendo coerente consigo mesma. P. ex., quando a razão pretende optar pela liberdade ou pelo determinismo. A solução desse jogo de oposições implica toda a filosofia transcendental, pela qual a razão pode ser definida como o lugar de engendramento de conflitos, de oposições, de antinomias. As antinomias estão na origem do ceticismo que, por sua vez, abala o dogmatismo e prepara o criticismo. São quatro as antinomias da *razão pura*: a) é o mundo limitado no tempo e no espaço? b) é o mundo divisível em partes simples ou indivisível ao infinito? c) existe uma liberdade moral ou somente um determinismo físico? d) existe um ser necessário ou somente seres contingentes?

antipsiquiatria Movimento iniciado na Grã-Bretanha nos anos 60 pelos psiquiatras Ronald Laing e David Cooper tendo por objetivos: a) romper com os critérios e os métodos da psiquiatria clássica, que defendia a internação dos doentes mentais; b) propor terapêuticas suscetíveis de assumir o conjunto do meio social e familiar do "doente" (relações de vizinhança, de trabalho etc.); c) fazer um questionamento político da organização social.

Antístenes (c.444-c.365 a.C.) Filósofo grego (nascido em Atenas); foi discípulo de Sócrates e mestre de Diógenes, o Cínico. Fundou a escola cínica ou o cinismo. Segundo a sua doutrina filosófica, o bem supremo está na virtude, que consiste em menosprezar a riqueza, a grandeza e a volúpia. *Ver* cinismo.

antítese (gr. *antithesis*: oposição) **1.** Oposição de contrariedade entre dois termos ou duas proposições.
2. Em Kant, proposição contrária à *tese. Em Hegel, segundo momento da *dialética entre a tese e a síntese que realiza o acordo dos dois primeiros momentos. Ex.: o não ser é a antítese do ser, sua *síntese sendo o devir.
3. Em Hegel, que foi retomado por Marx, a antítese designa o *momento negativo* da dialética: "A antítese é a negação da tese, e a negação dessa negação culmina na síntese." *Ver* dialética.

antrópico, princípio Princípio formulado pelo físico cosmólogo norte-americano Brandon Carter na década de 1970, estabelecendo que o ser humano só seria capaz de observar um universo suficientemente estruturado para permitir a existência da própria vida humana; ou seja, se o universo em que nos encontramos fosse hostil à vida, não poderíamos observá-lo. Segundo a definição de Carter, "nossa posição no universo é necessariamente privilegiada, na medida em que é compatível com nossa existência enquanto observadores". Nesse sentido, o princípio antrópico guarda relação com o argumento *cosmológico, uma vez que é utilizado como argumento em defesa da existência de um universo ordenado.

antropocentrismo (do gr. *anthropos*: homem, e do lat. *centrum*: centro) Concepção que situa e explica o homem como o centro do universo e, ao mesmo tempo, como o fim segundo o qual tudo o mais deve estar ordenado e a ele subordinado: "O homem é a medida de todas as coisas" (Protágoras).

antropologia (gr. *anthropos*: homem, e *logos*: teoria, ciência) **1.** Ciência do homem ou conjunto das disciplinas que estudam o homem.
2. *Antropologia física*: conjunto das ciências naturais que estudam o homem enquanto animal.
3. *Antropologia cultural*: ciência humana que tem por objeto de estudo as diferentes culturas e que investiga mais especialmente as chamadas sociedades primitivas. Englobando a etnografia e a etnologia, estuda as diversas culturas do homem em sua referência aos diferentes meios sociais. Nesse sentido, pode ser considerada o conjunto das disciplinas que investigam os agrupamentos humanos tanto sob o ângulo dos tipos físicos e biológicos como das formas de civilização atuais e passadas.
4. *Antropologia filosófica*: "Conhecimento pragmático daquilo que o homem, enquanto ser dotado de livre-arbítrio, faz, pode ou deve fazer dele mesmo" (Kant). Para Kant, a antropologia divide-se em: antropologia teórica (ou psicologia empírica), que é o conhecimento do homem em geral e de suas faculdades; antropologia pragmática, que é o conhecimento do homem centrado em tudo aquilo que pode ampliar sua habilidade; antropologia moral, que é o conhecimento do homem centrado naquilo que deve produzir a sabedoria na vida, conforme os princípios da metafísica dos costumes.

antropomorfismo (do gr. *anthropos*: homem, e *morphé*: forma) **1.** Concepção pela qual explicamos os fenômenos físicos ou biológicos atribuindo-lhes motivações ou sentimentos humanos.
2. Atitude de espírito que consiste em conceber Deus à imagem e semelhança do homem e em atribuir-lhe modos de pensar, de sentir e de agir idênticos ou semelhantes aos modos humanos.
3. A similitude entre Deus e o homem aparece, tanto para Feuerbach quanto para Freud, como a fonte mesma da religião. Para Feuerbach, Deus é a essência da humanidade: o homem projeta num ser mítico todas as suas qualidades e adora, assim, sua própria essência, que ele não mais reconhece. Para Freud, Deus é o Pai morto: na horda primitiva, o grupo dos filhos, oprimido pelo pai que o exclui do poder e o afasta das mulheres, rebela-se e mata o pai; porém, para evitar a discórdia entre si e fugir da culpabilidade, restabelece a lei e os interditos que o pai havia instaurado; é desse conflito que surgem o poder divino e a neurose originária da religião.

aparência (lat. *apparentia*: aparição, aspecto) **1.** Aquilo que é dado das coisas ao sujeito na representação. *Sinônimo de* *fenômeno.
2. Aspecto enganador ou meramente superficial das coisas. *Oposto a* *realidade.

aparências, salvar as Expressão utilizada para traduzir o preceito epistemológico grego: *sozein phainomena*: toda hipótese capaz de fornecer uma explicação aos fenômenos do mundo deve satisfazer uma condição: que tudo o que pudermos deduzir dessa hipótese seja conforme aos dados da experiência (aos fatos observáveis ou aparências).

apartheid (afrikaans: segregação) Sistema de discriminação racial vigente na África do Sul entre 1948 e 1994, consistia em separar os descendentes dos europeus dos nativos da África, recusando a estes os mesmos direitos e executando para eles uma política de "desenvolvimento separado"; embora alegasse visar salvaguardar a originalidade de cada comunidade étnica, o objetivo último era preservar, de direito e de fato, a supremacia dos brancos.

apatia (gr. *apatheia*: sem sensibilidade) **1.** Estado de indiferença e de passividade afetiva no qual desaparece toda iniciativa.
2. Estado de total indiferença constituindo o soberano bem (Pirro).
3. Para os estoicos, estado da alma alcançado pela vontade e que a torna não somente inacessível à perturbação das paixões, mas insensível à dor.

apeiron Termo grego utilizado por *Anaximandro para designar "aquilo que não tem limiar, extremidade ou limite", sendo considerado, pois, como "infinito" e "imenso", como o princípio original dos seres, tanto de seu aparecimento quanto de sua dissolução.

Apel, Karl-Otto (1922-) Filósofo alemão, professor na Universidade de Kiel, desenvolveu uma série de trabalhos sobre a linguagem e a comunicação humana em uma perspectiva que aproxima a *hermenêutica e a *teoria crítica da escola de *Frankfurt da semiótica de *Peirce e da filosofia analítica, em um diálogo bastante fértil. Obras principais: *A ideia de linguagem na tradição do humanismo de Dante a Vico* (1963), *A filosofia analítica da linguagem e as ciências humanas* (1965), *A transformação da filosofia* (1973), *Pragmática linguística e filosofia* (org., 1976).

apercepção 1. Termo criado por Leibniz para designar a *consciência (ou conhecimento) de si.
2. Em Kant, a apercepção ou consciência do Eu pode ser empírica ou *transcendental: é o "eu penso" que acompanha todo o ato do entendimento.

apetite (lat. *appetitus*) Na tradição da *escolástica, o apetite designa a inclinação ou tendência de um ser ou de um indivíduo em direção a determinado objetivo. O apetite pode ser: a) natural (como o movimento da pedra para baixo); b) sensível (próprio do animal, cujos sentidos o levam para um objetivo particular); c) racional ou vontade (próprio do homem).

apodítico (gr. *apodeiktikós*: demonstrativo) Modalidade do *juízo que é necessário de direito, exprimindo uma necessidade lógica, não um simples fato. "Os juízos são problemáticos quando admitimos a afirmação ou a negação como simplesmente possíveis (arbitrárias); são assertóricos quando os consideramos como reais (verdadeiros); e apodíticos quando os consideramos como necessários" (Kant). Assim, um juízo apodítico apresenta característica de universalidade e de necessidade. Ex.: um círculo é uma curva fechada de que todos os pontos são equidistantes do centro.

apofântico (gr. *apophantikós*: que faz ver, conhecer) 1. Uma proposição apofântica é aquela que se limita a fazer uma declaração, afirmativa ou negativa, sem nenhuma preocupação de dar uma ordem, de manifestar um desejo ou de interrogar. Ex.: Pedro é grande, ou Pedro não é grande.
2. Diz-se da teoria lógica dos juízos e das proposições: "A primeira espécie de discurso apofântico é a afirmação; a segunda é a negação" (Aristóteles). Uma proposição apofântica pretende descrever uma realidade ou revelar sua natureza. É caracterizada pela sentença declarativa ou asserção, podendo ser verdadeira ou falsa em relação à realidade que descreve. *Ver logos.*

apolíneo/apolinismo Termos criados por Nietzsche e derivados de Apolo, que ele opõe a Dioniso. Segundo Nietzsche, Apolo é o deus da medida e da harmonia, enquanto Dioniso é o deus da embriaguez, da inspiração e do entusiasmo. Apolíneo, diz Nietzsche, significa "contemplativo, que é fonte de harmonia e beleza", enquanto dionisíaco significa "de exaltação trágica e patética da vida". A palavra *apolinismo* designa a contemplação extasiada de um mundo de imaginação e de sonho, do mundo da *bela aparência* que nos liberta do devir; por sua vez, o *dionisismo* concebe ativamente o devir, sente-o objetivamente como a "volúpia curiosa do criador" (Nietzsche).

apologética (gr. *apologetikós*: que defende, que justifica) Em seu sentido negativo, a apologética designa a parte da *teologia tradicional que tem por objetivo defender racionalmente a fé cristã contra todo e qualquer ataque a um de seus dogmas; em seu sentido positivo, é a parte da teologia que visa estabelecer, através de argumentos históricos e racionais, o fato mesmo da Revelação cristã.

Apologia de Sócrates Obra de *Platão, considerado o primeiro dos "diálogos socráticos", narrando a vida e os ensinamentos de *Sócrates, que será, enfim, condenado à morte após um processo em que expõe em vão os argumentos de sua defesa diante dos juízes que o acusam de corromper a juventude e introduzir na *Polis* divindades estrangeiras. Tornou-se célebre sua frase recusando a proposta indecente de trocar seu silêncio por liberdade: "Não posso deixar de filosofar, pois uma vida sem *exame* não merece ser vivida."

aporético (gr. *aporetikós*) Relativo a *aporia; sem solução, insolúvel. Diz-se dos diálogos socráticos de Platão, que terminam sem uma solução definitiva para a questão examinada, valorizando mais o exame do problema do que sua solução final.

aporia (gr. *aporia*: impasse, incerteza) 1. Dificuldade resultante da igualdade de raciocínios contrários, colocando o espírito na incerteza e no impasse quanto à ação a empreender.
2. Dificuldade irredutível, seja numa questão filosófica, seja em determinada doutrina. Em outras palavras, dificuldade lógica insuperável num raciocínio, uma objeção ou um problema insolúvel: tudo o que faz com que o pensamento não possa avançar. Ex.: os vínculos entre o espírito e o corpo constituem uma aporia para a maior parte das doutrinas filosóficas.

a posteriori (expressão latina: posterior à experiência) Que é estabelecido e afirmado em virtude da *experiência. Ex.: a água entra em ebulição a 100 graus centígrados. Opõe-se a *a priori*. Na lógica, essas duas expressões determinam os juízos. Um juízo *a priori* é independente da experiência, não tendo necessidade dela para ser verificado. Um juízo *a posteriori*, ao contrário, só pode ser estabelecido pela experiência. As proposições apodíticas exprimem juízos *a priori*; as proposições assertóricas exprimem juízos *a posteriori*.

apreensão (lat. *apprehensio*: compreensão, captação) O mais simples ato de conhecimento, através do qual o espírito capta imediata e diretamente os objetos ou os representa.

a priori (expressão latina: anterior à experiência)
1. Que é logicamente anterior à experiência e dela independe.
2. Em Kant, são *a priori*, quer dizer, universais e necessárias, as formas ou intuições puras da sensibilidade (espaço e tempo), as categorias do entendimento e as ideias da razão.
3. Ideia *a priori*: ideia preconcebida (e preconceituosa) ou hipótese anterior a toda e qualquer verificação experimental: "É uma ideia que se apresenta sob a forma de uma hipótese cujas consequências devem ser submetidas ao critério experimental" (Claude Bernard).
4. Arbitrário, gratuito, não fundado em nada de positivo.

apriorismo Doutrina ou princípio que atribui papel central a experiências ou raciocínios *a priori*.

Aquiles, paradoxo de Argumento desenvolvido por *Zenão de Eleia segundo o qual o rápido Aquiles, numa corrida, jamais alcançará uma tartaruga se ela sair na frente, porque, mesmo que avance uma pequena distância, ela estará um pouco mais adiante quando Aquiles tiver percorrido essa mesma distância. Invocado nos debates sobre o infinito e o espaço, esse argumento simboliza a paradoxal contradição (Aquiles não consegue ultrapassar a tartaruga) com os fatos (sempre a ultrapassa).

Aquino, sto. Tomás de (1227-1274) Nasceu na Itália, de família nobre, e entrou cedo na Ordem dos Dominicanos. Percorreu toda a Europa medieval. Depois dos estudos em Nápoles, Paris e Colônia (onde teve por mestre Alberto Magno), ensina em Paris e nos Estados do papa. Morreu quando se dirigia ao Concílio de Lyon. Sua imensa obra compreende duas Sumas: *Suma contra os gentios* e *Suma teológica*, vários tratados e comentários sobre Aristóteles, a Bíblia, Boécio etc., além das *Questões disputadas*. O pensamento de sto. Tomás está profundamente ligado ao de Aristóteles, que ele, por assim dizer, "cristianiza". Seu papel principal foi o de organizar as verdades da religião e de harmonizá-las com a síntese filosófica de Aristóteles, demonstrando que não há ponto de conflito entre fé e razão. Sua teoria do conhecimento pretende ser, ao mesmo tempo, *universal* (estende-se a todos os conhecimentos) e *crítica* (determina os limites e as condições do conhecimento humano). O conhecimento verdadeiro seria uma "adequação da inteligência à coisa". Retomando a física e a metafísica de Aristóteles, estabelece as cinco "vias" que nos conduzem a afirmar racionalmente a existência de Deus: a partir dos "efeitos", afirmamos a causa. Estabelece sua concepção de natureza como *ordem* do mundo, ordem decifrável nas coisas e que permite fixar fins particulares a cada uma delas. Deus é a causa de tudo, mas não age diretamente nos fatos da criação: Ele instaurou um sistema de leis, causas segundas, ordenando cada um dos domínios naturais segundo sua especificidade própria. Deus é o primeiro motor imóvel, é a primeira causa eficiente, é o único Ser necessário, é o Ser absoluto, o Ser cuja Providência governa o mundo. Sto. Tomás mostra que há, em Aristóteles, uma filosofia verdadeiramente autônoma e independente do dogma, mas em harmonia com ele. Assim, sto. Tomás introduz no *teísmo* cristão o rigor do *naturalismo* peripatético. Porém, distingue o Estado e a Igreja, o direito e a moral, a filosofia e a teologia, a natureza e o sobrenatural. "A última felicidade do homem não se encontra nos bens exteriores, nem nos bens do corpo, nem nos da alma: só pode encontrar-se na contemplação da verdade."

arbitrário (lat. *arbitrarius*: que depende do arbítrio) 1. Que só depende da escolha, do arbítrio ou da decisão livre dos homens. Ex.: as palavras são sinais arbitrários ou convencionais.
2. É arbitrária toda decisão ou tomada de posição injustificada ou sem motivos racionais. Ex.: você não vai viajar porque eu não quero.
3. Poder arbitrário é um poder ilegal, independente das leis em virtude das quais ele se exerce.

Arcesilau (316-241 a.C.) Filósofo grego, nascido na Eólia, fundador da Nova Academia; foi mestre de Carnéades. Utilizou o método dialético contra o dogmatismo dos estoicos e procurou retomar o pensamento de Sócrates e Platão.

Arendt, Hannah (1906-1975) Filósofa alemã, de origem judaica, estudou com Heidegger e Jaspers, tendo emigrado inicialmente para a França e depois para os Estados Unidos (1941), onde foi professora na New School for Social Research de Nova York. Notabilizou-se sobretudo por suas reflexões sobre a situação do mundo atual e sobre as crises que marcam nossa época: crise da religião, crise da tradição filosófica e crise da autoridade política. Na filosofia política, é importante sua análise do totalitarismo, que interpreta como resultante precisamente da crise de autoridade. Para resolver essas crises, propõe a retomada de algumas características básicas dos movimentos revolucionários modernos como a Revolução Americana e a Francesa, em que o sistema de conselhos tornava as decisões políticas mais democráticas e participativas. Dentre suas principais obras destacam-se *As origens do totalitarismo* (1951) e *A condição humana* (1958).

argumentação (lat. *argumentatio*) Modo de apresentar e de dispor os argumentos, vale dizer, os raciocínios destinados a provar ou a refutar determinada proposição, um ponto de vista ou uma tese qualquer. Seu objetivo é o de convencer ou persuadir, mostrando que todos os argumentos utilizados tendem para uma única conclusão.

argumento (lat. *argumentum*) Raciocínio formando um todo distinto e bem concatenado que tem por finalidade provar ou refutar *proposição ou uma *teoria. O termo "argumento" está sempre associado a um contexto de prova e conserva uma conotação jurídica ("o advogado desenvolve seus argumentos") explicando amplamente seu emprego em fórmulas já prontas: argumento *ontológico (para provar a existência de Deus), argumento *ad hominem (para atacar o indivíduo e não aquilo que ele diz).

Aristarco de Samos (séc. III a.C.) Filósofo e astrônomo neopitagórico que defendeu a hipótese do *heliocentrismo e do movimento da Terra contra a concepção geocêntrica tradicional na Antiguidade, retomada posteriormente por Nicolau *Copérnico que a ele se refere.

Aristipo (c.435-356 a.C.) Filósofo grego, nascido em Cirene; foi inicialmente sofista, depois discípulo de Sócrates e finalmente fundou o cirenaís-

mo ou escola cirenaica, ensinando que o prazer era a felicidade suprema da vida.

Arístocles de Messena Filósofo grego peripatético do séc. II a.C. Foi mestre de Alexandre de Afrodísias. Escreveu um *Tratado sobre filosofia*, em dez volumes, do qual restam apenas fragmentos.

Aristóteles (384-322 a.C.) Filósofo grego nascido em Estagira, Macedônia. Discípulo de Platão na Academia. Preceptor de Alexandre Magno. Construiu um grande laboratório, graças à amizade com Felipe e seu filho Alexandre. Aos cinquenta anos, funda sua própria escola, o Liceu, perto de um bosque dedicado a Apolo Lício. Daí o nome de seus alunos: os *peripatéticos*. Seus últimos anos são entremeados de lutas políticas. O partido nacional retoma o poder em Atenas. Aristóteles se exila na Eubeia, onde morre. Sua obra aborda todos os ramos do saber: lógica, física, filosofia, botânica, zoologia, metafísica etc. Seus livros fundamentais: *Retórica*, *Ética a Nicômaco*, *Ética a Eudemo*, **Órganon:* conjunto de tratados da lógica, *Física*, *Política* e *Metafísica*. Para Aristóteles, contrariamente a Platão, que ele critica, a *ideia* não possui uma existência separada. Só são reais os indivíduos concretos. A *ideia* só existe nos seres individuais: ele a chama de "forma". Preocupado com as primeiras *causas e com os primeiros *princípios* de tudo, dessacraliza o "ideal" platônico, realizando as ideias nas coisas. O primado é o da experiência. Os caminhos do conhecimento são os da vida. Sua teoria capital é a distinção entre *potência e *ato. O que leva à segunda distinção básica, entre *matéria* e *forma*: "a substância é a forma". Daí sua concepção de Deus como Ato puro, Primeiro Motor do mundo, motor imóvel, Inteligência, Pensamento que ignora o mundo e só pensa a si mesmo. Quanto ao homem, é um "animal político" submetido ao Estado que, pela educação, obriga-o a realizar a vida moral, pela prática das virtudes: a vida social é um meio, não o fim da vida moral. A felicidade suprema consiste na contemplação da realização de nossa forma essencial. A política aparece como um prolongamento da moral. A virtude não se confunde com o heroísmo, mas é uma atividade racional por excelência. O equilíbrio da conduta só se realiza na vida social: a verdadeira humanidade só é adquirida na sociabilidade.

aristotelismo Tradição que se baseia no conjunto do sistema filosófico de Aristóteles e de seus discípulos, também conhecido pelo nome de "peripatetismo" porque o mestre ensinava passeando (*peripatein*: passear).

Aristóxeno Filósofo grego (nascido em Tarento) peripatético do séc. IV a.C. Foi discípulo de Aristóteles. Restam de sua autoria *Elementos de harmonia* e um fragmento sobre *Elementos de ritmo*, que são os escritos mais antigos sobre música que se conhece.

Arnauld, Antoine (1612-1694) Filósofo e teólogo francês, nascido em Paris, tornou-se famoso por suas controvérsias teológicas com os jesuítas. Sua influente obra *Logique de Port-Royal*, ou *Art de penser* (1662), escrita em colaboração com seu contemporâneo Pierre Nicole, pode ser considerada um manual de lógica inspirado em princípios da filosofia da consciência de Descartes. Escreveu ainda outras obras de cunho religioso e teológico como *De la fréquente communion* (1643), *Apologie pour lès Saints-Pères* (1651), *La perpétuité de la foi*, este também em colaboração com Nicole (1669-1679). *Ver* jansenismo.

Aron, Raymond (1905-1983) Sociólogo francês (nascido em Paris), o mais importante da sociedade industrial de sua geração. Ademais, destacou-se muito por suas obras de filosofia política. Profundo conhecedor de Max Weber, já se preocupava, desde sua primeira grande obra, *Introduction à la philosophie de l'histoire* (1938), com "os limites da objetividade histórica" (subtítulo do livro). Revelando uma grande desconfiança relativamente às ilusões do saber absoluto e a todos os sistemas fechados, entrou em polêmica com as diversas formas de marxismo e criticou severamente as ideologias de seu tempo. Escreveu ainda: *L'opium des intellectuels* (1957), *Dimension de la conscience historique* (1961), *Paix et guerre entre les nations* (1966), *Les désillusions du progrès* (1969), *Études politiques* (1970).

arqueologia (do gr. *archaiologia*: estudo de antiguidades) **1.** Estudo científico das civilizações pré-históricas ou desaparecidas, sobretudo pela interpretação dos vestígios que deixaram.
2. Fazer uma arqueologia do saber significa, para Michel Foucault, elaborar uma reflexão original que, a partir da análise das práticas discursivas, possa revelar o solo onde se ancoram as possibilidades de pensar, isto é, a *episteme*. Fazer a arqueologia dessa episteme significa descobrir por quais regras de organização são mantidos os enunciados que se referem a territórios que constituem o objetivo de um conhecimento positivo (não científico). *Ver* episteme.

arquétipo (gr. *archétypon*: modelo, tipo original) **1.** Em Platão, as ideias como protótipos ou modelos ideais das coisas; em Kant, o entendimento divino como modelo eterno das criaturas e como causa da realidade de todas as representações humanas do divino.
2. A teoria psicanalítica de *Jung, valorizando a teoria estoica da alma universal, considerada como lugar de origem das almas individuais, define os arquétipos como imagens ancestrais e simbólicas, desempenhando uma dupla função: a) exprimem-se através dos mitos e lendas que pertencem ao fundo comum da humanidade; b) constituem, em cada indivíduo, ao lado de seu *inconsciente pessoal, o inconsciente coletivo que se manifesta nos sonhos, nos delírios e em algumas manifestações artísticas.

Arquitas de Tarento Filósofo grego, nascido em Tarento, que viveu nos sécs.V e IV a.C.; pitagórico; foi cientista e general; contemporâneo de Platão; resolveu o problema da duplicação do cubo; realizou estudos sobre acústica e assuntos matemáticos e geométricos e é considerado como o inventor da polia. Autor de aforismos morais, especialmente sobre a felicidade.

arquitetônica (gr. *architektonikós*) **1.** Aristóteles chama de "ciência arquitetônica" as ciências primeiras, que constituem como que a arquitetura ou ossatura das outras, que lhes permanecem subordinadas: "Os fins de todas as ciências arquitetônicas são mais importantes que os das ciências subordinadas. É em função das primeiras que perseguimos as segundas."
2. Kant retoma a expressão para designar "a teoria daquilo que há de científico em nosso conhecimento em geral", vale dizer, a arte dos sistemas.

Arriano Historiador e filósofo grego nascido em Nicomédia, que floresceu no séc.II da era cristã; depois de participar na luta contra os alanos, tornou-se cidadão romano, foi cônsul e depois governador da Capadócia, antes de voltar a Atenas, onde foi arconte (147-148). Escreveu *Anábase de Alexandre* (uma biografia de Alexandre, o Grande) e dois livros sobre Epicteto, de quem havia sido discípulo: *Discursos*, ou *Dissertações* e *Manual*.

ars inveniendi/ars probandi (arte da invenção/arte da prova) Estas duas expressões latinas dão conta das duas tendências mais importantes da epistemologia atual: a que valoriza o contexto da descoberta das teorias científicas e a que privilegia apenas o contexto da justificação ou da prova; a primeira enfatiza os *"ways of discovery"*, enquanto a segunda só se preocupa com os *"ways of validation"*; uma dá muita importância à análise histórica das ciências, enquanto a outra se limita à sua análise lógica, não sendo tarefa do lógico (epistemólogo) explicar as descobertas científicas.

arte (lat. *ars*: talento, saber fazer) **1.** Como sinônimo de técnica, conjunto de procedimentos visando a um certo resultado prático. Nesse sentido, fala-se de artesão. Opõe-se à ciência, conhecimento independente das aplicações práticas, e à natureza concebida como princípio interno: "A natureza é princípio da coisa mesma; a arte é princípio em outra coisa" (Aristóteles).
2. Atividade cultural que, tanto no domínio religioso quanto no profano, produz coisas reconhecidas como belas por um grupo ou por uma sociedade. A arte recorre sempre a uma técnica. Seu fim é o de elaborar uma certa estruturação do mundo, mas criando o belo. *Ver* estética.
3. *Artes liberais:* conjunto das "artes" que, na Idade Média, compunham o curso completo dos estudos nas universidades, conduzindo ao domínio das artes e compreendendo o *trivium (gramática, retórica, dialética ou lógica) e o *quadrivium (aritmética, música, geometria e astronomia).
4. Hegel define a arte como "o meio entre a insuficiente existência objetiva e a representação puramente interior: ela nos fornece os objetos mesmos, mas tirados do interior... limita nosso interesse à abstrata aparência que se apresenta a um olhar puramente contemplativo".

arte, linguagem da Na *Poética*, *Aristóteles mostra como a combinação entre um arranjo especial de palavras e o uso de metáforas e outras figuras de linguagem produz no leitor ou ouvinte o efeito do *sublime. A tradição filosófica também mostra como o poeta (artista) expressa a verdade através de um apelo à sensibilidade de quem entra em contato com a obra de arte. Várias teorias exploram essa possibilidade: *Kant (*Crítica do juízo*) busca interpretar o caráter universal do juízo estético; Nelson Goodman (*Languages of Art*) mostra que a experiência da arte e a do conhecimento não se excluem, mas podem se articular como diferentes modos de representação do real. A arte contemporânea, sobretudo no campo das artes plásticas, busca romper com seu caráter figurativo e valorizar outras formas de expressão: Dadaísmo, Cubismo, Arte Conceitual. *Ver* estética.

arte, obra de Conjunto organizado de signos e materiais colocados em forma por um espírito criador e formando um todo harmonioso e belo capaz de nos proporcionar uma satisfação estética desinteressada: "A obra de arte é uma imagem (representativa ou expressiva) constituída por um todo organizado e independente, não tendo outro fim senão sua própria realização e a respeito da qual o homem só pode decidir por uma apreciação de valor, de um valor particular que chama de Belo" (Hegel).

árvore de Porfírio É uma representação sob a forma de uma árvore, feita pelo filósofo grego *Porfírio, destinada a ilustrar a subordinação dos conceitos, a partir do conceito mais geral, que é o de *substância*, até chegar ao conceito de *homem*, o de menor extensão, mas o de maior compreensão:

ascese (gr. *askesis*: exercício) **1.** *Regra de vida pautada pela renúncia voluntária aos prazeres sensíveis, implicando uma mortificação das paixões,

obtenção da perfeição moral e o desabrochamento espiritual. Ex.: a ascese cristã ou devotamento do espírito à meditação das coisas divinas.
  2. Toda regra ou estilo de vida pautada pela austeridade pessoal e por comportamentos comedidos e metódicos. Ex.: a ascese intelectual na pesquisa científica.
  3. Em Platão, preparação do espírito para chegar à contemplação da verdade.

ascetismo Doutrina moral ou religiosa que preconiza um modo de vida austero, feito de privações e mortificações, tendo em vista alcançar a perfeição moral e o domínio de si.

asseidade (lat. *aseitas*, de *a* se: de si) Em seu sentido próprio, a asseidade caracteriza *Deus: Ele é por si, isto é, sua *existência só depende dele mesmo, enquanto a existência dos outros seres depende de alguém ou de outra coisa. Por extensão, designa a existência própria de uma coisa, independentemente daquele que a percebe.

asserção (lat. *assertio*) Ato pelo qual estabelecemos um *juízo (afirmativo ou negativo) como certo ou verdadeiro. Trata-se de uma sentença declarativa afirmando ou negando algo, podendo ser verdadeira ou falsa.

assertórico Modalidade de *juízo que exprime um fato ou uma existência. "Os juízos são assertóricos quando os consideramos como reais" (Kant). Ex.: o sol brilha. Uma proposição assertórica é verdadeira de fato, e não por necessidade (por oposição a apodítica). Ex.: Napoleão morreu em Santa Helena (é verdade, mas poderia ter morrido em outro lugar).

Assim falou Zaratustra (*Also sprach Zarathustra*) Obra de Friedrich *Nietzsche, escrita entre 1883 e 1885, na qual desenvolve sua doutrina do *super-homem e do *eterno retorno. Zaratustra é apresentado como um herói, como um anunciador do super-humano e da "morte de Deus", ao qual pode converter-se o homem quando libertar-se de tudo que o mutila. O eterno retorno é a outra face do super-humano, outro nome da *"vontade de potência", desta vontade de libertar-se de todas as determinações para só obedecer ao princípio "Tornar-te o que tu és", assumindo a "gaia ciência" que lhe confere a liberdade.

associacionismo (fr. *associationnisme*) 1. Teoria que tenta explicar todas as operações mentais pela associação mecânica das *ideias — sistematizada por Hume, que pretendia ser o Newton do mundo mental.
  2. Teoria empirista segundo a qual os princípios racionais de não contradição e de causalidade não são constitutivos do espírito humano, mas foram-lhe impostos pela constância, na experiência, das associações das ideias.

Ataíde, Tristão de *Ver* Amoroso Lima, Alceu.

ataraxia (gr. *ataraxia*) Termo grego designando o estado de *alma que nada consegue perturbar. Ele é obtido, segundo os estoicos, pela eliminação das paixões; segundo os epicuristas, pela busca dos prazeres "tranquilos" e pela satisfação dos desejos naturais; para tanto, deve-se renunciar a todos os desejos supérfluos (ser rico, poderoso etc.) cuja satisfação proporciona mais perturbação que prazer, pois o sábio feliz se contenta com o estritamente necessário. Segundo os céticos, a ataraxia se obtém pela *épochè ou suspensão do juízo. Nas concepções estoica, epicurista e cética a ataraxia ou imperturbabilidade constitui o fim da filosofia.

ateísmo (do gr. *atheos*: sem Deus) Doutrina que nega a existência de *Deus, sobretudo a de um Deus pessoal. Pode ser ainda uma simples atitude de negação da existência de Deus. Devemos nos ater a essa acepção estrita da palavra *ateísmo* porque, historicamente, nem sempre foi o caso nas polêmicas filosóficas e religiosas: muitos doutrinários simplesmente rotulavam de ateus aqueles que tinham uma concepção diferente da divindade. Ex.: por longo tempo, a Igreja qualificou como ateísmo o panteísmo de Espinoza ou o deísmo do séc. XVIII. A partir do séc. XIX, o ateísmo se altera. São denominados *ateus* não somente aqueles que colocam Deus entre parênteses, mas negam abertamente sua existência: a) os partidários do chamado *"materialismo científico", notadamente os marxistas; b) os partidários do *neopositivismo lógico, que rejeitam explicitamente as religiões e as metafísicas (Bertrand Russell, por exemplo); c) os partidários da tradição nietzschiana, que opõem aos indivíduos capazes de suportar a ideia de que "Deus morreu" a multidão que continua a viver como se Ele existisse etc. *Ver* deísmo; panteísmo.

atividade (lat. *activitas*) 1. Caráter do que é ativo, podendo ser dito das coisas e das pessoas.

Ex.: a atividade de um vulcão; um remédio ativo, uma secretária ativa.

2. Psicologicamente, conjunto de fenômenos psíquicos que levam o indivíduo à ação (tendência, desejo, inclinação, vontade).

3. *Métodos ativos*: procedimentos pedagógicos caracterizados pelo recurso aos grupos como meio de formação (trabalho em equipe), pelo apelo às motivações intrínsecas dos alunos, cabendo-lhes a iniciativa com vistas a descobertas pessoais.

4. *Escola ativa*: nome dado ao estabelecimento escolar onde se aplicam os princípios pedagógicos de J. Dewey, de O. Decroly e de outros (a partir da década de 20). Leva em conta interesses espontâneos da criança e sua formação pela prática ou ação.

Atlan, Henri (1931-) Médico e biólogo francês de origem judaica (nasceu na Argélia), conhecido por suas pesquisas sobre a ética para as ciências da vida e da saúde. Enorme é a variedade de seus interesses: não se limita ao estudo da organização celular a partir da teoria matemática da informação e da termodinâmica; ao retomar e desenvolver o conceito de auto organização, faz incursões penetrantes nos domínios da antropologia geral e da filosofia: seu profundo conhecimento da tradição bíblica fornece elucidações originais sobre a psicanálise, a antropologia cultural e a ética. Obras principais: *L'Organisation biologique e la théorie de l'information* (1972), *Entre le cristal et la fumée* (1979), *À tort et à raison* (1986), *Tout non peut-être* (1991), *La science est-elle inhumaine?* (2002).

ato (lat. *actum*: fato realizado) **1.** Todo exercício voluntário de poder material, ou espiritual, por parte do homem. Ex.: ato de coragem, ato de violência etc.

2. Um *ser em ato* é um ser plenamente realizado, por oposição a um ser *em potência* de devir ou em potencialidade (Aristóteles). Ex.: a planta é o ato da semente, que permanece em potência enquanto não for plantada.

3. *Ato puro* é o Ser que não comporta nenhuma potencialidade e que se subtrai a todo e qualquer devir: Deus.

4. Na linguagem filosófica, *ato* se distingue da *ação*: ação designa um processo que pode comportar vários atos. "Passar ao ato" é fazer algo preciso. "Passar à ação" é empreender algo mais amplo. Por sua vez, *ato* e *ação* se opõem a *pensamento* ou *palavra*: pensar e falar não podem ter efeito sobre a matéria, ao passo que agir tem um efeito. Claro que nas relações entre os homens, pensar e falar são modos de agir. Finalmente, *ato* se opõe a *potência*: o ato designa aquilo que existe efetivamente; a potência designa aquilo que pode ser ou que deve ser.

ato falho Na teoria psicanalítica, desatenção consistindo em dizer, escrever ou ler uma palavra por outra, aparentemente por acaso, mas exprimindo *pulsões e intenções ocultas e tendo sua fonte em desejos recalcados: "São todos esses atos da vida cotidiana que se caracterizam pelo fato de não atingirem seu objetivo, mas tendo um sentido e exprimindo pulsões e intenções que pretendemos ocultar de nossa consciência que denominamos atos falhos" (Freud).

ato voluntário Ato caracterizado pela reflexão e pela liberdade da decisão apresentando uma estrutura (hoje criticada) composta de quatro momentos: a) concepção e representação do objetivo a ser alcançado; b) deliberação ou exame dos prós e contras; c) decisão, correspondendo à tomada de posição; d) execução ou concretização da decisão tomada.

atomismo 1. Doutrina filosófica elaborada por Leucipo e desenvolvida por *Demócrito e *Epicuro, retomada depois pelo poeta latino *Lucrécio, segundo a qual a matéria é composta de átomos, isto é, de partículas elementares indivisíveis e tão pequenas que não podem ser percebidas a olho nu. Os átomos são eternos e possuem todos a mesma natureza, embora difiram por sua forma.

2. *Atomismo psicológico*: doutrina segundo a qual o pensamento e o espírito são um composto de elementos psíquicos separados como os átomos e as moléculas nos corpos materiais.

3. *Atomismo lógico*: teoria proposta por Ludwig *Wittgenstein e por Bertrand Russell, na década de 20, segundo a qual o significado de sentenças deve ser estabelecido a partir da análise das sentenças moleculares (complexas), decompondo-as em seus elementos (átomos) que seriam as unidades fundamentais do significado e que se relacionariam diretamente com entidades básicas no real. Esta teoria foi posteriormente abandonada por esses autores.

átomo (gr. *atomos*: indivisível) **1.** Na física grega, de Demócrito e de Epicuro, partícula indivisível da *matéria. Os átomos são eternos, imutá-

veis, possuem propriedades mecânicas (figura, grandeza, peso, situação, movimento) mas são invisíveis, por causa de sua pequenez. Sua união dá origem aos corpos com propriedades sensíveis.
2. Na química moderna, partícula indivisível de matéria, isto é, indecomponível, nas condições ordinárias, por forças químicas ou físicas. Ex.: a molécula de hidrogênio é composta de dois átomos.
3. *Teoria atômica*: hipótese segundo a qual os corpos são formados de átomos, tendo, para cada corpo simples, um peso invariável (peso atômico) e produzindo, por sua combinação, os corpos compostos. Na física contemporânea, o átomo é um sistema composto de um núcleo constituído por prótons e nêutrons, em torno do qual se movem os elétrons.

atributo (lat. *attributus*, de *attribuere*: atribuir) **1.** Termo que é afirmado ou negado de um *sujeito (sinônimo de *predicado). Ex.: o homem (sujeito) é mortal (atributo).
2. Propriedade essencial de uma substância (oposto a acidente). "Por atributo, entendo aquilo que o entendimento percebe da substância como constituindo sua essência" (Espinoza).
3. Os *atributos* de Deus são aquelas propriedades que definem a sua essência. Podem ser metafísicos (ex.: a onisciência) e morais (ex.: a providência).

atual (lat. *actualis*: ativo, prático) **1.** Diz-se daquilo que se passa no momento presente, não no passado ou no futuro. Ex.: a época atual.
2. Diz-se daquilo que está em ato e não em *potência. *Ver* ato.

atualização Passagem da *potência ao *ato (Aristóteles) ou do estado virtual ao estado real (atualização das lembranças).

Aufhebung (al. *aufheben*: conservar e suprimir) Hegel utiliza esse termo, jogando com sua ambiguidade, para designar, no movimento dialético, a passagem de um estado a outro. Todo novo estado nasce da negação do estado precedente: visa aboli-lo mas, de certa forma, conservá-lo. Assim, designa a ação de ultrapassar uma contradição. "*Aufheben* tem um duplo sentido: significa guardar, conservar e, ao mesmo tempo, fazer cessar, pôr fim a. A ideia de conservar já contém nela mesma esse elemento negativo consistindo em que, para guardá-lo, algo é subtraído a um ser imediato" (Hegel).

Aufklärung Os filósofos do séc. XVIII se concebiam a si mesmos como inimigos das "trevas" da ignorância, da superstição e do despotismo. Por isso, procuraram situar-se no registro das Luzes ou *Razão (do *Enlightenment*, em inglês, das *Lumières*, em francês). Kant define as Luzes ou Iluminismo dizendo que elas são aquilo que permite ao homem sair de sua menoridade, ensinando-lhe a pensar por si mesmo e a não depender de decisões de um outro. "*Sapere aude!* tenha a coragem de usar sua própria inteligência. Eis a divisa das Luzes." *Ver* Iluminismo.

Aurobindo, Sri (1872-1950) Místico e filósofo indiano, nascido em Calcutá. Em sua obra principal, *A vida divina*, interpreta o pensamento hindu sob a ótica das filosofias de *Plotino e *Bergson. Militante nacionalista, defende o ioga integral, através do qual o homem transcende seu conhecimento fragmentário e limitado, bem como sua consciência individual.

Austin, John Langshaw (1911-1960) Nascido na Inglaterra e professor durante toda a sua vida na Universidade de Oxford, Austin é um dos principais representantes da *filosofia analítica*, sobretudo da *análise da linguagem ordinária* e da *teoria dos atos de fala*, da qual foi o primeiro formulador e que posteriormente seria desenvolvida pelo filósofo norte-americano John Searle. Juntamente com Wittgenstein, é um dos responsáveis pela valorização, na filosofia analítica, da análise da linguagem a partir do uso concreto dos termos e expressões em seus contextos habituais de fala. Considerava que a filosofia é essencialmente análise conceitual, ou seja, um método de esclarecimento do significado de expressões obscuras e problemáticas, método este que tem seu ponto de partida no exame do uso cotidiano desses termos, que devem então ser submetidos a uma cuidadosa e sutil análise filosófica, revelando distinções, estabelecendo relações e descobrindo pressupostos antes insuspeitados. A obra de Austin consiste basicamente em textos de conferências e cursos que ministrou em Oxford e nos Estados Unidos, reunidos e publicados postumamente: *Philosophical Papers* (1961), *Sense and Sensibilia* (1962), *How to do Things with Words* (1962).

autenticidade (do gr. *authentes*: perpetrador, mestre) Na filosofia de Heidegger, a autenticidade ou a existência autêntica é a modalidade do *ser-aí* (**Dasein*) que assume sua situação de ser-para-a-morte, em vez de refugiar-se na inautenticidade do *On* (*das Man*), isto é, na banalidade do cotidiano.

autismo (do gr. *autos:* si mesmo) Palavra inventada pelo psiquiatra Eugen Bleuer (1890) para designar a atitude de alguns doentes mentais voltados inteiramente para si mesmos: "Distanciamento da realidade, acompanhado de uma predominância da vida interior". Constitui o fundamento e o grau extremo da esquizofrenia. Difere de *introversão.

auto erotismo (do gr. *autos:* si mesmo, e *eros:* amor) Gozo ou prazer sexual sentido na ausência de um parceiro, seja espontaneamente (durante o sono), seja voluntariamente (onanismo). Nas crianças, a atividade de chupar o dedo é um comportamento erótico capaz de acalmar e provocar bem-estar (Freud).

automatismo (do gr. *autômatos*: que se move por si mesmo) **1.** Caráter próprio (irrefletido, inelutável e rápido) de um mecanismo fabricado pela mão do homem quando suas diferentes partes funcionam de modo coordenado e repetitivo e sem a intervenção de um agente humano.
2. Por extensão, o *automatismo psicológico* designa uma função específica não consciente desempenhando certa influência nos fenômenos de aprendizagem.

autômato (gr. *automatos*: o que se move por si mesmo) Designa o aparelho que imita mecanicamente os movimentos de um ser vivo. Os autômatos fascinaram os filósofos do início da era moderna: Descartes neles se inspira para definir o animal-máquina, e Leibniz concebe o corpo vivo como "uma espécie de máquina divina ou de autômato natural que ultrapassa infinitamente todos os autômatos artificiais".

autonomia (*gr. autonomia*) **1.** *Liberdade política de uma sociedade capaz de governar-se por si mesma e de forma independente, quer dizer, com autodeterminação.
2. Em Kant, a autonomia é o caráter da vontade pura que só se determina em virtude de sua própria lei, que é a de conformar-se ao dever ditado pela razão prática e não por um interesse externo: "A autonomia da vontade é essa propriedade que tem a vontade de ser por si mesma sua lei (independentemente de toda propriedade dos objetos do querer). Portanto, o princípio da autonomia é: sempre escolher de tal forma que as máximas de nossa escolha sejam compreendidas ao mesmo tempo como leis universais nesse mesmo ato de querer". Toda a moral kantiana repousa na distinção entre a legalidade e a moralidade: uma ação legal é aquela que é feita em conformidade com o dever; uma ação moral é aquela que é feita por dever. *Ver* imperativo.

auto-organização Noção desenvolvida no final dos anos 50 pelos pesquisadores do Biological Computer Laboratory da Universidade de Illinois (Estados Unidos) para designar a propriedade que possuem alguns sistemas físicos, químicos ou biológicos de produzir comportamentos mais complexos que os de seus elementos, por conseguinte, de se auto estruturarem por interação com seu meio. Modelos de auto-organização: um autômato que se programa a si mesmo; um ovo que se desenvolve num embrião.

autoridade (lat. *auctoritas*, de *auctor*: que aumenta, garante, autoridade) **1.** No sentido psicológico, ascendência moral de quem se impõe aos outros por um poder carismático. Ex.: o mestre é obedecido sem ter que invocar seu direito de comandar.
2. No domínio político, poder legal, geralmente sob uma forma institucionalizada, de comandar e impor a obediência sem coação, inspirando o sentimento de respeito, não de medo. *Ver* poder, soberania.
3. *argumento de autoridade* é uma proposição (ou doutrina) fundada não numa demonstração lógica ou racional ou numa experiência bem estabelecida, mas no valor moral ou intelectual de alguém tendo certo prestígio ou exercendo certo poder. Ex.: algo é verdadeiro porque Fulano afirmou (*Magister dixit*).

Avenarius, Richard (1843-1896) Filósofo alemão nascido em Paris. Professor de filosofia em Zurique, Suíça (1877-1896). Foi o criador do empiriocriticismo, teoria da experiência pura em relação com o ambiente e o conhecimento, que ele apresentou em sua obra *Crítica da experiência pura* (1888-1890). Sua doutrina foi em parte defendida por Ernst Mach e fortemente atacada por Lênin em *Materialismo e empiriocriticismo*.

Averróis ou **Averroes** (1126-1198) Nascido em Córdoba, Espanha, foi o mais célebre dos filósofos árabes da Idade Média. Médico e homem de uma cultura enciclopédica, reúne em suas obras tudo o que os árabes tinham conservado da ciência grega. Seus comentários das obras de Aristóteles exerceram uma considerável influência nos pensadores medievais e, até mesmo, em alguns renascentistas. Contra Algazel e outros teóricos muçulmanos, que pregavam a "destruição dos filósofos", escreve a *Destruição da destruição*, na qual tenta harmonizar a filosofia com a religião, reabilitar a razão e defender a tese segundo a qual só há um intelecto para todo o gênero humano, as almas individuais sendo perecíveis. Defende ainda a eternidade do mundo, consequentemente a eternidade da matéria; Deus os criou desde toda eternidade; todas as coisas criadas, inclusive o homem, procedem de Deus por emanação. Os escolásticos, especialmente Tomás de Aquino, vão combater as teses averroístas de um intelecto agente único, da eternidade da matéria e da dupla verdade (o que é verdadeiro em teologia pode ser falso em filosofia, e vice-versa). *Ver* averroísmo.

averroísmo Doutrina do filósofo medieval Averróis, condensando tudo o que os árabes haviam conservado da ciência grega. Os comentários de Averróis sobre Aristóteles exerceram uma grande influência na escolástica. Seu livro *Destruição da destruição*, reabilitando a razão diante dos teóricos muçulmanos, sustenta que todo o gênero humano só possui um *intelecto* e que as almas particulares são mortais. Tomás de Aquino dedicou muito tempo em refutar os discípulos de Averróis, considerando o "averroísmo" como defensor de um certo "materialismo" e de um certo "panteísmo". Contudo, foi grande o esforço de Averróis e dos averroístas em harmonizar Aristóteles com a fé muçulmana.

Avicebrón ou **Ibn Gabirol** (1020-1070) Filósofo judeu, nascido em Málaga, Espanha, bastante influente na Europa medieval, sobretudo por seus comentários de Aristóteles e por suas teses sobre a composição das substâncias simples, sobre a existência da matéria e forma universais e sobre a vontade como fonte de vida. Seu livro mais conhecido, *Fons vitae (A fonte da vida)*, constitui um verdadeiro tratado filosófico-teológico, no qual se destacam duas teorias: a) a da universalidade da matéria: onde houver forma haverá matéria, as coisas se individuando em virtude da forma, não da matéria; b) a da vontade como fonte de vida, pois ela é a primeira emanação de Deus e a força impulsionadora do universo: da vontade de Deus emana a forma que se une à matéria, sendo Deus a Forma pura.

Avicena (980-1037) Depois de Averróis, Avicena é o mais importante filósofo árabe da Idade Média. Homem de cultura universal e médico protegido dos príncipes de Bucara (na Pérsia, onde nasceu), exerceu forte influência nos pensadores do séc. XIII, sendo combatido por vários escolásticos. Ao fazer uma interpretação pouco intelectualista de Aristóteles, talvez influenciado pelo neoplatonismo, sustenta que o conhecimento depende da realidade dos objetos conhecidos e que podemos falar do ser sem recorrer às categorias aristotélicas. Critica ainda a noção aristotélica de primeiro motor imóvel, subordina a filosofia à fé e nega que a noção de substância se aplique a Deus. Redige várias obras de medicina muito utilizadas na Idade Média. A mais importante é o *Livro de cura*, que trata de física, de moral e de metafísica. Escreveu ainda um *Tratado das definições*, *A salvação*, *Livro de teoremas* etc.

Axelos, Kostas (1924-) Filósofo grego (nascido em Atenas), radicado em Paris, onde dirigiu a revista *Arguments* (1957-1962), Axelos é um pensador solitário e trágico. Sua filosofia constitui uma meditação que vai de Heráclito à era tecnológica, identificando-se com uma verdadeira história do Ocidente. Para ele, o homem é o desafio do mundo. E o mundo é, para o homem, o supremo desafio. Situando-se fora das modas filosóficas, acredita no advento de um pensamento "questionador, planetário e mundialmente errante". Denuncia os traços depressivos, esquizofrênicos, histéricos e obsessionais de nossa civilização e de nossa cultura: "perdemos o segredo da saúde sem termos descoberto o da loucura". O homem de hoje vive no medo do mundo. Para não ter que afrontá-lo, busca soluções fáceis. Sua obra principal é a trilogia: *Le déploiement de l'errance* (1961-1964), *Le déploiement du jeu* (1969-1977) e *Le déploiement de l'enquête* (1979).

axiologia (do gr. *axios*: digno de ser estimado, e *logos*: ciência, teoria) Teoria dos valores em geral, especialmente dos valores morais. O termo *axiologia* designa a filosofia dos valores, fundada em Baden por W. Windelband (1863-1915). Derivada do kantismo, ela estima que o conhecimento tem por origem não as coisas em si, mas a apreensão de uma relação entre as realidades e um ideal que é um absoluto, embora posto como valor. É a relação com esse valor que nos permite apreciar, julgar e conhecer uma realidade, um objeto, um ato, uma ideia e uma palavra. *Ver* valor.

axioma (lat. e gr. *axioma*: valor) **1.** Proposição evidente em si mesma e indemonstrável.

2. *Pressuposto em um sistema, ocorrendo sempre como premissa ou como ponto de partida para a demonstração de algo. Na exposição de um sistema, especialmente na matemática, um axioma é uma proposição de partida, indemonstrável, mas que decidimos considerar como verdadeira porque parece evidente. Ex.: o todo é maior do que as partes; duas quantidades iguais a uma terceira são iguais entre si.

axiomática Sistema formal no qual são totalmente explicitados os termos não definidos e as proposições não demonstradas, estas sendo afirmadas como simples hipóteses (axiomas) a partir das quais todas as proposições do sistema podem ser deduzidas. Em outras palavras, a axiomática é o sistema hipotético-dedutivo formado pelo conjunto dos seguintes indemonstráveis: axiomas, definições e postulados. Ela responde a três princípios básicos: a) é *coerente* quando uma proposição deduzida é verdadeira ou falsa; b) é *simples* quando nenhum indemonstrável invade os outros; c) é *saturada* quando todo enunciado, em seu domínio, é decidível, isto é, tem a possibilidade de ser verdadeiro ou falso. *Ver* método.

Ayer, Alfred Jules (1910-1989) Filósofo inglês, principal introdutor do *neopositivismo na Inglaterra, estudou em Oxford e em Viena, tornando-se depois professor nas Universidades de Londres (1946-1959) e de Oxford (a partir de 1959). Defendeu o verificacionismo em teoria do significado e em filosofia da ciência, desenvolvendo inicialmente um pensamento fortemente antimetafísico. Sua filosofia foi influenciada sobretudo pelo empirismo inglês, pelo pensamento do *Círculo de Viena e pela filosofia analítica inaugurada na Inglaterra por *Russell e *Moore. Obras principais: *Linguagem, verdade e lógica* (1936), *Fundamentos do conhecimento empírico* (1940), *As questões centrais da filosofia* (1974), *A filosofia do século XX* (1982), *Wittgenstein* (1985).

B

Bachelard, Gaston (1884-1962) Filósofo e ensaísta francês (nascido em Bar-sur-Aube), espírito de grande erudição e extraordinária agilidade intelectual, considerado o pai da *epistemologia* contemporânea. Lançou as bases de um "novo racionalismo" ou "racionalismo aberto", fundado na crítica da epistemologia tradicional e na renovação da história das descobertas científicas. Sua obra não se reduz a uma reflexão rigorosa sobre as ciências, mas inclui escritos originais sobre a poética dos elementos naturais e uma investigação do *imaginário humano sem fronteiras. A ciência implica a existência de um mundo do *devaneio e das *imagens contra o qual ela se instaura, mas é o mundo do poeta. O pensamento de Bachelard é duplamente revolucionário: no campo epistemológico, instaura uma filosofia da descoberta científica, a do *homem diurno*, que toma a polêmica e a dúvida como método de trabalho; no campo poético, inaugura uma filosofia da criação artística, a do *homem noturno*, reinventor das fontes de imaginação criadora: a imaginação começa, a razão recomeça. O "novo racionalismo" se constrói instaurando uma ruptura entre o conhecimento comum e o conhecimento científico. A ciência não é o aprofundamento do saber já presente ou da ilusão do saber, mas perpétua recusa. "Não há verdades primeiras, o que há são erros primeiros." Eis o novo *espírito científico*: "quando se apresenta à cultura científica, o espírito nunca é jovem. Ele é mesmo muito velho, pois tem a idade de seus preconceitos. Aceder à ciência é rejuvenescer espiritualmente, é aceitar uma mutação brusca que deve contradizer um passado. Para um espírito científico, todo conhecimento é uma resposta a uma questão. Se não há questão, não pode haver conhecimento científico. Porque nada é dado. Tudo é construído." Obras principais: *Le nouveau esprit scientifique* (1934), *La psychanalyse du feu* (1937), *La formation de l'esprit scientifique* (1938), *L'eau et les rêves* (1914), *L'air et les songes* (1943), *La terre et les rêveries de la volonté* (1945), *La terre et les rêveries du repos* (1948), *Le rationalisme appliqué* (1948), *Le matérialisme rationnel* (1953), *La poétique de l'espace* (1957), *La poétique de la rêverie* (1960).

Bacon, Francis (1561-1626) Nasceu na Inglaterra. Estudou no Trinity College de Cambridge, onde demonstrou profunda antipatia pelo programa de ensino escolástico. Tornou-se hostil a Aristóteles. Queria libertar a filosofia das garras da *escolástica e lançá-la no caminho das luzes, fazendo crescer o bem-estar da humanidade. Depois de uma adolescência órfã e pobre, galgou os postos mais importantes. Em 1583, foi eleito membro do Parlamento, tornou-se chanceler em 1618. O Parlamento o acusa de corrupção e o condena em 1621. Doente e arruinado, morre cinco anos mais tarde. Sonhou sempre com a reforma da filosofia, cujo plano de conjunto está em sua obra *Instauratio magna*, da qual o *Novum organum* constitui o prefácio. Entre 1597 e 1623, publica os *Essays* (Ensaios), tratando de todas as questões com uma exuberância própria ao estilo renascentista. Contra as disputas estéreis da escolástica, declara que "a ciência não é um conhecimento especulativo, nem uma opinião a ser sustentada, mas um trabalho a ser feito" a serviço da utilidade do homem e de seu poder. Para dominar a natureza, precisamos antes conhecer suas leis por métodos comprovados. O novo método deve consistir na observação da natureza. Contudo, para se ver claro, é necessário, antes, fazer uma *classificação* das ciências: as ciências da memória (ou *história*), as ciências da razão (*filosofia*) e as ciências da imaginação (*poesia*). Em seguida, Bacon estabelece o *método experimental* de pesquisa das causas naturais dos fatos: em primeiro lugar, devemos *acumular* os fatos; em seguida, classificá-los; e finalmente, determinar sua causa. Contudo, a formulação desse método experimental e indutivo exige, como condição, a eliminação de falsas noções, que Bacon denomina "ídolos", fantasmas de verdade, imagens tomadas por realidade: a) os *ídolos da tribo*, isto é, as falsas noções da espécie humana; b) os *ídolos da caverna*, as falsas noções provenientes de nossa psicologia individual; c) os *ídolos do mercado*, as falsas noções provenientes da psicologia social; d) os *ídolos do teatro*, as falsas noções provenientes das doutrinas em voga. Assim, o projeto de Bacon, para quem "saber é poder", consiste, primeiramente, em aperfeiçoar a ciência; em seguida, em aperfeiçoar a ordem social; finalmente, em conferir soberania aos homens de ciência. Ele defende essa ideia em *New Atlantis* (Nova Atlântida), cidade ideal na qual fixa um objetivo humano para a ciência: lutar contra a ignorância, o sofrimento e a miséria, e permitir ao império humano realizar tudo o que é possível, propagando ciência e cultura. *Ver* empirismo; ídolo; método; *Órganon;* utopia.

Bacon, Roger (c.1214-1292) Franciscano inglês, professor nas Universidades de Oxford e de Paris, conhecido como *Doctor Mirabilis*, pode ser considerado um dos precursores do espírito científico do pensamento moderno, por defender a importância da matemática para a fundamentação da ciência natural e por valorizar o papel da experiência para a ciência. Escreveu comentários sobre as obras de Aristóteles e propôs a criação de uma "ciência universal". Obras principais: *Opus maius* (Obra maior), *Opus minus* (Obra menor) e *Opus tertius* (Terceira obra). *Ver* escolástica.

Baden, escola de Ramificação do neokantismo de orientação axiológica, isto é, orientada no sentido da teoria dos valores, interessando-se sobretudo pelas ciências da cultura e pela história. *Ver* neokantismo.

Bakunin, Mikhail Alexandrovich (1814-1876) O russo Bakunin é conhecido por ter sido um socialista *anarquista. Em seu livro *Federalismo, socialismo e antiteologismo* (1872), no qual se opõe vigorosamente a Comte, declara que o princípio do mal é a centralização, matriz concreta do Estado e de sua autoridade. A centralização — e, por conseguinte, o poder — constitui um obstáculo ao livre desenvolvimento dos indivíduos e dos povos. Por isso, devemos suprimir o poder, a lei, o governo e nos engajar na realização daquilo que eles impedem: a paz e a liberdade. O caminho consiste em descentralizar, regionalizar e, em seguida, federalizar: somente as associações espontâneas permitem o desenvolvimento dos homens e dos grupos. A igualdade econômica total, pela supressão das classes, só pode ser realizada pelo *socialismo. E o campesinato é a verdadeira classe revolucionária. O *anarquismo de Bakunin é uma espécie de comunismo não marxista, repousando na total igualdade dos indivíduos, na propriedade comum da terra e no desaparecimento total do Estado, em proveito da organização espontânea da comunidade.

Banquete, O (*Sympósion*) Diálogo de *Platão (c.384 a.C.) mostrando que o acesso à *verdade pode ser feito por caminhos distintos do proposto pela *inteligência, uma vez que há uma espécie de *reminiscência da alma, permitindo-nos passar da *beleza sensível à Beleza perfeita da *ideia inteligível. O contexto deste diálogo é um banquete oferecido pelo poeta Agaton a seus amigos a fim de se entreterem sobre o *amor da ciência e do belo. Cada um dos convidados faz um elogio do amor (Fedro, Pausânias, Erixímaco, Aristófanes, Agaton). Ao tomar a palavra, *Sócrates faz um elogio da beleza e uma reflexão sobre o amor: do amor dos belos corpos, passamos ao amor das belas almas: em seguida ao amor das belas obras humanas: enfim, ao amor da ciência. Desejo de imortalidade e aspiração ao Belo em si, o amor sensual nos conduz ao amor espiritual (o que passou a ser conhecido como "amor platônico").

barbárie (do gr. *barbaros:* estrangeiro, não civilizado) Para os gregos e os romanos, estado de quem é estrangeiro e não civilizado. Posteriormente, para os cristãos, estado dos não evangelizados. Daí a ideia errônea da existência de uma "civilização ocidental" superior e diferente da barbárie (outras civilizações): "Barbárie é o poder sem liberdade nem lei" (Kant).Toda civilização pratica atos de barbárie, constituindo verdadeiros atentados aos direitos fundamentais da pessoa humana: crimes nazistas, torturas etc. Neste sentido, toda violência pode ser considerada um ato de barbárie. *Oposto a* *humanismo. *Ver* civilização, cultura.

Bardili, Christoph Gottfried (1761-1808) Filósofo alemão, nascido em Blaubeuren. Adversário do idealismo crítico de Kant, adotou um realismo racional que apresenta analogias com o pensamento de Hegel. Obras principais: *As épocas dos supremos conceitos filosóficos* (1788), *Filosofia prática geral* (1795), *Sobre as leis da associação de ideias* (1796).

Barreto, Tobias (1839-1889) Considerado o primeiro grande filósofo brasileiro, Tobias Barreto, nascido em Sergipe, começou a elaborar seu pensamento sob a influência do *ecletismo de Victor Cousin, como professor de direito. Mas logo aderiu às teses positivistas de Comte, especialmente às teses cientificistas de combate à ignorância e à obscuridade. Contudo, preocupado com a rigidez do pensamento francês, tornou-se um ardente defensor da filosofia alemã, sobretudo de Kant e de Schopenhauer, elaborando uma síntese metafísica do pensamento germânico de então. Como chefe da Escola de Recife, fez uma crítica implacável ao ecletismo espiritualista, que era a filosofia dominante e legitimadora da política do Segundo Reinado. No final de sua vida, passou a adotar certo *monismo materialista a fim de nele descobrir as bases de uma autêntica metafísica e de um pensamento religioso desvinculado de todo e qualquer ritualismo. Além de seu famoso *Discurso em mangas de camisa* (1877), dirigido aos homens do interior e contra a prepotência dos senhores da terra, Tobias Barreto deixou as seguintes obras: *Ensaios e estudos de filosofia e crítica* (1875), *Estudos alemães* (1882), *Questões vigentes de filosofia e direito* (1888). Obras póstumas: *Estudos de direito* (1892), *Vários escritos* (1900), *Polêmicas* (1901). Ver filosofia no Brasil.

Barthes, Roland (1915-1980) Crítico e ensaísta francês, nasceu em Cherbourg. Seu pensamento, inspirado na linguística de *Saussure, na antropologia estrutural e na psicanálise de *Lacan, está voltado para as relações da literatura com o poder. Interrogando-se sobre a especificidade do literário, preocupou-se com a possibilidade de uma linguagem neutra, liberta das falsificações do social. Desenvolveu pesquisas semiológicas, aplicando seus princípios metodológicos a temas tão diversos quanto o discurso sobre a indumentária e os mitos da sociedade contemporânea. Seus trabalhos sobre as condições de uma ciência da literatura fizeram desenvolver a reflexão sobre a linguagem natural e sobre a *semiologia, ou ciência dos signos. Principais obras: *O grau zero da escrita* (1953), *Mitologias* (1957), *Sobre Racine* (1963), *Ensaios de semiologia* (1965), *Crítica e verdade* (1966).

Bataille, Georges (1897-1962) Escritor e pensador francês cuja obra se situa nas fronteiras movediças da literatura e da filosofia. Interessado pela teoria do sagrado e pela psicanálise, insistiu na necessidade de levarmos em conta, numa teoria geral dizendo respeito à significação do "homem inteiro, não mutilado", os aspetos menos nobres e degradantes da condição humana. Sua filosofia procede mais por afirmações pontuais e chocantes que pela construção de um sistema coerente. Define o homem pela consciência da morte e pelo trabalho. Obras principais: *L'Expérience intérieure* (1943), *Le coupable* (1944), *Haine et la poésie* (1947), *L'Érotisme* (1957).

Baudrillard, Jean (1929-2007) Filósofo, sociólogo e ensaísta francês, de formação médica, professor na Universidade de Paris-Nanterre. Influenciado inicialmente pela *semiologia de Roland Barthes que orientou sua tese de doutorado, *O sistema de objetos* (1968), e pelo estruturalismo, posteriormente foi influenciado pelo pensamento de *Nietzsche, aproximando-se de filósofos como *Lyotard e *Derrida, e desenvolvendo seu pensamento em torno de uma reflexão sobre a vida urbana e a realidade cotidiana. Crítico da sociedade de consumo, considera que esta aprisiona o homem num sistema de significações, não tanto funcionais como simbólicas, fazendo-o viver em um mundo insensato. É autor de: *La société de consommation* (1970), *Pour une critique de l'économie du signe* (1972), *L'échange symbolique et la mort* (1972), *Oublier Foucault* (1977), *De la séduction* (1979), *Les stratégies fatales* (1983).

Bauer, Bruno (1809-1882) Filósofo e teólogo alemão nascido em Eisenberg, foi considerado da esquerda hegeliana por causa de suas obras *Crítica dos fatos contidos no Evangelho de são João* (1840) e *Crítica da história evangélica dos sinópticos* (1841). Suas teses tiveram um efeito demolidor, mas foram postas em dúvida por Marx e Engels em *A ideologia alemã*. Ver ideologia.

Baumgarten, Alexander Gottlieb (1714-1762) Filósofo alemão, nascido em Berlim, é considerado o criador da estética moderna. Foi professor em Frankfurt. Obras principais: *Metafísica* (1739), *Estética acromática*, inacabada (1750-1758).

Bayle, Pierre (1647-1706) Pensador francês nascido no Languedoc, notabilizou-se não somente por ter combatido todas as formas de intolerância em matéria de religião (como as que, em torno da "graça" e do *"livre-arbítrio", defrontavam-se calvinistas, jansenistas e tomistas) e de filosofia, mas por ter escrito um monumental *Dicionário histórico e crítico* em dois volumes (1695-1697) no qual examinou todos os grandes problemas teológicos, metafísicos, morais, históricos e políticos que, por preconceito, não eram tratados com o devido respeito. Ao aderir ao *cetismo radical, desqualificando, em matéria de conhecimento, não somente a contribuição dos sentidos, mas a própria razão, Bayle passou a adotar um *fideísmo racional, fundado em certas verdades das quais não se pode duvidar e que constituem a base das crenças religiosas.

beatitude (lat. *beatitudo*) 1. Para Aristóteles, os estoicos, Descartes e Espinoza, estado de plenitude e de total contentamento do sábio tendo alcançado o Soberano bem.

2. Para a *teologia cristã, estado de total bem-aventurança ou de felicidade dos eleitos gozando, no céu, da contemplação eterna de Deus.

Beauvoir, Simone de (1908-1986) Considerada a mais fiel discípula de *Sartre, a escritora francesa Simone de Beauvoir, nascida em Paris, é autora de ensaios (*Le deuxième sexe* é o mais conhecido, sendo pioneiro no movimento feminista), de romances (*Les mandarins*), de peças de teatro e de memórias; não é uma filósofa no sentido estrito da palavra. Neste domínio, não possui um pensamento próprio. Seu papel, na escola existencialista, não foi o de criar, mas de vulgarizar (o que faz com brilhantismo) e defender as grandes teses do movimento existencialista francês, particularmente as teses sartrianas. Empenhou-se, sobretudo, em aplicar a teoria à prática. É por isso que, se quisermos conhecer a moral sartriana, não é a Sartre que devemos recorrer, mas a Simone. As linhas gerais dessa moral existencialista encontram-se em dois ensaios: *Pyrrhus et Cinéas* (1944), que estabelece os princípios gerais da ação humana, e *Por une morale de l'ambïguité* (1947), que apresenta as regras da ação moral. As primeiras questões são as seguintes: Devemos agir? O que devemos fazer? Pouco antes de morrer, Simone escreveu um livro relatando suas relações com Sartre: *Cérémonie des adieux*. Ver existencialismo.

behaviorismo (ingl. *behaviour* ou, nos Estados Unidos, *behavior*: comportamento) **1.** Método da psicologia experimental que consiste em fazer um estudo científico do homem e do animal, limitando-se à investigação de seus *comportamentos* (conjunto das reações sensoriais, nervosas, musculares e glandulares determinadas por um *estímulo*) como resposta a um estímulo externo, sem nenhuma referência à consciência. Em outras palavras, trata-se de um método que consiste essencialmente em observar estímulos e comportamentos e em extrair daí as leis que os reúnem.

2. Doutrina que erige esse método psicológico em uma filosofia que defende a continuidade entre a vida animal e a vida humana, a passagem de uma à outra devendo operar-se por simples evolução.

beleza Caráter do que é belo, podendo aplicar-se a coisas, a pessoas ou a obras de arte. O filósofo considera que o belo é aquilo que desperta nos homens um sentimento particular chamado "emoção estética", e acredita que tal sentimento seja inteiramente desinteressado, muito embora seja parcialmente determinado pelos hábitos e pelos conhecimentos: até mesmo as emoções estéticas que sentimos diante de certos espetáculos da natureza dependem, pelo menos em parte, dos valores culturais do momento.

belo (lat. *bellus*: bonito) **1.** Diz-se de tudo aquilo que, como tal, suscita um *prazer desinteressado (uma emoção estética) produzido pela contemplação e pela admiração de um objeto ou de um ser. Ex.: um belo castelo, uma mulher bela.

2. Diz-se de tudo aquilo que apresenta um *valor moral digno de admiração. Ex.: uma bela ação.

3. Conceito normativo fundamental da *estética que se aplica ao juízo de apreciação sobre as coisas ou sobre os seres que provocam a emoção ou o sentimento estético, seja em seu estado natural (uma bela paisagem), seja como produto da arte (pintura, música, arquitetura etc.) Todo belo é o resultado de uma apreciação, de um juízo de gosto subjetivo, isto é, pressupõe que não haja nada para ser conhecido. Kant define o belo como "aquilo que agrada universalmente sem conceito", vale dizer, como objeto de um juízo de gosto que depende da sensibilidade estética, não da inteligência conceitual, referindo-se a um caso particular determinado, mas determinando um acordo universal dos sujeitos.

bem (lat. *bene*: bem) **1.** Tudo o que possui um *valor moral ou físico positivo, constituindo o objeto ou o fim da ação humana.

2. Para Aristóteles, o bem é "aquilo a que todos os seres aspiram"; "O bem é desejável quando ele interessa a um indivíduo isolado; mas seu caráter é mais belo e mais divino quando se aplica a um povo e a Estados inteiros." Tanto para os antigos quanto para os escolásticos, o bem designa, em última instância, o Ser que possui a perfeição absoluta: Deus.

3. Os filósofos do séc. XVII retomam a tradição grega de um Bem transcendente como fim de toda ação moral. O Soberano Bem é identificado com Deus: "O Soberano Bem do espírito é o conhecimento de Deus, e a soberana virtude do espírito é a de conhecer Deus" (Espinoza). Assim, o Soberano Bem é o ponto culminante das morais da perfeição.

4. Enquanto conceito normativo fundamental na ordem ética, o bem designa aquilo que é conforme ao ideal e às normas da moral.

Benjamin, Walter (1892-1940) Um dos mais originais pensadores da escola de *Frankfurt, Walter Benjamin nasceu na Alemanha, de família judia, revelando em seu pensamento forte influência da tradição cultural judaica, sobretudo da mística e da teologia. Inspirando-se em Marx, de cujo pensamento deu uma interpretação própria, Benjamin desenvolveu uma profunda reflexão crítica sobre a arte e a cultura na sociedade de seu tempo, ainda que basicamente através de ensaios, artigos e textos fragmentários, publicados em revistas literárias e jornais. Em vários desses escritos, dentre os quais destaca-se seu ensaio sobre "A obra de arte na era de sua reprodutibilidade técnica", procura entender a mudança radical que se dá em relação à obra de arte, o que caracteriza, retomando uma ideia hegeliana, a perda de uma "aura", aquilo que faz do objeto de arte algo de único e especial. Ao reproduzir-se e difundir-se um objeto artístico, tal como acontece com o cinema e a fotografia, há uma ruptura com o modo tradicional de nos relacionarmos com esse objeto; por outro lado, essa nova relação contém um elemento revolucionário, capaz de contribuir decisivamente para a transformação das próprias estruturas sociais. Dentre seus escritos, destacam-se ainda um ensaio sobre Baudelaire e as "Teses sobre a filosofia da história". Sua obra completa (*Gesammelte Schiriften*, 6 vols.) foi publicada postumamente (1972-1975).

Bentham, Jeremy (1748-1832) Filósofo inglês, fundador do *utilitarismo, desenvolvido depois por John Stuart Mill (1806-1873). Para Bentham, o utilitarismo é a doutrina que, do ponto de vista moral, considera a utilidade como o principal critério da atividade. Trata-se de uma teoria da felicidade pensada segundo o modo de uma economia política ou em termos de gestão do capital-vida. Em seu livro mais importante, *Princípios de moral e de legislação* (1780), Bentham escreve: "A natureza colocou o homem sob o império de dois mestres soberanos: o prazer e a dor. O princípio de utilidade reconhece essa sujeição e a supõe como fundamento do sistema que tem por objeto erigir, com a ajuda da razão e da lei, o edifício da felicidade." O importante é que o homem procure calcular como obter o máximo de felicidade com um mínimo de sofrimento. Em outra obra, intitulada *O panóptico* (1786), Bentham elabora todo um plano de organização arquitetural das prisões a fim de submeter os prisioneiros a uma vigilância permanente e poder reinseri-los no sistema produtivo. Pretendia estender esse plano a todas as instituições de educação e de trabalho. Escreveu também outro livro muito importante: *Defesa da usura* (1787).

Berdiaeff, Nicolas (1874-1948) Filósofo de origem russa nascido em Kiev, banido em 1922 e refugiado em Paris, Berdiaeff foi um dos inspiradores do *existencialismo cristão e do *personalismo comunitário. Sua filosofia da existência é, antes de tudo, uma filosofia da liberdade. Definia-se a si mesmo como um "senhor metafísico". Sempre se considerou um estrangeiro no mundo, desprovido de raízes, em estado de isolamento e de desgosto pela cotidianidade social: "Amei muito os jardins e as verduras, mas, em mim mesmo, não há jardim." Sua vida foi uma luta contra o meio aristocrático de sua família, contra o meio revolucionário-marxista de sua adolescência e contra o meio ortodoxo de sua maturidade. Profundamente marcado por sua conversão ao cristianismo, insurgia-se "contra tudo o que fazia parte do espírito do Grande Inquisidor" (Dostoievski), porque o Inquisidor é a escravidão. Sua obra mais importante, escrita no final da vida, foi *Les sens de la crétion: Un essai de justification de l'homme*. Escreveu ainda: *Cinq méditations sur l'existence* (1936) e *Esprit et réalité* (1943).

Bergson, Henri (1859-1941) Considerado o mais importante filósofo francês (nasceu em Paris) do início do século, Bergson teve grande influência em sua época. Foi professor no Collège de France (1900), membro da Academia Francesa (1914), e obteve o Prêmio Nobel da Literatura em 1927. Seu pensamento, fortemente espiritualista, pode ser visto como uma tentativa de recuperar a metafísica contra os ataques tanto do *kantismo quanto do positivismo, então predominantes (final do séc. XIX). Ao desenvolver uma perspectiva dualista, opondo o espírito à matéria, formula um princípio vitalista — o *elã vital — rejeitando o materialismo, o mecanicismo e o determinismo. Propõe a criatividade e não a seleção natural como princípio explicativo da evolução. Valoriza a *intuição contra o intelecto, considerando que este é incapaz de apreender a realidade em seu sentido mais profundo e de explicar nossa experiência. Aplica essa distinção à análise do tempo, distinguindo entre *tempo (*temps*) e *duração (*durée*), sendo que esta última instância, o "tempo real", só pode ser apreendida intuitivamente e não como sucessão temporal. Analisou também a religião e a moral, considerando-as como originárias, por um lado, da sociedade natural, o que resulta em uma moral da obrigação e em uma religião extática, que é uma defesa contra a natureza hostil e, por outro lado, da sociedade aberta em que a moral é criadora de valores e a religião é dinâmica e criativa. Com o surgimento da *fenomenologia e do *existencialismo, sua influência entrou em declínio. Obras principais: *Essai sur les données immédiates de la conscience* (1889), *Matière et mémoire* (1896), *Le rire* (1900), *L'évolution créative* (1907), *L'énergie spirituelle* (1919), *Durée et simultanéité* (1922), *Les deux sources de la morale et de la religion* (1932), *La pensée et le mouvant* (1934).

Berkeley, George (1685-1753) George Berkeley nasceu na Irlanda. Estudou e lecionou em Dublin. Já aos 20 anos, descobre seu "grande princípio", o *imaterialismo, desenvolvido no *Tratado sobre os princípios do conhecimento humano* (1710) e sob a fórmula de diálogos nos *Diálogos entre Hylas e Philonous* (1713). Decano da Faculdade de Teologia de Dublin, faz grande propaganda pela evangelização da América e vai para as Bermudas com tal objetivo (era bispo desde 1734). Kant toma Berkeley como exemplo do *idealismo dogmático. Seu grande princípio é sintetizado na expressão "*esse est percipi*", "ser é ser percebido": o ser das coisas consiste em ser percebido pelo sujeito pensante; logo, *só a ideia é real*: o ser tem por base a determinação do ser como ser percebido ou conhecido. Nega, assim, a existência da matéria, pois esta é espiritualizada; só não chega ao *solipsismo (teoria afirmando que "só existe o eu"), porque afirma a existência de Deus. Nossas percepções não resultam da ação da matéria sobre nossa alma, mas do ato de um outro espírito distinto do meu. O mundo é o sistema de relações entre Deus e os espíritos humanos. Há uma imanência integral de meu espírito em minhas sensações; e uma imanência integral de Deus em meu espírito. A natureza nada mais é que uma relação entre Deus e eu; quanto a mim, eu nada mais sou, pelo pensamento, senão participação do pensamento divino. A doutrina de Berkeley chega a um misticismo próximo ao de Plotino. É um idealismo, pois nega a matéria, mas é, sobretudo, um *espiritualismo, porque, em última análise, somente são reais os espíritos. A fórmula "*esse est percipi*" levou a uma outra mais profunda: "*esse est percipere*". E o ato de perceber é apenas o modo humano do pensamento infinito. *Ver* empirismo.

Bernal, John Dermond (1901-1971) Bernal nasceu na Irlanda. Tornou-se membro da Royal Society of Sciences, de Londres, em 1937, e de várias academias científicas estrangeiras. Formado em física, foi um dos primeiros a se interessar pelas relações da ciência com a sociedade e a aplicar às ciências, em sua história, categorias de análise marxistas. Sua monumental obra, *Science in History* (1965), em três volumes, constitui uma tentativa exaustiva de analisar as relações recíprocas entre a ciência e a sociedade ao longo da história. Mostra ainda como a ciência contribuiu para modificar as convicções e práticas econômicas, sociais e políticas nos diversos sistemas: nômades, feudais, capitalistas e socialistas. Bernal é ainda o pioneiro dos estudos hoje denominados "sociologia da ciência". Tornou-se famoso seu livro *The Social Function of Science* (1939), por interpretar a ciência como um importante complexo institucional cuja significação cultural e econômica constitui uma chave decisiva para compreendermos alguns dos traços característicos da sociedade contemporânea. Escreveu ainda *The Freedom of Necessity* (1949).

Bernard, Claude (1813-1878) Nascido em Saint-Julien, o fisiologista francês Claude Bernard ganhou grande notoriedade em seu país quando, em 1865, publicou seu famoso livro *Introdução ao estudo da medicina experimental*, no qual aparece, pela primeira vez de modo sistemático, o *método experimental*, em suas três fases fundamentais: observação, hipótese e experimentação. Essa obra surge como um novo *Discurso do método*: a medicina e a fisiologia atingem o estádio da observação e da experimentação (estado positivo e científico, na linguagem de Comte), após ter passado pelo estado teológico e pelo estado metafísico. Ao adotar uma concepção positivista da ciência (observação, estudo das relações entre os fenômenos observados, experimentação metódica, sem preocupação com as causas primeiras dos fenômenos), Claude Bernard desenvolve as regras de toda ciência experimental, vendo nela uma dialética entre o cientista que coloca questões à natureza (ideia-hipótese) e a experiência que, bem conduzida, é a resposta dos fatos. Para ele, a experimentação possui a dimensão de transformar o real criando novos fenômenos: "com a ajuda das ciências experimentais, declara, o homem se torna um inventor de fenômenos, verdadeiro contramestre da Criação." *Ver* método.

Bertalanffy, Ludwig von (1901-1972) Bertalanffy nasceu na Áustria, onde se formou em filosofia e biologia. A partir de 1948, passou a lecionar biologia molecular em várias universidades canadenses e americanas. Suas preocupações se voltaram para os trabalhos experimentais em biologia, fisiologia celular e embriologia. Mas se interessou também pelos estudos de comportamento social, por investigações filosóficas, tendo definido um novo quadro teórico utilizável por todas as ciências modernas: a *teoria geral dos sistemas*. Esse empreendimento, contido em seu *General System Theory* (1968), propõe, além de um quadro unitário do conjunto diversificado das ciências contemporâneas, um verdadeiro programa filosófico, uma espécie de "visão do mundo" a ser elaborada, tendo por base a categoria de *sistema para pensar a vida. A teoria geral dos sistemas poderia, acredita, aplicar-se à totalidade do real. Ao distinguir entre os sistemas fechados (os do mundo inanimado) e os sistemas abertos (os organismos vivos, o psiquismo, as sociedades humanas e as línguas) Bertalanffy caracteriza estes últimos não somente por uma possibilidade de serem enriquecidos do exterior, mas pela existência de um princípio interno (individuante) de esforço capaz de explicar por que os sistemas abertos e seu devir próprio não são determinados pelas excitações que recebem. Portanto, critica as três grandes teorias reducionistas de nosso tempo: o behaviorismo de Watson e de Skinner, o marxismo e o freudismo, que reduzem a conduta animal e humana a reações determinadas pelas excitações do meio. Ao ver o mundo como uma hierarquia de sistemas, talvez Bertalanffy redescubra a crença numa ordem panteísta. Escreveu ainda, entre vários livros de biologia, *Problems of Science: An Evaluation of Modern Biological and Scientific Thought* (1952) e *Robots, Men and Minds* (1967).

Binswanger, Ludwig (1881-1966) Psiquiatra suíço que, sob uma forte influência de Heidegger, desenvolveu toda uma teoria existencial do psiquismo e de suas perturbações: a *Dasein análise*. Trata-se de um "movimento existencial em psicologia", incluindo a psicoterapia existencial bem como a chamada "análise existencial" e a "fenomenologia psiquiátrica", procurando compreender as neuroses ou psicoses dos indivíduos como formas de "ser-no-mundo". Obras principais: *Introdução ao problema da psicologia geral* (1922), *O sonho e a existência* (1954), *O homem e a psiquiatria* (1957), *Melancolia e mania: Estudos fenomenológicos* (1960), *A loucura: Contribuição à sua investigação fenomenológica e analítico-existencial* (1963).

bioética (do gr. *bios:* vida, e *ethikos:* que diz respeito aos costumes) Neologismo criado por van Rensselaer Potter, em sua obra *Bioethics: Bridge to the Future* (1971), para designar a abordagem interdisciplinar da filosofia moral preocupada em elucidar todas as condições exigidas por uma gestão responsável da vida humana no contexto dos rápidos e complexos progressos das ciências da vida e das tecnologias biomédicas no mundo contemporâneo.

biologia (do gr. *bios:* vida e *logos:* teoria) Termo introduzido por *Lamarck (1802) para designar, dentro do campo das ciências naturais, a ciência da vida animal e vegetal, o que até então era conhecido como "história natural". Já presente na obra filosófica de numerosos sábios, desde Aristóteles, a biologia se diversificou, a partir do Renascimento, em vários ramos distintos: botânica, morfologia, anatomia e fisiologia. A reflexão filosófica frequentemente se inspirou em questões biológicas (Descartes é um exemplo). A partir de *Spencer e de Darwin, não são poucos os que fazem da teoria evolucionista um objeto de reflexão, como, por exemplo, *Teilhard de Chardin.

Biran, Maine de Ver Maine de Biran.

Bloch, Ernst (1885-1977) Filósofo marxista alemão de origem judaica, professor na Universidade de Leipzig, exilou-se nos Estados Unidos em 1933, regressando à Alemanha Oriental em 1948 e radicando-se depois na Alemanha Ocidental (1958), onde foi professor na Universidade de Tübingen. O marxismo de Bloch é influenciado pelo idealismo alemão, sobretudo hegeliano, e pela tradição mística judaica e cristã, também encontrada na cultura alemã. O princípio fundamental de sua filosofia é a esperança (*Hoffnung*). Vê a história como algo que vai se fazendo de acordo com esse princípio, e define a consciência como "consciência antecipadora". Obras principais: *Sobre o espírito da utopia* (1918) e *O princípio esperança* (1954-1959).

Blondel, Maurice (1861-1949) Filósofo francês (nascido em Dijon), que dedicou toda a sua vida a elaborar uma *filosofia da ação*. Para ele, a ação deve ser entendida como "aquilo que é ao mesmo tempo princípio, meio e termo final de uma operação que pode permanecer imanente a si mesma". Ela é a questão da filosofia. Contudo, sua filosofia da ação se converte numa filosofia da contemplação ativa, adquirindo sua mais alta significação na visão de Deus. Partidário da ortodoxia católica, Blondel declara que a visão de Deus é a consequência necessária de uma filosofia que reflete sobre a ação humana. Porque o sobrenatural emerge na imanência e na ação e se insere em nós pela atração que o infinito exerce sobre o finito. Obras principais: *A ação: Ensaio de uma crítica de vida e de uma ciência da prática* (1893), *O pensamento* (1933), *O Ser e os seres: ensaio de ontologia concreta e integral* (1935), *A ação humana e as condições de seu desabrochamento* (1937), *A filosofia e o espírito cristão*, 2 vols. (1944-1946), *Exigências filosóficas do cristianismo*, póstuma (1950). *Ver* modernismo.

boa consciência/má consciência A expressão "boa consciência" que, no plano moral, é a consciência daquele que se julga irrepreensível e isento de toda responsabilidade, torna-se pejorativa a partir do momento em que os existencialistas veem nela a consciência satisfeita com a ordem exterior estabelecida ou só criticando-a de modo superficial para transformá-la em *má consciência*.

Bodin, Jean (1530-1596) Durante toda a segunda metade do séc. XVI, quando os europeus cultos acreditavam viver num mundo "fechado, ao sabor de forças sobrenaturais incontroláveis, sob a ameaça permanente de Satã e de outros demônios, o jurista Jean Bodin (nascido em Angers, França) desenvolveu uma intensa atividade política e jurídica, tendo em vista não somente elaborar uma teoria da soberania do rei (o soberano é aquele que, sem ser déspota nem arbitrário, deve concentrar todos os poderes do Estado), mas justificar a caça às bruxas e perseguir os que utilizam as práticas mágicas. Sua doutrina da soberania encontra-se em *Seis livros da República* (1576). E sua feroz crítica da magia e da demonologia, em *Demonomania dos feiticeiros* (1580), verdadeiro tratado de "misoginia" no qual defende uma perseguição sistemática às bruxas, e sua sumária execução, após serem submetidas à tortura.

Boécio (480-524) Filósofo romano, tradutor e comentador de Aristóteles, principalmente dos tratados de lógica, cuja tradução foi amplamente utilizada durante o período medieval. Boécio é, assim, considerado uma "ponte" entre a filosofia clássica e o pensamento medieval, tendo sido conhecido como o "último dos romanos e o primeiro dos escolásticos". Foi alto funcionário da corte do rei Teodorico, tendo, no entanto, caído em desgraça e sido condenado à morte. Na prisão, antes de ser executado, escreveu a *Consolação da filosofia*, em que expõe sua concepção filosófica eclética, sobretudo do ponto de vista ético e cosmológico, e medita sobre o papel da filosofia. Essa obra edificante foi extremamente popular no período medieval, tendo causado estranheza, entretanto, que, sendo Boécio cristão, nela não faça nenhuma alusão ao cristianismo. Boécio é conhecido, na história da filosofia, por ter colocado, em seus comentários da obra de Aristóteles, a famosa questão dos *universais, que tanto dividiu os filósofos medievais dos sécs. XII e XIII. O que está em discussão é a natureza das ideias gerais, conceitos ou universais: são os universais (p. ex. o gênero ou a espécie) realidades que *existem* efetivamente, ou seriam apenas simples construções do espírito? Historicamente, a segunda tese, de cunho mais aristotélico, prevalece sobre a primeira, mais platônica. Mas outras questões agitam ainda a filosofia, para além da Idade Média: se nossas ideias são simples construções do espírito, como podemos conhecê-las? E quem nos garante que o conhecimento que temos do mundo não passa de uma pura construção fantasmática? Qual a relação existente entre o conhecimento e o mundo conhecido, entre as ideias e as coisas?

Boehme, Jakob (1575-1624) O teosofista alemão Jakob Boehme (Boehm, Böhme ou Böhm), cognominado o "filósofo teutônico", de religião luterana e sapateiro de profissão, escreveu obras místicas: *A aurora em elevação* (cujo manuscrito foi condenado pelas autoridades eclesiásticas em 1612, e só foi publicado em 1634), *Dos três princípios da essência divina* (1619) e *Mysterium magnum* (1623), dentre outras. A filosofia mística de Boehme afirma que toda a criação é uma manifestação de Deus.

Boétie, Etienne de la *Ver* La Boétie.

Bolzano, Bernhard (1781-1848) Filósofo, teólogo e matemático, nascido em Praga, na Boêmia, em cuja universidade estudou e da qual foi professor. Sacerdote da Igreja católica teve algumas de suas obras de caráter teológico censuradas. Notabilizou-se sobretudo por suas teorias no campo da lógica e da filosofia da ciência expressas em sua *Wissenschaftslehre* (*Doutrina da ciência*, 1837), na qual defende uma posição realista, contra as tendências idealistas então dominantes. Sua obra, publicada postumamente (1851), *Paradoxos do* *infinito*, antecipa algumas das ideias da teoria dos conjuntos, desenvolvida posteriormente.

bom senso Qualidade de nosso espírito que nos permite distinguir o verdadeiro do falso, o certo do errado. "O bom senso é a coisa do mundo mais bem distribuída" (Descartes). Às vezes Descartes denomina o bom senso de *"luz natural". Na maioria dos casos, chama-o simplesmente de *razão, instrumento geral do *conhecimento que é capaz de "julgar e distinguir bem o verdadeiro do falso". Essa faculdade da razão é natural e comum a todos os homens.

Bonald, Louis de *Ver* De Bonald / De Maistre.

Boole, George (1815-1864) Lógico e matemático inglês (nascido em Lincoln). É considerado um dos criadores da lógica simbólica moderna, com a publicação de *The Mathematical Analysis of Logic* (1847). Escreveu ainda *Treatise on Differencial Equations* (1859) e *An Investigation of the Laws of Thought on Which Are Founded the Mathematical Theories of Logic and Probabilities* (1854), no qual elabora o seu método de aplicar a matemática à lógica, formulando a lógica através de uma linguagem algébrica (álgebra booliana). *Ver* De Morgan, Augustus.

Bornheim, Gerd Alberto (1929-2002) Pensador brasileiro (nasceu em Caxias do Sul). Estudioso da filosofia alemã, sobretudo de Hegel e Heidegger, foi também um grande especialista no existencialismo sartreano. Profundo conhecedor da história da filosofia, dedicou-se também a estudos de estética e escreveu sobre teatro. Conferencista brilhante, lecionou filosofia na UFRJ, UERJ e UFRS. Traduziu vários textos clássicos de filosofia e foi autor de uma vasta obra, destacando-se: *Introdução ao filosofar* (1970); *Sartre: metafísica e existencialismo* (1971); *O idiota e o espírito objetivo* (1980); *A dialética: teoria e práxis* (1983); *Brecht: a estética do teatro* (1992); *Metafísica e finitude* (2001).

Bosanquet, Bernard (1848-1923) Filósofo inglês, professor nas Universidades de Oxford e St. Andrews. Foi um dos principais representantes do *idealismo hegeliano na Inglaterra, elaborando um sistema em que o conceito de absoluto tem um lugar central, sendo que as individualidades devem ser sempre entendidas a partir de sua transcendência através da arte, da religião e da sociedade, levando em última análise ao absoluto. Notabilizou-se por sua *História da estética* (1892), tendo também escrito *Conhecimento e realidade* (1885) e *O princípio de individualidade e valor* (1912), dentre outras obras.

Bossuet (1627-1704) O prelado, teólogo e escritor Bossuet (nascido em Dijon, França) ocupou um lugar de destaque na literatura e nas querelas religiosas que agitaram o final do séc. XVII em seu país (e na Europa). Bastante influente politicamente, ele se apresenta como o campeão da "reação" contra as "ideias subversivas" de Espinoza, Hobbes e Locke. Defende com ardor a *monarquia absoluta e cristã*. A origem da sociedade, diz ele, não reside numa "natureza política ou social do homem" nem tampouco num pretenso "contrato" ou pacto, mas em Deus, pois somente Ele, obrigando os homens, por sua lei, a se amarem uns aos outros, cria o elo social. E a forma ideal do Estado é a monarquia hereditária, a autoridade do monarca vindo de Deus. Em seu livro mais importante, *O discurso sobre a história universal* (1797, póstumo), Bossuet reconstitui a história do mundo, desde sua criação até Carlos Magno, a fim de mostrar que a *história possui um sentido*, e que esse sentido consiste no desígnio de Deus de assegurar o triunfo do cristianismo e sua intervenção providencial nos negócios humanos.

Bourdieu, Pierre (1930-2002) Sociólogo francês celebrizado por seus estudos sobre a sociologia da educação (mostrando como a escola perpetua as desigualdades ao transmitir a herança cultural das classes dirigentes) e por ter reformulado as interrogações tradicionais sobre a arte, fazendo um estudo crítico do "bom gosto". Dedicou também seus esforços a elaborar uma sociologia crítica dos condicionamentos da ciência, notadamente dos "campos científicos", desses lugares do confronto entre duas formas de poder correspondendo a duas espécies de "capital científico": o social, ligado à ocupação de posições eminentes nas instituições científicas, e um específico, repousando no reconhecimento pelos pares. Obras principais: *Les héritiers* (1964), *Le métier de sociologue* (1968), *L'Amour de l'art* (1968), *La réproduction* (1970), *La distinction* (1980), *Contrafogos 1 e 2* (1998 e 2001, publicados no Brasil pela Zahar).

Bouveresse, Jacques (1940-) Filósofo francês e professor na Universidade de Paris-I, Jacques Bouveresse tem-se destacado por suas análises das principais correntes de pensamento que dominam o meio intelectual francês contemporâneo, a fim de mostrar suas fraquezas, denunciar seus desvios e evocar seus perigos. Preocupado com o caráter profundamente irracionalista da filosofia francesa atual, raciocinando essencialmente em termos de ruptura e de liquidação, defende com ardor o caráter argumentativo da filosofia, que não pode pensar sem as noções de "racionalidade", de "objetividade" e de "verdade", contra as atuais formas de *historicismo e de *relativismo. Autor de várias obras sobre Wittgenstein (é um de seus introdutores na França), Bouveresse critica com severidade e ironia a situação da atividade filosófica na França de hoje. Obras principais: *La parole malheureuse: De l'alchimie linguistique à la grammaire philosophique* (1971), *Wittgenstein: La rime et la raison* (1973), *Le mythe de l'intériorité: Expérience, signification et langage privé chez Wittgenstein* (1976), *Le philosophe chez les auto-phages* (1984), *Rationalité et cynisme* (1984).

bramanismo Religião fundada por volta do ano 1000 a.C., tendo por principal característica a crença numa divindade única e impessoal e na transmigração das almas. O ideal do bramanismo, todo ele fundado num sistema de castas, é o de libertar a alma do ciclo das transmigrações, que se realiza na existência temporal, para que ela possa entrar em perfeita união com o princípio eterno e imutável, ou seja, com *Brahma*, a verdadeira alma universal, origem de todas as coisas. Religião praticada sobretudo na Índia.

Brentano, Franz (1838-1917) O alemão (nascido em Marienberg) Franz Brentano foi um filósofo e psicólogo que, em seu país, na mesma época que William James nos Estados Unidos, reagiu vigorosamente contra a análise dos "conteúdos de consciência" da psicologia experimental de Wundt e contra a orientação da psicologia para o "naturalismo" da física e da fisiologia. Em 1874, publicou, em Berlim, sua *Psicologia do ponto de vista empírico* na qual opõe, à psicologia dos conteúdos, a realidade do *ato psíquico*. Para ele, a percepção, a imaginação, o juízo e o desejo são atos orientados para objetos. Há uma *intencionalidade dos atos da consciência. Essa tese influenciou bastante a fenomenologia de Husserl e a *Gestalttheorie* (teoria da *Gestalt*).

Breton, André (1896-1966) Principal teórico e animador francês do movimento surrealista. Crítico feroz da esclerose do racionalismo estreito, defende com ardor que devemos não somente resgatar os direitos legítimos da imaginação, mas levar em conta o papel importante dos sonhos e do inconsciente. Foi um dos primeiros intelectuais a levar a sério a psicanálise. Embora não tenha sido um filósofo de profissão, deu o exemplo de um pensamento marcado por Hegel, em quem buscou a justificação da "poetização" das artes. Obras principais: *Les vases communicants* (1933), *Pour un art révolutionnaire indépendant* (1938). *Ver* surrealismo.

Brouwer, Luitzen Egbertus Jan (1881-1966) Filósofo e matemático holandês (nascido em Overschie). Criou o *intuicionismo* em filosofia da matemática, que nega a possibilidade de deduzir toda a matemática somente da lógica, defendendo o papel da intuição na formação do conhecimento matemático. *Ver* intuicionismo.

Bruno, Giordano (1548-1600) Nascido em Nola, perto de Nápoles, o italiano Giordano Bruno ingressou cedo na Ordem dos Dominicanos. Abandonou o hábito, em 1576, e levou uma vida errante, sendo perseguido em toda parte por suas opiniões. Converteu-se numa espécie de profeta do *infinito cósmico. Preso em Veneza, foi extraditado para Roma, onde a Inquisição o manteve preso sete anos, antes de queimá-lo vivo sem obter sua retratação. Antes de morrer, pronunciou estas palavras: "Vocês têm mais medo ao fazer seu julgamento do que eu ao tomar consciência dele." Seu pensamento nada tem de sistemático. Seus livros principais são: *Da causa, do princípio e do Uno* e *Do universo finito* (1585). Neles, defende uma espécie de *panteísmo imanentista*, tentando conciliar a infinitude do universo com a perfeição de Deus. Fala de um Deus universal agindo como "*natura naturans*", isto é, como natureza criadora que forma o mundo, como força natural por excelência, força interior imanente ao mundo. A matéria é inseparável de sua "alma". Deus não é o criador, mas "a mônada das mônadas" (concepção retomada por Leibniz). Considerado o último visionário do Renascimento, Giordano Bruno defendeu um "entusiasmo heroico" (*eroico furore*), permitindo ao sábio deste mundo fundar-se no universo sem se preocupar com as futilidades individuais e com as imperfeições da existência. Alexandre Koyré faz dele a ponte entre "o mundo fechado e o universo infinito". Depois de Sócrates, Bruno foi o mais evidente dos mártires da verdade científica.

Neste domínio, defendeu que "a autoridade não está fora de nós, mas em nós". *Ver* mônada.

Brunschvicg, Léon (1869-1944) Filósofo idealista (nascido em Paris, França) que, juntamente com Henri Bergson, dominou a filosofia francesa das primeiras décadas do séc. XX. Desenvolveu todo um sistema de pensamento racionalista no qual o espírito é definido como o legislador do conhecimento e as coisas são consideradas como inteiramente submetidas à linguagem matemática. Mas ele inscreve seu racionalismo numa história do pensamento que se desenvolve, através de etapas progressivas de amadurecimento, desde o milagre grego até os nossos dias. Obras principais: *Les étapes de la philosophie mathématique* (1912), *Les âges de l'intelligence* (1922), *L'expérience humaine et la causalité physique* (1922), *Le progrès de la conscience dans la philosophie occidentale* (1927).

Buber, Martin (1878-1965) Filósofo judeu nascido em Viena, Áustria, e, desde 1938, professor em Jerusalém, Israel. Fortemente marcado pelos pensadores existencialistas, desenvolveu intensa atividade filosófica sobre os mais variados temas da "mística" judaica. De seu pensamento filosófico-religioso, dois temas são predominantes: o primeiro é o da fé e suas formas, devendo ser distinguidas a fé como confiança em alguém e a fé como reconhecimento da verdade de algo; o segundo diz respeito aos vários tipos de relação entre os homens entre si e entre os homens e as coisas: a relação sujeito-sujeito constitui o mundo do "tu", ao passo que a relação sujeito-objeto constitui o mundo do "ele"; o mundo do "tu" é uma relação "eu-tu". Obras principais: *Eu e tu* (1922), *O que é o homem?* (1942), *Imagens do bem e do mal* (1952), *O homem e sua estrutura* (1955).

budismo (do sânscrito *buddha*: sábio, nome atribuído ao reformador do bramanismo no séc. VI a.C.) Doutrina filosófico-religiosa elaborada por Buda, apresentando-se como uma reforma do bramanismo, consistindo essencialmente em dizer que os males da existência presente e as dores inerentes à vida cotidiana devem ser explicados pelo querer-viver que nos encerra no ciclo das reencarnações. Por isso, devemos renunciar ao querer-viver a fim de que possamos ter acesso à beatitude, que é um aniquilamento, ou seja, o *nirvana*. Expulso da Índia, seu país de origem (no séc.VII), o budismo conta com milhões de seguidores, notadamente na China, Japão e Tibete.

Bunge, Mario (1919-) Considerado o mais importante filósofo das ciências físicas da América Latina, o argentino Mario Bunge, ao recusar alguns dos pressupostos aceitos pelos positivistas lógicos do *Círculo de Viena, propõe um modo de se fazer filosofia do qual a metafísica não deve ser excluída e que seja capaz de fazer justiça à complexidade da atual atividade científica. Convencido de que "a ciência é valiosa como ferramenta para dominar a natureza e remodelar a sociedade; é valiosa em si mesma, como chave para a inteligência do mundo e do eu; e é eficaz no enriquecimento, na disciplina e na libertação de nossa mente", Bunge reconhece que a filosofia, mesmo colocando problemas profundos, precisa enfrentar as atuais questões éticas e sociais postas pelas ciências a fim de converter-se numa "filosofia da ciência", vale dizer, numa "filosofia exata", cujo modelo é o da filosofia da física ou de seus fundamentos axiomáticos expressos ou formulados matematicamente. Na realidade, a filosofia exata de Bunge, na expressão de Ferrater Mora, pode ser caracterizada como um "materialismo ontológico e como um realismo epistemológico". Obras principais: *La ciencia, su método y su filosofía* (1960), *Intuition and Science* (1962), *Teoría y realidad* (1972), *Treatise on Basic Philosophy*, 7 vols. (1974...), *Method, Model and Matter: Topics in Scientific Philosophy* (1981).

Buridan, o asno de Jean Buridan, filósofo nominalista francês do séc. XIV, ilustrou suas polêmicas em torno da questão do *livre-arbítrio, colocando em cena um asno faminto e sedento a igual distância de um monte de feno e de uma lata d'água; por não conseguir decidir entre a bebida e a comida, o asno termina morrendo. Este argumento passa a simbolizar, doravante, a necessidade de um motivo antes de toda escolha; ele prova, por absurdo que, na realidade, é indispensável uma escolha. Porque, como ilustra a tese de Descartes, "a indiferença é o mais baixo grau de liberdade". Contudo, esta fábula não se encontra nos escritos de Buridan.

Burke, Edmund (1729-1797) Filósofo, político e ensaísta de origem irlandesa, um dos principais teóricos do conservadorismo no séc. XVIII. Nasceu em Dublin, na Irlanda, estudou no Trinity College desta cidade, passando em seguida a viver na Inglaterra, onde tornou-se conselheiro de políticos influentes e membro do parlamento pelo Partido Conservador. Apesar de conservador, Burke foi um defensor da Revolução Americana de

1776 e do direito à autodeterminação das colônias; entretanto, opôs-se violentamente à Revolução Francesa em sua obra famosa *Reflections on the Revolution in France* (1790). Seu trabalho de estética, *Philosophical Inquiry into the Origin of our Ideas of the Sublime and the Beautiful* (1757), foi muito influente na época. Escreveu também *A Vindication of Natural Society* (1756), *Letter to a Noble Lord* e *Letters on a Regicide Peace*.

burocracia/burocratização (do fr. *bureau*: escritório, e do gr. *kratos*: poder) **1**. Em seu sentido descritivo, designa a importância da hierarquia de funcionários e empregados de escritórios num sistema de decisões econômicas e políticas.

2. Em seu sentido pejorativo, a apropriação do poder por uma organização onde as pessoas se fundem num anonimato suprimindo toda responsabilidade individual e opondo grande inércia a toda tentativa de mudança: "A burocracia é a organização permanente da cooperação entre numerosos indivíduos, cada um exercendo uma função especializada. A impessoalidade é essencial à sua natureza, onde teoricamente cada um deve conhecer as leis e agir em função das ordens abstratas de uma regulamentação estrita" (R. Aron).

3. *Burocratização* é a apropriação do poder real pelos burocratas, emperrando o trabalho administrativo e impedindo as mudanças capazes de introduzir inovações e aumentar a eficiência: "O poder burocrático centralizado é ao mesmo tempo onipotente no plano da rotina e impotente diante do problema da mudança"(Crozier).

C

cabala ou **kabala** (hebr. *qabbalah*: coisa recebida) **1.** Obra filosófica de cunho bastante hermético, de data desconhecida, pretendendo estar vinculada, por uma tradição secreta, à religião original do povo hebreu.
2. Doutrina religiosa esotérica que tem como principais objetivos: a) decifrar ou interpretar o sentido secreto dos textos bíblicos; b) elaborar uma concepção de Deus mediante emanações sucessivas; c) sustentar uma concepção da correspondência entre os elementos e o universo, notadamente entre cada parte do corpo humano e cada parte do universo (entre o microcosmo e o macrocosmo). Apesar de severamente criticada por vários filósofos judeus, sobretudo por Maimônides (1135-1204), por opor-se ao Talmude, a doutrina cabalística da emanação exerceu forte influência em alguns humanistas do Renascimento (*Pico della Mirandola) e em certas correntes "panteístas" ulteriores.

Cabanis, Pierre Jean Georges (1757-1808) Médico e filósofo francês, nascido em Cosnac; foi professor de higiene e de medicina e participou ativamente da vida política do país (apoiou a Revolução Francesa, depois foi bonapartista); membro do grupo ideológico; discípulo do filósofo Condillac, divergiu dele posteriormente em sua obra *Rapports du physique et du moral* ("Relações entre o físico e o moral", 1802). Cabanis formulou também um monismo naturalista.

Calvino, João (1509-1564) Reformador protestante francês, nascido na Picardia, Calvino fez seus estudos de lógica, gramática e filosofia em Paris. Dedicou toda a sua vida a pregar em favor da religião reformada, que organizou na França e na Suíça. Durante seus últimos anos, fixou-se em Genebra, onde fundou um partido autoritário que, reforçado por refugiados estrangeiros, tornou-se majoritário no Conselho da cidade. Sua doutrina religiosa repousa nos seguintes princípios: a) retorno à Bíblia como fonte primeira e única da fé cristã; b) crença na predestinação; c) concepção de *graça inspirada em sto. *Agostinho. Teólogo rigoroso e chefe de estado autoritário, Calvino foi também um grande orador e um notável escritor. Sua estética, segundo *Weber, teria desempenhado um importante papel econômico no surgimento e desenvolvimento do capitalismo. Obras principais: *Instituição da religião cristã* (1536) e *Tratado das relíquias* (1543).

Cambridge, escola de 1. Movimento filosófico, também conhecido como escola platônica de Cambridge, que se formou no séc. XVII, na Universidade de Cambridge, Inglaterra. Inspirado no *platonismo, no *neoplatonismo de Plotino e no cartesianismo, combatia o materialismo. Seus principais representantes foram Ralph Cudworth (1617-1688) e Henry More (1614-1687).
2. A segunda escola de Cambridge, ou escola analítica de Cambridge, foi um movimento surgido na mesma universidade, no final do séc. XIX, com os seguintes princípios fundamentais: atitude antimetafísica, disposição de submeter todo problema à análise, rejeição do apelo à intuição. Essa escola teve grande influência no desenvolvimento da filosofia analítica. Seus representantes principais foram George Edward Moore e Bertrand Russell.

Campanella, Tommaso (1568-1639) Nascido na Calábria, Itália, tornou-se, como Giordano Bruno, dominicano. Muito interessado pela política, apresentou-se como reformador do mundo. Suspeito de conjurar contra a dominação espanhola, passou 27 anos na prisão, sendo torturado sete vezes. Por intervenção do papa, foi libertado. Instalou-se em Paris, onde dedicou a Richelieu seu tratado *Do sentido das coisas e magia*. Aí escreveu também sua famosa *Cidade do Sol*, obra utópica na qual saúda o jovem e futuro Luís XIV como o rei de seu "Estado-Sol" (donde a alcunha de "Rei-Sol" dada ao rei). Campanella tornou-se adversário declarado do aristotelismo e, consequentemente, de Tomás de Aquino. Perseguido pela Inquisição, defendeu uma doutrina segundo a qual não pode haver a menor contradição entre "o livro dos livros", a Bíblia, e "o livro da Natureza": ambos são sagrados. Em *Cidade do Sol*, postula uma *monarquia universal* acima da qual só há o papa. Imagina uma vida social rigorosamente *ordenada*. Se o mundo é mau e funciona mal, é

37

porque há muita liberdade pessoal e pouca ordem. Por isso, devemos administrar, reger e pôr tudo em *ordem*. Trata-se de uma ordem que engloba as mínimas coisas, não somente no racionalismo, mas na astrologia, ciência fundamental do Estado-Sol. O sol é Deus e os planetas estabelecem com ele seu reino. Assim como as circunstâncias de nossa vida são reguladas pelo zodíaco, da mesma forma a ordem deve-se inspirar na posição dos planetas, dirigentes supremos da vida social. Tudo é determinado de cima, regulado em função da situação astral, desde o nascimento até a morte dos indivíduos e dos Estados. No Estado-Sol há um ministério do *poder*, um ministério da *sabedoria* e um ministério da *harmonia*. Nesse Estado, tudo está em ordem: ele é concebido como uma catedral, fortemente hierarquizado, com tudo no lugar e culminando numa Igreja da Inteligência.

Camus, Albert (1913-1960) Embora não tenha sido um filósofo propriamente dito, o argelino Camus (nascido em Mondovi) abordou, em seus ensaios literários, vários temas tratados pelos filósofos existencialistas, sobretudo o tema do *absurdo. Sem pretender fazer filosofia ou metafísica, dizia que o único problema filosófico relevante é o suicídio, que só ocorre porque há um divórcio entre o homem e sua vida. É esse divórcio que produz o sentimento do absurdo e leva o homem a encontrar no suicídio uma solução. A tentação do absurdo e do suicídio é uma consequência do "silêncio não racional do mundo". Esses temas são tratados em *L'étranger* (1942), *Le mythe de Sysiphe* (1942) e *La peste* (1947). Mas o homem não deve sucumbir à tentação de cair no niilismo, deixar-se dominar pela alienação. Precisa rebelar-se contra sua situação de alienação. Em *L'homme revolté* (1951), Camus propõe uma rebelião autêntica, que não seja apenas individual ou "metafísica", mas que engaje o pensamento e a ação nas lutas e no destino comuns dos homens.

Canguilhem, Georges (1904-1995) Médico e filósofo francês, notabilizou-se por seus estudos de história das ciências, particularmente da biologia. Juntamente com Gaston Bachelard, para quem é um dos melhores historiadores, é considerado um dos fundadores da epistemologia histórica contemporânea. Seus trabalhos versam sobre o discurso médico e o discurso biológico: *A formação do conceito de reflexo nos séculos XVII e XVIII* (1955), *O conhecimento da vida* (1952), *O normal e o patológico* (1966), *Estudos de história e de filosofia das ciências* (1968), *Introdução à história das ciências* (1970), *Ideologia e racionalidade na história das ciências da vida* (1977).

Cannabrava, Euryalo (1908-1978) Filósofo brasileiro (nascido em Cataguases, Minas Gerais) que desenvolveu seu pensamento como professor do Colégio Pedro II do Rio de Janeiro. Depois de passar por uma fase dogmática, na qual defendia uma "filosofia concreta", situada entre a fenomenologia de Husserl e certo "existencialismo", voltou seu pensamento para o estudo sistemático das ciências e das diversas filosofias das ciências de seu tempo. Preocupado em reduzir a filosofia ao método, e o método à linguagem, tentou aplicar os métodos formais da matemática aos conteúdos empíricos das ciências. Seu objetivo, com isso, consistia em elaborar uma filosofia científica aplicável aos mais variados domínios, inclusive ao da política. Obras principais: *Descartes e Bergson* (1943), *Elementos de metodologia filosófica* (1956), *Introdução à filosofia científica* (1956), *Ensaios filosóficos* (1957), *Estética da crítica* (1963), *Teoria da decisão filosófica: Bases filosóficas da matemática, da linguística e da teoria do conhecimento* (1977). Ver filosofia no Brasil.

cânon ou **cânone** (lat. *canon*, do gr. *kanon*: regra) **1.** conjunto de *normas ou *regras lógicas, morais ou estéticas: "Entendo por cânon o conjuntos dos princípios *a priori* para o uso legítimo de certas faculdades de conhecer em geral. Assim, a lógica geral, em sua parte analítica, é um cânon para a razão em geral" (Kant).
2. Conjunto de regras de fé promulgadas pelos Concílios da Igreja Católica ou de regras morais estabelecidas pelo direito canônico, isto é, pelo direito da Igreja Católica.

caos (gr. *káos*, do verbo *khainen*, abrir-se, entreabrir-se) **1.** Termo utilizado aparentemente pela primeira vez na *Teogonia* de Hesíodo (séc. VIII a.C.), designando o vazio causado pela separação entre a Terra e o Céu a partir do momento de emergência do *Cosmo, designa também para os gregos o estado inicial da matéria indiferenciada, antes da imposição da ordem aos elementos.
2. Na física moderna, designa a imprevisibilidade de sistemas complexos, isto é, a existência de fenômenos em relação aos quais não é possível fazer previsões ou cálculos precisos dadas alterações, mesmo que pequenas, nas condições iniciais.

Capital, O (*Das Kapital*) Obra fundamental de Karl Marx, composta entre 1885 e 1894, na qual propõe uma nova economia política, descreve as contradições do capitalismo e indica um determinado sentido para a história. O livro I (do próprio Marx) analisa "o desenvolvimento da produção capitalista"; os livros II e III (redigidos por Engels a partir das notas de Marx) tratam do "processo de circulação do capital" e do "processo de conjunto da produção capitalista"; o livro IV (redigido por Kautsky, a partir das notas de Marx) trata das "teorias da mais-valia".

caráter (lat. *character*, do gr. *charakter*: sinal gravado) Conjunto das disposições psicológicas (inatas ou adquiridas) e dos comportamentos habituais de um indivíduo permitindo-lhe ter um controle sobre si e agir com firmeza, retidão e honestidade. Ex.: um homem de caráter. *Ver* personalidade.

carisma (gr. *charisma*: graça, favor) **1.** Em seu sentido religioso, o carisma constitui um dom sobrenatural conferido pelo espírito a um indivíduo, mas para o uso do bem comum da comunidade: dom da sabedoria, da ciência, da cura das doenças, da profecia etc.
2. Em seu sentido sociocultural, o carisma é toda irradiação pessoal de um indivíduo, vale dizer, uma "qualidade extraordinária de um personagem que é, por assim dizer, dotado de forças ou de caracteres sobrenaturais ou sobre-humanos" (Max Weber).
3. *Poder carismático* é o poder exercido por um indivíduo que se singulariza por qualidades prodigiosas, pelo heroísmo, pela abnegação à causa dos outros e por outras particularidades exemplares fazendo dele um líder ou um chefe merecedor de admiração, de respeito, de acatamento etc. Ex.: o poder carismático exercido pelos profetas; no campo político, o poder exercido por um governante plebiscitado, pelo grande demagogo etc.

Carnap, Rudolf (1891-1970) Um dos mais influentes filósofos do *fisicalismo ou positivismo lógico, juntamente com Moritz *Schlick, fundador do *Círculo de Viena, Carnap nasceu na Alemanha e foi professor na Universidade de Viena e posteriormente na Universidade de Chicago e de Los Angeles, tendo emigrado para os Estados Unidos por razões políticas. Em sua obra mais importante, *A estrutura lógica do mundo* (1928), procura construir um sistema que mostre a relação entre os teoremas gerais da física e os dados observacionais da experiência. Mais tarde modifica de certo modo essa concepção, mantendo no entanto que a experiência deve sempre confirmar as teorias científicas, através da aplicação da teoria da probabilidade. Defende esse ponto de vista em sua obra *Os fundamentos lógicos da probabilidade* (1950). Seguindo o pensamento de Frege e Russell, escreveu *A sintaxe lógica da linguagem* (1934) e *Significado e necessidade*, em que considera fundamental, para o desenvolvimento da ciência, a construção de uma lógica rigorosa da linguagem. Essa concepção influenciará fortemente uma filosofia da ciência formulada em bases analíticas, sobretudo nos Estados Unidos. Escreveu também *Conceituação fisicalista* (1926) e *O problema da lógica da ciência* (1934).

Carnéades (c.215-129 a.C.) Filósofo grego nascido em Cirene; foi discípulo de Arcesilau e o sucedeu como líder da *Nova Academia. É considerado o representante mais importante do probabilismo, filosofia que sustentava que não existe verdade, mas opiniões mais ou menos prováveis. Carnéades foi enviado, em 156 a.C., juntamente com *Critolau e Diógenes da Babilônia, a Roma, para ensinar filosofia, mas os três foram expulsos da cidade.

carpe diem (colha o dia, aproveite o instante) expressão latina encontrada num verso do poeta romano Horácio (65-8 a.C.) para celebrar o gozo do instante e resumir a moral do prazer individual ou *hedonismo.

Cartas inglesas Conjunto de 25 cartas de *Voltaire (1734) onde descreve o que observou, em sua viagem à Inglaterra, sobre o governo, a religião, a filosofia, o comércio, o teatro e o modo de ser das pessoas. É uma reportagem viva trazendo em germe suas principais ideias filosóficas: liberdade de consciência, tolerância, igualdade política etc.

cartesianismo/cartesiano (de *Cartesius*: nome latino de Descartes) Filosofia própria de Descartes e, por extensão, doutrina filosófica de seus discípulos ou de seus seguidores: Boussuel, Malebranche, Espinoza, Leibniz. Cartesiano significa "relativo a Descartes ou ao cartesianismo" (ex.: princípio cartesiano, doutrina cartesiana) e também "partidário ou seguidor de Descartes ou do cartesianismo" (ex.: o cartesiano Malebranche). *Ver* Descartes; racionalismo; inatismo.

Cassirer, Ernst (1874-1945) Filósofo alemão, nascido em Breslau, foi um dos mais importantes representantes da escola de *Marburgo, que dominou a vida cultural alemã de 1871 até o advento do nazismo em 1933. Essa escola se define como um *retorno a Kant*. Concebe a filosofia, antes de tudo, como teoria do conhecimento, vale dizer, como uma análise das condições de possibilidade da verdade. Essas condições não são estabelecidas apenas a partir das ciências naturais, pois a filosofia deve questionar a totalidade da cultura, em seu devir histórico e na diversidade de suas manifestações. Seguindo o espírito da crítica kantiana, Cassirer questiona os domínios da religião, dos símbolos, dos mitos, da poesia, da cultura popular etc., e constrói esse monumento que é *A filosofia das formas simbólicas*, em 3 vols. Em 1927, publica *Indivíduo e cosmo na filosofia do Renascimento* e, em 1932, *O Renascimento platônico na Inglaterra* e *A filosofia das Luzes*. Considerava como a mais importante de suas obras um artigo publicado na Suécia em 1936: "Determinismo e indeterminismo na física moderna", no qual faz um comentário pertinente da atualidade científica e mostra que a filosofia deve mergulhar no núcleo da descoberta científica para aí detectar, sob suas formas novas, as condições do pensamento verdadeiro. *Ver* neokantismo.

Castoriadis, Cornelius (1922-1997) Filósofo grego radicado em Paris. Ainda em Atenas, adere à organização trotskista até 1945, quando se instala na França. Juntamente com Claude Lefort, adere a um grupo autônomo do Partido Comunista e abandona o trotskismo. Ele e seu grupo empreendem a publicação da revista *Socialismo ou Barbárie*. Autor dos principais textos que definem a orientação da revista, ele a animou até sua dissolução em 1966. A preocupação fundamental de Castoriadis, em sua vasta obra, escrita sem sistematicidade, consiste em retomar a questão de Marx da unidade entre a filosofia e a ação, a fim de reconstituir a unidade perdida entre filosofia e política. Postulava que a política devia ser vista como ato instituinte e consciente de suas condições. Além de repensar todo o significado do socialismo nas sociedades modernas, Castoriadis analisa os impasses a que chegaram os regimes socialistas caracterizados pela burocratização das organizações operárias e governamentais. E propõe uma reformulação do próprio conteúdo das lutas socialistas. "Uma sociedade justa", declara, "não é uma sociedade que adotou leis justas", mas "uma sociedade onde a questão da justiça permanece constantemente aberta." Obras principais: *La société bureaucratique*, 4 vols. (até 1978),

L'institution imaginaire de la société (1975), *Les carrefours du labyrinthe* (1978), *Le contenu du socialisme* (1979).

casuística (do lat. *casus*: acidente, circunstância) **1.** Parte da moral que tem por finalidade aplicar princípios éticos às diversas situações concretas da vida real dos indivíduos com o objetivo de procurar resolver seus casos de consciência.
2. Toda argumentação aparentemente verdadeira que tenta justificar ou legitimar qualquer conduta ou tomada de decisão.

catarse (gr. *katharsis*: purificação, purgação) **1.** Na origem, esse termo designa os *ritos de purificação aos quais deviam submeter-se os candidatos à iniciação, em certas religiões. Por extensão, toda purificação de caráter religioso. Ex.: a confissão na religião católica.
2. Aristóteles emprega esse termo a propósito da tragédia no teatro, por analogia com as cerimônias iniciáticas de purificação, para designar a purgação das paixões operada através da arte (especialmente através da tragédia), fornecendo-lhes um objeto fictício de descarga.

categoria (lat. tardio *categoria*, do gr. *kategoria*: caráter, espécie) **1.** Aristóteles denomina *categorias* ou predicamentos as diferentes maneiras de se afirmar algo de um sujeito. Discerniu dez categorias, de estatuto ao mesmo tempo lógico e metafísico, e que são, além do próprio sujeito (substância ou essência): a quantidade, a qualidade, a relação, o tempo, o lugar, a situação, a ação, a paixão e a possessão. Essas categorias não são espécies do gênero ser, mas gêneros supremos ou primeiros do ser.
2. Kant retoma o termo, não mais se referindo ao ser, mas ao conhecer, para designar os conceitos do entendimento puro. Para ele, todo juízo pode ser considerado sob quatro pontos de vista: da quantidade, da qualidade, da relação e da modalidade. Para cada um desses pontos de vista, são possíveis três tipos de juízos; portanto, há doze categorias do entendimento ou conceitos fundamentais *a priori* do conhecimento:

Quantidade	Qualidade	Relação	Modalidade
Unidade	Realidade	Substância (e acidente)	Possibilidade
Pluralidade	Negação	Causa (e efeito)	Existência
Totalidade	Limitação	Reciprocidade	Necessidade

3. Atualmente, o termo *categoria*, frequentemente considerado como sinônimo de *noção* ou de *conceito*, designa, mais adequadamente, a unidade de significação de um discurso epistemológico.

categórico (lat. tardio *categoricus*, do gr. *kategorikós*: afirmativo) **1.** Relativo a categoria; absoluto, incondicional. Oposto a hipotético.
2. *Juízo categórico* é aquele cuja asserção é puramente afirmativa (ex.: Brasília é a capital do Brasil). *Ver* juízo.
3. *Imperativo categórico* é uma expressão criada por Kant. *Ver* imperativo.
4. *Proposição categórica* é aquela em que se afirma ou se nega diretamente uma coisa, isto é, sem qualquer condição (ex.: eu viajarei). *Ver* hipotético.

categorização (do gr. *kategoria:* caráter, espécie) Ato mental consistindo em organizar a realidade em classes de objetos com propriedades comuns: os legumes, as árvores, as cores, os homens etc. são categorias.

causa (lat. *causa*: razão, motivo) **1.** Tudo aquilo que determina a constituição e a natureza de um ser ou de um fenômeno.
2. Tudo aquilo que produz um efeito e nele se prolonga. Ex.: "pondo-se a causa, põe-se o efeito" (*posita causa, positur effectus*); a contrapartida é: "suprimindo-se a causa, suprime-se o efeito" (*sublata causa, tollitur effectus*).
3. Na concepção empirista, a causa é o antecedente cujo fenômeno chamado de efeito é invariável e incondicionalmente o consequente. Assim, quando se diz que um acontecimento A é antecedente a um acontecimento B, diz-se que ele é a causa quando afirmamos que a existência de A implica necessariamente a existência de B.
4. Para Aristóteles, a causa se reduz à essência, à forma, à realização do fim, pois é a busca da causa que define a verdadeira ciência. Ele enumera as quatro causas: material, formal, eficiente e final. Ex.: no caso de uma estátua, a causa material é a matéria da qual ela é feita (bronze, mármore); a causa formal é a figura que ela representa (Apolo, Diana); a causa eficiente é o escultor (Fídias, Policleto); a causa final é o objetivo visado pelo escultor (beleza, glória, ganho etc.). No domínio científico, sobretudo a partir da revolução galileana, quando se fala de causa, refere-se apenas à causa eficiente.
5. *Causa primeira* é aquela que nenhuma outra precede e que possui em si mesma sua própria razão de ser: Deus.

causalidade (lat. *causalitas*) **1.** Princípio fundamental da *razão aplicada ao real, segundo o qual "todo fenômeno possui uma causa", "tudo o que acontece ou começa a ser supõe, antes dele, algo do qual resulta segundo uma regra" (Kant). Em outras palavras, princípio segundo o qual se podem explicar todos os fenômenos por objetos que se interagem, que são definidos e reconhecidos por meio de regras operatórias. Segundo a concepção racionalista, a causalidade é um conceito *a priori* necessário e universal, isto é, independente da experiência e constituindo-a objetivamente: todas as mudanças acontecem segundo a lei de ligação entre a causa e o efeito.
2. Hume critica a concepção clássica de relação causal, segundo a qual um fenômeno anterior (causa) produz um fenômeno posterior e consequente (efeito), argumentando que essa relação não se encontra de fato na Natureza, mas apenas reflete nossa forma habitual de perceber as relações entre fenômenos. A causalidade não expressa, assim, uma lei natural, de caráter necessário, mas uma projeção sobre a natureza de nossa forma de perceber o real. *Ver* determinismo; eficiente, causa.

Cavaillès, Jean (1903-1944) Matemático e filósofo francês fuzilado pela Gestapo por tentar conciliar uma intensa atividade docente (Sorbonne) e de pesquisas em lógica matemática com atividade política de resistência à ocupação nazista. Obras principais: *Remarques sur la formation de la théorie abstraite des ensembles* (1938), *Méthode axiomatique et formalisme, essai sur les fondements des mathématiques* (1938), *Sur la logique et la théorie de la science* (1948).

caverna, alegoria da No livro VII da *República*, Platão narra uma história que se tornou célebre com o nome de *mito* ou *alegoria da caverna*. Seu objetivo é fazer compreender a diferença entre o conhecimento grosseiro, que vem de nossos sentidos e de nossas opiniões (*doxa*), e o conhecimento verdadeiro, ou seja, aquele que sabe apreender, sob a aparência das coisas, a *ideia* das coisas. Numa caverna, cuja entrada é aberta à luz, encontram-se alguns homens acorrentados desde sua infância, com os olhos voltados para o fundo, não podendo locomover-se nem virar as cabeças. Um fogo brilha no exterior, iluminando toda a caverna. Entre o fogo e a caverna passa uma estrada, ladeada por um muro da altura de um homem. Na estrada, por detrás do muro, vários homens passam conversando e levando nas cabeças figuras de homens e de animais, projetadas no fundo da caverna. Assim, tudo o que os acorrentados conhecem do mundo são sombras de objetos fabricados. Mas como não sabem o que se passa atrás deles, tomam essas sombras por seres vivos que se movem e falam, mostrando serem homens que não atingiram o conhecimento verdadeiro. Platão descreve o processo dialético através do qual o prisioneiro se liberta e, lutando contra o hábito que tornava mais cômoda sua situação de prisioneiro, sai em busca do conhecimento da verdade, passando por diversos e sucessivos graus de conversão de sua alma, até chegar à visão da ideia de bem. Uma vez alcançado esse conhecimento, o prisioneiro, agora transformado em sábio, deve retornar à caverna para ensinar o caminho aos outros prisioneiros, arriscando-se, inclusive, a ser rejeitado por eles.

censura 1. No sentido clássico e social, privilégio que uma autoridade constituída se arroga de controlar e eventualmente impedir o exercício da liberdade de expressão dos indivíduos ou dos meios de comunicação em nome da segurança pública, da moral, da religião ou dos bons costumes.
2. Psicanaliticamente, vigilância e controle inconsciente exercido pelo Ego e pelo Superego proibindo o acesso à consciência dos desejos que, submetidos ao recalque, poderão reaparecer nos lapsos, atos falhos e símbolos oníricos assumindo formas de substituição mais "aceitáveis" para a consciência moral.

certeza (do lat. *certus*: certo) **1.** Estado de espírito daquele que aquiesce totalmente, sem dúvida e sem hesitação, ao objeto que apreende. O *cogito* cartesiano é a primeira verdade que, sucedendo à dúvida, concerne à existência dos corpos. Mas ele é uma evidência isolada, que em nada garante a certeza dessa existência. Uma evidência se impõe por si mesma. Mas uma certeza, ao contrário, é o resultado de um raciocínio rigoroso; ela remete à aquiescência interior do sujeito; seu modelo é o raciocínio matemático.
2. Temos uma *certeza moral* quando nossa consciência está absolutamente segura, do ponto de vista estritamente subjetivo, daquilo que afirma ou nega. Em outras palavras, a certeza moral ou psicológica é a adesão do sujeito àquilo que, paradoxalmente, não é certo, mas que ele encontra razões suficientes para considerar como certo. Ex.: estou certo de que Pedro I foi o primeiro imperador do Brasil, mas essa certeza repousa na confiança que deposito nos historiadores, pois não verifiquei pessoalmente a autenticidade dos documentos. Quando, porém, dou minha adesão àquilo que pode não ser verdadeiro, tenho uma certeza matemática ou lógica.
3. A fenomenologia hegeliana denomina *certeza sensível* a quietude da consciência que coincide com o objeto, para aquém de toda separação, de toda linguagem e de todo saber. Nesse sentido, a certeza é o saber não sabido e que exige ser revelado como verdade. Sendo assim, não há uma certeza primeira, a não ser numa fé que recusa todo saber.

ceticismo (do gr. *skeptikós*: aquele que investiga) **1.** Concepção segundo a qual o conhecimento do real é impossível à razão humana. Portanto, o homem deve renunciar à certeza, suspender seu juízo sobre as coisas e submeter toda afirmação a uma dúvida constante. *Oposto a* dogmatismo. *Ver* relativismo.
2. Historicamente, o ceticismo surge na filosofia grega com *Pirro de Élida. Há, no entanto, várias vertentes no ceticismo clássico. *Sexto Empírico, seu principal sistematizador, defende a posição da *Nova Academia, segundo a qual se a certeza é impossível, devemos renunciar às tentativas de conhecimento do ceticismo pirrônico, o qual embora reconhecesse a impossibilidade da certeza, achava necessário continuar buscando-a. Tradicionalmente distinguem-se no ceticismo três etapas: a *epoché*, a suspensão do juízo que resulta da dúvida; a *zétesis*, a busca incessante da certeza; e a *ataraxia*, a tranquilidade ou imperturbabilidade que resulta do reconhecimento da impossibilidade de se atingir a certeza e da superação do conflito de opiniões entre os homens. Na concepção cética, portanto, a *especulação filosófica retornaria ao senso comum e à vida prática. *Ver* pirronismo.
3. No pensamento moderno, sobretudo com *Montaigne e os humanistas do Renascimento, o ceticismo é retomado como forma de se atacar o dogmatismo da escolástica, o que leva à adoção de uma concepção de conhecimento relativo. Há também nesse período uma corrente do chamado ceticismo fideísta, que argumenta que, sendo a razão incapaz de atingir a verdade, deve-se então apelar para a fé e a revelação como fontes da verdade. A dúvida cartesiana pode ser considerada como tendo se inspirado na noção cética de suspensão de juízo, a *epoché*, noção esta também retomada mais tarde pela *fenomenologia.
4. Pode-se considerar que o ceticismo inspira em grande parte a atitude crítica e questionadora da filosofia contemporânea. Por exemplo, as questões da relatividade do conhecimento e dos limites da razão e da ciência, que a epistemologia contemporânea trata, têm raízes no ceticismo clássico e no moderno.

Champeaux, Guilherme de (c.1070-1121) Filósofo francês escolástico; foi discípulo de

Roscelino e mestre de Abelardo, que posteriormente se tornou seu adversário.

Chardin, Pierre Teilhard de Ver Teilhard de Chardin, Pierre.

Charron, Pierre (1541-1603) Teólogo, filósofo cético e famoso pregador francês, nascido em Paris. Inspirado nos *Essais*, de Montaigne, escreveu *Livres de la sagesse*, onde defende a liberdade de religião e faz uma apologia da razão, que o leva a ser acusado de ateísmo. Publicara, anteriormente, em 1594, *Les trois verités*.

Châtelet, François (1925-1985) Filósofo francês que, destacando-se como historiador das ideias e militante progressista engajado nos movimentos anticolonialistas e estudantis emancipatórios dos anos 60, notabilizou-se por seu espírito enciclopédico e interdisciplinar e por vincular cada ideia ou doutrina a seu contexto sócio-histórico-cultural de nascimento. Obras principais: *La naissance de l'histoire* (1961), *Histoire de la philosophie* (org.), 8 vols. (1972-1973), *Une histoire de la raison* (1992, publicado no Brasil pela Zahar, 1994).

Chestov, Leon (1866-1938) Filósofo e ensaísta russo, estudou na Universidade de Moscou e viveu em S. Petersburgo, tendo se exilado na França após a revolução comunista. Um dos principais inspiradores do *existencialismo contemporâneo, foi um pensador profundamente religioso, podendo mesmo ser considerado um cético fideísta. Na fase final seu pensamento foi influenciado por *Kierkegaard. Afirmava que "todo pensamento profundo começa com o desespero". Principais obras: *A apoteose da falta de fundamento: ensaio de pensamento antidogmático* (1905), *A filosofia da tragédia* (1927), *Kierkegaard e a filosofia existencial* (1936), *A ideia de bem em Tolstoi e Nietzsche* (1949).

Chomsky, Noam (1928-) Linguista e filósofo norte-americano (nascido na Filadélfia), professor do Massachusetts Institute of Technology (MIT), e criador da *gramática gerativa-transformacional*, uma das principais correntes teóricas da linguística contemporânea. Sua teoria concentra-se no fato de um falante de uma língua ser capaz de compreender e de gerar sentenças novas, ou seja, que nunca ouviu antes. A criatividade do falante explica-se por seu domínio implícito das regras básicas da gramática, sua competência linguística. Distingue, assim, a competência do falante, o conjunto de regras que constituem a estrutura de uma língua, e o desempenho (*performance*), o uso efetivo da língua que é um subconjunto do primeiro. A teoria linguística deve, portanto, preocupar-se com a competência, chegando a estabelecer a existência de universais linguísticos, princípios básicos comuns a todas as línguas, que seriam inatos e explicariam o desempenho, isto é, o uso concreto de línguas específicas. Suas hipóteses têm, portanto, grande importância para a psicologia cognitiva, já que essas estruturas formariam as bases do próprio pensamento. Do ponto de vista filosófico, é importante sua retomada do racionalismo clássico ao discutir o *inatismo e o *behaviorismo. Obras principais: *Transformation Analysis* (1955), *The Logical Structure of Linguistic Theory* (1956), *Aspects of the Theory of Syntax* (1965), *Topics in the Theory of Generative Grammar* (1966), *Language and Mind* (1968).

Cícero (106-43 a.C.) Político, orador e filósofo romano, Marco Túlio Cícero foi um dos responsáveis pela difusão da filosofia grega no mundo latino, através de obras que influenciaram fortemente a formação e o desenvolvimento da tradição clássica greco-romana. Sto. Agostinho, p.ex., teria se interessado pelo saber e pela filosofia despertados pela leitura do *Hortensius*, obra de Cícero hoje perdida, que consistia em um elogio da filosofia. Cícero não possui propriamente uma filosofia original, tendo sofrido basicamente a influência do platonismo, do epicurismo e do estoicismo. Pode ser considerado um filósofo político por suas obras *De legibus* e *De republica*. Inspirando-se em Platão e no estoico Crisipo, declara que "as leis são necessariamente inerentes a toda sociedade", o legislador devendo levar em conta, ao mesmo tempo, o ideal e as realidades, o valor e o fato. Afirma ainda que as três formas de governo (monárquica, aristocrática e democrática) são más em seu estado "puro", devendo ser conciliadas numa *república*, porque o serviço da república e da pátria é um "estado de espírito" que assegura, da parte dos governos e dos governados, a qualidade das constituições (já se esboça, aqui, o papel cívico dos cidadãos). Suas principais obras são: *Sobre a natureza dos deuses*, *Sobre os ofícios* (tratando dos preceitos morais), *Acadêmica* (sobre o problema do conhecimento e o ceticismo), e inúmeras epístolas e discursos famosos por seu estilo. Cícero é responsável pela criação de todo um vocabulário filosófico em língua latina (o termo "moral" é considerado de sua autoria), e suas obras são uma fonte importante sobre o pensamento de filósofos do período antigo e do helenismo, cujas obras se perderam.

ciclo/cíclico (do gr. *kyklos*: círculo, roda) Ideia segundo a qual os fenômenos se repetem ou se reproduzem obedecendo sempre a uma mesma *ordem* e de modo *ininterrupto*. Desempenha um papel importante em certas concepções filosóficas e científicas: a) a observação dos fenômenos astronômicos regulares (ciclo lunar, por exemplo) supõe o tempo como um infinito cíclico (Aristóteles) ou como a base do *"eterno retorno"* (Nietzsche); b) a existência de ciclos econômicos nas sociedades agrícolas indica a existência de um ciclo nas civilizações (nascimento, desenvolvimento e decadência); c) a constatação da existência de ciclos no interior do mecanismo de produção e de distribuição (no sistema capitalista) leva os economistas a falarem de ciclos econômicos (não se reproduzem com uma regularidade imutável, pois sofrem variações); d) a constatação do ressurgimento de certas doenças mentais leva os psicopatologistas a falarem do caráter cíclico de certas doenças (a psicose maníaco-depressiva, por exemplo).

cidade (lat. *civitas,* do gr. *polis*) **1.** Coletividade política organizada, possuindo um mínimo de autonomia e mantida por leis. Sendo o homem "por natureza um animal político" (Aristóteles), a cidade é um fato da natureza mas, quando desenvolvida, realiza sua "independência econômica" e permite ao homem viver bem: "A cidade é a sociedade mantida por leis e pelo poder que tem de conservar-se e os que se encontram sob a proteção de seu direito" (Espinoza).
2. O *cidadão* é todo indivíduo gozando dos direitos e respeitando os deveres definidos pelas leis e pelos costumes da Cidade. Neste sentido, a cidadania é o resultado de uma efetiva integração social. *Ver* política, Aristóteles.

Cidade de Deus, A (*De Civitate Dei*) Obra de sto. *Agostinho, escrita entre 413 e 426, na qual apresenta a primeira grande concepção cristã de tempo histórico, desde a criação do mundo até o termo último, a *Parusia* (fim dos tempos), precedendo um estado definitivo de paz e de felicidade eternas. Assim, a humanidade, submetida às vicissitudes da *história, está em marcha para um destino comandado pela Providência divina. A "cidade terrestre" (pagã), fundada no "amor de si e no desprezo de Deus", não pode fornecer um ideal de civilização nem tampouco ser fonte de felicidade para os homens. Os estados terrenos são comandados pela sede de dominação. A "Cidade de Deus", ao contrário, fundada no "amor de Deus até o desprezo de si", é comandada pelos valores cristãos que implicam o bom uso da liberdade, prefigurando a cidade celeste.

ciência (lat. *scientia*: saber, conhecimento) **1.** Em seu sentido amplo e clássico, a ciência é um *saber metódico e rigoroso, isto é, um conjunto de conhecimentos metodicamente adquiridos, mais ou menos sistematicamente organizados, e suscetíveis de serem transmitidos por um processo pedagógico de ensino.
2. Mais modernamente, é a modalidade de saber constituída por um conjunto de aquisições intelectuais que tem por finalidade propor uma explicação racional e objetiva da realidade. Mais precisamente ainda: é a forma de conhecimento que não somente pretende apropriar-se do real para explicá-lo de modo racional e objetivo, mas procura estabelecer entre os fenômenos observados relações universais e necessárias, o que autoriza a previsão de resultados (efeitos) cujas causas podem ser detectadas mediante procedimentos de controle experimental.

ciência e filosofia, relação entre Para Platão, a ciência é uma introdução à filosofia; é ela que permite o discurso verdadeiro, mas seus conceitos exigem ser justificados pela filosofia; por isso, a ciência é a mediação entre o sensível e o discurso absolutamente verdadeiro, que é o da filosofia. Com Descartes, a filosofia deixa de ser o *acabamento* para tornar-se o *pressuposto* da ciência. Sua imagem é famosa: o saber é como uma árvore cujas raízes são a metafísica, o tronco a ciência física, e os ramos as ciências aplicadas. O saber científico se desenvolve de modo autônomo, e não mais como um momento do caminho da sabedoria: é ele que torna o homem mestre e dominador da natureza. O papel da filosofia é o de procurar as raízes e o fundamento do conhecimento realizado pela ciência. Sem a legitimação metafísica, a ciência permanece um saber sem garantia. Já para Kant, não é mais possível fundar a ciência (que progride) na metafísica. Seu empreendimento crítico visa delimitar esses domínios. Mas o conhecimento científico não constitui um conhecimento das coisas em si, do real nele mesmo, pois torna-se conhecimento apenas dos fenômenos. Portanto, a ciência perde toda legitimidade quando pretende falar para além de toda experiência possível. Contudo, se o saber está todo do lado da ciência, nem por isso constitui o todo do pensamento nem tampouco do destino humano. Kant reserva, ao limitar o saber, um lugar à crença. Portanto, com Kant, termina o velho sonho da filosofia, de construir, apenas pela razão, um discurso absolutamente verdadeiro, a ciência sendo apenas sua realização parcial e derivada. Doravante, só a ciência *conhece*. "Conhecer" não é mais contemplar um ser fora de nós, como um "em-si", mas *construir*: só podemos conhecer estruturas e os limites do espírito, isto é, somente a coisa para nós, tal como ela nos aparece: o *fenômeno*. É por isso que a metafísica, que pretende atingir *a coisa em si*, fracassa, pois seus três objetos, o Eu, o mundo e Deus, não correspondem aos dados da experiência.

ciência e valores A ciência não pode ser considerada como um saber absoluto e puro, cuja racionalidade seria totalmente transparente e cujo método constituiria a garantia de uma objetividade incontestável. Não é um mundo à parte, espécie de reino isolado onde os cientistas fariam "pesquisas puras", desinteressadas, preocupados apenas com a busca do conhecimento verdadeiro. Evidentemente, eles trabalham para construir conhecimentos tão rigorosos, racionais e objetivos quanto possível: referem-se a normas racionais, testam suas teorias confrontando-as com a experiência. Contudo, na prática, as coisas se complicam, e as pesquisas nem sempre possuem a transparência e a objetividade que, de bom grado, lhes emprestamos. As ideias científicas não são totalmente independentes da filosofia, da religião e das ideologias que impregnam o meio em que vivem os pesquisadores. Por isso, é muito questionável o chamado *"princípio da neutralidade"*, ou seja, o princípio segundo o qual os cientistas estariam isentos, imunes, em nome de sua racionalidade objetiva, de formular todo *juízo de valor*, de manifestar toda e qualquer preferência pessoal, de ser responsáveis por toda e qualquer decisão de ordem política ou implicando questões de tipo ético, posto que, por seu objetivo, seu conhecimento seria universal, válido em todos os tempos e lugares, para além das sociedades e das formas de cultura particulares.

ciências cognitivas Campo interdisciplinar de estudos de desenvolvimento recente que inclui a psicologia, as neurociências, a filosofia e a linguística, visando estudar as relações entre mente e cérebro, sobretudo quanto a suas funções cognitivas. Haveria uma diferença de natureza entre cérebro, entendido como uma realidade física, e a *mente, entendida como algo abstrato? Se existe, como se relacionam? Poderíamos examinar o que se passa na mente através de alterações no cérebro? A mente possui uma natureza lógico-linguística? Autores como Noam *Chomsky e Jerry Fodor consideram que sim. A discussão sobre a *inteligência artificial levanta por sua vez a possibilidade de se fazer a analogia entre o cérebro e o *hardware*, de um lado, e a mente e o *software*, de outro.

cientificidade Este termo evoca os *critérios* que nos permitem definir o que constitui um conhecimento científico de fato e distingui-lo claramente das outras formas de saber não científicas. Dois são os critérios mais correntes: o recurso à *dedução racional* e o recurso à *verificação experimental*. Só há conhecimento científico a partir do momento em que podemos *repetir* determinado fenômeno ou *prever* com certeza o aparecimento desse fenômeno, sob determinadas condições. Insatisfeito com o critério da *verificabilidade*, defendido pelos empiristas lógicos — segundo o qual uma teoria só é científica quando suscetível de uma verificação experimental real ou possível —, Karl Popper propõe um critério *demarcatório* entre o científico e o não científico. Trata-se do critério da *refutabilidade*, da testabilidade ou da falsificabilidade, o que significa dizer que uma teoria só é científica quando pode ser *refutada* pela experiência. Se a física é uma ciência verdadeira, é porque faz predições que a experiência, em princípio, pode contradizer. A psicanálise, em contrapartida, aparece como não científica, pois os "fatos" a confirmam sempre. Assim, a refutabilidade constitui o verdadeiro critério de demarcação entre o científico e o não científico, ou seja, o verdadeiro critério de cientificidade: de um lado, temos teorias suscetíveis de serem refutadas experimentalmente; do outro, aquelas que resistem aos testes experimentais; as primeiras são teorias científicas, as segundas são teorias metafísicas.

cientificismo Ideologia daqueles que, por determ o monopólio do saber objetivo e racional, julgam-se os detentores do verdadeiro conhecimento da realidade e acreditam na possibilidade de uma racionalização completa do saber. Trata-se sobretudo de uma atitude prática segundo a qual "fora da ciência não há salvação", porque ela teria descoberto a fórmula laplaciana do saber verdadeiro. Essa atitude está fundada em certas normas latentes que se expressam em três "artigos de fé": 1) a ciência é o único saber verdadeiro; logo, o melhor dos sabedores; 2) a ciência é capaz de responder a todas as questões teóricas e de resolver todos os problemas práticos, desde que bem formulados, quer dizer, positiva e racionalmente; 3) não somente é legítimo mas sumamente desejável que seja confiado aos cientistas e aos técnicos o cuidado exclusivo de dirigirem todos os negócios humanos e sociais: como somente eles sabem o que é verdadeiro, somente eles podem dizer o que é bom e justo nos planos ético, político, econômico, educacional etc.

cinismo (do lat. *cynicus*, do gr. *kynikós*: como um cão) **1.** Escola filosófica de Antístenes (444-365 a.C.), discípulo de Sócrates, assim chamada porque ele ensinava no *Cynosarge* (mausoléu do cão) e se considerava a si mesmo o cão. Sua doutrina foi retomada por Diógenes, que também se considerava o cão, em função de seu estilo de vida: desprezava todas as convenções sociais e as leis existentes, sua filosofia pregando um retorno à vida simples conforme à natureza.
2. Em seu sentido moral, o cinismo é uma atitude individual que consiste no desprezo, por palavras e atos, das convenções, das conveniências, da opinião pública, da moral admitida, ironizando todos aqueles que a elas se submetem e adotando, em relação a eles, um certo amoralismo mais ou menos agressivo, mais ou menos debochado.

Cioran, Émile Michel (1911-1995) Considerado por muitos o filósofo-poeta da decomposição, da podridão e do vazio que espreitam e ameaçam as atitudes humanas e as coisas, Cioran (natural da Romênia e radicado em Paris desde 1937) defende a tese segundo a qual toda doutrina, ideologia ou crença conduz a uma "farsa sangrenta"; e os grandes sistemas nada mais são do que tautologias. Por isso, seu pensamento é fragmentário e antissistemático, preocupado apenas em *despertar* as pessoas e "transtornar" suas vidas. Obras principais: *Précis de décomposition* (1949), *Syllogismes de l'amertume* (1952), *La tentation d'exister* (1956), *Histoire et utopie* (1960), *La chute dans le temps* (1964), *Le mauvais demiurge* (1969), *De l'inconvenient d'être né* (1973), *Exercícios de admiração* (1986), traduzido para o português.

círculo (lat. *circulus*) **1.** Reciprocidade lógica entre dois termos, cada um podendo ser deduzido a partir do outro.

2. *Círculo vicioso*: falha de raciocínio que consiste em provar, uma pela outra, duas proposições não demonstradas: A por B, e B por A.
3. *Círculo hermenêutico*: dificuldade do método hermenêutico ou interpretativo segundo a qual "toda compreensão do mundo implica a compreensão da existência, e reciprocamente" (Heidegger). Portanto, na ordem do vivido, só procuramos o que já encontramos. Esse círculo constitui a única garantia de rigor que convém aos fatos antropológicos. Essa antecipação, mola do método hermenêutico, constitui um elemento característico de sua estrutura. A circularidade não constitui um defeito do método, mas um caráter do objeto. Para Heidegger, "a estrutura de antecipação" própria à "explicação" constitui "a expressão" da "estrutura existencial de antecipação do próprio ser-aí". Essa antecipação nada mais é do que a pré-compreensão a partir da qual poderá desenvolver-se uma explicitação (e não uma explicação) verdadeiramente compreensiva.

Círculo de Viena Associação fundada na década de 20 por um grupo de lógicos e filósofos da ciência, tendo por objetivo fundamental chegar a uma *unificação* do saber científico pela eliminação dos conceitos vazios de sentido e dos *pseudoproblemas* da metafísica e pelo emprego do famoso critério da *verificabilidade* que distingue a ciência (cujas proposições são verificáveis) da metafísica (cujas proposições inverificáveis devem ser supressas). Ao recusar a introdução dos elementos sintéticos *a priori* no conhecimento, o Círculo, liderado por Rudolf Carnap, visando eliminar definitivamente a metafísica, prega que todos os enunciados científicos devem ser sempre *a posteriori*, pois não são outra coisa senão simples *constatações*, ou seja, enunciados protocolares, só tendo significado pelo conjunto lógico, isto é, pelo sistema das transformações analíticas no qual se integram. Fica questionado, assim, o empreendimento kantiano. A *lógica simbólica*, assim definida, nada nos ensina sobre o mundo, pois não é uma teoria, mas um sistema de convenções livremente escolhidas. Ao ser criticado por Tarski em função de reduzir a lógica a uma mera *sintaxe*, Carnap (juntamente com Wittgenstein) se volta para a elaboração de uma *semântica* lógica, isto é, para o estudo das relações entre uma linguagem e os sistemas de objetos ou interpretações que tornam os enunciados verdadeiros. Concebe, então, a filosofia como uma *semiótica* que estuda a natureza da linguagem da ciência. Esta semiótica compreende: a) uma sintaxe (teoria das relações formais entre os signos); b) uma semântica (teoria das interpretações); c) uma pragmática (teoria da relação da linguagem com o locutor e com o ouvinte). Chega, assim, a um "neopositivismo" que reduz o papel da filosofia ao de *clarificação* da linguagem científica. Wittgenstein escreve que "o objetivo da filosofia é a clarificação do pensamento", não tendo nenhum conteúdo próprio. Ela não é uma interpretação do Eu, do mundo e de Deus, mas uma tentativa de clarificação de toda expressão: "Os limites de minha linguagem são os limites de meu universo", proclama Wittgenstein. O Círculo de Viena (formado ainda por Otto Neurath, Moritz Schlick, Ernest Nagel, Hans Reichenbach, entre outros) exerceu uma forte (mas breve) influência na filosofia e mantém até hoje, com a *filosofia analítica* (anglo-saxônica), relações bastante confusas. *Ver* fisicalismo.

cirenaísmo (de Cirene, cidade da Cirenaica, atual Líbia) Escola e doutrina filosófica fundada por Aristipo (séc. IV da era cristã), que professa o mais absoluto hedonismo, ou seja, a total identidade entre o prazer (ou volúpia) e a virtude (ou bem).

ciúme 1. Sentimento de despeito experimentado por alguém vendo o outro possuir objetos ou vantagens que não possui e que gostaria de possuir de maneira exclusiva.
2. Por extensão, estado afetivo, geralmente acompanhado de *inquietude e suspeita, caracterizado pelo desejo de possuir exclusivamente o objeto de sua afeição ou de seu amor e pelo medo de perdê-lo para um rival real ou imaginário.
3. *ciúme amoroso*: sentimento ambivalente de amor e ódio constituído por um apego possessivo a outra pessoa, fazendo-se acompanhar de forte ansiedade e grande desconfiança.
4. *ciúme infantil*: apego possessivo e exclusivo da criança à sua mãe.

civilização (do lat. *civis*: cidadão) 1. No pensamento clássico, conjunto dos fenômenos religiosos, intelectuais, políticos e culturais e dos valores que lhes são correspondentes, caracterizando as populações que participam da herança greco-romana e judaico-cristã. Neste sentido, opõe-se (de modo *etnocêntrico) à *barbárie e à selvageria, implicando a ideia de certa superioridade (admitida ou não).
2. No pensamento moderno (sentido sociológico), conjunto complexo e durável das características sociais, econômicas, políticas, técnicas, morais, estéticas, religiosas etc. de uma sociedade. Ex.: a civilização chinesa. Por influência da antropologia anglo-saxônica, o termo é frequentemente substituído por *cultura.
3. Conjunto dos valores morais teoricamente admitidos para o conjunto da humanidade.

Clarke, Samuel (1675-1729) Filósofo e teólogo inglês, estudou na Universidade de Cambridge, tornando-se amigo e discípulo de *Newton. Procurou demonstrar a existência de Deus e dos princípios morais utilizando-se de um método matemático, defendendo a compatibilidade entre a religião revelada e a natural. Notabilizou-se sobretudo por sua correspondência com *Leibniz (1715-1716), em que defendeu as teorias newtonianas de *espaço e *tempo contra as críticas de Leibniz.

claro/obscuro Duas palavras muito empregadas na linguagem filosófica do séc. XVII para dar precisão ao termo vago *"ideia". Para Descartes, uma *ideia clara* é uma ideia manifesta e evidente, "presente e manifesta a um espírito atento"; é *distinta* quando não podemos confundi-la com nenhuma outra. Consideremos um exemplo: uma criança tem uma ideia *obscura* do círculo quando não sabe distingui-lo de uma figura oval ou de diversas figuras curvas; tem uma ideia *clara* do círculo quando é capaz de distingui-lo de qualquer outra figura curva; contudo, embora clara, essa ideia será *confusa* se a criança só souber dizer o que é o círculo mostrando exemplos ou descrevendo-o imprecisamente; só terá uma ideia *distinta* do círculo quando souber defini-lo precisamente como o conjunto dos pontos equidistantes de um mesmo ponto chamado centro, cujos raios são iguais e cujo diâmetro é o dobro do raio.

classe (lat. *classis*: grupo convocado para as armas) 1. Em seu sentido lógico, classe é um conjunto de seres, de objetos ou fatos, em número indeterminado, todos possuindo certas características comuns.
2. Em seu sentido sociológico, significa, numa sociedade determinada, o estrato ou grupo de indivíduos que possui, sem nenhuma existência legal, a mesma condição social. Ex.: a classe burguesa, a classe operária.
3. *Luta de classes*: para o marxismo, é o conflito entre a classe operária e a classe burguesa. *Ver* luta de classes.

Cleantes (331-232 a.C.) Filósofo grego (nascido em Troade) estoico; foi discípulo de Zenão de

Cício e o sucedeu como chefe da escola estoica. Restam apenas fragmentos de suas obras.

Clemente de Alexandria (c.150-c.215) Um dos principais expoentes da escola platônica cristã de *Alexandria. Seus ensinamentos e sua obra foram fundamentais para a síntese entre a doutrina cristã e a filosofia grega, sobretudo platônica, que se desenvolveu nos primeiros séculos da era cristã. Segundo sua visão, alguns filósofos gregos, dentre eles Sócrates, Platão e os estoicos, antecipam algumas verdades do cristianismo, ainda que de forma "encoberta" e imperfeita. Principais obras remanescentes: *Protéptico*, *Pedagogo* e *Stromata*.

coerência (do lat. *cohaerere*: estar junto, estar unido) Compatibilidade entre elementos de um sistema, constituindo um todo integrado. A teoria da *verdade como coerência, ou teoria coerentista da verdade, sustenta que uma crença, proposição ou juízo são verdadeiros enquanto pertencem a um sistema de crenças, proposições, juízos, compatíveis entre si, preservando portanto a consistência e a integridade do sistema.

cogito (do lat. *cogitare*: cogitar, pensar; *cogito*: penso) **1.** Para Descartes, o *cogito ergo sum* ("penso logo existo") é o primeiro princípio da filosofia, inaugurando uma revolução que consiste em partir da presença do pensamento e não da presença do mundo. É na segunda *Meditação* metafísica que ele afirma essa verdade "*cogito, sum*" (penso, existo): a primeira verdade, o modelo de toda verdade e o lugar da autenticidade consistem nessa percepção que o sujeito presente tem de sua própria existência, nessa luz de si a si: "Esta proposição, *eu sou, eu existo*, é necessariamente verdadeira todas as vezes que a pronuncio ou que a concebo em meu espírito." *Ver* Descartes.
2. Para Husserl, esse ato do pensamento do sujeito, que é o *código*, não pode estar separado do objeto pensado (*cogitatum*), já que "todo *cogito* ou ainda todo estado de consciência visa algo, traz em si mesmo seu *cogitatum* respectivo". Essa "visada" é chamada de *intencional*. Diversamente de Descartes, que passa do *cogito* à substância pensante, "da qual toda a essência é a de pensar", Husserl declara que o sujeito, pela suspensão do juízo (*epoché*), apreende-se a si mesmo como Eu puro ou transcendental, proporcionando-se, assim, "a vida de consciência pura", vida na qual e pela qual o mundo objetivo existe para mim.
3. A filosofia do *cogito* ou do sujeito pensante, inaugurada por Descartes e instaurada por Kant, na medida em que o sujeito transcendental é o constitutivo do conhecimento, passa a ser questionada, sobretudo a partir de Freud, para quem o sujeito consciente não é mais soberano nem mesmo em sua própria casa.

cognitivismo (do lat. *cognoscere*: conhecer) Designa as pesquisas de caráter interdisciplinar realizadas pelas *ciências cognitivas que, ao adotarem a ideia de tratamento da informação, postulam que: a) os estados mentais são tratáveis sob a forma de representações simbólicas e atitudes proposicionais; b) as operações lógicas (associação, implicação) formam uma "linguagem do pensamento" semelhante a um programa de computador.

Cohen, Hermann (1842-1918) Filósofo alemão (nascido em Coswig), fundador da escola de Marburgo (ramificação do neokantismo), influenciou Natorp e Cassirer. Refutando a oposição kantiana entre a sensibilidade e o entendimento, Cohen considera o pensamento como uma atividade independente capaz de produzir por si mesmo (*a priori*) seu próprio objeto (conceito lógico). Interessou-se também pela moral e pela estética. Obras principais: *Sistema de filosofia*, 3 vols. (1902-1912), *O conceito da religião no sistema da filosofia* (1915). *Ver* neokantismo.

coisa (do lat. *causa*) **1.** Tudo aquilo que possui uma existência individual e concreta. Sinônimo de objeto, portanto realidade objetiva, isto é, independente da representação. Nesse sentido, a coisa se opõe à ideia.
2. Em Descartes, a coisa é sinônimo de substância, de algo que existe por si mesmo. Ex: a "coisa pensante" ou alma (*res cogitans*), a "coisa extensa" (*res extensa*). Em Kant, a *coisa em si* designa aquilo que existe independentemente do espírito e do conhecimento que este tem dela, sendo em si mesma incognoscível. Ele a denomina *número.

coletivismo (do lat. *colligere*: reunir, congregar) **1.** Historicamente, regime econômico preconizando a apropriação coletiva dos meios de produção pelo Estado, embora mantendo a propriedade individual dos bens de consumo. *Diferente de* *comunismo.
2. Por extensão, toda doutrina social caracterizada por uma intervenção moderada do Estado exercendo-se através da planificação e de nacionalizações.

Comenius (1592-1670) Figura estranha, a do religioso tcheco Comenius (ou Jan Amos Komensky), sempre implicado nas lutas políticas e religiosas de seu tempo. Destacou-se por ser um incansável fundador de escolas, convocado pelos governos dos quatro cantos da Europa. Deixou uma obra pedagógica revolucionária. Em sua *Didactica magna* (1640), expôs suas ideias principais. Escreveu muitas obras práticas: gramáticas, guias, manuais etc. Redigiu um *Guia da escola maternal* e compôs o primeiro livro pedagógico ilustrado: *Orbis pictus* (1650). São três os seus princípios filosóficos fundamentais: 1) a igualdade dos seres humanos, de onde deduz a possibilidade de uma sociedade universal e o princípio da escola aberta, sem distinção sexual; 2) o papel humanizante da educação da juventude é o único remédio para a corrupção da humanidade e suas dissensões; 3) o primado do sensível: tudo começa pelo sensível e tudo penetra pelos sentidos; portanto, a educação deve desenvolver-se pela intuição sensível. "A arte do ensino não exige outra coisa senão uma criteriosa disposição do tempo, das coisas e do método." A educação forma os cidadãos do futuro: os homens só serão bons quando forem instruídos.

complexidade (do lat. *complecti*: abraçar) Noção desenvolvida por Edgar *Morin, não só para dar razão a *Pascal, quando dizia: "Considero impossível conhecer o todo sem conhecer cada uma das partes, bem como conhecer as partes sem conhecer o todo", mas para responder aos principais desafios do pensamento contemporâneo. Ao apresentar-se como um novo *paradigma nascido ao mesmo tempo do desenvolvimento e dos limites da ciência atual, o pensamento da complexidade procura integrar seus princípios num esquema mais amplo e mais rico. Donde dar-se por objeto: a) compreender os fenômenos naturais e humanos sobre os quais incidem múltiplos fatores interdependentes; b) recompor uma visão da realidade capaz de religar os saberes fragmentados sem cair numa hipotética síntese global; c) integrar no conhecimento do real a desordem, o incerto, o inesperado e o acaso; d) superar as clivagens entre modelos rivais: sujeito/objeto, indivíduo/sociedade, natureza/cultura, ordem/desordem, explicação/compreensão.

compreensão (lat. *comprehensio*, de *comprehendere*: entender, perceber) **1.** Na lógica clássica, a compreensão de um conceito é o conjunto dos caracteres que permitem sua definição. Ex.: homem, animal racional. A compreensão de um conceito varia na razão inversa de sua extensão. Quanto mais numerosos forem os caracteres da definição, mais reduzida será a classe dos fenômenos.
2. Com a fenomenologia, a compreensão passa a ser definida como um mundo de conhecimento predominantemente interpretativo, por oposição ao modo propriamente científico, que é o da explicação. "Nós explicamos a natureza, mas nós compreendemos a vida psíquica" (Dilthey). Enquanto a explicação constitui um modo de conhecimento analítico e discursivo, procedendo por decomposições e reconstrução de conceitos, a compreensão é um modo de conhecimento de ordem intuitiva e sintética: uma procura determinar as condições de um fenômeno, a outra leva o sujeito cognoscente a identificar-se com as significações intencionais. As "ciências da natureza" se prestam à explicação, enquanto as "ciências humanas" se prestam à compreensão. Enquanto a explicação detecta as relações que ligam os fenômenos entre si, a compreensão procede a uma apreensão imediata e íntima da essência de um fato humano, isto é, seu sentido.
3. No existencialismo sartriano, a compreensão é um movimento dialético do conhecimento "que explica o ato por sua significação terminal, a partir de suas condições iniciais", isto é, por sua finalidade, porque "nossa compreensão do outro se faz necessariamente por fins".

Comte, Augusto (1798-1857) Criador do *positivismo, discípulo e colaborador de *Saint-Simon, Augusto Comte (nascido em Montpelier, França) pode ser considerado não só filósofo como reformador social. A reforma que defende pressupõe, por sua vez, a reforma do saber, já que a sociedade se caracteriza exatamente pela etapa de desenvolvimento espiritual que atingiu. O termo "positivismo" deriva da lei dos três estados que Comte formula em sua teoria da história, designando as características globais da humanidade em seus períodos históricos básicos: o teológico, o metafísico e o positivo. A característica essencial do estado positivo é ter atingido a ciência, quando o espírito supera toda a especulação e toda a transcendência, definindo-se pela verificação e comprovação das leis que se originam na experiência. Comte é considerado um dos criadores da sociologia, procurando conciliar em sua proposta política de reforma social elementos da política conservadora, como a defesa da ordem, e da corrente liberal ou progressista, como a necessidade de progresso. Daí o famoso lema do positivismo comtiano, "o amor por princípio, a ordem por base e o progresso por fim". As ideias de

Comte tiveram grande influência no Brasil na formação do pensamento republicano a partir da segunda metade do séc. XIX, e muitas das ideias positivistas foram incorporadas à Constituição de 1891. Essa influência pode ser ilustrada pela presença na bandeira nacional do lema de inspiração positivista "Ordem e Progresso". Comte escreveu numerosas obras, destacando-se o *Curso de filosofia positiva* (1830-1848), o *Sistema de política positiva* (1851-1854) e o *Catecismo positivista* (1850).

Comte-Sponville, André (1952-) Filósofo francês que, inspirando-se nas sabedorias grega e oriental, notadamente em *Epicuro, procura reabilitar uma visão da filosofia como arte de viver. Esta arte consiste em fazer-nos descobrir um sentido para nossa vida e a felicidade: "A filosofia é uma atividade discursiva que tem a *vida* por objeto, a *razão* por meio e a *felicidade* por fim." Professa um materialismo humanista: não acredita que devamos apelar a um Deus salvador, a uma revolução libertadora ou a uma felicidade ideal. Por estar presente na mídia, tem sido muito criticado pelos filósofos acadêmicos. Obras principais: *Traité du désespoir et de la beatitude*, vol. 1: *Le mythe de l'Icare* (1984), *Vivre* (1988), *Petit traité des grandes vertus* (1995).

comunismo 1. Todo regime político (ou teoria política) fundado na colocação em comum dos bens ou que absorve os indivíduos na coletividade. **2.** Na teoria marxista, o comunismo, sinônimo de marxismo-leninismo, tanto pode designar a doutrina revolucionária que visa à emancipação do proletário pela apropriação coletiva dos meios de produção quanto o regime político-econômico de tipo coletivista no qual a ditadura do proletariado se estabelece pela destruição total da burguesia, pela abolição das classes sociais e pelo desenvolvimento das forças de produção segundo a fórmula: "a cada um segundo seu trabalho ou a cada um segundo suas obras" (fase do socialismo); numa segunda fase, a realização de uma sociedade da abundância deve levar à supressão total do Estado, segundo a fórmula: "a cada um segundo suas necessidades." Esta é a fase do comunismo propriamente dito: "O proletariado se apodera do poder público e, em virtude desse poder, transforma os meios de produção sociais, que escapam das mãos da burguesia, em propriedade pública. Por esse ato, ele libera os meios de produção de sua qualidade anterior de capital e lhes dá um caráter social segundo um plano determinado. Na medida em que desaparece a anarquia da produção social, a autoridade política do Estado também desaparece" (Engels). **3.** *Comunismo primitivo*: expressão fazendo derivar logicamente toda sociedade de uma forma de organização socioeconômica fundada na ausência de propriedade privada. *Ver* marxismo.

comunitarismo (do lat. *communitas*: comunidade) Teoria elaborada nos Estados Unidos (por M. Sandel, C. Taylor e A. MacIntyre) segundo a qual o indivíduo precisa estar integrado na cultura de sua comunidade, não devendo ser considerado um desencarnado ou desvinculado de suas raízes culturais representadas por uma história, valores e relações suscetíveis de integrá-lo socialmente e conferir um sentido à sua existência.

conatural (lat. *conaturalis*) Diz-se de tudo aquilo que pertence à natureza mesma de um ser (ou de um indivíduo) enquanto uma propriedade essencial (ex.: a liberdade é conatural ao homem).

conceber (lat. *concipere*: gerar, compreender) Tanto pode significar o ato de representar-se viva e claramente uma coisa quanto ter dessa coisa uma compreensão intelectual ou racional.

conceito (lat. *conceptum*: pensamento, ideia) **1.** Em seu sentido geral, o conceito é uma noção abstrata ou *ideia geral, designando seja um objeto suposto único (ex.: o conceito de Deus), seja uma classe de objetos (ex.: o conceito de cão). Do ponto de vista lógico, o conceito é caracterizado por sua *extensão* e por sua *compreensão*. **2.** Para Kant, o conceito nada mais é do que uma encruzilhada de juízos virtuais, um esquema operatório cujo sentido só possuiremos quando soubermos utilizar a palavra em questão. Ele distingue: a) os conceitos *a priori* ou puros (as categorias do entendimento): conceito de unidade, de pluralidade, de causalidade etc.; b) os conceitos *a posteriori* ou empíricos (noções gerais definindo classes de objetos): conceito de vertebrado, conceito de prazer etc. **3.** Em seu estilo matemático, o conceito é uma noção de base que supõe uma definição rigorosa (ex.: o conceito de círculo: figura gerada por um segmento de reta em torno de um ponto fixo). Nas ciências experimentais, o conceito é uma noção que diz respeito a realidades ou fenômenos experimentais bem determinados (ex.: o conceito de peso, o conceito de ácido etc.).

4. Termo chave em filosofia, o conceito designa uma ideia abstrata e geral sob a qual podemos unir diversos elementos. Só em parte é sinônimo de *ideia*, palavra mais vaga, que designa tudo o que podemos pensar ou que contém uma apreciação pessoal: aquilo que podemos pensar de algo. Enquanto ideia abstrata construída pelo espírito, o conceito comporta, como elementos de sua construção: a) a *compreensão* ou o conjunto dos caracteres que constituem a definição do conceito (o homem: animal, mamífero, bípede etc.); b) a *extensão* ou o conjunto dos elementos particulares dos seres aos quais se estende esse conceito. A compreensão e a extensão se encontram numa relação inversa: quanto maior for a compreensão, menor será a extensão; quanto menor for a compreensão, maior será a extensão.

conceitualismo Doutrina (atribuída a Abelardo, no séc. XII) segundo a qual os conceitos ou universais só existem, como ideias, em nosso espírito, não possuindo nada que lhes corresponda na realidade. Em outras palavras, doutrina segundo a qual as ideias gerais que servem para organizar nosso conhecimento são instrumentos intelectuais criados por nosso espírito, mas sem nenhuma existência fora dele. *Ver* universais.

conceitualização Praticamente sinônimo de concepção no sentido 1, mas com maior ênfase na elaboração conceitual que o sujeito faz a partir de uma experiência ou de sua intuição. Ex.: a conceitualização da sensação de necessidade que uma pessoa sente quando diz: tenho fome. *Ver* concepção.

concepção (lat. *conceptio*) **1.** Operação pela qual o sujeito forma, a partir de uma experiência física, moral, psicológica ou social, a representação de um objetivo de pensamento ou conceito. O resultado dessa operação também é chamado de concepção, praticamente sinônimo de teoria (ex.: concepção platônica do Estado, concepção liberal da economia etc.).
2. Operação intelectual pela qual o entendimento forma um conceito (ex.: o conceito de triângulo).

conclusão (lat. *conclusio*: ação de fechar, acabamento) **1.** Num discurso lógico, proposição necessária — que não pode ser de outra forma — estabelecida a partir de proposições antecedentes, em virtude de regras operatórias implícitas ou construídas.
2. Proposição que termina um raciocínio e pela qual fica estabelecido aquilo que se pretendia provar. Na lógica clássica, a conclusão constitui a terceira proposição do silogismo, cuja verdade resulta das duas primeiras denominadas premissas.

concreto (lat. *concretus*) **1.** Para o senso comum, o concreto é tudo aquilo que é dado pela experiência sensível, seja externa (as diversas sensações que qualificam um objeto), seja interna (as emoções de medo, um sonho etc.).
2. Por oposição a abstrato, o concreto é aquilo que é efetivamente real ou determinado em sua totalidade. Portanto, é o que constitui a síntese da totalidade das determinações: "O concreto é concreto porque é a síntese de múltiplas determinações, portanto, a unidade da diversidade" (Marx).
3. Em seu sentido lógico, o concreto diz respeito aos termos que designam seres ou objetos reais: Pedro, meu cachorro etc.
4. Para a filosofia existencialista, o concreto designa a existência humana, a realização humana vivida na sociedade e na história, fazendo com que cada homem viva em situação sempre singular: "concreto é o homem neste mundo" (Sartre). *Oposto a* abstrato.

concupiscência (lat. *concupiscentia*) Na linguagem teológica, todo desejo egoísta do saber, do sentir ou do poder. Na linguagem corrente, prevalece a concupiscência do sentir, por alusão ao apetite sexual.

condição (lat. *condicio*, de *condicere*: concordar) **1.** Aquilo sem o qual um fenômeno não se produziria: Ex.: uma das condições da ebulição da água é que a pressão seja inferior ao ponto crítico. Distingue-se da *causa*, ou seja, daquilo pelo qual o efeito é produzido. Para alguns, a causa de um fato é o conjunto de todas as suas condições; para outros, é a condição necessária e suficiente ou, ainda, a condição *sine qua non*, isto é, a circunstância sem a qual (*sine qua*) o fenômeno não pode ser produzido.
2. Na filosofia política, a expressão "condição humana" tende a suplantar a de "natureza humana" para designar a situação singular e única de cada homem no mundo (físico e social) e na história.
3. Na expressão, frequente em matemática, "condição necessária e suficiente" (assim formulada: "para que... é necessário e basta ...", ou ainda, "se... e somente se ..."), a palavra "condição" é sinônimo de *causa*, pois apenas um elemento está em jogo.

condicional (do lat. tardio *condicionalis*) **1.** Uma proposição é condicional quando afirma uma con-

dição ou hipótese: se fizer sol, irei à praia amanhã. Um silogismo é condicional quando a premissa maior submete a conclusão a uma condição: "se fizer sol, irei à praia; ora, faz sol; logo, irei à praia."
2. *Condicional contrafatual*: aquele cujo antecedente é uma sentença subjuntiva no passado; a rigor, ele é inverificável ou indecidível, não podendo ser tratado em termos das noções de verdade ou de falsidade. Ex.: "Se Hitler tivesse morrido em 1938, a Segunda Guerra Mundial não teria acontecido."

condicionamento 1. Ato de condicionar, isto é, de estabelecer uma associação entre uma estimulação e um processo de excitação, tendo por finalidade fazer animais ou homens adquirirem determinados comportamentos. *Ver* reflexo condicionado.
2. Do ponto de vista pedagógico, técnicas de treinamento ou "adestramento" utilizadas para certos fins educacionais.
3. Técnicas de terapêutica psiquiátrica, geralmente fazendo uso de medicamentos.
4. Técnicas de publicidade comercial com a finalidade de criar certas motivações de compra.
5. Do ponto de vista político, técnicas de propaganda ideológica com o objetivo de remodelar as opiniões políticas dos indivíduos (lavagem cerebral) por ameaças, sevícias ou recompensas.

Condillac, Étienne Bonnot de (1715-1780) Filósofo francês ligado ao movimento enciclopedista. Desenvolveu uma filosofia influenciada em grande parte pelo empirismo de Locke, criticando o racionalismo e o inatismo da filosofia cartesiana. Para Condillac, a origem de todo conhecimento está na sensação. Para ilustrar essa tese recorre à imagem da estátua de mármore, na qual, a partir da atribuição de um sentido, se desenvolveria todo o conhecimento. Todas as faculdades superiores da mente, incluindo a abstração, nada mais seriam do que transformações das sensações originárias. Condillac foi também um dos primeiros filósofos a enfatizar o papel da linguagem como sistema simbólico no processo de formação do conhecimento. Obras principais: *Essai sur l'origine des connaissances humaines* (1749), *Traité des sensations* (1755), *Le commerce et le gouvernement considerés relativement l'un à l'autre* (1776), *Langue des calculs*, póstuma (1798). Sua obra teve grande influência no pensamento francês do séc. XIX, sobretudo no campo da psicologia, e prenunciou as teorias linguísticas modernas.

Condorcet (1743-1794) Considerado o último dos *philosophes*, o francês (nascido em Ribemont) Marie Jean Antoine Nicolas de Caritat, marquês de Condorcet, membro da Academia de Ciências de Paris e seu secretário vitalício a partir de 1776, foi o único a tomar parte na Revolução Francesa. Foi membro da Assembleia Legislativa e da Convenção Nacional. Acusado pelos jacobinos, preso e condenado à morte, envenenou-se para não subir ao cadafalso. Defendeu ardorosamente a harmonia entre o progresso científico e o progresso moral da humanidade. O progresso social é indissociável do progresso científico e técnico. A ciência é um instrumento de conhecimento e de ação. Via o séc. XVIII como a expressão de uma aliança entre a ciência e a política. Segundo ele, o Estado deveria intervir como avalista financeiro do desenvolvimento técnico e científico. Assim, a política da ciência se reduziria à política *para* a ciência. Condorcet sonhava com uma república das ciências na qual haveria uma simbiose entre saber e poder, porque o progresso do saber passa pelo poder político; do mesmo modo, o interesse do Estado exigiria uma consulta aos sábios: assim como a ciência organizada tem necessidade da "proteção esclarecida do governo", da mesma forma o governo, para tirar partido da ciência, tem necessidade de consultar os sábios. Convencido da fé no poder que a razão possui de assegurar a felicidade e a igualdade dos homens, Condorcet procurou congregar a esperança baconiana de uma ciência organizada com a esperança revolucionária de uma ciência que organizasse e reorganizasse o sistema social em seu conjunto. Com ele, o Século das Luzes prolonga a utopia técnica em visão messiânica: a sociedade dos sábios é chamada a ocupar um lugar privilegiado e a tornar-se o modelo da sociedade ideal. Sua obra mais conhecida, *Esboço de um quadro histórico dos progressos do espírito humano*, foi escrita na prisão e publicada postumamente em 1795.

conduta (lat. *conductus*, de *conducere*: conduzir juntamente) **1.** *Valor moral de uma *ação, apreciado segundo certas normas de bem e de mal: boa ou má conduta.
2. Diferentemente do comportamento, reduzido pela psicologia behaviorista às reações do organismo em seu meio, a conduta é, como o comportamento, uma resposta a uma motivação, mas fazendo intervir componentes psicológicos, motrizes e fisiológicos. Segundo o neurologista e psicólogo francês Pierre Janet, "a psicologia da conduta é o estudo do homem em suas relações com o

universo e, sobretudo, em suas relações com os outros homens". *Ver* comportamento.

Confissões (*Confissiones*) Obra de sto. Agostinho (400) na qual combina elementos autobiográficos e pensamento filosófico. Influenciada pelo pensamento neoplatônico, visa demonstrar que o homem se perdeu pelo pecado mas foi salvo pela graça divina. Seu método da reflexão sobre si, que descobre em nós uma "Presença mais profunda que nós mesmos", mostra que Deus é incompatível com um conhecimento racional, pois se situa fora do tempo, e interroga sobre a significação da inquietude e da angústia próprias à condição humana. *Ver* escolástica.

conformismo (do lat. *conformis:* de mesma forma) Comportamento de dependência social e moral consistindo, para um indivíduo, em adotar de modo mais ou menos mecânico e inconsciente, sem exame ou espírito crítico, as opiniões, as normas, os modelos, os costumes e usos de seu meio social ou do grupo com o qual se identifica; aceitação do *status quo*. Segundo *Kant, o indivíduo só consegue aceder à existência moral autêntica renunciando à facilidade do conformismo. *Anticonformista* é quem se opõe sistemática e declaradamente, mais negativa que construtivamente, a toda forma de ideia conservadora. *Ver* *dever, *moral.

Confúcio (551-479 a.C.) Filósofo e pensador chinês conhecido por seus ensinamentos morais. Como *Sócrates, nada deixou escrito. Seu biógrafo Seuma Ts'ien (em *As memórias históricas*) narra a vida de Confúcio e transcreve seus ensinamentos. O essencial de sua pregação moral visa o esforço para o Bem, para a "cultura" da personalidade, a única que pode tornar uma sociedade feliz. Duas são as virtudes fundamentais: a amizade e a equidade. Ficou famoso a partir do século V de nossa era ao tornar-se o filósofo oficial da China imperial. Com a revolução de 1912, desaparece seu culto oficial e o ensino de sua moral (fundada na ordem e no respeito das tradições) deixa de ser obrigatório nas escolas.

conhecer (lat. *cognoscere*) Apreender diretamente algo: "Conhecer designa um gênero cujas espécies são constatar, compreender, perceber, conceber etc." (A. Lalande). *Ver* conhecimento.

conhecimento (do lat. *cognoscere*: procurar saber, conhecer) **1.** Função ou ato da vida psíquica que tem por efeito tornar um objeto presente aos sentidos ou à inteligência.
2. Apropriação intelectual de determinado campo empírico ou ideal de dados, tendo em vista dominá-los e utilizá-los. O termo "conhecimento" designa tanto a coisa conhecida quanto o ato de conhecer (subjetivo) e o fato de conhecer.
3. A *teoria do conhecimento* é uma disciplina filosófica que visa estudar os problemas levantados pela relação entre o sujeito cognoscente e o objeto conhecido. As teorias empiristas do conhecimento (como a de Hume) se opõem às intelectualistas (como a de Descartes). *Ver* crítica; gnoseologia.

conhecimento aproximado Na epistemologia histórica de *Bachelard, o conhecimento aproximado (*conaissance approchée*) é aquele que, diferentemente do saber aproximativo ou do saber objetivo (verdadeiro), *aproxima-se* de seu objeto por retificações sucessivas e constantes, revelando as condições segundo as quais o verdadeiro pode ser extraído do falso, numa polêmica constante em relação ao erro e num requestionamento contínuo dos saberes já objetivados.

conjetura (lat. *conjectura*) Diferentemente da *hipótese, a conjetura é uma simples suposição inverificável ou ainda não verificada.

conotação (do lat. tardio *connotare*) **1.** Propriedade que um conceito possui de designar um ou vários caracteres que fazem parte de sua definição. Ex.: o conceito "homem" conota ao mesmo tempo animal e mamífero; a palavra latina *esse* significa a existência e conota a essência. Os termos "conotação" e "denotação" são sinônimos, respectivamente, de *compreensão e de *extensão. Podemos dizer que a conotação e a denotação designam o modo como a compreensão e a extensão do conceito se realizam no momento em que o empregamos.
2. Elemento ou o conjunto dos elementos que servem de referência objetiva para definirmos uma palavra, ou seja, o conjunto das ideias evocadas por uma palavra. Ex.: vermelho = perigo, sangue etc.

consciência (lat. *conscientia*: conhecimento de algo partilhado com alguém) **1.** A percepção imediata mais ou menos clara, pelo sujeito, daquilo que se passa nele mesmo ou fora dele (sinônimo de consciência psicológica). A consciência *espontânea* é a impressão primeira que o sujeito tem de seus estados psíquicos. Difere da consciência *reflexiva*, ou seja, do retorno do sujeito a sua impressão primeira, permitindo-lhe distinguir o seu Eu de seus estados psíquicos. *Campo* de consciência é o conjunto dos fatos psíquicos presentes na consciência do indivíduo.

2. Do ponto de vista moral, a consciência é o juízo prático pelos quais nós, como sujeitos, podemos distinguir o bem e o mal e apreciar moralmente nossos atos e os atos dos outros. Nesse sentido, falamos de *consciência moral*. Quando dizemos que alguém tem *boa consciência*, queremos significar que possui um sentimento, fundado ou não, de ser irrepreensível nesse ou naquele ato de sua conduta geral. A expressão *má consciência* é utilizada para designar o sentimento de mal-estar ou de culpa moral, de arrependimento ou de remorso, de um indivíduo que não conseguiu realizar bem, como queria, ou não conseguiu realizar completamente seu dever, aquilo pelo que se julgava responsável.

3. Não podemos empregar o termo "consciência" de maneira absoluta: toda consciência é consciência *de* alguma coisa, isto é, a necessidade, para a consciência, de existir como consciência de outra coisa distinta dela mesma, o que Heidegger exprime dizendo que o homem é um "ser-no-mundo".

4. Em nossos dias, nem o sujeito do discurso nem tampouco o sujeito psicológico e o sujeito histórico podem ser definidos relativamente a uma consciência fundadora de verdade ou, mesmo, de liberdade. Longe de ser a fonte de todo conhecimento ou de toda ação, frequentemente ela se revela como desconhecimento: não somente é impotente para conhecer-se a si mesma, mas pode converter-se em fonte de ilusões tenazes, que são outros tantos obstáculos à formação dos saberes que definem nossa modernidade. É o que mostra, por exemplo, a teoria do inconsciente de Freud: encontramo-nos diante do problema da mentira da consciência ou da consciência como mentira.

5. Hegel fala da "consciência infeliz", ou seja, do estado da consciência de si que culmina no dilaceramento cristão entre a "encarnação" da perfeição divina e o sentimento que o indivíduo tem de não identificar-se com essa perfeição.

6. A *tomada de consciência* é o ato pelo qual a consciência intelectual do sujeito se apodera de um dado da experiência ou de seu próprio conteúdo. *Ver* tomada de consciência; inconsciente; boa consciência/má consciência.

7. *Consciência de classe* designa, para os teóricos marxistas, o conjunto de conteúdos da consciência que, na realidade, são determinados pelo pertencimento a uma classe social e, por conseguinte, pela posição que o sujeito ocupa no sistema econômico. Assim, a consciência de classe de um burguês seria necessariamente contrária à de um proletário, pois seus interesses são divergentes.

consciente (lat. *consciens*) **1.** Em seu sentido objetivo, o termo "consciente" se aplica aos *atos* ou estados pessoais percebidos pelo *sujeito, quer de modo espontâneo, quer de modo reflexivo (ex.: estar consciente de um erro); em seu sentido subjetivo, aplica-se ao próprio sujeito que percebe (ex.: estou consciente do movimento de meu braço).

2. Em seu sentido moral, designa a qualidade de alguém que assume, com conhecimento de causa, a responsabilidade por seus atos, avaliando-os relativamente aos atos dos outros. *Ver* inconsciente.

consenso (lat. *consensus*: acordo, juízo unânime) Acordo estabelecido, entre indivíduos ou grupos, sobre seus sentimentos, opiniões, vontades etc., como condição para que haja uma concórdia social. Há *consenso geral* quando todos aderem a um princípio, a uma asserção, a uma crença ou a uma tomada de decisão como critério do melhor e do mais verdadeiro, a unanimidade sendo considerada como atitude mais razoável para a realização de determinado objetivo.

consequência (lat. *consequentia*: sucessão, sequência) Proposição que decorre necessariamente de outra e que, uma vez admitidos os princípios ou as hipóteses, não podemos negar sem entrar em contradição. Difere da *conclusão*, que é a última consequência de um raciocínio.

consequente (lat. *consequens*) **1.** Diz-se que um fenômeno é *consequente* quando seu aparecimento segue regularmente o surgimento de um fenômeno anterior.

2. *Inferência ou *raciocínio conforme às leis da lógica: o consequente é uma proposição que se segue de outra numa inferência e que exprime a consequência da primeira. No exemplo: "se não chover, haverá uma catástrofe", "se não chover" é o antecedente, e "haverá uma catástrofe" é o consequente.

3. Diz-se que uma pessoa é *consequente* quando ela se revela coerente em seus pensamentos, em suas palavras, em seus atos e no conjunto de sua personalidade. Caso contrário, diz-se que ela é "inconsequente".

conservadorismo 1. Doutrina ou atitude justificando a manutenção de um regime político ou social existente, de uma civilização ou cultura e opondo-se a toda mudança nas instituições, na moral, na religião, nos usos e costumes.
2. Por extensão, *neoconservadorismo* designa hoje a doutrina ideológica (ilustrada pelo governo George W. Bush) defendendo uma espécie de síntese entre alguns valores ético-morais extraídos da religião judaico-cristã e a crença segundo a qual os Estados Unidos seriam o novo "povo eleito" encarregado da missão histórica de realizar seu "destino manifesto" de ser a única nação capaz de propagar a "salvação" democrático-liberal em todo o planeta e de defender o Bem contra o Mal.

constituição (lat. *constitutio*: arranjo, disposição legal, instituição) 1. No sentido psicofisiológico, conjunto dos caracteres somáticos e psicológicos de um indivíduo enquanto herdados e transmissíveis.
2. No sentido político, conjunto das leis fundamentais definindo o regime político de uma nação e de suas instituições, ou seja, a forma de governo de um Estado: "A *Constituição* fixa a separação entre os diversos poderes e a relação que os une, bem como a esfera de ação de cada um deles, mais particularmente os direitos dos indivíduos relativamente ao Estado e a parte de colaboração que deve competir-lhe, não somente na escolha dos governantes, mas na medida em que são cidadãos" (Hegel).

constitutivo Segundo Kant, as categorias ou conceitos puros do entendimento são *constitutivos*, pois constituem (fundamentam, estabelecem) o objetivo do conhecimento, tornando possível a sua determinação a partir dos dados da sensibilidade. São portanto condições de possibilidade do conhecimento. *Ver* regulativo.

construtivismo 1. Genericamente, trata-se de uma teoria do *conhecimento que se baseia numa concepção essencialmente *dialética das relações entre o *sujeito cognoscente e o *objeto conhecido (mundo exterior), a *Razão sendo ao mesmo tempo estruturante do *real e estruturada por ele.
2. Nome dado à corrente epistemológica inaugurada por *Bachelard para designar que, no processo de conhecimento, o objeto não é um "dado" que se apresenta ao pensamento científico sem colocar problemas, como se fosse algo evidente, imediatamente percebido pela experiência empírica ou por ela representado como protocolo de uma constatação isenta de toda implicação teórica, mas um *constructo*, algo de construído, isto é, um objeto pensado, elaborado em função de uma problemática teórica que possibilita submeter a uma interrogação sistemática os aspectos do real relacionamento pela questão que lhe é posta pelo sujeito. Neste sentido, é construtivista toda teoria do conhecimento que não admite que o objeto "real" seja um mero produto do pensamento ou que se manifeste apenas em sua totalidade concreta, afirmando que ele é um objeto construído, um objeto concreto pensado: a Razão (sujeito) vai ao Real (objeto), não parte dele.
3. Nome dado à teoria epistemológica interacionista de J.*Piaget, segundo a qual, no processo de conhecimento, para estabelecermos as relações do sujeito com o objeto, devemos rejeitar as hipóteses empiristas, pois os conhecimentos científicos, longe de constituírem um simples reflexo do real, resultam de uma atividade do sujeito que organiza e estrutura os dados da experiência a fim de compreendê-los.
4. Na *lógica e na matemática, uma teoria é construtivista quando afirma que os objetos de que trata só são reais se podem ser construídos, ou se for possível provar sua existência; e uma proposição só pode ser considerada verdadeira se for possível efetivamente construir uma *prova de sua verdade. Opõe-se portanto às concepções realistas ou platônicas segundo as quais os objetos abstratos, como os objetos da matemática, existem de maneira autônoma independentemente de nossa apreensão deles.

consumismo (do lat. *consummatio, consummare*: adicionar, somar) Estilo de vida e comportamento típico da chamada "sociedade de consumo" industrial-capitalista mediante o qual os indivíduos, além de serem pressionados a consumir os produtos ou pseudobens anunciados pela publicidade, são permanentemente encorajados, por sofisticadas técnicas psicológicas de marketing, a consumir bens supérfluos com o objetivo exclusivo de aumentar os lucros do sistema capitalista e contribuir, assim, para sua reprodução.

contemplação (lat. *contemplatio*: ação de olhar atentamente) 1. Estado de espírito passivo aplicado a uma ideia ou a um objeto. Para Platão, a atividade do filósofo é visão e contemplação (teoria) do mundo das essências: a *teoria* ou contemplação é a visão, pela alma, no término da ascensão espiritual, da *ideia do bem*, último cognoscível, causa de tudo o que é direito e belo. Aristóteles opõe contemplação a ação; a contemplação seria o modo de atividade de Deus.

2. Filosoficamente, o estado de espírito de alguém totalmente absorvido ou extasiado na busca de conhecimento de um objeto inteligente. Ex.: a contemplação da verdade.

3. Teologicamente, a contemplação consiste num estado místico em que o indivíduo tem uma visão direta e amorosa de Deus ou das coisas divinas.

4. Atitude de alguém que, cativado por um sentimento estético, revela-se desinteressado e simples espectador, sem preocupações racionais.

5. A filosofia racionalista procurou recalcar e deformar o veio místico da contemplação. A tal ponto que, quando Nietzsche fala do homem contemplativo, considera-o um ser "mesquinho, débil e domesticado", pois para ele a contemplação seria um subterfúgio para se evitar a ação. No entanto, o pensamento contemporâneo, resgatando certas fontes orientais, começa a revalorizar os temas de uma visão interior. A contemplação, como uma espécie de viagem do indivíduo no interior de si mesmo, permite-lhe abrir-se ao mundo e, até mesmo, constitui uma virtude terapêutica.

contestação (lat. *contestatio*) Recusa mais ou menos sistemática não somente da ordem estabelecida e do poder legal em vigor, mas de todas as coerções sociais, políticas, jurídicas, religiosas, ideológicas etc., com seus sistemas de valores mais ou menos coercitivos.

conteúdo 1. Denomina-se conteúdo da consciência o conjunto das representações ou dos fatos da consciência que, em um determinado momento, a constituem.

2. Do ponto de vista lógico, o termo designa a matéria particular de uma proposição e se opõe à forma, isto é, à sua estrutura geral e abstrata. Ex.: na proposição "Todos os homens são mortais", distinguimos a forma da proposição universal e afirmativa (todos os A são B) do conteúdo a que se referem (os conceitos de homem e mortalidade).

contingência (lat. tardio *contingentia*: acaso) **1.** Caráter de tudo aquilo que é concebido como podendo ser ou não ser, ou ser algo diferente do que é.

2. Na filosofia existencialista, caráter daquilo que não possui, em si mesmo, sua própria razão de ser: "o ser é sem razão, sem causa e sem necessidade; a própria definição do ser nos dá sua contingência original" (Sartre).

3. Acontecimento do qual não podemos reduzir o aparecimento a um feixe de causalidades; é um acontecimento (como uma emergência) de ocorrência possível mas incerta.

4. Assim como Deus é *o *necessário*, porque é a causa de sua existência, o homem é um ser contingente. E essa contingência pode estender-se a todo elemento do mundo real, pois nada neste mundo possui seu princípio de existência em si mesmo: "O essencial é a contingência. Quero dizer que, por definição, a existência não é necessária. Existir é *ser-aí*, simplesmente; os existentes aparecem, se deixam *encontrar*, mas não podemos jamais *deduzi-los*" (Sartre).

contínuo (lat. *continuus*: sem interrupção) **1.** Tudo aquilo que constitui uma realidade ainda não dividida em partes distintas: o espaço, o tempo, o movimento.

2. O *princípio de continuidade* (em Leibniz e em Kant) é aquele segundo o qual não há saltos na Natureza, ou seja, entre seus seres ou seus fenômenos, não há solução de continuidade.

3. No sentido matemático, uma grandeza ou quantidade contínua é aquela que varia, para mais ou para menos, por diferenças infinitamente pequenas. *Oposto a* descontínuo ou discreto.

contradição (lat. *contradictio*) **1.** Oposição entre duas proposições incompatíveis, uma afirmativa e a outra negativa. Em outras palavras, o fato de afirmar e negar, ao mesmo tempo, algo de uma mesma coisa. Ex.: a diferença do ser e do não ser, da afirmação e da negação, é uma contradição. A ontologia tradicional tem por premissa fundamental o princípio da não contradição aplicado ao ser mesmo. O pensamento da contradição é insustentável, porque desqualifica todo pensamento, que se torna uma opinião sem valor de verdade.

2. Na lógica dialética de Hegel, a contradição constitui o motor ao mesmo tempo do pensamento e do real, toda afirmação de verdade sendo apenas um momento provisório da posse do real espírito, devendo ser ultrapassada (*Aufhebung*); ela se realiza em três fases: *tese*, *antítese* e *síntese*, que marcam o progresso da consciência e o movimento da história até o *espírito absoluto*. Assim, a filosofia hegeliana se caracteriza pela integração da contradição, da qual faz um momento necessário da *dialética*, que é a resolução de todas as contradições. Ainda para Hegel, o real não é o concreto nem tampouco o imediato, o ponto de partida, mas o resultado do pensamento que gera a realidade.

3. Para Marx, a contradição é o conflito histórico entre as forças e as relações de produção, devendo culminar na revolução suscetível de mudar um regime social por outro. Mas o marxismo inscreve a contradição no real, não no pensamento. Ele não somente inverte a dialética, mas a transforma, a partir de um ponto de vista inteiramente novo: o político. Se o real é em si mesmo contraditório, o conhecimento vai ser definido, não como sua gênese ideal, mas como sua apropriação real. Não deve mais interpretar o real, mas fornecer as bases teóricas para sua transformação. Nesse sentido, está aberto a uma prática e a uma política.

contraditório (lat. *contradictorius*) **1.** Dois conceitos são contraditórios quando a afirmação de um implica a negação do outro e quando a negação de um implica a afirmação do outro. Ex.: morto e vivo, frio e quente.
2. Duas proposições são contraditórias quando possuem termos idênticos (mesmo sujeito e mesmo atributo), mas diferem quanto à quantidade e à realidade: uma sendo universal afirmativa (todo A é B), a outra uma particular negativa (algum A não é B); ou uma sendo universal negativa (nenhum A é B), a outra uma particular afirmativa (algum A é B). *Ver* oposição.

contrapoder Poder legal exercido, mediante processos de negociação e persuasão, pela mídia, pelos partidos e os sindicatos e pela sociedade civil organizada, contrapondo-se aos poderes institucionalmente estabelecidos.

contrato social A noção de contrato social, definindo a sociedade como o produto de uma convenção entre os homens, marca o nascimento da reflexão política moderna (séc. XVIII). Trata-se de uma concepção, bastante controversa entre os filósofos, que define a sociedade como o resultado das convenções pelas quais os cidadãos, de modo livre e voluntário, trocando sua liberdade natural pela paz e segurança, constituem o poder comum: "único meio de instituir um poder comum" suscetível de dar segurança aos homens, consiste em "conferirem eles todo o seu poder e toda a sua força a um homem ou a um conjunto de homens que pode reduzir todas as suas vontades a uma única vontade" (Hobbes). Para Rousseau, o contrato social é um pacto constituindo o fundamento ideal do direito político e repousando numa forma de associação capaz de "defender e proteger, com toda a força comum, a pessoa e os bens de cada sociedade, e pela qual cada um, unindo-se a todos, só obedece a si mesmo e permanece tão livre quanto antes". Ele insiste que precisamos "conhecer bem um estado (o estado de natureza), que não existe mais, que talvez nem mesmo tenha existido, que provavelmente jamais existirá, mas do qual precisamos ter noções justas para bem julgar o nosso presente". Embora o contrato não tenha constituído um "acontecimento" vivido pelos primeiros homens, nem por isso deixa de constituir a essência do social como tal. Através do "estado de natureza", o que nos é dado pensar é a "condição de possibilidade" do social.

Contrato social, O (*Du contrat social ou principes du droit politique*) Obra fundamental de *Rousseau (1762), na qual elabora os "princípios do direito político", propondo-se a estabelecer a legitimidade do *poder político, cujo fundamento não deve repousar na autoridade paterna, na vontade divina, nem na força, mas num *pacto de associação*. Tais princípios permitiriam a cada indivíduo comprometer-se com todos, renunciando à sua *liberdade individual em proveito da comunidade que lhe garantirá, como retorno, a dignidade do cidadão, vale dizer, a igualdade jurídica e moral e a liberdade civil. As aspirações dos indivíduos à *felicidade devem ser conciliadas com as exigências da vida social; as liberdades individuais devem se harmonizar com a submissão dos indivíduos ao interesse geral. Considerado por uns como a carta de fundação das democracias modernas, por outros, dos regimes totalitários, *O contrato social* não propõe nenhum modelo político, mas tão somente os princípios da legitimidade do poder. *Ver* Rousseau, Jean-Jacques.

convenção (lat. *conventio*) **1.** Caráter do que é previamente acordado entre várias pessoas, segundo certas regras livremente aceitas e arbitrariamente estipuladas, antes de se tomar uma decisão ou de realizar um empreendimento qualquer.
2. Filosoficamente, é um termo usado para designar um conjunto de princípios intencionais e livremente aceitos por um grupo de pessoas e que serve de base para tomadas de decisão nos planos moral, jurídico, da linguagem etc. *Ver* convencionalismo.

convencionalismo O convencionalismo é uma concepção da ciência, elaborada por alguns matemáticos, segundo a qual os princípios de nossos conhecimentos (em matemática) não passam de puras *convenções* das quais podemos *deduzir* enunciados (leis) que descrevem o mais economicamente possível a realidade. O importante é que a teoria permitia "salvar os fenômenos". Opondo-se ao empirismo, que faz de uma teoria um simples elo lógico estabelecido entre fatos de observação ou de experiência, sem que a teoria contenha nada mais do que os próprios fatos, o convencionalismo reduz a teoria a uma simples construção útil e arbitrária da razão. *Ver* convenção.

conversão (lat. *conversio*) Em seu sentido lógico, a conversão é uma inferência imediata que consiste em construir, a partir de determinada proposição, uma nova proposição (denominada *conversa*), com a mesma validade lógica que a primeira. Ex.: "todo A é B" converte-se logicamente em "algum B é A".

convicção (lat. *convictio*) Grau bastante forte do assentimento que se interioriza: "dou meu assentimento", "tenho a convicção". Trata-se de um termo mais ou menos sinônimo de *crença*, frequentemente tomado como um eufemismo de *certeza. Ver* opinião.

Copérnico, Nicolau (1473-1543) Considerado o fundador da moderna astronomia e um dos criadores da nova concepção de universo desenvolvida pela ciência moderna, Copérnico nasceu na Polônia, tendo estudado na Universidade de Cracóvia e depois na Itália. Criticou o sistema geocêntrico ptolomaico, então universalmente aceito, desenvolvendo um sistema heliocêntrico inspirado no astrônomo grego Aristarco de Somos (séc. III a.C.). Em sua obra principal *As revoluções dos orbes celestes* (1543), procurou demonstrar matematicamente as hipóteses de que a Terra é redonda e gira em torno do Sol através de um movimento uniforme. Suas teorias encontraram forte reação, sobretudo por parte da Igreja e das doutrinas escolásticas, por abalarem a visão tradicional de mundo da Idade Média, principalmente ao manter que a Terra não é o centro do universo, o que trazia graves e profundas consequências políticas e religiosas para a ordem hierárquica então em vigor. A "revolução copernicana" foi realizada por Galileu.

coração (lat. *cor*: víscera, sede do sentimento) **1.** Em seu sentido filosófico, conjunto da vida afetiva de um indivíduo, particularmente de seus sentimentos, expressando-se nas mais variadas formas de emoções. *Oposto a* razão.
2. Para Pascal, o coração é a forma de conhecimento intuitivo, de conhecimento direto, atingindo o objeto pelo sentimento de evidência: "Conhecemos a verdade não somente pela razão, mas ainda pelo coração. É desta última forma que conhecemos os primeiros princípios." Daí sua famosa expressão: "O coração tem razões que a razão desconhece." O conhecimento de Deus é um conhecimento que vem do coração pela fé (que é um dom de Deus), não do raciocínio: "É o coração que sente Deus, não a razão. A fé é Deus sensível ao coração, não à razão." Em outras palavras, o coração é um conhecimento *amoroso*, não intelectual ou racional. Quando Aristóteles declara que não há amor sem conhecimento, está se referindo ao conhecimento que, hoje, chamamos do "coração". *Ver* intuição.

Corbisier, Roland Cavalcanti de Albuquerque (1914-2005) Filósofo político brasileiro, também formado em Direito (USP). Comprometido com a necessidade de melhor compreender a realidade nacional a fim de contribuir para seu desenvolvimento e críticar as elites brasileiras, foi fundador (Rio de Janeiro, 1955) e primeiro diretor do Instituto de Estudos Brasileiros (ISEB). Em 1963 foi eleito deputado federal, mas logo cassado pelo governo militar. Foi jornalista e professor de filosofia em várias instituições do Rio. Principais obras: *Consciência e nação* (1950), *Formação e problemas da cultura brasileira* (1968), *Enciclopédia filosófica* (1974), *Introdução à filosofia* (1981).

corolário (lat. *corollarium*: pequena coroa dada como gratificação) Proposição que deriva imediatamente de uma outra por via puramente lógica, sendo sinônimo de *consequência. Em matemática, *teorema que deriva de outro teorema.

corpo (lat. *corpus*) **1.** Todo *objeto material que ocupa um *espaço e tem por principais propriedades: a *extensão em três dimensões, a impenetrabilidade e a massa.
2. Segundo Descartes, todos os fenômenos da natureza (os corpos vivos e os corpos inanimados) são regidos pelas leis da extensão e do movimento (conhecidas pela razão) e devem ser interpretados segundo o modelo fornecido pelos dispositivos mecânicos. Em oposição ao vitalismo herdado de Aristóteles, recorrendo a um princípio explicativo específico (a alma vegetativa), devemos poder explicar todas as funções corporais de modo puramente mecânico. Descartes opõe o corpo humano ao espírito ou alma, mas o identifica com os corpos naturais (substância).

3. *Corpo social*: metáfora que designa um organismo no qual circulam diferentes signos (linguagens, moedas etc.) às leis do Estado, o único a poder conferir vida ao corpo social fragmentado em interesses particulares divergentes e a submetê-lo aos imperativos de uma ordem hierárquica fixa (Hobbes).

corporativismo (do lat. *corporari*: reunir-se num corpo) Doutrina fundada no princípio de uma organização das profissões dotadas de funções políticas fazendo das corporações instrumentos do poder estatal. Ex.: o corporativismo de Estado do fascismo italiano. *Diferente de* sindicalismo.

correlação (lat. *correlatio*: relação com) **1.** Vínculo empiricamente constatado e mensurável entre dois ou mais fenômenos, situações ou caracteres biológicos, psicológicos ou sociológicos. Ex.: tamanho e peso, aptidões física e mental. **2.** Caráter de dois termos de tal forma que um depende do outro. Ex.: alto e baixo, pai e filho.

corrupção (lat. *corruptio*: alteração, destruição) Na filosofia de Aristóteles, contrariamente à *geração, que é uma criação, a corrupção designa a destruição ou degradação da substância. *Ver* geração.

corte epistemológico Noção introduzida por Gaston *Bachelard na história das ciências para designar o fato de que, nos conhecimentos científicos do passado, devemos distinguir os conhecimentos que já foram superados, e não podem mais servir para o progresso das ciências, e os conhecimentos sancionados ou atuais, e que devem ser utilizados para o avanço das ciências. Ao considerar as ciências através de uma história *repensada*, Bachelard chama de "corte epistemológico" o *ponto de não retorno*, o momento a partir do qual uma ciência começa, a partir do qual ela assume sua história e já não é mais possível uma retomada de noções pertencentes a momentos anteriores. Essa noção de "corte" foi adaptada por certos teóricos marxistas, notadamente Louis Althusser, para definir uma "mutação" no pensamento de Marx entre suas obras de juventude (não científicas) e suas obras de maturidade (que estabeleceram o materialismo histórico e "científico").

cosmo (gr. *kosmos*) **1.** Palavra grega que significa "ordem", "universo", "beleza" e "harmonia" e que designa, em sua origem, o céu estrelado enquanto podemos nele detectar certa ordem: as constelações astrais e a esfera das estrelas fixas. Por extensão, designa, na linguagem filosófica, o mundo enquanto é ordenado e se opõe aos caos.
2. Na física aristotélica, domina o modelo de um cosmo finito, bem ordenado. Tanto a concepção aristotélica quanto a escolástica do mundo valorizam o mundo "supralunar" cujos objetos incorruptíveis (planetas, Sol e estrelas fixas) são organizados numa ordem eterna e perfeita, por oposição ao nosso mundo "sublunar" desordenado, submetido à corrupção e ao "fluxo do devir". Os movimentos dos objetos do mundo supralunar são uniformes, circulares (o círculo é a figura perfeita) e eternos. Mas os objetos do mundo sublunar traduzem uma "intenção de ordem", pois uma pedra lançada no ar, por um movimento "violento", busca seu lugar "natural".
3. Com a revolução científica e mecanicista do séc. XVII, já anunciada por Copérnico, altera-se totalmente a imagem aristotélico-ptolomaica de um mundo fechado, eterno e finito, que é substituída pela concepção de uma causalidade cega num espaço geometrizado. Doravante, não é mais a Terra, mas o Sol, que se encontra no centro do mundo.

cosmogonia (gr. *kosmogonia*: criação do mundo) Teoria sobre a origem do *universo, geralmente fundada em lendas ou em *mitos e ligada a uma metafísica. Em sua origem, designa toda explicação da formação do universo e dos objetos celestes. Atualmente, designa as explicações de caráter mítico. Ex.: as cosmogonias pré-socráticas de Tales de Mileto, Anaximandro, Empédocles etc.

cosmologia (do gr. *kosmos*: mundo, e *logos*, ciência, teoria) Conjunto das teorias científicas que tratam das leis ou das propriedades da matéria em geral ou do universo. Toda cosmologia supõe a possibilidade de um conhecimento do mundo como sistema e de sua expressão num discurso. Por isso, a imagem do sistema do mundo é determinante para toda filosofia que se pretende sistemática. O postulado de uma totalização do mundo, pelo saber, revela-se indispensável a uma eventual totalização do próprio saber. A cosmologia aristotélica era uma filosofia que constituía um sistema, apresentando uma imagem do mundo totalmente fechada, finita, centrada e hierarquizada. A cosmologia copernicana, em contrapartida, substituiu essa imagem pela imagem de um universo finito, sem ordem e descentrado. (*Ver* cosmo.) A filosofia transcendental de Kant, ao se comparar com a revolução copernicana, estabelece que a cosmologia não constitui mais um problema para a filosofia. Doravante, ela se dá por tarefa elaborar uma teoria do conhecimento, de suas condições de possibilidade, pois numa concepção infinitista do mundo não há mais lugar para a noção de cosmo, vinculada à noção de totalidade. A natureza (*physis*) é homogênea, sem regiões do ser separadas, sem relações estruturadas por um centro nem tampouco pela oposição do alto e do baixo, do céu e da Terra. Enquanto indica *a priori* os lugares naturais das coisas e as direções do movimento, a cosmologia constitui um obstáculo à instauração da física como ciência experimental.

Observemos que toda cosmologia supõe a possibilidade de um conhecimento do mundo como *sistema* e de sua expressão num *discurso sistemático*. O postulado de uma *totalização* do mundo pelo saber é indispensável para que se opere a totalização do próprio saber. Por isso, o fato de uma filosofia constituir-se num sistema do mundo torna-se evidente quando possuímos uma imagem do mundo que é a de uma totalidade fechada, finita e hierarquizada. O mesmo não ocorre quando possuímos uma imagem do universo infinita, sem ordem e descentrada, como a copernicano-galileana.

cosmológico, argumento Expressão que serve para designar uma das provas tradicionais da existência de Deus: a existência contingente do mundo exige a existência absolutamente necessária de um ser que dá *ordem* a esse mundo e é princípio de causalidade do universo material.

cosmopolitismo (do gr. *kosmopolites*: cidadão do mundo) Doutrina que, inspirando-se em Sócrates ("Sou um cidadão do mundo"), consiste em não reconhecer nenhuma pátria e em considerar como contrária à justiça e à fraternidade a fragmentação da humanidade em nações hostis, rivais ou indiferentes umas em relação às outras.

cosmovisão (do gr. *kosmos*: mundo, e lat. *visio*: visão) Ver Weltanschauung.

Cournot, Antoine Augustin (1801-1877) Matemático, economista e filósofo francês (nascido em Gray). Com sua obra *Recherches sur les principes mathématiques de la théorie des richesses* (1838), introduziu a aplicação da matemática ao estudo dos problemas econômicos. Foi ainda o primeiro a formular uma completa teoria do monopólio. Realizou pesquisas sobre o cálculo das probabilidades, apresentando-as em *Exposition de la théorie des chances et des probabilités* (1843). Escreveu também *Traité de l'enchaînement des idées fondamentales dans les sciences et dans l'histoire* (1861) e *Matérialisme, vitalisme, rationalisme* (1875).

Cousin, Victor (1792-1867) O nome do francês Victor Cousin está ligado a dois episódios marcantes da vida intelectual de seu país após a Restauração de 1815: a) na qualidade de grande mandarim do ensino na França, reintroduziu a filosofia cartesiana como a filosofia oficial em todos os níveis de escolaridade; b) está na origem do *ecletismo*, uma espécie de espiritualismo histórico que consiste em recolher e justapor, nos diversos sistemas filosóficos, as teses consideradas verdadeiras sem se preocupar com sua coerência. Em seus *Primeiros ensaios de filosofia* (1840), Cousin define o ecletismo como "um método histórico supondo uma filosofia avançada capaz de discernir o que há de verdadeiro e o que há de falso nas diversas doutrinas" a fim de que, após uma depuração, possa ser instaurada "uma doutrina melhor e mais ampla". *Ver* ecletismo.

Crantor Filósofo grego (nascido na Cilícia) que viveu no séc. IV a.C.; foi discípulo de Xenócrates e de Polémon. É considerado o primeiro comentador de Platão. Autor de uma carta de condolências, *Sobre a aflição*, que abriu uma nova era na literatura.

Crates de Atenas Filósofo grego do séc. III a.C. Diretor da *Academia, sucede a Polémon, a partir de 273 a.C.

Crátilo Filósofo grego que floresceu na segunda metade do séc.V a.C. Foi discípulo de Heráclito e mestre de Platão, que deu o nome de *Crátilo* a um de seus diálogos, o qual trata da origem da linguagem.

Cratipo Filósofo grego peripatético que floresceu no séc. I a.C., em Atenas. Foi tutor do filho de Cícero.

crença (lat. medieval *credentia*) **1.** Atitude pela qual afirmamos, com certo grau de *probabilidade ou de *certeza, a realidade ou a verdade de uma coisa, embora não consigamos comprová-la racional e objetivamente.
2. Do ponto de vista religioso, assentimento firme e seguro do espírito, sem justificação racional, à existência de uma realidade transcendente ou divina. Sinônimo de fé.

criação (lat. *creatio*) **1.** A ideia de criação está ligada à de autor, de uma dependência da obra

criada relativamente a seu criador, de uma novidade, que pode ser absoluta ou relativa. A concepção metafísico-teológica admite que o mundo não é eterno, mas que começa no tempo. Chama-se criação o fato de ter ele adquirido sua existência. Assim, a ideia de criação está vinculada à ideia de começo no tempo e do tempo. Na tradição judaico-cristã, por exemplo, a criação é o ato pelo qual Deus tirou o universo do nada (*ex nihilo*), produzindo-o sem nenhuma matéria preexistente. Esse conceito teológico de criação (oposto à simples "produção" ou "fabricação"), fazendo vir ao ser uma realidade da qual não existia nenhum exemplo anteriormente nem tampouco nenhum elemento preexistente, desempenhou um grande papel na metafísica do séc. XVII, notadamente em Descartes, que fala de uma "criação contínua", ação pela qual Deus conserva o mundo na existência; e em Malebranche, que diz: "Se o mundo subsiste, é porque Deus quer que o mundo exista. A conservação das criaturas não é, da parte de Deus, senão sua criação contínua."
2. *Criação artística*: produção original do "gênio" nas belas-artes. A ideia de criação artística se opõe à noção de produção, à noção de fabricação e à ideia de reprodução. Não se trata, porém, de uma criação *ex nihilo*, pois a obra é nova e parte de elementos preexistentes.

criacionismo (do lat. *creare*: criar, gerar) Doutrina teológico-metafísica de inspiração judaico-cristã, segundo a qual não somente Deus tirou o universo do nada (*ex nihilo*), isto é, o produziu sem matéria preexistente, mas criou para cada indivíduo uma alma imortal. *Ver* evolucionismo.

crise (gr. *krisis*: escolha, seleção, decisão) **1.** Em seu sentido primeiro, a crise designa a manifestação aguda de uma doença, um momento de desequilíbrio sensível. Ex.: uma crise de asma.
2. Em um sentido genérico, significa uma mudança decisiva no curso de um processo, provocando um conflito ou um profundo estado de desequilíbrio.
3. Politicamente, é um conflito que afeta os membros de um Estado, a natureza de suas instituições e de seu regime político.
4. Em seu sentido moral, é um conflito resultante da contestação dos valores morais, religiosos ou filosóficos tradicionais, que passam a ser considerados como superados e nefastos ao desenvolvimento e à plena realização do homem.
5. Economicamente, uma crise pode ocorrer por insuficiência de produção ou, ao contrário, por superprodução. Trata-se de um desequilíbrio entre produção e consumo, seja por insuficiência de produção, seja por excesso.

Crisipo (c.280-c.205 a.C.) Filósofo grego (nascido em Soles, Cilícia) estoico; sucedeu a Cleantes na direção do *Pórtico. É considerado a figura mais importante do chamado *estoicismo antigo*, pois admite-se que foi ele quem deu estrutura e solidez ao pensamento estoico, sobretudo no campo da lógica. Restam apenas fragmentos dos mais de 700 tratados que lhe são atribuídos. *Ver* estoicismo.

critério (gr. *kriterion*: aquilo que serve para julgar) **1.** Sinal graças ao qual reconhecemos uma coisa e a distinguimos de outra.
2. Sinal graças ao qual reconhecemos a verdade e a distinguimos do erro. Ex.: a evidência.

crítica (gr. *kritiké*: arte de julgar) **1.** Juízo apreciativo, seja do ponto de vista estético (obra de arte), seja do ponto de vista lógico (raciocínio), seja do ponto de vista intelectual (filosófico ou científico), seja do ponto de vista de uma concepção, de uma teoria, de uma experiência ou de uma conduta.
2. Atitude de espírito que não admite nenhuma afirmação sem reconhecer sua legitimidade racional. Difere do *espírito crítico*, ou seja, da atitude de espírito negativa que procura denegrir sistematicamente as opiniões ou as ações das outras pessoas.
3. Na filosofia, a *crítica* possui o sentido de *análise*. Assim, a filosofia crítica designa o pensamento de Kant e de seus sucessores. Suas três obras principais se intitulam: *Crítica da razão pura*, *Crítica da razão prática* e *Crítica do juízo*. Nessas obras, a palavra "crítica" tem o sentido de "exame de valor". Do uso kantiano da palavra "crítica", deriva o termo "criticismo" que designa a filosofia de Kant. *Ver* criticismo.

Crítica da razão prática (*Kritik der praktischen Vernunft*) Segunda das "três críticas" de Kant, trata da questão da fundamentação da *ética na razão prática radicalmente distinta da razão teórica, objeto de análise da "primeira crítica", a *Crítica da razão pura*. Kant procura determinar a natureza da moral e o tipo de adesão que os princípios práticos comportam. Esta adesão total pressupõe os *postulados da liberdade, da imortalidade da alma e da existência de Deus, inacessíveis à razão teórica. *Ver* Kant.

Crítica da razão pura (*Kritik der reinen Vernunft*) Primeira obra da chamada fase crítica, trata-se da mais importante e influente obra de Kant (1ª ed. 1781, 2ª ed. com alterações, 1787), na qual expõe um novo programa filosófico: a filosofia, diferentemente da ciência não deve pretender conhecer o mundo, mas sim revelar os fundamentos da ciência, estabelecendo as condições de possibilidade do conhecimento. Contém três partes: a Estética Transcendental (ou teoria das formas puras da sensibilidade, as intuições de espaço e tempo); a Analítica Transcendental (ou teoria dos conceitos e de nossas formas de entendimento do mundo); a Dialética Transcendental (ou teoria daquilo que não podemos conhecer, ou teoria dos *númenos: a totalidade do mundo, a imortalidade da alma e a existência de Deus). A *Crítica* se propõe assim a definir a fonte, as formas e os limites de todo conhecimento humano. Teve grande influência no desenvolvimento da teoria do conhecimento e mesmo da filosofia da ciência na Alemanha ao final do séc. XIX, sobretudo com o *neokantismo. Ver Kant.

Crítica do juízo (*Kritik der Urteilskraft*) Terceira e última das "*três críticas*" de Kant, publicada em 1790. Embora tendo como objetivo a análise do juízo estético, ou de gosto, na realidade Kant, por meio do exame da "faculdade de julgar", empreende nesta obra uma verdadeira revisão de suas posições anteriores, considerando a "*Crítica do juízo* como um meio de articular as duas partes da filosofia — a teoria e a prática — em um todo integrado". Esta obra, cuja influência não foi tão significativa quanto à das duas primeiras *Críticas*, tem sido, no entanto, revalorizada mais recentemente. Ver Kant.

criticismo (do al. *Kritizismus*) Doutrina kantiana que estuda as condições de validade e os limites do uso que podemos fazer de nossa razão pura. Por extensão, toda doutrina que faz da crítica do conhecimento a condição prévia da pesquisa filosófica. Quando tenta situar sua própria filosofia, Kant o faz relativamente a dois perigos: a) o perigo do *dogmatismo*, que confia demasiado na razão, sem desconfiar bastante das ilusões especulativas; b) o perigo do *empirismo* que, por medo dos erros dogmáticos, tende a reduzir tudo à experiência. O criticismo kantiano procura instaurar um justo uso da razão, após fazer uma triagem daquilo que lhe é possível e daquilo que lhe escapa. Ao colocar a questão básica "O que é conhecer?", transforma os dados da resposta afirmando que, no conhecimento, o sujeito não apreende as coisas tais como são "em si", mas as submete à sua lei, isto é, às formas *a priori* da sensibilidade (espaço e tempo) e às categorias de seu entendimento.

Critolau Filósofo peripatético do séc. II a.C. Enviado, juntamente com Carnéades e Diógenes da Babilônia, pelos atenienses, em 156 a.C., para ensinar filosofia em Roma, os seus ensinamentos não agradaram aos romanos mais antigos, que conseguiram a expulsão dos três.

Croce, Benedetto (1866-1952) Um dos filósofos mais importantes do séc. XX, Benedetto Croce destacou-se sobretudo por sua obra no campo da estética e pelo seu sistema filosófico inspirado em Hegel. Fundou na Itália, em 1903, a revista *La Critica*, na qual publicou grande parte de seus trabalhos e que teve grande repercussão filosófica e literária. Croce desenvolveu uma "filosofia do espírito" de raízes hegelianas. Segundo essa visão, o espírito teria uma dimensão teórica e uma dimensão prática. A teórica, por sua vez, se desdobraria em estética e lógica; e a prática, em economia e ética. Em seu sistema, procura desenvolver cada uma dessas áreas. Sua filosofia é marcada por uma perspectiva histórica e uma preocupação com a cultura de sua época. Os elementos básicos de seu sistema encontram-se nas seguintes obras: *Estética como ciência da expressão e linguística geral* (1902), *Lógica* (1905), *Filosofia da prática* (1909), *Teoria e história da historiografia* (1917).

crucial, experiência Ver experiência crucial.

Cruz Costa, João (1904-1978) Filósofo brasileiro (nascido em São Paulo) e professor da USP, Cruz Costa se vinculou à corrente de pensamento lançada no Brasil, nos anos 30, por Leônidas Rezende, denominada "versão positivista do marxismo". Com efeito, para ele, a filosofia deveria ser conceituada como "positiva", pois a obra de Comte inaugura, escreve, "uma das fases mais ricas e interessantes de um novo estilo de filosofar". Contudo, se a filosofia positiva de Comte merece ser preservada, devendo apenas ser complementada pelo materialismo histórico, o mesmo não deve ser dito de sua teoria da reforma social, que procura instituir "uma autoridade com todos os traços de *direita*". Ademais, Cruz Costa tentou aplicar sua versão positivista do marxismo à realidade brasileira: via uma relação profunda entre a doutrina positivista e o conjunto das contraditórias condições que deram origem à vida nacional e que a impelem. Apesar de ser um produto de importação, há nela "traços que revelam a sua mais perfeita adequação às condições de nossa formação, às realidades profundas de nosso espírito". Obras principais: *A filosofia no Brasil* (1945), *O pensamento brasileiro* (1946), *Contribuição à história das ideias no Brasil* (1956), *O positivismo na República* (1956) e *Panorama da história da filosofia no Brasil* (1960). *Ver* filosofia no Brasil.

Cudworth, Ralph (1617-1688) Filósofo inglês, chefe da escola platônica de *Cambridge do séc. XVII. Foi professor de hebraico na Universidade de Cambridge (1645-1688). Em sua obra mais importante, *The True Intellectual System of the Universe* (1678), refuta o *determinismo e defende o *livre-arbítrio. Escreveu também o *Treatise concerning Eternal and Immutable Morality*, publicado postumamente (1731).

culpabilidade (do lat. *culpa*: falta) **1.** Sentimento do indivíduo com consciência de ter cometido uma violação grave a uma regra moral, religiosa ou social e pela qual ele se sente responsável.
2. Para os filósofos existencialistas cristãos (Kierkegaard e Gabriel Marcel, por exemplo), a culpabilidade consiste num sentimento de *finitude e de *contingência da existência humana, revelando-se na consciência da falta e provocando uma angústia suscetível de buscar a transcendência divina.
3. Na psicanálise, estado patológico e doloroso de um indivíduo que se sente culpado de uma falta imaginária, isto é, que não cometeu, tendo sua fonte no complexo de Édipo ou numa exigência moral criada pelo superego.

culto (lat. *cultus*) Toda homenagem de devoção ou de adoração prestada interiormente pelo homem a Deus, expressando-se por um conjunto de práticas, ritos e cerimônias religiosas. Por extensão, todo um conjunto de ritos e práticas de veneração ou de propiciação de divindades, de ancestrais, de seres sobrenaturais ou de certos símbolos.

cultura (lat. *cultura*) **1.** Conceito que serve para designar tanto a *formação* do espírito humano quanto de toda a personalidade do homem: gosto, sensibilidade, inteligência.
2. Tesouro coletivo de saberes possuído pela humanidade ou por certas civilizações: a cultura helênica, a cultura ocidental etc.
3. Em oposição a *natura* (natureza), a cultura possui um duplo sentido antropológico: a) é o conjunto das representações e dos comportamentos adquiridos pelo homem enquanto ser social. Em outras palavras, é o conjunto histórica e geograficamente definido das instituições características de determinada sociedade, designando "não somente as tradições artísticas, científicas, religiosas e filosóficas de uma sociedade, mas também suas técnicas próprias, seus costumes políticos e os mil usos que caracterizam a vida cotidiana" (Margaret Mead); b) é o processo dinâmico de socialização pelo qual todos esses fatos de cultura se comunicam e se impõem em determinada sociedade, seja pelos processos educacionais propriamente ditos, seja pela difusão das informações em grande escala, a todas as estruturas sociais, mediante os meios de comunicação de massa. Nesse sentido, a cultura praticamente se identifica com o *modo de vida* de uma população determinada, vale dizer, com todo o conjunto de regras e comportamentos pelos quais as instituições adquirem um significado para os agentes sociais e através dos quais se encarnam em condutas mais ou menos codificadas.
4. Num sentido mais filosófico, a cultura pode ser considerada como um feixe de representações, de símbolos, de imaginário, de atitudes e referências suscetível de irrigar, de modo bastante desigual, mas globalmente, o corpo social.
5. *Cultura de massa* é uma expressão, de uso ambíguo, frequentemente utilizada para designar a possibilidade de uma população ter acesso aos bens e obras culturais produzidos no passado e no presente.

curiosidade (lat. *curiositas*) Desejo ou tendência de conhecer, levando o espírito a aprender coisas novas: "Curiosidade é o desejo de conhecer o porquê e o como" (Hobbes).

Curso de filosofia positiva (*Cours de philosophie positive*) Obra fundamental de Augusto *Comte, composta entre 1830-1842, e principal exposição de sua doutrina do *positivismo. Pretende substituir as especulações teológicas e metafísicas sobre a causa primeira por uma representação sistemática e positiva do universo. Após expor a "lei dos três estados" ("espinha dorsal do positivismo"), procura mostrar que a finalidade do saber científico é a previsão: "saber para prever". A humanidade ingressou assim na era do saber positivo ou científico. Trata-se agora de fundar a ciência e a filosofia dos fenômenos sociais. As ciências se classificam segundo sua generalidade e simplicidade decrescentes. No desfecho dessa hierarquia, a filosofia social (sociologia) aparece como coroamento do conjunto do saber.

Cusa, Nicolau de *Ver* Nicolau de Cusa.

D

dado (do lat. *donare, datum*: o que é dado) **1.** Tudo aquilo que a experiência externa ou interna apresenta ao observador, aparecendo-lhe como objeto de simples constatação. Em outras palavras, é considerado dado tudo o que é imediatamente apresentado ao espírito antes de toda e qualquer elaboração consciente.
2. *Dados* (no plural) tanto pode significar os princípios fundamentais e os *fatos indiscutíveis que constituem a aquisição de uma ciência em determinado momento ("a existência de outras galáxias é um dos dados da astronomia moderna") quanto os elementos fundamentais de uma discussão ("os dados de um problema").
3. Em oposição a *construído*, o *dado* se diz do objeto que se apresenta ao pensamento sem colocar problema, como algo evidente, imediatamente percebido pela experiência empírica ou por ela representado como protocolo de uma constatação isenta de toda implicação teórica. O construído, ao contrário, se diz do objeto pensado, elaborado em função de uma problemática teórica que possibilita submeter a uma interrogação sistemática os aspectos da realidade relacionados pela questão que lhes é colocada. Diversamente do objeto "real" como produto do pensamento puro, o "construído" é um objeto "concreto pensado".

Dados imediatos da consciência, Os Primeira obra importante de *Bergson (1889), onde analisa as propriedades fundamentais do espírito apreendidas diretamente por *intuição, sem a intermediação do aparelho conceitual.

Dagognet, François (1924-) Médico de formação e filósofo das ciências francês, dedicou toda a sua vida, inspirando-se nos trabalhos de *Canguilhem e *Bachelard, ao estudo da história e dos métodos das ciências biológicas. Insatisfeito com uma filosofia mais preocupada com as entidades superiores (Essência, Existência, o Homem etc.) e com a essência de toda coisa, privilegia a superfície das coisas: o concreto, a matéria e os objetos. Reabilita algumas "imagens perseguidas" que também nos dão acesso ao real: mapas, radiografias, fotografias etc. Obras principais: *Face, surface, interface* (1982), *Une épistémologie de l'espace concret. Néo-géographie* (1977), *Philosophie de l'image* (1984), *Rematérialise* (1989), *Éloge des objets, pour une philosophie de la marchandise* (1989).

Damáscio Filósofo grego neoplatônico (nascido em Damasco, Síria), que viveu nos sécs. V e VI. Depois que a *Academia, fundada por Platão, foi fechada pelo imperador romano Justiniano, Damáscio foi para a Pérsia.

darwinismo Termo que serve para designar a teoria fundamental do naturalista inglês Charles Darwin (1809-1882) segundo a qual a luta pela vida (*struggle for life*) e a seleção natural são consideradas como os mecanismos essenciais da evolução dos seres vivos. A ideia de *seleção natural* encontra-se no cerne do pensamento biológico de Darwin. Sua significação é a seguinte: os organismos vivos formam populações denominadas espécies e apresentam "variações" graças às quais certos indivíduos são melhor "adaptados" a seu meio ambiente e engendram uma descendência mais numerosa; assim, a "seleção natural" designa o conjunto dos mecanismos que triam (escolhem) os melhores indivíduos; e, graças à "luta pela vida", as populações evoluem lentamente, vale dizer, se transformam e se diversificam produzindo formas cada vez mais complexas. É na *Origem das espécies* (1859) que se encontra a exposição "canônica" da teoria da evolução por seleção natural.

darwinismo social Concepção socioideológica que idealiza a concorrência econômica e a justifica pelo princípio natural da concorrência vital, a ponto de dizer que a exploração de uma classe por outra classe também é natural e necessária ao bom funcionamento da sociedade. Em Darwin, a expressão "concorrência vital" não possui essa conotação ideológica: para ele, o melhor, o mais apto, não é outro senão aquele que encontra, por acaso, um meio favorável à sua sobrevivência não considerado como o melhor em si. A concorrência vital, diferentemente do darwinismo social, de cunho malthusiano, é apenas o meio pelo qual a natureza opera a seleção: luta entre cada indivíduo e seu meio.

Dasein (al.: existência, ser-aí) Termo heideggeriano que significa *realidade humana, ente humano*, a quem somente o ser pode abrir-se. Mas como é ambíguo, correndo o risco de abrir uma brecha para o humanismo, Heidegger prefere utilizar a expressão *ser-aí*. Na linguagem corrente, *Dasein* quer dizer *existência humana. Mas Heidegger procura pensar o que separa o *homem dos outros entes. Enquanto os *entes são fechados em seu universo circundante, o homem é, graças à linguagem, *aí onde vem o ser*. Assim, o *Dasein* é o ser do existente humano enquanto existência singular e concreta: "A essência do ser-aí (*Dasein*) reside em sua existência (*Existenz*), isto é, no fato de ultrapassar, de transcender, de ser originariamente ser-no-mundo."

Davidson, Donald (1917-2003) Filósofo norte-americano, doutorou-se pela Universidade Harvard, tendo lecionado nas universidades de Stanford, Rockefeller, Chicago e da Califórnia, em Berkeley. Davidson é um dos principais representantes da filosofia analítica na atualidade, tanto por suas contribuições à filosofia da linguagem quanto à teoria da ação. Na filosofia da linguagem, inicialmente influenciado por *Quine, seu professor, desenvolveu posteriormente uma teoria do *significado inspirada na concepção de verdade de *Tarski, aplicando-a à semântica das linguagens naturais, na linha de uma teoria correspondentista da *verdade. Em teoria da ação, discutiu sobretudo a aplicação das noções de causa e de razão como base para a distinção entre atos intencionais e eventos físicos, propondo a consideração de razões também como causas. Seus principais trabalhos estão reunidos em três volumes: *Essays on Actions and Events* (1980), *Inquiries on Truth and Interpretation* (1984) e *Subjective, Intersubjective, Objective* (2001).

De Bonald (1754-1850) e **De Maistre** (1754-1821) Louis de Bonald e Joseph de Maistre se notabilizaram, na França, por constituírem o foco da *reação conservadora* às ideias do *Iluminismo e da Revolução Francesa. Encabeçaram um movimento caracterizado como religioso e retrógrado. Desenvolveram uma filosofia católica contra-revolucionária, defendendo a ideologia da ordem pós-revolucionária (da Restauração). Preconizaram inclusive o retorno ao antigo regime: idealizavam a ordem medieval e suspiravam por uma harmonia providencialmente estabelecida. Em contradição com as ideias do Iluminismo, afirmavam que a razão individual é inferior se a compararmos com a verdade revelada e tradicional. Contestavam o poder da razão individual para modelar ou remodelar os sistemas sociais. Reavivaram todos os elementos mortos de uma filosofia transcendentalista da história e defenderam a *teocracia. De Maistre é o teocrata por excelência. Em seu *O papa* (1810), faz do Soberano Pontífice o único e o verdadeiro detentor da soberania. Em seguida, justifica as guerras e as execuções: elas possuem um sentido que nos escapa; o homem é perverso por natureza, devendo ser governado, punido, sacrificado pela justiça de Deus. Quanto a De Bonald, em suas *Demonstrações filosóficas do princípio das sociedades* (1827), prega abertamente a restauração de Deus. Contudo, entre Deus e nós, precisamos de um mediador: na religião, o Cristo e o papa; na política, o rei; e a mediação é a linguagem. A ordem das coisas é imutável. É ela que estabiliza e dá sentido a tudo, pois é de natureza divina. Esses dois pensadores, defensores de um renascimento tradicionalista, preocupados em ajustar suas contas com o séc. XVIII e com suas ideias revolucionárias, não perceberam os problemas sociais, abjuraram o passado imediato e passam a defender a Providência contra o naturalismo dos *philosophes*.

decisão (lat. *decisio*) **1.** Resolução de um ato voluntário que, após avaliação, provoca a execução de uma solução encontrada entre várias alternativas possíveis.
2. *Teoria da decisão*: conjunto de procedimentos e de métodos de análise procurando assegurar a coerência e a eficácia das decisões tomadas em função das informações disponíveis: cálculo operacional, teoria dos jogos etc.

dedução (lat. *deductio*) **1.** Raciocínio que nos permite tirar de uma ou várias *proposições uma conclusão que delas decorre logicamente. Em outras palavras, operação lógica que consiste em concluir a partir de uma ou várias proposições, admitidas como verdadeiras, uma ou várias proposições que se seguem necessariamente. O modelo da dedução é o *silogismo ou o raciocínio matemático: se é verdade que os homens são mortais, e se é verdade que Sócrates é um homem, então deduzimos que Sócrates é mortal; ou ainda, se A é igual a B e se B é igual a C, então A é igual a C.
2. Na matemática, a dedução é sinônimo de *demonstração. Em Kant, a dedução matemática

tem uma especificidade: suas proposições são ao mesmo tempo *a priori* (necessárias logicamente) e sintéticas: há mais na conclusão do que nas proposições iniciais.

3. Nas ciências experimentais, o método hipotético-dedutivo é aquele que parte de uma ou várias proposições consideradas como hipóteses, retirando delas os conhecimentos necessários que são submetidos à verificação da hipótese.

definir (lat. *definire*: limitar, delimitar) 1. Do ponto de vista lógico, definir significa determinar a "compreensão" que caracteriza um conceito. Para Aristóteles, a definição é a fórmula que exprime a essência de uma coisa, sendo composta do gênero (próximo) e das diferenças (específicas). Definição *nominal* é aquela que explica o sentido de uma palavra pelo recurso a outras palavras ou à etimologia. Definição *real* é aquela que indica a natureza do objeto ou da coisa a ser definida.
2. Na prática científica, as definições são *operatórias*: os conceitos que elas descrevem são definidos por experimentações repetíveis; não são absolutas, pois estão ligadas ao conjunto do pano de fundo teórico da experimentação. Assim, uma definição *empírica* é aquela que resume os conhecimentos adquiridos por indução (pela experiência) sobre um objeto.

deísmo Doutrina fundada na religião natural e que admite a existência de Deus, não enquanto conhecido por uma revelação ou por qualquer dogma, mas na medida em que constitui um ser supremo com atributos totalmente indeterminados. Difere do *teísmo, pois trata-se de uma doutrina que tanto pode postular a existência de um Deus criador quanto a imortalidade da alma ou a universalidade da moral. Pascal condenou o deísmo como uma doutrina perniciosa para a religião, porque, ao invés de aceitar "o Deus de Abraão, de Isaac e de Jacó", defende apenas a existência do "Deus dos filósofos e dos sábios" (*Dieu des philosophes et des savants*).

Deleuze, Gilles (1925-1995) Considerado o mais importante filósofo francês contemporâneo, Deleuze começou a elaborar seu pensamento filosófico comentando as obras de Kant, Nietzsche, Bergson, Espinoza e Proust. Em seguida, sob a inspiração de Nietzsche, buscou novos meios de expressão filosófica. Assim, sua *Lógica do sentido* (1969) é um "ensaio de novela lógica e psicanalítica" com 34 séries de "paradoxos arbitrários". Para ele, a filosofia se salva, não obedecendo à lei e à razão, mas na perversão. Porque a perversidade e a loucura conscientes fazem ver os sistemas filosóficos como jogos de superfícies e profundidades: de desejos-significantes. Contra a profundidade, Deleuze enfatiza a superfície e o oral. Com isso, procura desarticular os conceitos básicos da cultura moderna e, de modo especial, "desediponizar" o inconsciente psicanalítico. Para ele, o que importa é o funcionamento da "máquina desejante", pois a história aparece como funcionamento de "máquinas", a última das quais a do Édipo familiar e capitalista. Por isso, a história precisa ser libertada de todas as forças de repressão a fim de retornar a uma razão pré-racional e sem cisões. Obras principais: *Empirismo e subjetividade* (1953), *Nietzsche e a filosofia* (1962), *A filosofia de Kant* (1963), *Nietzsche* (1965), *O bergsonismo* (1966), *Diferença e repetição* (1969), *Espinoza: Filosofia prática* (1981), *Francis Bacon: Lógica da sensação* (1981), *O anti-Édipo* (em colaboração com Félix Guattari, 1972), *Foucault* (1986) e *O que é a filosofia* (1992, também com Guattari).

deliberação (lat. *deliberatio*: exame, de *librare*: pesar com uma balança) 1. Ato da vontade avaliando os motivos pró e contra do indivíduo antes de tomar uma decisão: "Não deliberamos quanto aos fins, mas quanto aos meios de atingi-los. Uma vez posto o fim, examinamos como e por quais meios se realizará" (Aristóteles).
2. A psicologia de orientação fenomenológica, ao defender a unidade do ato voluntário, denuncia o caráter artificial da deliberação, pois sucede a uma decisão tomada no foro íntimo: "Quando delibero, o jogo já está feito" (Sartre).

delírio (lat. *delirium*, de *delirare*: afastar-se do sulco, delirar) 1. No sentido genérico, desordem mental da personalidade (temporária ou crônica) caracterizada por uma forte confusão das ideias, por falsas interpretações e desvios da percepção acarretando uma conduta irracional ou irrazoável. Ex.: ideias de grandeza, culpa, perseguição etc.
2. Psicanaliticamente, estado mental dominado por sentimentos recalcados inaceitáveis para a personalidade consciente do doente, que sente como proveniente do exterior o que lhe é próprio e atribui aos outros suas tendências: ódio, infidelidade etc.

Delumeau, Jean (1923-) Historiador das mentalidades francês, consagrou suas pesquisas à compreensão do Ocidente cristão. Sua preocupação fundamental: interrogar em profundidade o destino do cristianismo e propor uma elucidação densa dos sentimentos que atravessaram a cristandade, suas raízes judaicas, gregas e romanas, e sua evolução atual. Obras principais: *Naissance et affirmation de la Réforme* (1965), *La civilisation de la Rennaissance* (1967), *Le catolicisme entre Luther et Voltaire* (1971), *La peur en Occident* (1978), *Ce que je crois* (1985), *Une histoire du Paradis* (1992).

De Maistre, Joseph Ver De Bonald / De Maistre.

De Man, Paul (1919-1983) Ensaísta, filósofo e crítico literário belga, nasceu em Antuérpia, porém fez sua carreira acadêmica nos Estados Unidos, onde seu pensamento vem exercendo grande influência, principalmente em teoria da literatura. Em 1937 entrou para a Universidade de Bruxelas, onde estudou engenharia e química, embora seus principais interesses fossem a filosofia e a literatura. Trabalhou como jornalista na Bélgica durante a ocupação alemã na Segunda Guerra Mundial. Após a guerra transferiu-se para os Estados Unidos, onde lecionou em Boston, Harvard, Cornell e Yale. Seu pensamento sofreu forte influência de *Heidegger e, a partir de seu encontro com *Derrida em 1966 nos Estados Unidos, desenvolveu-se na linha da teoria da desconstrução que tematiza a problemática da comunicação linguística e do poder expressivo da linguagem, enfatizando a realidade autônoma do texto literário e procurando eliminar de sua consideração o sujeito e a consciência. A questão da interpretação do texto torna-se assim o problema teórico central. Suas principais obras são: *Blindness and Insight: Essays in the Rethoric of Contemporary Criticism* (1971), *Allegories of Reading: Figural Language in Rousseau, Nietzsche, Rilke and Proust* (1979) e ainda *The Rethoric of Romanticism* (1984) e *The Resistance to Theory* (1986), publicados postumamente.

demiurgo (gr. *demiourgos*: aquele que trabalha para o povo) No pensamento grego, particularmente de Platão, o demiurgo é um *deus ou o princípio organizador do universo, que trabalha a *matéria (o caos) para dar-lhe uma *forma. Ele não a cria, apenas a modela contemplando o mundo das ideias.

democracia (do gr. *demos*: povo, e *kratos*: poder)
1. Regime político no qual a soberania é exercida pelo *povo, pertence ao conjunto dos cidadãos, que exercem o sufrágio universal. "Quando, na república, o povo detém o soberano *poder, temos a democracia" (*Montesquieu). Segundo *Rousseau, a democracia, que realiza a união da *moral e da *política, é um estado de direito que exprime a *vontade geral dos cidadãos, que se afirmam como legisladores e sujeitos das leis.
2. *Democracia direta* é aquela em que o poder é exercido pelo povo, sem intermediário; *democracia parlamentar* ou *representativa* é aquela na qual o povo delega seus poderes a um parlamento eleito; *democracia autoritária* é aquela na qual o povo delega a um único indivíduo, por determinado tempo, ou vitaliciamente, o conjunto dos poderes.
3. Geralmente, as democracias ocidentais constituem regimes políticos que, pela separação dos poderes legislativo, executivo e judiciário, visam garantir e professar os direitos fundamentais da pessoa humana, sobretudo os que se referem à liberdade política dos cidadãos.

Democracia na América, Da (*De la Démocracie en Amérique*) Obra de *Tocqueville (1835-1840) apresentando-se como uma análise, não somente precisa e penetrante, mas profética da civilização e do sistema político americanos redigida após sua visita aos Estados Unidos quando estes nasciam como nação. Muito sensível à igualdade dos indivíduos, admite que a democracia corre o risco de converter-se em tirania de uma maioria medíocre. Donde a importância de se garantir a liberdade de imprensa e a independência do judiciário.

Demócrito (c.460-c.370 a.C.) Filósofo grego (nascido em Abdera) atomista e considerado o primeiro pensador *materialista*. Para solucionar o problema de Parmênides e dos *eleatas, fazendo do ser uma unidade fechada e imutável e tornando incompreensível o movimento, Demócrito desenvolve o *atomismo*, a teoria do átomo, criada por Leucipo e destinada a conciliar o ser imóvel dos eleatas com a pluralidade mobilista de Heráclito. Seu atomismo se resume em dizer que: a) as qualidades sensíveis (sabor, odor, quente, frio, cor etc.) são aparências; b) esses corpúsculos, que são os átomos, não possuem nenhuma qualidade sensível, pois só têm propriedades geométricas (grandeza e forma); c) o movimento é função da existência do vazio. A novidade física e lógica do atomismo é a concepção mecanicista da *necessidade: "nada nasce do nada, nada retorna ao nada," "tudo o que existe nasce do *acaso e da necessidade." Os átomos constituem a explicação última do mundo. Ao escapar do monismo imobilista de Parmênides e do pluralismo mobilista de Heráclito, Demócrito adota um ritmo ternário: duas teorias contrárias (tese e antítese) se conciliam fundindo-se numa síntese superior. Hegel retomará esse ritmo de três tempos e fará dele a grande lei do mundo.

demônio (lat. *daemon*, do gr. *daimon*: gênio bom ou mau) **1.** Na filosofia grega, gênio (espírito) bom ou mau, inferior a um deus, mas superior ao homem: o demônio de Sócrates era um gênio que lhe inspirava e dava conselhos. **2.** Na religião cristã, o demônio é um *anjo mau* (diferente dos anjos), também chamado *diabo, Satã ou Satanás, princípio ativo de todo mal.

demonstração (lat. *demonstratio*: ação de mostrar) Operação que, partindo de proposições já consideradas conhecidas ou demonstradas, permite-nos estabelecer a verdade ou falsidade de uma outra proposição chamada de conclusão. Em outras palavras, raciocínio que permite passar de proposições admitidas para uma proposição que resulta necessariamente delas. Por extensão, mas num sentido meio impróprio, fala-se de demonstração experimental quando se estabelece um fato, uma lei ou uma teoria pela experiência. A expressão adequada seria verificação experimental, a que estabelece a validação de uma hipótese.

De Natura rerum Poema filosófico onde *Lucrécio trata da "natureza das coisas" e expõe o sistema materialista de *Epicuro: a suprema felicidade do homem reside no total desapego das coisas materiais e na certeza de que, sendo o universo regido por leis imutáveis, torna-se supérfluo todo medo do sobrenatural, pois o homem não passa de um composto de átomos condenado a voltar ao nada de onde saiu.

Dennet, Daniel C. (1942 -) Filósofo americano que tem se destacado por ser um dos protagonistas do debate em torno da filosofia do espírito (*philosophy of mind*). Recusa a existência da consciência, detentora de intenções. Tanto ela como as "intenções" nada mais são que um modo cômodo de designar um dispositivo de complexas operações mentais. Donde não haver um fosso intransponível entre as capacidades mentais dos seres humanos, animais e máquinas. A tarefa do cientista? Explicar como os processos mentais surgiram no processo evolutivo e são parcialmente reproduzidos por máquinas. A do filósofo consiste

em *colocar questões,* não em *fornecer respostas.* Obras principais: *A estratégia do intérprete* (1990), *A consciência explicada* (1991), *A diversidade dos espíritos* (1996).

denotação (lat. *denotatio,* de *denotare*: designar, indicar por meio de sinais) **1.** Propriedade que um termo possui de designar todos os objetos pertencentes à classe definida pelo conceito e de abarcar toda a *extensão do conceito que lhe dá sentido. Denotação e *conotação são sinônimos, respectivamente, de extensão e compreensão.
2. Na linguística atual, denotação é o conjunto das ideias evocadas por uma palavra, isto é, o conjunto dos elementos que servem de referência objetiva para definir uma palavra.

deontologia (ingl. *deontology*, do gr. *deon*: o que é obrigatório, e *logos*: ciência, teoria) Termo criado por Bentham em 1834 para designar sua moral utilitarista, mas que passou a significar, posteriormente, o código moral das regras e procedimentos próprios a determinada categoria profissional. Ex.: a deontologia médica, fundada no juramento de Hipócrates.

derrelição (lat. *derelictio*) **1.** Em sentido religioso, estado de total abandono, mesmo por parte de Deus, em que se encontra o indivíduo. Ex.: o Cristo na cruz.
2. Para Heidegger, a derrelição é o sentimento do ser-aí (*Dasein*) de estar jogado no mundo e de ser abandonado a si mesmo num mundo profundamente inautêntico e anônimo. Essa derrelição não é um estado que seria possível superar: não está ligada nem a um momento histórico nem tampouco a uma concepção religiosa do pecado, mas intrinsecamente à inautenticidade e à degradação que afetam o ser-aí.

Derrida, Jacques (1930-2004) Filósofo francês (nascido na Argélia), professor na École Normale Supérieure de Paris. Influenciado pelo *estruturalismo de *Lévi-Strauss e *Lacan, bem como pela *fenomenologia de *Husserl e o pensamento de *Heidegger, Derrida desenvolveu um pensamento fortemente idiossincrático, caracterizado pela criação de uma terminologia própria e pela proposta do método da "desconstrução", no qual se pode detectar a influência das ideias da fase final do pensamento de Heidegger sobre o caráter essencialmente não representacional da *linguagem. Derrida critica assim o logocentrismo, o lugar central que o discurso racional ocupa em nossa tradição intelectual, sobretudo na *metafísica. Identifica a metafísica com o discurso, com a *consciência que fala a si mesma e é o lugar da verdade e da unidade do ser. A "desconstrução" visa assim "dissolver" a linguagem para que esta dê lugar ao que Derrida chama de "escritura". Sua *gramatologia* seria assim o "saber da escritura", não se tratando de uma ciência, mas de um fazer aparecer o horizonte histórico em que a "escritura" tem lugar. Procura tratar o que considera temas "marginais", à margem da tradição, o que está "fora dos livros", de uma forma deliberadamente fragmentada, procurando situar-se "no limite do discurso". A repetição, a polissemia, a diferença e a disseminação são os instrumentos da "desconstrução", método que tem tido grande influência sobretudo na crítica literária contemporânea. Obras principais: *A voz e o fenômeno: introdução ao problema do signo na fenomenologia de Husserl* (1967), *Gramatologia* (1967), *A escritura e a diferença* (1967), *A disseminação* (1972), *Margens da filosofia* (1972), *Ensaio sobre a origem dos conhecimentos humanos* (1973), *Glas* (1974), *A verdade na pintura* (1978), *Spectres de Marx* (1993), *De l'ospitalité*, (1997).

Descartes, René (1596-1650) René Descartes nasceu na França, de família nobre. Aos oito anos, órfão de mãe, é enviado para o colégio dos jesuítas de La Flèche, onde se revela um aluno brilhante. Termina o secundário em 1612, contente com seus mestres, mas descontente consigo mesmo, pois não havia descoberto a Verdade que tanto procurava nos livros. Decide procurá-la no mundo. Viaja muito. Alista-se nas tropas holandesas de Maurício de Nassau (1618). Sob a influência de Beeckmann, entra em contato com a física copernicana. Em seguida, alista-se nas tropas do imperador da Baviera. Para receber a herança da mãe, retorna a Paris, onde frequenta os meios intelectuais. Aconselhado pelo cardeal Bérulle, dedica-se ao estudo da filosofia, com o objetivo de conciliar a nova ciência com as verdades do cristianismo. A fim de evitar problemas com a Inquisição, vai para a Holanda (1629), onde estuda matemática e física. Escreve muitos livros e cartas. Os mais famosos: *O discurso do método*, *As meditações metafísicas*, *Os princípios de filosofia*, *O tratado do homem* e o *Tratado do mundo*. Convidado pela rainha Cristina, vai passar uns tempos em Estocolmo, onde morre de pneumonia um ano depois. Suas frases mais conhecidas: "Toda filosofia é como uma árvore cujas raízes são a metafísica e as ciências os ramos"; "O *bom senso (ou *razão) é o que existe de mais bem repartido no mundo"; "Jamais devemos admitir alguma coisa como verdadeira a não ser que a conheçamos evidentemente como tal"; "A proposição *Penso, logo existo* é a primeira e mais certa que se apresenta àquele que conduz seus pensamentos com ordem." Toda a obra de Descartes visa mostrar que o conhecimento requer, para ser válido, um fundamento metafísico. Ele parte da *dúvida metódica: se eu duvido de tudo o que me vem pelos sentidos, e se duvido até mesmo das verdades matemáticas, não posso duvidar de que tenho consciência de duvidar, portanto, de que existo enquanto tenho essa consciência. O *cogito* é, pois, a descoberta do espírito por si mesmo, que se percebe que existe como sujeito: eis a primeira verdade descoberta para o fundamento da metafísica e cuja evidência fornece o critério da ideia verdadeira. Assim, a metafísica é fundadora de todo saber verdadeiro.

desconstrução Método de análise e interpretação de textos que caracteriza também uma postura filosófica, tendo como ponto de partida o pensamento de Jacques *Derrida, sobretudo sua *Gramatologia* (1967). Segundo Derrida, "a desconstrução não consiste em passar de um conceito a outro, mas sim em inverter e deslocar uma ordem conceitual bem como a ordem não conceitual à qual esta se articula" (*Signature, évenement, contexte*, 1972). Procura assim explorar os vários significados ocultos e implícitos que constituem o modo de operação do texto, sua "disseminação", revelando suas contradições internas e estabelecendo um sentido que pode ir além e mesmo contra o pretendido pelo autor. A chamada "escola de Yale" nos Estados Unidos, com Paul *de Man, Harold Bloom e outros, notabilizou-se nas décadas de 70 e 80 pela prática da desconstrução principalmente na crítica literária.

descontínuo No sentido matemático, grandeza ou quantidade descontínua ou discreta é a que varia por passagem súbita de um valor a outro: por exemplo, a sequência dos números inteiros. *Oposto a* contínuo.

desejo (do lat. *desiderare*: aspirar a, desejar) **1.** De modo geral, podemos definir o desejo como uma tendência espontânea, consciente, orientada para um objetivo concebido ou imaginado.
2. No sentido filosófico, o desejo, como a linguagem, é uma tendência especificamente humana, distinta da simples necessidade. Assim, o Eros platônico enfatiza o objeto "sobrenatural" do

desejo, o amor dos belos corpos levando a alma a elevar-se ao amor do bem inteligível. Em Descartes, "a paixão do desejo é uma agitação da alma causada pelos espíritos animais que a dispõem a querer para o futuro aquilo que a ela se apresenta ser conveniente. Assim, não desejamos somente a presença do bem ausente, mas também a conservação do presente". Segundo Hegel, a verdadeira finalidade do desejo não é o objeto sensível, mas a unidade da subjetividade consigo mesma, unidade procurada através do reconhecimento de um outro desejo.

3. Conceitos: "Não é pela satisfação dos desejos que se obtém a liberdade, mas pela destruição do desejo" (Epicteto). "O desejo é a essência mesma do homem, isto é, o esforço pelo qual o homem busca perseverar em seu ser" (Spinoza). "O desejo é a autodeterminação do poder de um sujeito pela representação de um fato futuro" (Kant).

desespero (de *des-*: que indica o afastamento, e do lat. *sperare:* esperar) Estado daquele que perdeu toda esperança, nada apostando no futuro: "O desespero é uma Tristeza nascida da ideia de uma coisa futura ou passada a respeito da qual não há mais causa de dúvida" (Espinoza). Para o existencialismo, o desespero resulta da consciência da finitude e da gratuidade e ausência de sentido da existência humana.

desmistificação Toda denúncia verbal ou escrita visando desiludir um grupo de pessoas ou uma coletividade a respeito de uma opinião ou de um conjunto de opiniões, crenças e valores considerados como falsos, preconceituosos, ilusórios e mistificadores. *Ver* mito; crítica.

desordem (de des: ausência de, e do lat. *ordo*: ordem, sucessão) Ausência ou privação de ordem, i.e., de disposição conforme às exigências da razão: "A desordem é simplesmente a ordem que não buscamos" (Bergson); "A desordem também são as irregularidades e as instabilidades: os desvios que aparecem num processo" (E. Morin).

despotismo (do gr. *despotes*: poder do mestre sobre os escravos, poder absoluto) **1.** Regime político no qual a soberania é mantida por um único homem que monopoliza o poder e governa como mestre absoluto: "O despotismo é o governo em que o chefe do Estado executa arbitrariamente as leis que ele dá a si mesmo e em que substitui a vontade pública por sua vontade particular" (Kant). *Ver* monarquia.

2. *despotismo esclarecido*: sistema de governo tentando adaptar o absolutismo de algumas monarquias europeias ao espírito novo da filosofia das Luzes. Catarina a Grande (Rússia) e José II (Áustria) foram considerados "déspotas esclarecidos" pelas reformas que realizaram em seus países e por patrocinarem escritores e artistas. *Ver* tirania.

destino (do lat. *destinare*: fixar, determinar com antecipação) Poder mais ou menos personificado capaz de governar tudo o que existe no universo e de determinar, uma vez por todas e irremediavelmente, tanto o curso geral dos acontecimentos quanto o devir da história humana. Em outras palavras, o destino é essa espécie de poder misterioso capaz de determinar, conforme o que está dito ou escrito no "livro dos destinos", tudo aquilo que acontecerá aos homens por uma necessidade absoluta, inexorável, irracional e inflexível. *Ver* fatalidade.

Destutt de Tracy (1754-1836) O francês Destutt de Tracy foi um nobre oficial do rei que aderiu à Revolução. Construiu sua teoria política a partir da prática. Juntamente com *Cabanis, criou a palavra *"ideologia". Em 1811, publicou *Elementos de ideologia* e, em 1822, o *Tratado de economia política*. Antes de Comte, já defende a criação de uma sociologia ou "física social" tendo por finalidade observar os movimentos objetivos do corpo social. Constatou que "o supérfluo das sociedades é absorvido pelas classes superiores, ao passo que as classes inferiores absorvem a miséria" (tema retomado por Marx em sua teoria da "mais-valia"). Observou que a sociedade está dividida em duas "classes": os assalariados e os empregadores, a primeira sendo a mais numerosa e a mais pobre. E afirmou que a política e as medidas sociais deveriam fundar-se numa ciência positiva. Pediu a criação de "escolas de administração" e de "institutos de estudos políticos". Chamou de "ciências ideológicas" o que mais tarde seria conhecido como "ciências morais e políticas" e hoje de "ciências humanas".

desvelamento 1. Em Platão, a *verdade (*aletheia*) significa desvelamento do ser, isto é, descobrimento daquilo que estava oculto, retirada do véu.

2. Na metafísica de Heidegger, o desvelamento significa a ideia segundo a qual o ser da coisa se desvela, manifesta-se nas condições mesmas de seu aparecer, de seu "fenômeno", a verdade nada mais sendo que a manifestação do ente, enquanto ele deixa de ser ocultado pelas preocupações da vida cotidiana, e do caráter aberto do ser.

determinação (lat. *determinatio*) **1.** Ato pelo qual alguém, após ter analisado os motivos prós e contras, toma voluntariamente partido ou se decide. Nesse sentido psicológico, "agir com determinação", "estou determinado a fazer isso" são expressões mais ou menos sinônimas de "decidido", de "decisão".
2. Designa o fato de ser causa determinante ou condição necessária de alguma coisa, provocando diretamente sua existência ou ocorrência.

determinismo (do al. *Determinismus*) **1.** Como princípio segundo o qual os fenômenos da natureza são regidos por leis, o determinismo é a condição de possibilidade da ciência: "A definição do determinismo pela previsão rigorosa dos fenômenos parece a única que a física pode aceitar, por ser a única realmente verificável" (Louis de Broglie).
2. Doutrina filosófica que implica a negação do *livre-arbítrio e segundo a qual tudo, no universo, inclusive a vontade humana, está submetido à necessidade. Com Descartes, a natureza é matemática em sua essência: uma natureza que não fosse matemática contradiria a ideia de perfeição divina. Para Espinoza, "não há na alma nenhuma vontade absoluta ou livre". Em Kant, o determinismo deixa de ser metafísico para fazer parte da legislação que o espírito impõe às coisas para conhecê-las. Não há oposição entre o determinismo e a liberdade, porque ele pertence à ordem dos fenômenos, enquanto a liberdade pertence à ordem numenal.
3. O princípio do determinismo universal é aquele segundo o qual todos os fenômenos naturais estão ligados uns aos outros por relações invariáveis ou leis. Inaugurado por Laplace, este princípio afirma que o conhecimento do estado do universo, num momento dado, e o conhecimento das leis da mecânica permitem prever rigorosamente todos os estados futuros, porque não há nenhuma independência das séries causais. "Devemos considerar o estado presente do universo como o efeito de seu estado anterior e como a causa daquilo que vai seguir-se. Uma inteligência que, por um instante dado, conhecesse todas as forças de que a natureza é animada e a situação respectiva dos seres que a compõem, englobaria na mesma fórmula os movimentos dos maiores corpos do universo e os do mais leve átomo; nada seria incerto para ela, e o futuro, como o passado, seria presente a seus olhos" (Laplace). Observemos que esse determinismo cada vez mais cede lugar a um postulado mais próximo da realidade científica: o real é inteligível. Fala-se ainda de *determinismo psicológico*: nosso passado, nossa educação e nossa situação social determinam (são a causa de) aquilo que acreditamos ser nossas escolhas. Em outras palavras, o determinismo psíquico é uma teoria segundo a qual toda ideia, toda imagem, toda representação etc., vindo espontaneamente à consciência, encontra-se necessariamente ligada ao conflito patogênico do qual ela é a representação despistada.

Deus (lat. *deus*) **1.** Para o crente, Deus é o Ser *transcendente e perfeito, criador do Universo e, segundo os dogmas, responsável por tudo o que nele acontece (Providência). Para o descrente, Deus é uma ilusão antropomórfica construída a partir de uma extensão ao infinito das qualidades humanas, e cuja origem reside, segundo os pontos de vista, na necessidade de se ter segurança ou num estado da afetividade que vai até a patologia. *Ver* ateísmo.
2. No pensamento filosófico, Deus é um absoluto visado numa fé, num sentimento interior, não constituindo o objeto de um saber racional. Não se trata do Deus criador dos teólogos, mas da razão última da harmonia das coisas. Porque a máquina complexa do mundo exige um relojoeiro, e sua perfeição supõe um ser perfeito. Não se trata, como dizia Pascal, do "Deus de Abraão, de Isaac e de Jacó", mas do "Deus dos sábios e dos filósofos". Para a concepção teísta, Deus é o Ser absoluto, princípio da existência, ser em si e por si, pessoal e distinto do mundo, considerado como onipotente, onisciente, imutável, eterno (e outros atributos), como princípio de inteligibilidade e de verdade, como princípio de perfeição moral, de amor, de soberana bondade, de justiça suprema, devendo ser objeto de um amor total por parte dos homens. Para a concepção panteísta, Deus é o ser supremo imanente (não transcendente) à Natureza, isto é, substancialmente idêntico ao mundo: *Deus sive Natura*, dizia Espinoza.
3. A escolástica e, posteriormente, a filosofia clássica tentaram estabelecer *provas* da existência de Deus, cabendo ao filósofo fornecer à fé uma base racional. Kant, reconhecendo que se trata de um uso ilegítimo da razão, reduz essas "provas" a três: a) a prova *físico-teológica*: a ordem que se manifesta no mundo não pode ser compreendida sem um desígnio superior, uma finalidade; portanto, há um ser inteligente que é a causa dessa

ordem das coisas; b) a prova *cosmológica*: a existência contingente do mundo exige um ser absolutamente necessário; c) a prova *ontológica*: a ideia de Deus é a de um Ser tendo todas as perfeições; um tal Ser não pode não existir, pois não seria mais o ser possuindo todas as perfeições; faltar-lhe-ia uma, a de existência. Portanto, a ideia de Deus é a única que nos obriga a sair da ideia e afirmar a realidade do objeto da qual ela é a ideia. Contudo, recusando à metafísica suas pretensões ao conhecimento, Kant conclui que Deus só pode ser conhecido como postulado da razão prática (da moral).

4. O conceito de divindade possui uma universalidade que se manifesta na oposição, existente em todas as sociedades, entre o *sagrado e o profano, sendo mesmo anterior a todo tipo de religião. Quanto à crítica da ideia de Deus, dirige-se sobretudo à interpretação de um ser pessoal (o *panteísmo concebe Deus como imanente ao mundo). Além de *Nietzsche, que prega "a morte de Deus", muitos ateus reduzem a *teologia a um problema antropológico, Deus sendo um produto da sociedade (*Comte, *Marx) ou da instância parental (*Freud). *Ver* deísmo; teísmo.

devaneio Atitude sonhadora, não do sonhador "noturno", mas do sonhador "diurno", conduzindo-o à alegria de seu repouso, levando-o a poetizar-se, a relegar à sombra o papel da inteligência e a abrir-se à errância da função do irreal e da *imaginação criadora. A partir da poética de Bachelard, o devaneio designa o "sonho acordado".

dever (lat. *debere*) Na concepção kantiana, o dever é a *necessidade de realizar uma ação por respeito à lei civil ou moral. Após ter respondido à questão teórica "O que posso saber?", pelo estudo das condições *a priori* do conhecimento, Kant aborda a questão prática (que diz respeito à ação moral): "O que devo fazer?". E define o dever como "a necessidade de realizar uma ação por respeito à lei". Assim, em sua moral, reina *um* dever, universal, independente das determinações materiais, apenas reduzido às exigências da boa vontade. Portanto, o dever se chama *imperativo categórico*. É o dever mesmo que é o bem, não tendo outra justificativa senão ele mesmo. Supor um bem que nos ditaria nosso dever é um modo impuro de considerar o dever. "A maior perfeição moral possível do homem é a de cumprir seu dever, *e por dever.*"

devir (fr. *devenir*, do lat. *devenire*: chegar) **1.** O problema do devir é colocado claramente por Platão: tudo se passa como se o filósofo, cuja tarefa é a de construir a *sophia*, graças a esse poder que é o *logos*, tivesse que conhecer duas posições extremas a fim de ultrapassá-las: a) a de Heráclito, para quem tudo o que existe é conduzido pelo fluxo do devir: nada é, tudo flui, o devir universal é a lei do universo — tudo o que é nasce, se transforma e se dissolve, de tal forma que todo juízo, desde que pronunciado, torna-se caduco e não remete mais a nada; b) a posição antagônica de Parmênides: o Ser não comporta nem nascimento nem morte, o devir só pode ser uma ilusão, o Ser é imutável ou não é o Ser — se o Ser é assim, nada podemos dizer dele, a não ser que ele é; todo discurso se reduz a isso: o Ser é, o não Ser não é. Nos dois casos, nenhum saber é possível.

2. Na filosofia aristotélico-escolástica, o devir nada mais é que a passagem — por geração, por destruição, por alteração, pelo aumento ou pelo movimento local — da potência ao ato.

3. Em Hegel, o devir constitui a síntese dialética do ser e do não ser, pois tudo o que existe é contraditório estando, por isso mesmo, sujeito a desaparecer (o que constitui um elemento constante de renovação). A filosofia tem que "pensar a vida", diz Hegel, quer dizer, pensar a história, o devir dos homens e das sociedades. Assim, a historicidade entra como a dimensão fundamental do real e o devir se torna a verdade mesma do Ser. O pensamento posterior é dominado por essa ampliação do campo da racionalidade: daí ser chamado de dialético. Exemplo disso é a investigação de Marx como filosofia materialista das transformações sociais e como teoria da revolução. *Ver* historicidade.

Dewey, John (1859-1952) O filósofo e educador norte-americano John Dewey foi professor de filosofia, psicologia e pedagogia nas Universidades de Chicago e Columbia (Nova York). Desenvolveu o *pragmatismo formulado por Peirce e William James, aplicando essa doutrina à lógica e à ética, e defendendo o instrumentalismo ou o experimentalismo em teoria da ciência. Tornou-se célebre por ter fundado a chamada *escola ativa*. Sua obra é vasta. Citemos os livros mais importantes: *Escola e sociedade* (1889), *A criança e o currículo* (1902), *Como nós pensamos* (1910), *Democracia e educação* (1916), *Experiência e educação* (1938), *Ensaios de lógica experimental* (1916, 1954). Criticou severamente o sistema tradicional de ensino centrado no mestre, esse monarca da classe. Formulou uma concepção pedagógica segundo a qual a educação deve ser "uma preparação para a vida adulta", seus fins não devendo ser autoritariamente fixados do exterior nem tampouco estáticos. A preocupação central de toda construção pedagógica deve ser a experiência, porque toda a pedagogia precisa organizar-se em torno desse fenômeno atual e vivo, que é o *problema prático que se põe a criança*, seguido do *debate* no qual ela se engaja para resolvê-lo. A didática se resume no famoso método "do problema", que se desenvolve em cinco fases: a) a criança traz um problema (um objeto, uma preocupação etc., relacionados com sua vida); b) definição em comum do problema; c) inspeção dos dados disponíveis; d) formação de uma hipótese de trabalho; e) comprovação da experiência (da validade das informações, dos meios e dos raciocínios). Assim, ao transfigurar a escola, Dewey inventou a escola ativa e os métodos ativos. Sua essência consiste em lançar mão das *motivações* e dos *interesses* espontâneos da criança para a descoberta, pela experiência pessoal, das informações úteis a serem assimiladas.

diabo (lat. eclesiástico *diabolis*, do gr. *diabolos*: que desune) **1.** Segundo certos antropólogos, a primeira ideia que os primitivos tiveram de um ser superior foi a de um ser mau. **2.** Na teologia cristã, o diabo, também chamado demônio, oriundo da representação judaica de um *anjo tentador*, logo passou a designar não somente o chefe dos espíritos impuros e maus ("demônios", "anjos maus"), mas o príncipe dos anjos maus (Lúcifer), o inimigo número um do gênero humano, obcecado em privar os homens de sua salvação celeste, e o princípio mesmo do mal personificado. O diabo recebe dois nomes principais: Lúcifer, que é o chefe dos anjos rebeldes contra Deus, considerado como o portador de conhecimento e de liberdade; Satã ou Satanás, que encarna a concupiscência. *Ver* demônio.

diacronia/sincronia Caráter de uma investigação que analisa os fatos em sua história, em seu processo de desenvolvimento, em sua evolução. Segundo Saussure, a diacronia é posterior e deve estar subordinada à sincronia, ou seja, ao estudo do estado da língua numa época determinada. Oriundos da linguística, os termos diacrônico e sincrônico passam a designar, na filosofia, os dois modos de apreensão de um objeto de conhecimento em função do *tempo*. Assim, dado um acontecimento, podemos relacioná-lo, seja com os acontecimentos conexos que lhe são contemporâneos (estudo sincrônico), seja com os acontecimentos dos quais é o produto ou, em certos momentos, a causa (estudo diacrônico).

díade (do gr. *dyas*, *dyados*: grupo de dois) Na filosofia grega, sobretudo a platônica, a díade tanto pode designar a ideia de dualidade quanto um par de contrários utilizados como princípio de explicação (o Grande e o Pequeno, o Uno e o Múltiplo).

dialelo (gr. *diallelos*) Termo de origem grega para designar o *círculo vicioso, no qual coisas são demonstradas umas pelas outras; o que deve confirmar uma coisa tem necessidade de ser por ela provado.

dialética (lat. *dialectica*, do gr. *dialektike*: discussão) Em nossos dias, utiliza-se bastante o termo "dialética" para se dar uma aparência de racionalidade aos modos de explicação e demonstração confusos e aproximativos. Mas a tradição filosófica lhe dá significados bem precisos.
1. Em Platão, a dialética é o processo pelo qual a alma se eleva, por degraus, das aparências sensíveis às realidades inteligíveis ou ideias. Ele emprega o verbo *dialeghestai* em seu sentido etimológico de "dialogar", isto é, de fazer passar o *logos* na troca entre dois interlocutores. A dialética é um instrumento de busca da verdade, uma pedagogia científica do diálogo graças ao qual o aprendiz de filósofo, tendo conseguido dominar suas pulsões corporais e vencer a crença nos dados do mundo sensível, utiliza sistematicamente o discurso para chegar à percepção das essências, isto é, à ordem da verdade.
2. Em Aristóteles, a dialética é a dedução feita a partir de premissas apenas prováveis. Ele opõe ao silogismo científico, fundado em premissas consideradas verdadeiras e concluindo necessariamente pela "força da forma", o silogismo dialético que possui a mesma estrutura de necessidade, mas tendo apenas premissas prováveis, concluindo apenas de modo provável.
3. Em Hegel, a dialética é o movimento racional que nos permite superar uma contradição. Não é um método, mas um movimento conjunto do pensamento e do real: "Chamamos de dialética o movimento racional superior em favor do qual esses termos na aparência separados (o ser e o nada) passam espontaneamente uns nos outros, em virtude mesmo daquilo que eles são, encontrando-se eliminada a hipótese de sua separação." Para pensarmos a história, diz Hegel, importa-nos concebê-la como sucessão de momentos, cada um

deles formando uma totalidade, momento que só se apresenta opondo-se ao momento que o precedeu: ele o nega manifestando suas insuficiências e seu caráter parcial; e o supera na medida em que eleva a um estágio superior, para resolvê-los, os problemas não resolvidos. E na medida em que afirma uma propriedade comum do pensamento e das coisas, a dialética pretende ser a chave do saber absoluto: do movimento do pensamento, poderemos deduzir o movimento do mundo; logo, o pensamento humano pode conhecer a totalidade do mundo (caráter metafísico da dialética).

4. Marx faz da dialética um *método*. Insiste na necessidade de considerarmos a realidade socioeconômica de determinada época como um todo articulado, atravessado por contradições específicas, entre as quais a da luta de classes. A partir dele, mas graças sobretudo à contribuição de Engels, a dialética se converte no método do materialismo e no processo do movimento histórico que considera a Natureza: a) como um todo coerente em que os fenômenos se condicionam reciprocamente; b) como um estado de mudança e de movimento; c) como o lugar onde o processo de crescimento das mudanças quantitativas gera, por acumulação e por saltos, mutações de ordem qualitativa; d) como a sede das contradições internas, seus fenômenos tendo um lado positivo e o outro negativo, um passado e um futuro, o que provoca a luta das tendências contrárias que gera o progresso (Marx-Engels).

dialética do senhor e do escravo Imagem que *Hegel utiliza na *Fenomenologia do espírito* para explicar o processo de constituição da *consciência em interação com a outra consciência. Em sua relação com o que lhe é outro, o *sujeito sempre o trata como *objeto; no entanto, no caso de outra consciência, temos uma relação entre duas subjetividades. Portanto, a consciência subjetiva sempre procura submeter a outra consciência, tratando-a como a um objeto. É este processo que Hegel descreve como relação entre o senhor (*Herrschaft*) e o *escravo (*Knechtschaft*). Entretanto, o senhor, embora se considere superior, necessita ser reconhecido pelo escravo, seu inferior. O escravo, por sua vez, pelo seu trabalho, conquista sua autonomia e sua identidade. Assim, as posições terminam por se inverter. *Ver* dialética.

diálogo (gr. *dialogos*, de *dialegesthai*, lat. *dialogus*: conversar) **1.** Para Sócrates e Platão, o diálogo consiste na forma de investigação filosófica da verdade através de uma discussão entre o mestre e seus discípulos, cabendo ao mestre levá-los a descobrir um saber que trazem em si mesmos mas que ignoram.

2. Para o pensamento fenomenológico e existencialista, o diálogo é uma troca recíproca de pensamentos através da qual se realiza a comunicação das consciências.

3. O pensamento liberal reduziu o diálogo a um mero esforço de conciliação nas disputas concernentes às questões trabalhistas envolvendo o patronato e os sindicatos, a preocupação dominante sendo a de resolver tais problemas a fim de se evitar o confronto pelas greves.

4. Dialogar tanto pode significar aceitar o risco de não ver prevalecer seu ponto de acordo quanto ao essencial, quanto acreditar que, para além dos interesses e das opiniões que opõem os homens entre si, exista um lugar comum dependendo de um outro registro do ser do homem (distinto do mundo sensível) e que seja possível tomar um caminho capaz de superar as particularidades individuais (e passionais) e impor uma universalidade (caminho da verdade).

Diálogo sobre os dois maiores sistemas do mundo (*Dialogo sopra i due massimi sistemi del mondo tolemaico e copernicano*) Obra fundamental de *Galileu em que defende o *modelo heliocêntrico* de universo, proposto por *Copérnico, contrastando-o com o *modelo geocêntrico*, de Ptolomeu, desenvolvendo assim a nova concepção de *cosmo que será uma das características básicas da ciência moderna. A publicação desta obra em 1632 será um dos principais fatores que levarão à condenação de Galileu e de suas teorias científicas pela Igreja em 1633. *Ver* geocentrismo; heliocentrismo.

dianoia Termo grego que pode ser traduzido por "pensamento", "intelecto", "espírito". A *dianoia* é o pensamento discursivo, enquanto elaboração, explicitação ou desenvolvimento da *noese* ou *nous, isto é, da razão intuitiva que capta de modo imediato o real (Aristóteles, *Tratado da alma*, III). Neste sentido, a *dianoia* é inferior ao *nous*, já que depende deste.

dicotomia (do gr. *dichotomia*: divisão em dois, bifurcação) Divisão de uma classe de fenômenos em duas partes, cujas diferenças são contraditórias. Ex.: a classe animal em pedestres e não pedestres.

Diderot, Denis (1713-1784) O escritor e filósofo francês (nascido em Langres) Denis Diderot, homem de vasta cultura e de extraordinária capacidade de trabalho, notabilizou-se sobretudo por ter sido o organizador da *Enciclopédia, obra coletiva composta de 20 volumes e tentando congregar a *totalidade dos saberes existentes. Trata-se de uma obra prospectiva, isto é, aberta ao progresso indefinido dos conhecimentos humanos. Além de romancista (A religiosa), contista e crítico de arte, Diderot foi também um filósofo original. Em 1746, escreveu seus Pensamentos filosóficos, nos quais revelava ainda um pensamento deísta, logo abandonado por uma posição panteísta. Pensador político liberal até 1765, assumiu, daí em diante, a causa dos oprimidos. Assim, tomou partido pela resistência popular à opressão, não somente clerical, mas do regime feudal. Consciente de que "só falta ao povo luzes", tornou-se um revolucionário. Escreveu ainda: *Cartas sobre os cegos* (1749), *Conversação com d'Alembert* (1769), *Pensamentos sobre a interpretação da natureza* (1754), *Ensaio sobre os reinos de Cláudio e de Nero* (1778).

diferença (lat. *differentia*) Relação de alteridade existente entre duas coisas que possuem elementos idênticos. Quando comparamos dois objetos, eles apresentam semelhanças e diferenças, as diferenças podendo ser de atributos acidentais ou de qualidades essenciais. Aristóteles e a escolástica chamam de "diferença específica" o caráter que distingue uma espécie das outras do mesmo gênero. Tomada nesse sentido, ela se encontra na base de toda definição e de toda classificação. A diferença máxima entre dois objetos, que não têm nenhum traço em comum, é sua contradição.

dignidade (lat. *dignitas*: fato de ser digno, de merecer) Concepção segundo a qual a pessoa humana autônoma representa um fim em si, por oposição às coisas: "Aquilo que constitui a condição única permitindo que algo possua um fim em si não somente tem um valor relativo, isto é, um preço, mas um valor intrínseco, ou seja, uma dignidade" (Kant).

dilema (gr. *dilemma*, de *di*: duas vezes, e *lemma*: princípio, premissa) **1.** Forma de alternativa da qual, dos dois membros aceitos como premissas ou princípios, só podemos tirar uma consequência. Ex.: o dilema de Aristóteles: ou devemos filosofar, ou não devemos filosofar; ora, para sabermos se devemos filosofar, precisamos filosofar; e para sabermos se não devemos filosofar, precisamos ainda filosofar; conclusão: devemos filosofar.

2. Situação embaraçosa em que nos encontramos, devendo escolher necessariamente entre dois partidos ou pontos de vista rejeitáveis caso não fôssemos obrigados a escolher. Ex.: o dilema do cirurgião diante da situação de ter que sacrificar a mãe ou o filho no momento do parto; não podendo salvar ambos, precisa optar.

Dilthey, Wilhelm (1833-1911) O filósofo alemão Wilhelm Dilthey engajou-se numa via de pensamento (aberta por Schopenhauer e Nietzsche) valorizando a chamada "teoria da visão do mundo" (*Weltanschauung*), em que "viver é apreciar", avaliar, escolher, dar sua "interpretação" ao mundo natural: cada sistema filosófico tem por verdade a psicologia de seu autor, sua "visão do mundo", exprimindo-se numa "maneira de ver" que é "um modo de ser". Sua obra fundamental é a *Introdução ao estudo das ciências humanas* (1883), na qual critica a concepção positivista da *explicação (causal e racionalista) e procura compreender a realidade humana, essencialmente social e histórica. A ciência de base, sobre a qual devem repousar as *Geisteswissenschaften* (ciências do espírito), por oposição às *Naturwissenschaften* (ciências da natureza), é a psicologia enquanto estudo do indivíduo como consciência e como unidade psicofísica. Compreender não é explicar, é conhecer intuitivamente por uma participação vivida. Portanto, temos necessidade de uma psicologia compreensiva descritiva e analítica que reconheça a unidade estrutural da individualidade e seu modo de ser no mundo ("seu estilo", diz Dilthey). O *leitmotiv* de Dilthey: "Explicamos a natureza, mas compreendemos o homem." Em sua outra obra básica, *O mundo do espírito*, Dilthey mostra que as ideias da filosofia baseada nas ciências físicas e naturais não podem satisfazer um pensamento preocupado em entender o valor de nossa vida, em estudar, não sua gênese ou sua história, mas seu fundamento: "A vida não nos é dada imediatamente, ela nos é explicada pela objetivação do pensamento." Ao pretender dar um fundamento às ciências particulares do homem, da sociedade e da história, Dilthey postula a criação de novos métodos e de conceitos psicológicos mais sutis adaptados à vida histórica; além disso, procura evidenciar, em todas as manifestações humanas, a totalidade da vida psíquica, a ação do homem todo, com sua vontade, sensibilidade e imaginação.

dinamismo (do gr. *dynamis*: poder, força) Doutrina filosófica que afirma a existência de forças irredutíveis ao movimento e que "o ser é idêntico à força" (Goblot). *Leibniz e *Bergson postulam, por oposição ao *mecanicismo, que na origem das coisas há uma "força" constantemente em atividade suscetível de criar todas as formas de existência.

Diodoro de Tiro Filósofo grego do séc. II a.C. Foi discípulo de Critolau e o sucedeu como chefe da escola peripatética em Atenas. Interessando-se principalmente pela filosofia moral, procurou conciliar a ética dos estoicos com a dos epicuristas.

Diógenes, o Cínico (c.400-c.325 a.C.) Filósofo grego, nascido em Sinope, um dos principais representantes da escola cínica, viveu em Atenas. Sua filosofia consistia em desprezar a riqueza e rejeitar as convenções sociais, defendendo a autossuficiência; vivia em um tonel. Conta-se que quando caminhava um dia com uma lanterna acesa na mão em plena luz do sol, alguém perguntou-lhe o que fazia e Diógenes respondeu: "Procuro um homem." Numa viagem que fez de Atenas para Egina, foi capturado por piratas que o venderam como escravo a um rico homem de Corinto, que lhe restituiu a liberdade. Alexandre, o Grande, foi visitá-lo em Corinto e perguntou-lhe se desejava alguma coisa: "Sim, que te afastes um pouco, pois estás encobrindo o Sol."

Diógenes da Babilônia ou de Selêucia Filósofo grego estoico do séc. II a.C. Foi discípulo de Crisipo. É considerado um dos mais importantes filósofos da escola estoica. Enviado, juntamente com Critolau e Carnéades, pelos atenienses, em 156 a.C., para ensinar filosofia em Roma, os seus ensinamentos não agradaram aos romanos mais antigos, que conseguiram a expulsão dos três.

Diógenes Laércio Biógrafo grego do séc. III da era cristã; escreveu uma obra (em dez volumes) sobre os filósofos gregos, conhecida sob o título de *Vida, doutrinas e sentenças dos filósofos ilustres*, que é a única fonte de informações sobre muitos dos filósofos ali mencionados.

dionisíaco Termo utilizado por *Nietzsche, derivado do deus Dioniso, deus da embriaguez, da inspiração e do entusiasmo, para designar a *vontade de potência, cujo enfraquecimento podemos encontrar na massa do rebanho: ela é a pulsão fundamental da vida. Contra a moral do pecado, precisamos querer viver, declara Nietzsche, pois é o "instinto" que representa o poder criador da vida.

Ao combater a transcendência, defende a ideia de que o homem deve ser ultrapassado num esforço de criação pessoal. Donde a necessidade de uma transmutação dos valores: o bem encontra-se na exaltação do sentimento de poder; o mal, em tudo que o contraria. *Oposto* a *apolíneo.

dionisíaco/dionisismo *Ver* apolíneo/apolinismo.

direito (lat. *directus*: reto, correto) 1. Em seu sentido vulgar, poder moral que alguém tem de possuir, fazer ou exigir uma coisa, seja aquilo que é conforme a uma regra precisa (ter direito a, ter um direito sobre), seja aquilo que é simplesmente permitido (ter o direito de).
  2. *Direito positivo*: conjunto das normas ou das leis criadas pelos homens, suscetíveis de reger determinada sociedade numa determinada época.
  3. *Direito natural*: aquele que resulta da própria natureza do homem, superior a toda convenção ou legislação positiva, sendo inalienável. "Aquilo que se convencionou chamar de teoria do direito natural, ao lado do direito real, isto é, positivo, criado pelos homens e, por conseguinte, variável, um direito ideal, natural, imutável, que ela identifica com a justiça...; ela considera a *natureza* como a fonte de onde emanam as normas do direito ideal e justo. A natureza, a saber, a natureza em geral ou a natureza do homem em particular, desempenha o papel de autoridade normativa, isto é, criadora de normas" (Hans Kelsen). Assim, para os teóricos do direito natural, o direito é o conjunto das leis necessárias, universais, deduzidas pela razão da natureza das coisas e que serviria de fundamento para o direito positivo.
  4. Existe uma oposição fundamental entre *direito* e *fato*. Um fato se impõe pela força de sua existência, enquanto o direito é legítimo. Num nível mais propriamente filosófico, distinguimos as *verdades de direito* e as *verdades de fato*: as primeiras não dependem em nada dos acontecimentos, podendo ser afirmadas não importa onde e não importa quando: dois e dois são quatro; quanto às segundas, dependem de um acontecimento, não podendo ser afirmadas antes que o acontecimento se produza; ex.: Descartes morreu em 1650.

disciplina (lat. *disciplina*: ação de aprender, educação) 1. No sentido genérico, toda matéria suscetível de um ensino. Ex.: as disciplinas literárias, científicas.
  2. Pedagogicamente, conjunto de regras e normas impostas aos alunos.

3. No sentido vulgar, conjunto das regras de conduta impostas aos membros de uma coletividade. Ex.: a disciplina militar.
4. Na filosofia de *Foucault, "conjunto de regras e técnicas particulares (vigilância hierárquica, sanção normatizadora, exame) tendo por efeito produzir uma conduta normatizada e padronizada, adestrar os indivíduos e submetê-los a uma fôrma idêntica a fim de otimizar suas faculdades produtivas" (Sébastien Charles).

discreto (lat. *discretus*) Ver descontínuo.

discursivo (lat. medieval *discursivus*) Diz-se do modo de conhecimento mediato, ou seja, que atinge seu objetivo através das etapas de um raciocínio ou de uma demonstração. Além da forma intuitiva de conhecimento, diz Descartes, a dedução é necessária, porque nem tudo pode ser conhecido diretamente. A conclusão de um raciocínio matemático só é atingida de modo discursivo, por uma sequência de proposições que se encadeiam necessariamente umas às outras.

discurso (lat. *discursus*: conversação) **1.** Na acepção tradicional, o discurso não é uma simples sequência de palavras, mas um modo de pensamento que se opõe à intuição. Frequentemente denominado "pensamento discursivo", ele é um pensamento operando num raciocínio, seguindo um percurso, atingindo seu objetivo por uma série de etapas intermediárias: movimento do pensamento indo de um juízo a outro juízo, percorrendo (discurso) um ou vários intermediários antes de atingir o conhecimento. Os lógicos introduziram a expressão "universo do discurso" para designar o conjunto ao qual vinculamos, pelo pensamento, os objetivos dos quais falamos.
2. A filosofia contemporânea, especialmente a filosofia da linguagem, a hermenêutica e o existencialismo, valoriza a análise do discurso como método próprio à filosofia, considerando o discurso não apenas como o simples texto, mas como o próprio campo de constituição do significado em que se estabelece a rede de relações semânticas com a visão de mundo que pressupõe.

discurso, universo de Expressão utilizada por Augustus De Morgan (1846) para designar o conjunto dos elementos e classes visando garantir a coerência de um *juízo. Ex.: "A raposa mente" é uma frase verdadeira no universo da fábula, não no da zoologia.

Discurso do método (*Discours de la méthode*) Obra de Descartes publicada em 1637, constituindo sua verdadeira autobiografia intelectual, na qual expõe os princípios de sua filosofia "para bem conduzir sua razão e procurar a verdade nas ciências". Trata-se na realidade da introdução filosófica a três tratados científicos de Descartes, *Dióptrica*, *Meteoros* e *Geometria*. Seu objetivo, opondo-se à ciência tradicional e à filosofia especulativa dos antigos, é o de construir uma filosofia e estabelecer regras firmes permitindo ao homem tornar-se "mestre e possuidor da natureza". Estas regras são a da *certeza* ou evidência ("Jamais aceitar como verdadeira coisa alguma a não ser que se imponha a mim como evidente"), a da *análise* ("Dividir cada dificuldade a ser examinada em tantas partes quanto possível e necessário para resolvê-la"), a da *síntese* ("Conduzir por ordem meus pensamentos, começando pelos mais simples e mais fáceis de serem conhecidos, para atingir paulatina e gradativamente o conhecimento dos mais complexos") e a da *enumeração* ("Fazer enumerações tão exatas e revisões tão gerais dando-me a garantia de não omitir nada"). Ver método.

Discurso sobre a origem e os fundamentos da desigualdade entre os homens Obra do filósofo *Rousseau (1755) na qual narra uma história provável da humanidade capaz de explicar como surgiu e se generalizou o mal e mostra que a vida social, ao criar várias desigualdades entre os homens, corrompeu sua natureza, que na origem era boa: "O homem nasceu bom, a sociedade o corrompeu."

disjuntivo (lat. *disjunctivus*) Que expressa alternativa, que se expressa por meio do emprego do conectivo *ou*: ele virá ou não virá. Ver juízo; terceiro excluído, princípio ou lei, do.

distinção (lat. *distinctio*) Operação que tem por efeito isolar, do ponto de vista da percepção ou do pensamento, o elemento distinguido daquilo que o cerca. A reflexão filosófica estabelece duas distinções: a) a distinção *real*, efetuada pelo sujeito sobre objetos realmente diferentes uns dos outros; b) a distinção *lógica*, criada pelo próprio sujeito.

distinto (lat. *distinctus*, de *distinguere*: separar bem) **1.** Em *Descartes, caráter de uma percepção ou de um conceito que os torna evidentes e, como tais, critérios da verdade. Opõe-se a confuso. Com a clareza (uma ideia é clara quando ela é "presente e manifesta a um espírito atento"), a distinção define a *evidência, critério da verdade. O conhe-

cimento distinto é aquele "que é de tal forma preciso e diferente de todos os outros, que só compreende em si aquilo que parece manifestamente àquele que o considera como deve".
   2. Para *Leibniz, a distinção de uma ideia não se faz relativamente a outras ideias, pois ela é distinta em si mesma, pelo conhecimento de seus elementos constitutivos.

divindade (lat. *divinitas*) 1. Noção mais ampla que a de *Deus, designando tudo o que é sobrenatural ou superior ao homem, podendo ser pessoal ou impessoal.
   2. Nas religiões monoteístas, qualidade que caracteriza a essência metafísica de Deus, quer dizer, aquilo pelo qual ele é Deus.

divisão (lat. *divisio*) 1. Separação de um objeto em suas partes.
   2. Operação lógica pela qual distinguimos e separamos, na extensão de um conceito, as diferentes classes ou espécies que ele compreende.

divisão do trabalho *Ver* trabalho.

dogma (lat. e gr. *dogma*: opinião, crença, ponto de vista) 1. Doutrina ou opinião filosófica transmitida de modo impositivo e sem contestação por uma escola ou corrente de pensamento, fazendo apelo a uma adesão incondicional.
   2. Doutrina religiosa fundada numa verdade revelada e que exige o acatamento e a aceitação incondicionais por parte dos fiéis. No catolicismo, o dogma possui duas fontes: as Escrituras e o Magistério da Igreja. Está contido, em substância, no *credo* ou símbolo dos Apóstolos (Concílio de Niceia, ano 325). Assim, os dogmas da Trindade e da Imaculada Conceição, por exemplo, são "verdades reveladas" estabelecidas pela Igreja como fundamentais e incontestáveis, mesmo que pareçam desafiar a razão. *Ver* dogmática; dogmatismo.

dogmática (lat. *dogmaticus*, do gr. *dogmatikós*) 1. Diz-se da pessoa que afirma uma opinião ou emite um ponto de vista de modo doutoral e categórico, sem admitir contestação ou crítica.
   2. Parte da teologia que tem por objeto de estudo os dogmas da fé.
   3. É dogmática, por oposição a crítica, diz Kant, toda pretensão do conhecimento de atingir o absoluto. Ex.: a metafísica dogmática.

dogmatismo 1. Toda doutrina ou toda atitude que professa a capacidade do homem atingir a certeza absoluta; filosoficamente, por oposição ao ceticismo, o dogmatismo é a atitude que consiste em admitir a possibilidade, para a razão humana, de chegar a verdades absolutamente certas e seguras.
   2. No sentido vulgar, atitude que consiste em afirmar alguma coisa, de modo intransigente e contundente, sem provas nem fundamento.
   3. Toda atitude de conhecimento que consiste em acreditar estar de posse da certeza ou da verdade antes de fazer a crítica da faculdade de conhecer (Kant).
   4. A tradição marxista utiliza o termo "dogmatismo" para qualificar a tendência de se congelar uma teoria em fórmulas estereotipadas, cortando-as da prática e da análise concreta: "O marxismo não é um dogma, mas um guia para a ação" (Engels).
   5. Observemos que, desde a Antiguidade, existem os filósofos *céticos* e os filósofos *dogmáticos*. Os primeiros se recusam a crer nas verdades estabelecidas, enquanto os segundos defendem as verdades de sua "escola". É com a representação kantiana da história da filosofia que o termo "dogmatismo" adquire um sentido novo: o criticismo só se define opondo-se aos dois perigos inversos, o empirismo e o dogmatismo. O dogmatismo consiste em crer que a razão pode edificar sistemas sólidos sem ter sido antes depurada pela crítica (cf. sentido 3). Kant visa às filosofias de Leibniz e de Wolf, nas quais o conhecimento se desenvolve *a priori*, sem recorrer à experiência; visa também ao empirismo, que reduz tudo à experiência, sem se interrogar sobre as formas *a priori*.

doutrina (lat. *doutrina*: ensinamento, teoria) Conjunto sistemático de concepções de ordem teórica ensinadas como verdadeiras por um autor, corrente de pensamento ou mestre. Ex.: a doutrina de Tomás de Aquino, a doutrina do liberalismo.

doxografia (do gr. *doxa*: opinião, e *graphein*: escrever) Complicação das doutrinas ou opiniões (*doxa*) de filósofos, de forma sintética ou resumidas. As doxografias são as primeiras "histórias" da filosofia, sendo considerada a primeira a obra de *Teofrasto, discípulo de Aristóteles, intitulada *Opiniões dos físicos*. A mais famosa das doxografias da Antiguidade é a de *Diógenes Laércio, *Vidas, doutrinas e sentenças dos filósofos ilustres*, na qual encontramos uma exposição sistematizada segundo as doutrinas das diferentes escolas, ao contrário da obra de Teofrasto, puramente cronológica.

dualismo (do lat. *dualis*: em número de dois) 1. Na filosofia, o termo "dualismo" é frequente-

mente empregado em referência a Descartes, cujo sistema filosófico repousa no dualismo do pensamento e da extensão; portanto, doutrina segundo a qual a realidade é composta de duas substâncias independentes e incompatíveis.
2. Toda doutrina que admite, num domínio qualquer, dois princípios ou realidades irredutíveis: matéria e vida, razão e experiência, teoria e prática etc. A essa concepção, que requer dois princípios irredutíveis de explicação, opõe-se o *monismo*, doutrina que afirma a unidade do ser na multiplicidade de seus atributos e de suas manifestações. *Ver* monismo; pluralismo.

Dühring, Karl Eugen (1833-1921) Filósofo, jurista e economista alemão, nascido em Berlim. Discípulo de *Feuerbach e pensador polêmico, Dühring procurou unir o *positivismo ao *materialismo. Suas teses foram atacadas por Engels em seu *AntiDühring* (1878). Principais obras filosóficas: *Dialética natural* (1861), *Filosofia da realidade* (1895).

Dummett, Michael Anthony Eardley (1925-) Filósofo inglês, catedrático de lógica na Universidade de Oxford e professor visitante em diversas universidades americanas. Tem participado ativamente do movimento contra a discriminação racial na Grã-Bretanha. Pode ser considerado um dos principais filósofos da linguagem na tradição da filosofia *analítica. Seu trabalho é voltado sobretudo para o desenvolvimento da lógica intuicionista. No campo da filosofia da linguagem, notabilizou-se como intérprete de *Frege e de *Wittgenstein, desenvolvendo principalmente uma semântica baseada, não na noção de verdade, mas na de justificabilidade da asserção da sentença. É autor de: *Frege, The Philosophy of Language* (1973), *The Justification of Deduction* (1973), *Elements of Intuitionism* (1977), *Truth and other enigmas* (1978), *Immigration: where the debate goes wrong* (1978), *The Interpretation of Frege's Philosophy* (1981), *The logic basis of metaphysics* (1991).

Duns Scotus, John (c.1265-1308) Franciscano de origem escocesa, de cuja vida pouco se conhece, estudou nas Universidades de Oxford e Paris, tendo sido professor nesta última, conhecido como *Doctor subtilis*, o doutor sutil. A originalidade de Duns Scotus, em relação à tradição escolástica a que pertence, está em sua valorização do indivíduo, tanto do ponto de vista metafísico, ao estabelecer a inteligibilidade como uma propriedade do singular, contrariamente às doutrinas platônica e aristotélica então dominantes, quanto do ponto de vista ético, ao defender o livre-arbítrio. A respeito da querela dos *universais, sua posição é a de que o indivíduo é inteligível em virtude do caráter formal do princípio de individuação — a *haecceitas* (a "ecceidade", aquilo que faz de um indivíduo o que ele é, como indivíduo). Assim, Sócrates, além de ter a forma de um ser humano, o que o define, possui também a "socrateidade", uma propriedade individual sua, um princípio formal que o distingue, enquanto Sócrates, de todos os outros seres humanos. Suas principais obras são a *Opus parisiensis* ("Obra de Paris") e a *Opus oxoniensis* ("Obra de Oxford"), também conhecida como *Ordinatio*, ambas provavelmente compilações por seus discípulos de seus cursos. Sua filosofia, e a de seus seguidores, é conhecida como *escotismo*. *Ver* ecceidade; individuação.

duração (lat. medieval *duratio*) 1. Em seu sentido genérico, parte finita do *tempo: duração de um raciocínio. Em filosofia, distinguimos o tempo e a duração. O tempo é a medida da duração, diz Descartes. Por sua vez, Leibniz opõe o tempo à duração como o espaço à extensão, a duração sendo a ordem de sucessão entre as percepções reais.
2. Bergson opõe a duração (*durée*) ao tempo. Para ele, o tempo é a ideia matemática que fazemos da duração para raciocinar. A duração só pode ser apreendida por intuição, ao passo que o tempo é apreendido pela inteligência que divide e quantifica; válida para aquilo que é da ordem da quantidade, a inteligência fracassa em apreender o qualitativo (a duração): o tempo matematizado de nossos relógios não passa de uma falsa representação (espacial) da duração real e concreta, que escapa à quantificação. Portanto, a duração é uma realidade concreta, a trama mesma do devir da consciência, que só pode existir como tal caso se lembre de seu passado, mas inventando a cada instante para adaptar-se ao presente.

Durkheim, Émile (1858-1917) Sociólogo e filósofo francês considerado o fundador da sociologia científica. Procurou elaborar uma ciência do fato social, marcada por uma preocupação ética, buscando caracterizar o fato social como fenômeno coletivo, valorizando inclusive a interpretação histórica. Assim, estudou a criminalidade em seu *De la division du travail social* (1893), o suicídio em seu *Le suicide* (1897), e a magia em *Les formes élémentaires de la vie religieuse* (1912), que constituem aplicações de seu método de análise apresentado em *Les règles de la méthode sociologique* (1895). Exerceu grande influência no desenvolvimento da sociologia no séc. XX.

Dussel, Enrique (1934-1995) Filósofo argentino (nascido em Mendoza) de renome internacional. Filosofia, teologia e história são os passos sucessivos dos estudos de Dussel. Mas todos convergem para uma preocupação dominante: a América Latina. Após uma formação tradicional em seu país, parte para a Europa (Espanha e França) onde confessa ter descoberto a América Latina. Essa experiência europeia e o contato marcante com Paul Ricoeur, Husserl e Heidegger levaram-no a assumir racionalmente a pretensa e afirmada "barbárie" de seu povo. De volta à Argentina (1966), aí permanece até o retorno do peronismo, quando se exila no México, onde se converte numa espécie de "apóstolo" da *filosofia da libertação*, movimento por ele liderado em 1972. Desde então, constrói todo um conjunto de categorias novas de análise, visando buscar uma explicação racional da realidade latino-americana. História e razão, anedota e conceito convivem e se interpenetram na imensa obra de Dussel. Para ele, toda filosofia que aspire a ter vigência e universalidade precisa ser um pensar a partir de uma situação. Em seu caso, a situação latino-americana na qual vivemos, sofremos, somos explorados, e que tentamos mudar. Porque, na realidade latino-americana, a função primordial do filósofo é libertadora, criticando todas as ideologias que ocultam a dominação e pensando o processo de libertação a partir da realidade concreta e vivida do povo. Obras principais: *Caminos de liberación latinoamericana I: Interpretación histórica de nuestro continente latinoamericano* (1972), *América Latina, dependencia y liberación* (1973), *Para una ética de la liberación latinoamericana* (1973), *Método para una filosofía de la liberación: Superación analéctica de la dialéctica hegeliana* (1974), *Introducción a la filosofía de la liberación latinoamericana* (1977), *Filosofía de la liberación* (1977), *Filosofía ética latinoamericana* (5 vols. 1977-1983).

dúvida (do lat. *dubitare*: hesitar, vacilar), **1.** Incapacidade de determinar se algo é verdadeiro ou falso ou de decidir pró ou contra alguma coisa. **2.** *Dúvida cética*: suspensão definitiva do juízo, nada afirmando ou nada negando, o sujeito instalando-se na posição: "nada sei". **3.** *Dúvida metódica*: método de conhecimento que tem por objetivo descobrir a verdade, consistindo em considerar provisoriamente como falso tudo aquilo cuja verdade não se encontra assegurada. Trata-se da dúvida cartesiana, destinada a ser um método utilizado para atingir uma certeza maior do que as certezas da vida cotidiana, caracterizada pelo fato de ser indubitável. O *cogito ergo sum* será o indubitável, correspondendo, intelectualmente, à alavanca de Arquimedes e permitindo eliminar-se toda possibilidade de dúvida. O caráter voluntário e metódico dessa dúvida aparece claramente no recurso ao "gênio maligno", simples hipótese usada por Descartes para permanecer na dúvida enquanto não consegue encontrar o indubitável.

E

ecceidade (lat. *ecceitas*, derivado de *ecce*: eis) Na filosofia escolástica, a ecceidade é aquilo que permite a um indivíduo ser ele mesmo, distinto de todos os outros. Sinônimo de *ipseidade, poderíamos traduzir esses termos por *individualidade*. Retomada pelos existencialistas, por referência ao *Dasein* heideggeriano, a ecceidade passou a designar *o fato de ser-aí* (no mundo).

Eckhart, Johannes, dito **Mestre** (1260-1327) Teólogo e místico alemão (nascido em Hochheim), mais conhecido como Mestre Eckhart, considerado o criador da linguagem filosófica alemã e o fundador do misticismo ocidental. Depois de algumas viagens a Paris, ensinou em Estrasburgo e, em seguida, em Colônia, onde respondeu a um processo de heresia que culminou com a condenação de toda a sua obra. Seu pensamento, uma mescla de aristotelismo, agnosticismo, neoplatonismo e de concepções árabes, levava ao panteísmo. Preocupado em esclarecer o que Deus não é, chegou à conclusão de que Deus não existe, porque a existência é uma imperfeição para o Absoluto. Seus *Tratados e sermões* o situam na origem da mística ocidental. Sua importância filosófica, porém, se deve a seu modo de demonstração. Hegel o considera o precursor de sua dialética. Escreveu ainda: *Opus tripartitum* e *Quaestiones*.

ecletismo (fr. *écletisme*, do gr. *eklektikós* de *eklegein*: esconder) Método filosófico que consiste em retirar dos diferentes sistemas de pensamento certos elementos ou teses para fundi-los num novo sistema. Também é uma escola de filosofia, cujo principal representante é Victor Cousin (1792-1867), que procurou construir uma doutrina escolhendo em outros sistemas as teses que lhe pareciam verdadeiras. "O ecletismo é um método histórico que supõe uma filosofia avançada capaz de discernir o que há de verdadeiro e o que há de falso nas diversas doutrinas, e, após tê-las extraído e depurado pela análise e pela dialética, de dar a todas uma parte legítima numa doutrina melhor e mais ampla." *Ver* Cousin.

ecologia Conjunto de teorias sociais, políticas, econômicas e biológicas acerca da necessidade e da importância de preservação do meio ambiente através de uma política de desenvolvimento sustentável. O movimento ecológico é crítico do desenvolvimento da técnica no período moderno, notadamente a partir da Revolução Industrial, que, em nome do progresso, causou a devastação do solo, a poluição ambiental e a extinção de espécies, colocando em risco a própria sobrevivência humana. Alguns movimentos mais radicais veem a Terra como um organismo vivo ao qual o ser humano precisa integrar-se. Outros buscam suas raízes no pensamento grego antigo: consideram o homem um microcosmo, devendo integrar-se ao macrocosmo de que faz parte, de modo que os princípios regendo o equilíbrio da natureza também se apliquem a ele.

Édipo, complexo de Na teoria freudiana, configuração triangular ligando a criança (entre três e cinco anos) a seus pais e designando um conjunto de desejos inconscientes amorosos e hostis em relação a eles: desejo de morte em relação ao pai do mesmo sexo, percebido como rival, e desejo sexual pelo de sexo oposto. Esse apego erótico ao pai de sexo oposto desempenharia um papel essencial na formação da personalidade.

efeito (lat. *effectus*: realização, execução) Todo fenômeno considerado como o produto ou resultado de uma causa eficiente. Em outras palavras, é o termo correlativo de *causa, sendo sua realização. É conhecida a expressão do determinismo vulgar: "não há efeito sem causa" (cada termo sendo definido um pelo outro).

efetivo (lat. *effectivus*) 1. Aquilo que constitui o produto de um efeito, devendo sua realidade a um encadeamento causal.
2. Para Hegel, o efetivo é o "plenamente real", vale dizer, aquilo que, na empiria, responde à necessidade descrita pelo movimento dialético do pensamento.

eficácia (lat. *efficacia*). 1. Propriedade de uma coisa ou de uma pessoa de poder agir efetivamente.

81

2. Toda causa real ou todo poder capazes de produzir um efeito.

eficiente, causa Na terminologia escolástica, derivada de Aristóteles, a causa eficiente, distinguindo-se da *causa final*, mas pressupondo-a, designa o ato criador pelo qual um efeito é produzido. Posteriormente, a expressão "causa eficiente" passou a englobar, virtualmente, todas as transcrições filosóficas da *causalidade científica (com exceção das causas cuja descrição é redutível a termos puramente materiais). *Ver* causa.

ego 1. A palavra latina *ego*, que significa "eu", é utilizada, em geral, para designar o sujeito substancial ou o "eu" transcendental, ou seja, o "eu" que, para além do empirismo, condiciona a experiência e as representações.
2. *Ego transcendental*: na fenomenologia de Husserl, designa o próprio sujeito, mas na medida em que se distingue de suas operações e coloca entre parênteses a consciência psicológica.

egocentrismo (do lat. *ego*: eu, e *centrum*: centro) Tendência espontânea do sujeito de converter-se no centro do mundo, de tudo referir a seu ponto de vista próprio e de só se interessar pelos outros na medida em que eles servem a seus interesses.

egoísmo (do lat. *ego*: eu) No sentido moral, amor exclusivo de si, ou seja, atitude de quem age tendo em vista apenas a satisfação de seus interesses pessoais: "O egoísmo é o amor de si que consiste numa benevolência excessiva para consigo mesmo (filautria) ou a satisfação de si (arrogância)" (Kant).

eidética (al. *eidetisch*, do gr. *eidetikós*: que concerne ao conhecimento) **1.** Termo de utilização recente, notadamente na *fenomenologia de Husserl, para caracterizar aquilo que se refere às essências, por oposição ao suporte fatual que depende de outras ciências. A fenomenologia não deve se preocupar mais com a existência dos "vividos de consciência" do que a geometria com a existência das figuras traçadas no quadro: "A geometria e a fenomenologia, enquanto ciências de essência, não comportam nenhuma contestação referente à existência mundana" (Husserl). Assim, por oposição às coisas mesmas, a eidética é a "ciência" das formas das coisas no espírito.
2. *Ciências eidéticas* são as que tomam por objeto as relações entre as *essências ideais (lógica e geometria); é a *intuição eidética* que nos permite apreender as essências; *redução eidética* consiste em se passar do fenômeno empírico ou existencial à sua essência.

Einstein, Albert (1879-1955) Considerado o maior cientista do séc. XX, o alemão Albert Einstein (nascido em Ulm) tem sua importância no campo da filosofia, porque, ao escrever *Mein Weltbild* (1934) (traduzido por *Como eu vejo o mundo*), apresenta-se, no dizer de Alexandre Koyré, como "a revanche de Descartes sobre os positivistas". Seu livro reflete bem uma teoria metafísica de cientista. Mesmo admitindo a crítica de Hume, ele se recusa a eliminar a especulação metafísica. Sem dúvida, os sentidos constituem a fonte do conhecimento. Contudo, "as noções presentes em nosso pensamento e em nossas expressões da linguagem são todas, do ponto de vista lógico, criações livres do pensamento e não podem ser obtidas das experiências sensíveis por via indutiva". O apego de Einstein ao *determinismo, que o impediu de aceitar as relações de indeterminação de Heisenberg, levou-o a certo *espinosismo e a uma "religião cósmica" suscetível de fundar, segundo ele, a ordem descoberta pelas ciências. Ele recusa um Deus justiceiro e a Providência, mas aceita, como Descartes, um Deus geômetra: "Na base de todo trabalho científico um pouco delicado encontra-se uma convicção análoga ao sentimento religioso que o mundo é fundado sobre a razão e pode ser compreendido. Essa convicção, ligada a um sentimento profundo de uma razão superior, que se manifesta no mundo da experiência, constitui para mim a ideia de Deus: na linguagem ordinária, podemos chamá-la de panteísta" (Espinoza).

elã vital A expressão francesa *élan vital* (em português, "elã vital") é utilizada por Bergson para designar um impulso original de criação de onde provém a vida e que, no desenrolar do processo evolutivo, inventa formas de complexidade crescente até chegar, no animal, ao instinto e, no homem, à intuição, que é o próprio instinto tomando consciência de si mesmo e de seu devir criador.

eleatas Filósofos pré-socráticos da escola eleática (da Eleia, antiga cidade no sul da Itália), fundada por Xenófanes e a que pertencem Parmênides e Zenão de Eleia, que afirmam a identidade absoluta do ser consigo mesmo e a impossibilidade do devir e do movimento. "Quanto à nossa tribo eleata, que começou com Xenofonte, ela expõe o que se denomina Tudo é Um" (Platão).

Eleia, escola de Escola filosófica grega fundada por *Xenófanes (séc.V a.C.). Seus principais representantes (*Parmênides e *Zenão) estabelecem uma diferença profunda entre o mundo físico (conhecido pelos sentidos, múltiplo e mutável) e o mundo inteligível, o único real (conhecido pela razão, universal, imutável e eterno). Os eleatas, ao insistirem na unidade imóvel do ser e considerarem ilusório o conhecimento sensível, opõem-se aos mobilistas (seguidores de Heráclito), que, ao contrário, enfatizam a perpétua mudança de todas as coisas. *Ver* eleatas, mobilismo.

elemento (lat. *elementum*) **1.** Segundo uma longa tradição, remontando a Empédocles e, em seguida, aos estoicos, os elementos são os "ingredientes" constitutivos de toda matéria: água, fogo, ar e terra. Alguns alquimistas acrescentaram um quinto elemento: o éter ou *quinta-essência. Nos sécs. XVIII e XIX, eram chamados elementos o que hoje denominamos *corpos simples*. **2.** São considerados elementos de uma ciência, os princípios e os primeiros conceitos a partir dos quais é construída dedutivamente: os elementos da álgebra.

Elogio da loucura Obra satírica de *Erasmo de Roterdã (1511) tomando a Loucura como personagem alegórico a fim de mostrar que a Razão, sua adversária, não tem o direito de mostrar-se "tão segura de si mesma": em primeiro lugar, porque a inteligência frequentemente conduz a um estado de inquietude; em seguida, porque suas verdades por vezes são contraditórias. Seu objetivo: combater, em nome de um verdadeiro humanismo cristão, o fanatismo e o dogmatismo medievais.

emanação (lat. *emanatio*) Diferentemente da criação, a emanação é um processo segundo o qual Deus ou o Ser criador gera ou produz os seres particulares que constituem o universo, sem que haja descontinuidade nesse processo de geração. A emanação implica a sucessão dos seres no tempo e, por conseguinte, o devir. Ex.: o bramanismo repousa na ideia de uma emanação contínua dos seres finitos a partir do infinito; segundo a Cabala, os Sephirots nascem por emanação do Absoluto; segundo o neoplatonismo, o Real é constituído de emanações a partir do Uno, através da Inteligência e da Alma.

emanatismo Doutrina panteísta segundo a qual o universo não foi criado por um ato livre do poder divino, mas procedeu (ou emanou) necessariamente de Deus pelo efeito de uma lei da própria natureza divina.

emergência (do lat. *emergere*: mergulhar) Termo utilizado pelos filósofos para designar o fato de um fenômeno brotar de um outro, não podendo ser analisado em termos de explicação causal. Assim, um fenômeno é denominado emergente quando é impossível, a partir das leis disponíveis no momento, fornecer-lhe uma explicação causal. Por isso, a emergência se reduz a uma constatação, sendo relativa a um estado histórico do desenvolvimento das ciências.

Emerson, Ralph Waldo (1803-1882) Filósofo romântico norte-americano, nascido em Boston, estudou na Universidade de Harvard. Influenciado por pensadores românticos como Schelling, desenvolveu uma filosofia idealista, sobretudo em sua principal obra, *Nature* (1836). Nietzsche e Bergson foram seus admiradores. Mais recentemente tem havido uma retomada do interesse por suas ideias críticas da sociedade industrial e da cultura de massas.

emoção (do lat. *emovere*: tirar do lugar, abalar) **1.** Estado afetivo brusco e passageiro, de caráter agradável ou desagradável, alegre ou triste, e acompanhado de uma reação orgânica confusa de desequilíbrio e de um esforço desordenado para restabelecer o equilíbrio rompido: "A emoção é o sentimento de um prazer ou de um desprazer atual impedindo o sujeito de chegar à reflexão" (Kant). **2.** Classicamente se distingue entre *emoção-choque* ("choque emocional"), traduzindo-se por reações psicológicas violentas, mas breves (riso, soluço, raiva etc.), e *emoção-sentimento*, mais durável e difusa (emoção estética, indignação moral etc.).

Empédocles (483-430 a.C.) Filósofo grego (nascido em Agrigento) pré-socrático, Empédocles propôs uma explicação geral do mundo, considerando todas as coisas como resultantes da fusão dos quatro princípios eternos e indestrutíveis: terra, fogo, ar e água. Esses princípios ou elementos são misturados ou separados pelo amor e pelo ódio.

empiria Experiência sensível bruta, antes de toda e qualquer elaboração.

empírico (lat. *empiricus*, do gr. *empeirikós*: médico que confia apenas na experiência) **1.**

Qualificativo daquele que procede da experiência imediata ou passada, sem estar preocupado com uma doutrina lógica. Por extensão, qualifica aquele que procede por experiências sucessivas.

2. Designa tudo aquilo que constitui o campo do conhecimento antes de toda intervenção racional e de toda sistematização lógica.

empiriocriticismo (al. *Empiriokritizismus*) Sistema filosófico da experiência pura, criado por Richard Avenarius, que excluía todas as suposições metafísicas que atuam não somente no racionalismo, mas em todas as correntes filosóficas. Algumas dessas teses foram aceitas e defendidas por Ernst Mach. Lênin escreveu a obra *Materialismo e empiriocriticismo* especialmente para censurar os russos partidários desse princípio filosófico. *Ver* Lênin; Mach Ernst.

empirismo (fr. *empirisme*) **1.** Doutrina ou teoria do conhecimento segundo a qual todo conhecimento humano deriva, direta ou indiretamente, da experiência sensível externa ou interna. Frequentemente fala-se do "empírico" como daquilo que se refere à experiência, às sensações e às percepções, relativamente aos encadeamentos da razão. O empirismo, sobretudo de Locke e de Hume, demonstra que não há outra fonte do conhecimento senão a experiência e a sensação. As ideias só nascem de um enfraquecimento da sensação, e não podem ser inatas. Daí o empirismo rejeitar todas as especulações como vãs e impossíveis de circunscrever. Seu grande argumento: "Nada se encontra no espírito que não tenha, antes, estado nos sentidos." "A não ser o próprio espírito", responde Leibniz. Kant tenta resolver o debate: todos os nossos conhecimentos, diz ele, provêm da experiência, mas segundo quadros e formas *a priori* que são próprios de nosso espírito. Com isso, tenta evitar o perigo do dogmatismo e do empirismo. *Ver* racionalismo.

2. *Empirismo lógico*: é o mesmo que *fisicalismo, positivismo lógico ou neopositivismo.

em-si 1. Na filosofia clássica, o em-si caracteriza a *substância que existe nela mesma e não em outra coisa.

2. Na filosofia existencialista, o em-si (*en soi*) é tudo o que não é existência (*pour-soi*): "Ele é o ser que é plenamente aquilo que é" (Sartre), coincidindo com a matéria, com a coisa opaca e sem consciência.

3. Por oposição a "relativamente", o em-si significa ainda "absolutamente", "que não depende de outra coisa", "independentemente do conhecimento que temos da coisa". Em Kant, a *coisa em si* ou "númeno" se opõe ao fenômeno, ou seja, a coisa para nós.

em-si-para-si Em Hegel, etapa final do devir dialético do espírito, no qual o ser e a consciência se reconciliam no saber absoluto. Em Sartre, ideal impossível perseguido pelo homem e que o tornaria Deus.

Enciclopédia (fr. *encyclopédie*) **1.** "Esta palavra significa encadeamento de conhecimentos; é composta da preposição grega *en*, dos substantivos *kyklos*, círculo e *paideia*, conhecimento" (Diderot). A obra coletiva da *Enciclopédia* é composta de vinte volumes, o primeiro publicado em Paris em 1751 (ver item seguinte). O título mesmo já nos dá a entender que se trata de um saber total, de um saber finito e circular, mas abrangendo todos os saberes particulares dispersos numa espécie de *universitas scientiarum* (totalidade dos saberes).

2. Os *enciclopedistas*: designação conferida aos colaboradores da *Enciclopédia* fundada por Denis Diderot e por d'Alembert e editada de 1751 a 1766, através de mil peripécias e interdições. A *Enciclopédia* teve uma grande influência não somente na burguesia esclarecida, mas também em muitos pequenos comerciantes e nos artesãos. Os enciclopedistas constituíam um grupo, ou "clã", de pensadores que fizeram de seu empreendimento uma arma de combate contra os abusos do sistema monárquico, contra a autoridade em matéria de pensamento científico e, em grande parte, contra a religião cristã. Não elaboraram uma obra de vanguarda, mas fizeram uma espécie de balanço geral, de maneira voluntária e entusiasta, de todo o saber existente. Trata-se de um empreendimento coletivo intelectual permitindo a passagem dos elementos filosóficos disparatados (deísmo, antropocentrismo, ideias morais do livre exame etc.) para a ideologia de uma época, ideologia esta que preparou a Revolução Francesa.

3. O "enciclopedismo" designa nas tendências "iluministas" e "liberais" que se manifestam em muitos dos artigos da *Enciclopédia*, um compêndio abrangendo todos os conhecimentos humanos, tanto das "artes mecânicas" quanto das "artes liberais", expressando ideias de tolerância religiosa, de otimismo em relação ao futuro da humanidade, de confiança no poder da razão, de oposição aos autoritarismos, de entusiasmo pelo progresso etc.

energia (do lat. tardio *energia*, do gr. *energeia*: atividade) Capacidade que possui um sistema de realizar um trabalho. Por extensão dessa noção à cosmologia, a energia tornou-se indissociável da noção de *matéria*. O princípio de conservação da energia foi integrado por Einstein na teoria da relatividade sob a fórmula $E = mc^2$ (na qual m designa a *massa* e c a velocidade da luz).

Enesidemo Filósofo grego (nascido em Cnosso) cético, que floresceu no séc. I a.C.; foi professor em Alexandria. Tornou-se famoso por ter sistematizado em dez tropos os motivos da dúvida. De sua obra *Discursos pirrônicos*, conhecem-se apenas comentários feitos por outros autores.

engajamento (do fr. *engager*: aliciar, filiar-se) **1.** Nas filosofias existencialista e personalista, o engajamento é a tomada de consciência, pelo homem, de que ele é um ser-no-mundo, está sempre situado, devendo lutar contra todo quietismo, contra toda atitude contemplativa para comprometer-se, por sua ação, com a mudança desse mundo, de nossa realidade histórica.
2. Na filosofia de Sartre, para a qual a existência precede a essência, e o homem não é outra coisa senão aquilo que faz de si mesmo, o engajamento, ou seja, o projeto e sua realização, é aquilo que torna o sujeito responsável por si mesmo e pelos outros: "O homem se encontra numa situação organizada, onde ele está engajado, engaja por sua escolha a humanidade, e não pode evitar escolher."

Engels, Friedrich (1820-1895) Principal colaborador de *Marx, Engels nasceu na Alemanha, estudou na Universidade de Berlim, onde ligou-se aos "jovens hegelianos", e dedicou-se a múltiplas atividades, desde o jornalismo, a militância política e o trabalho filosófico até a administração da indústria de seu pai em Manchester, Inglaterra. Engels foi não só colaborador teórico de Marx, mas também seu amigo mais íntimo, tendo-o ajudado inclusive financeiramente. Em 1845, publicou com Marx *A sagrada família*, em que eles rompem ao mesmo tempo com o idealismo hegeliano e o materialismo mecanicista. Torna-se por vezes difícil separar, nas principais teses do marxismo, quais as ideias de Marx e quais as de Engels, já que ambos escreveram quase sempre juntos desde que se conheceram em 1844. Considera-se, geralmente, que o materialismo dialético, especialmente a dialética da natureza, é uma criação típica de Engels, sendo, no entanto, de grande importância e influência no desenvolvimento da filosofia marxista. Além das obras que escreveu juntamente com Marx, podemos citar as seguintes de sua autoria: *A situação das classes trabalhadoras na Inglaterra* (1845), *Socialismo utópico e socialismo científico* (1860), *Ludwig Feuerbach e o fim da filosofia clássica alemã* (1866), *A transformação da ciência pelo Sr. Dühring*, conhecida como *AntiDühring* (1878), *Dialética da natureza* (escrita entre 1878-1888, porém publicada postumamente em 1925), e o clássico *A origem da família, da propriedade privada e do Estado* (1884).

Enkyridion Obra resumindo a doutrina de *Epíteto e tratando essencialmente das coisas que: a) dependem de nós: nossa pessoa, nossa inteligência e nossa vontade; b) não dependem de nós: as circunstâncias e os bens da fortuna. Conclui que devemos nos preocupar apenas com as primeiras.

Ensaios (*Essais*) Obra de Montaigne, escrita entre 1580-1588, na qual descreve a natureza humana e suas contradições, sobretudo no domínio do saber, em estilo de cunho bastante pessoal. Expressa uma atitude cética, visando combater o dogmatismo e defender a tolerância. É a fraqueza do homem, devida às ilusões produzidas pelos sentidos, pela imaginação e pelas paixões que o leva a adotar uma atitude cética e perguntar-se "Quem sou eu?". A sabedoria consiste em seguir os conselhos da natureza para "saber gozar lealmente por si mesmo", sabendo escolher os prazeres moderados (conforme o *epicurismo) e suportar o sofrimento e a morte (segundo o *estoicismo). Esta obra teve grande influência sobre o pensamento de Descartes. *Ver* Montaigne.

Ensaios sobre o entendimento humano (*An Essay on Human Understanding*) Principal obra de Locke no campo da teoria do conhecimento, consiste em uma discussão sobre os "limites do entendimento humano" e em uma defesa da concepção empirista da origem das *ideias na experiência sensível. Locke redigiu esta obra ao longo de praticamente vinte anos a partir de conversas com cientistas ingleses da época como Robert Boyle e outros membros da *Royal Society*, publicando-a em 1690. Foi grande sua influência no desenvolvimento da filosofia empirista não só na Grã-Bretanha, mas também na França no séc. XVIII. *Ver Novos ensaios sobre o entendimento humano*; Locke.

ente (trad. do al. *Seiende*, de *sein*: ser) Empregado para traduzir o termo grego *to on* e o alemão *das Seiende*, particípios presentes do verbo ser, o termo "ente" aparece, na filofosia de Heidegger, para designar o ser que existe, o ser concreto. Há uma confusão entre o *existente* (designando o homem) e o *ente*, "designando tudo o que nos encontra, nos cerca, nos conduz, nos constrange, nos enfeitiça e nos preenche, nos exalta e nos decepciona" (Heidegger), sem nos apresentar o ser em si, o ser absoluto. Esse ente geral se distingue dos entes particulares (objetos, astros, pedras, etc.) por seu caráter de totalidade.

enteléquia (lat. *entelechia*, do gr. *entelecheia*: aquilo que é perfeito) Em Aristóteles, a enteléquia se opõe à *potência, como o que é realizado se opõe ao que é virtual, sendo sinônimo de ato: movimento do ser em ato que tende à sua perfeição. Leibniz chama as mônadas de enteléquias, no sentido em que se bastam a si mesmas e em que possuem, nelas mesmas, a fonte de suas ações internas.

entendimento (do lat. *interdere*: tender para). **1.** Na filosofia, o termo "entendimento", também conhecido pelo vocábulo *"intelecto" (lat. *intellectus*), designa a faculdade que o homem possui de compreender ou de pensar por ideias gerais ou conceitos, e não através de imagens. Descartes dá um bom exemplo: posso conceber, pelo entendimento, um polígono de mil lados, mas não posso ter dele nenhuma imagem precisa. A geometria moderna nos fornece outro exemplo: vivemos num universo de três dimensões, mas não podemos ter a imagem de um objeto situado num universo com mais de três dimensões.
2. Em Descartes, faculdade de conhecer, de perceber e de compreender pela inteligência, só podendo exercer-se de modo válido mediante a vontade. Porque a vontade é primeira, ilimitada, fundadora e indivisível: ela é o sinal distintivo da *res cogitans*. Face a esse poder, o entendimento aparece como bastante fraco: é a faculdade de informação da vontade, mas sem poder próprio. A vontade pode decidir ir contra o entendimento apenas para afirmar sua liberdade.
3. Em Kant, o entendimento é a faculdade de julgar por meio de conceitos. Se a primeira fonte de nosso conhecimento é a sensibilidade, a segunda é o entendimento, poder de julgar, poder de conhecer não sensível. Assim, na organização kantiana das faculdades, o entendimento é situado entre a sensibilidade e a razão. A sensibilidade, onde reinam as formas *a priori* do espaço e do tempo, é o lugar da intuição. No entendimento, as sensações são arrumadas em série pelas regras *a priori* das categorias. Enfim, a razão, "faculdade dos princípios", tenta prolongar a série por ideias "reguladoras".

entidade (lat. *entitas*: essência do que é um ser) Entre os escolásticos e cartesianos, a entidade é, no domínio do pensamento, sinônimo de "coisa" (o *eu* é uma entidade) e designa a realidade total do ser individual: "entidade ou ser da coisa" (Descartes). Em seguida, o termo adquiriu um sentido mais vago, passando a significar simplesmente "algo", "alguma coisa" sem determinação particular.

entropia (gr. *entropié*: volta, retorno) "A entropia é a quantidade termodinâmica que mede o nível de degradação da energia de um sistema" (Jacques Monod). O termo passa a ter uma aplicação geral, designando a medida de desordem de um sistema, uma vez que o equilíbrio térmico é considerado o estado mais provável em que se encontra o universo. A entropia significa, assim, a extinção e a "morte", por perda de energia, do universo.

entusiasmo (do gr. *en-theos:* ser em Deus) Estado de excitação alegre (delírio) por que passam alguns indivíduos (sacerdotes, poetas, músicos e filósofos em sua busca da verdade) tomados por uma possessão *divina* (mística) "transportando" seus espíritos acima das preocupações humanas.

enunciado (lat. *enunciatio*) **1.** Proposição que não afirma nem nega, mas que é apresentada como hipótese ou definição. Em outras palavras, um enunciado é toda proposição efetivamente formulada.
2. Também é considerado um enunciado o conteúdo de uma proposição independentemente da consideração de seu valor de verdade ou do ato de fala (afirmação, negação, ordem etc.) que se realiza.
3. *Enunciado protocolar (Protokol Satz)*: segundo os membros do *Círculo de Viena (positivistas lógicos), que tomam essa expressão para designar aquilo que os lógicos anteriores chamavam de *convenção*, mas radicalizando o sentido dessa noção, os enunciados científicos nada mais são que *constatações* cujo sentido é fornecido apenas pelo sistema de transformações no qual eles se integram, a lógica que dele resulta nada nos ensinando sobre o mundo.

éon (gr. *aiôn*: eternidade, tempo muito longo) Termo utilizado por certos platônicos e pelo gnosticismo para designar os seres intermediários entre o Ser supremo ou Princípio absoluto e todas as demais coisas do mundo, através das quais exerce sua ação. O conjunto dos *éons* constitui, para os gnósticos, o *pleorema* (plenitude).

epagógico (do gr. *epagoge*: indução) Na lógica, sinônimo de indutivo.

Epicteto (50-125 ou 130) Filósofo estoico de origem grega; incialmente escravo, depois de liberto ensinou filosofia em Roma. Ao contrário dos primeiros filósofos estoicos que partiam do estudo da natureza, Epicteto deu maior ênfase à moral, defendendo a liberdade humana enquanto liberdade de pensamento, afirmando que "nada nos pode constranger a reconhecer como verdadeiro aquilo que consideramos falso". A sabedoria e a felicidade estariam, portanto, na aceitação da ordem natural das coisas tais como são e como foram criadas por Deus, sendo assim a melhor ordem possível. A liberdade restringe-se por isso ao pensamento. A moral estoica de Epicteto influenciou fortemente o cristianismo em seu surgimento, encontrando-se também sua influência em Pascal e Descartes. Seus pensamentos foram publicados após sua morte por seu discípulo Arriano, em duas obras: *Discursos* (ou *Dissertações*) e *Manual*.

epicurismo Doutrina de Epicuro e de seus seguidores segundo a qual, na moral, o *bem é o *prazer, isto é, a satisfação de nossos desejos e impulsos de forma moderada, levando assim à tranquilidade. Por extensão, e de forma imprópria, este termo passou a aplicar-se a todo aquele que faz do prazer ou do gozo o objetivo da vida, o assim denominado "epicurista". O epicurismo repousa na *canônica* que trata dos critérios (cânones) da *verdade. A primeira evidência é a da *sensação*, que constitui a base de todo *conhecimento. A segunda evidência é a *antecipação*, a *sensação se imprimindo na *memória e permitindo o reconhecimento dos objetos. A terceira é a *afeição*: o prazer e a dor nos ensinam o que devemos procurar e o que precisamos evitar. Segundo Epicuro, o prazer é o começo e o fim da *vida feliz* e constitui o Bem supremo, cujo modelo perfeito nos é fornecido pela vida de delícias levada pelos deuses. Mas trata-se de um prazer obtido apenas no término de um discernimento refletido.

Epicuro (341-270 a.C.) Filósofo grego (nascido em Samos) atomista, fundador do epicurismo. Começou a filosofar aos 14 anos sob a influência de Demócrito. Em 323 a.C., instalou-se em Atenas. Devido à hostilidade dos macedônios, partiu para a Ásia Menor. Retornou a Atenas em 306 a.C. onde fundou uma escola filosófica composta de homens e mulheres, dando origem a anedotas escandalosas. Paralítico, morreu em Atenas. A base de seu sistema é uma física fundada nos *átomos, como em Demócrito. Pontos últimos se deslocando no vazio, os átomos constituem a explicação última do mundo: nada existe a não ser os átomos e o vazio no qual se movem; a alma, como tudo o que existe, é formada de átomos materiais; tudo o que acontece no mundo deve-se às ações e interações mecânicas dos átomos. Sua moral é comandada pelo primeiro princípio: o bem é o *prazer. Trata-se de uma moral hedonista. Mas, sob o pretexto de que sua moral se funda no prazer, quiseram fazer de Epicuro um defensor da volúpia. Para ele, o prazer seria o soberano bem, e a dor o soberano mal. O prazer consiste na eliminação de toda dor; o estado estável do prazer é a ausência de dor, a *ataraxia. É o prazer estável que garante a felicidade. O critério do bem e do mal reside na sensação: "o prazer é o começo e o fim da vida feliz". E o sábio despreza a morte. Aprender a bem viver é aprender a melhor gerir seus prazeres, afastando aqueles que não são nem naturais nem necessários e fomentando aqueles que se encontram nos limites da natureza. O cume dessa moral seria a *beatitude da ataraxia: a total imperturbabilidade diante da dor.

epifenômeno (gr. *epiphainomenon*) Concepção que faz da consciência um fenômeno acessório e secundário, um simples reflexo, sem influência sobre os fatos de pensamento e de conduta. Ex.: a consciência é um epifenômeno da matéria, dizem os materialistas.

Epimênides, paradoxo de Paradoxo célebre atribuído ao semilendário Epimênides de Creta (séc. VII a.C.). Epimênides declarava: "todos os cretenses são mentirosos." Ora, se ele diz a verdade, ele mente (por ser também cretense); mas se mente, a proposição "todos os cretenses são mentirosos" não é verdadeira e, nesse caso, ele diz a verdade; por conseguinte, todos os cretenses são efetivamente mentirosos e, nesse caso, Epimênides mente (e assim por diante, "ao infinito"). *Ver* paradoxo.

episteme O termo grego *episteme*, que significa ciência, por oposição a *doxa* (opinião) e a *techné* (arte, habilidade), foi reintroduzido na linguagem filosófica por Michel Foucault com um sentido novo, para designar o "espaço" historicamente situado onde se reparte o conjunto dos enunciados que se referem a territórios empíricos constituindo o objeto de um conhecimento positivo (não científico). Fazer a arqueologia dessa episteme é descobrir as regras de organização mantidas por tais enunciados.

epistêmico, sujeito Diferentemente do *sujeito psicológico* ou individual, ou seja, de cada "eu" tendo consciência de uma unidade, apesar da diversidade de seus pensamentos ou de suas percepções, o sujeito epistêmico (epistemológico ou universal) é o conjunto das propriedades da razão, universais e idênticas em todo indivíduo. Para Descartes, esse sujeito é ainda uma *substância (um ser) da qual afirmamos alguma coisa: que ele pensa, que duvida, que existe. Kant vai reduzi-lo a uma função, idêntica em todo indivíduo, unificando todas as nossas representações no ato consciente "eu penso"; ele o denomina *sujeito* (ou *eu*) *transcendental*.

epistemologia (do gr. *episteme*: ciência, e *logos*: teoria) Disciplina que toma as ciências como objeto de investigação tentando reagrupar: a) a crítica do conhecimento científico (exame dos princípios, das hipóteses e das conclusões das diferentes ciências, tendo em vista determinar seu alcance e seu valor objetivo); b) a filosofia das ciências (empirismo, racionalismo etc.); c) a história das ciências. O simples fato de hesitarmos, hoje, entre duas denominações (epistemologia e filosofia das ciências) já é sintomático. Segundo os países e os usos, o conceito de "epistemologia" serve para designar, seja uma teoria geral do conhecimento (de natureza filosófica), seja estudos mais restritos concernentes à gênese e à estruturação das ciências. No pensamento anglo-saxão, *epistemologia* é sinônimo de teoria do conhecimento (ou gnoseologia), sendo mais conhecida pelo nome de "*philosophy of science*". É neste sentido que se fala de epistemologia a propósito dos trabalhos de Piaget versando sobre os processos de aquisição dos conhecimentos na criança. O fato é que um tratado de epistemologia pode receber títulos tão diversos como: "A lógica da pesquisa científica", "Os fundamentos da física", "Ciência e sociedade", "Teoria do conhecimento científico", "Metodologia científica", "Ciência da ciência", "Sociologia das ciências" etc. Por essa simples enumeração, podemos ver que a epistemologia é uma disciplina proteiforme que, segundo as necessidades, se faz "lógica", "filosofia do conhecimento", "sociologia", "psicologia", "história" etc. Seu problema central, e que define seu estatuto geral, consiste em estabelecer se o conhecimento poderá ser reduzido a um puro registro, pelo sujeito, dos dados já anteriormente organizados independentemente dele no mundo exterior, ou se o sujeito poderá intervir ativamente no conhecimento dos objetos. Em outras palavras, ela se interessa pelo problema do *crescimento* dos conhecimentos científicos. Por isso, podemos defini-la como a disciplina que toma por objeto não mais a ciência verdadeira de que deveríamos estabelecer as condições de possibilidade ou os títulos de legitimidade, mas as ciências em via de se fazerem, em seu processo de gênese, de formação e de estruturação progressiva.

epoché (gr.: suspensão do juízo) **1.** Segundo o ceticismo clássico, suspensão do juízo que resulta da impossibilidade de se decidir sobre a validade de doutrinas opostas acerca de algo.

2. Na medida em que a *fenomenologia visa descrever os *fenômenos presentes na *consciência e não os fatos físicos ou biológicos, ela é levada a pôr esses fatos "entre parênteses". A *epoché* designa justamente essa colocação entre parênteses, essa suspensão do juízo (sinônimo de "redução fenomenológica"). O homem tem consciência de um mundo que se estende no espaço e no tempo, sendo-lhe acessível pela intuição imediata e pela experiência; as coisas corporais estão aí, quer me ocupe delas, quer não. Esse mundo natural é um existente, uma realidade: eis a tese geral da atitude natural, diz Husserl. A *epoché* consiste em alterá-la radicalmente, quer dizer, em suspender o juízo sobre o mundo natural. *Ver* ceticismo.

equidade (lat. *aequitas*: igualdade) Sentimento de equilíbrio moral, de atitude intuitiva, que permite a alguém discernir entre o que lhe parece justo ou injusto, conforme o exigido por uma justiça mais ou menos ideal.

equipolência/equipolente (lat. *aequipollens*: equivalente) Duas proposições são equipolentes quando possuem exatamente a mesma significação. Sinônimo erudito de *equivalente*. Ex.: "todo mundo possui pelo menos uma qualidade" é uma proposição equipolente a esta outra: "não há ninguém que não possua pelo menos uma qualidade."

equívoco (lat. *aequivocus*: de duplo sentido) Diz-se do termo que pode ser entendido em dois ou mais sentidos diferentes. *Oposto a* * unívoco. Por exemplo, se tomarmos o termo *ser*, e o aplicarmos a Deus e às criaturas, ele guarda o mesmo sentido, quer dizer, *é unívoco*: o ser de Deus é idêntico ao das criaturas. Essa tese implica que Deus não transcende sua criação, confundindo-se com ela: é o que se chama de panteísmo. Em contrapartida, o conceito de ser é equívoco quando, aplicado a Deus e às criaturas, tem dois sentidos diferentes.

Erasmo (c.1467-1536) Conhecido pelo nome de Erasmo de Roterdã, o pensador humanista holandês Desidério Erasmo dedicou-se a pregar um *evangelismo* filosófico. Sua política é penetrada de um ideal moral e religioso: trata-se, antes, de converter os príncipes, de fazê-los desempenhar seu papel cristãmente; em seguida, virão a paz e a harmonia. Em sua obra *A instituição do príncipe cristão* (1516), ele esboça uma teoria da soberania: o que legitima a autoridade do príncipe é, de um lado, seu devotamento ao bem comum, do outro, a livre aceitação de seu poder pelos "cidadãos". Rejeita, assim, a monarquia hereditária e recomenda a eleição do chefe. Apóstolo da paz, Erasmo condena as guerras. Seu programa para a paz contém os seguintes requisitos: a) desarmar os antagonismos nacionais; b) estabilizar o estatuto territorial da Europa; c) fixar a ordem das sucessões segundo um modelo uniforme; d) subtrair aos príncipes o direito de declarar a guerra; e) organizar a arbitragem; f) mobilizar todas as forças morais em favor da paz. O objetivo idealista de Erasmo era o de regenerar a Europa, insuflando-lhe um ideal evangélico. Considerado "o príncipe dos humanistas", ele defendeu, contra Lutero, o *livre-arbítrio. Sua obra-prima é a sátira intitulada *Elogio da loucura*, dedicada a seu amigo Tomás Morus.

Erígena, João Escoto *Ver* Escoto Erígena, João.

erística (gr. *eristikós*, de *eris*: disputa) Arte da disputa, derivada sobretudo da prática dos *sofistas que a desenvolveram e sistematizaram. Em um sentido pejorativo, significa argumentação que visa ao sucesso contra o adversário, independentemente da preocupação com a verdade.

Erlebnis (do al. *erleben*: experimentar algo; derivado de *leben*: viver) Termo utilizado pelos filósofos existencialistas para designar a experiência íntima do indivíduo, seu "vivido", suposto indizível. Assim, o *vivido* (*Erlebnis*) tende a opor-se ao conhecimento unicamente intelectual.

Eros (gr. desejo, amor) **1.** Na Antiguidade grega, Eros designa o *amor e o deus do amor. *Platão (*O* *banquete) enfatiza a ambiguidade do termo: Eros, na mitologia grega, é filho de *Poros* (riqueza) e de *Pênia* (pobreza); pobreza, porque o desejo amoroso exprime a ausência; riqueza pelo sentimento de plenitude que acompanha o amor. Outra ambiguidade: o Eros inferior, o amor carnal, é distinto do Eros que conduz ao amor divino; os homens passam de um a outro por degraus, em virtude da *dialética ascendente.

2. Para *Freud, que se refere ao deus grego do Amor, Eros designa as pulsões de vida e de autoconservação, cuja energia potencial, essencialmente de caráter sexual (não genital) é constituída pela libido, regida pelo princípio do prazer. Por oposição a Eros, *Thánatos* designa as pulsões de morte que se traduzem, tanto por uma tendência à autodestruição quanto por uma agressividade dirigida para o exterior.

erro (lat. *error*, de *errare*) **1.** O erro pode ser considerado tanto uma afirmação tida por verdadeira, mas que não se conforma com as regras lógicas da verdade, quanto a afirmação que considera verdadeiro aquilo que não existe na realidade ou que não lhe é conforme. Por extensão, estado de espírito que consiste em considerar verdadeiro o que é falso, e falso o que é verdadeiro.

2. Os filósofos sempre se preocuparam com a origem dos erros, como eles eram possíveis. Para a filosofia clássica, o erro consiste, na maioria das vezes, no efeito de nossos sentidos: a Terra me aparece plana, o Sol parece girar em torno da Terra. O entendimento propriamente dito não deve cometer erro, mas "a influência oculta da sensibilidade sobre o entendimento" (Kant) leva o espírito a cometer erros. Contudo, muitos filósofos atuais veem no erro não algo a ser sumariamente proscrito, mas uma primeira etapa do conhecimento, uma condição da verdade: o erro descoberto nos leva a procurar uma solução melhor: a verdade científica pressupõe, de direito, um "erro retificado" (Bachelard). Psicologicamente, somos tentados a acusar de estar "no erro" aquele que discorda de nosso ponto de vista.

escatologia (do gr. *eschatos*: último, e *logos*: ciência, teoria) Doutrina que diz respeito aos fins últimos da humanidade, da natureza ou do indivíduo depois da morte, o que implica a crença na vida futura. Em outras palavras, crença ou doutrina que diz respeito aos fins últimos do homem e da humanidade, mas sob uma forma religiosa.

Contudo, a noção de escatologia, quando reduzida à fórmula empregada por Pascal e Kant: "para onde vamos?", não é totalmente estranha às meditações modernas distantes da religião: o marxismo revolucionário apresenta uma certa escatologia. *Ver* messianismo.

Esclarecimento *Ver* Iluminismo.

escola (lat. *schola*, do gr. *eschole*) 1. Na linguagem filosófica, tanto pode designar um grupo de filósofos em torno de um mestre quanto uma tendência perpetuada por certo tempo por filósofos historicamente ligados uns aos outros. As condições do ensino da filosofia na Antiguidade nos asseguram a existência concreta de escolas: a *Academia, o *Liceu, o *Pórtico, a escola *megárica etc.
2. Nos tempos modernos, até o séc. XIX, quando se falava de *a Escola*, referia-se à escolástica. Hoje em dia, os filósofos não se dividem mais em escolas.

escolástica (lat. *scholasticus*, do gr. *scholastikos*, de *scholazein*: manter uma escola) 1. Termo que significa originariamente "doutrina da escola" e que designa os ensinamentos de filosofia e teologia ministrados nas escolas eclesiásticas e universidades na Europa durante o período medieval, sobretudo entre os sécs. IX e XVII. A escolástica caracteriza-se principalmente pela tentativa de conciliar os dogmas da fé cristã e as verdades reveladas nas Sagradas Escrituras com as doutrinas filosóficas clássicas, destacando-se o *platonismo e o *aristotelismo. O primeiro período da escolástica é marcado pela influência do pensamento de sto. Agostinho e do platonismo, desenvolvendo-se sobretudo a partir da chamada "Renascença Carolíngia", isto é, da criação da Academia palatina fundada na corte de Carlos Magno (séc. IX). O período áureo da escolástica corresponde ao da influência de Aristóteles, cujas obras foram traduzidas para o latim em torno dos sécs. XII-XIII, bem como às interpretações da filosofia aristotélica trazidas para o Ocidente pelos filósofos árabes e judeus. O aristotelismo forneceu assim a base de grandes sistemas da filosofia cristã como o de Tomás de *Aquino. O período final da escolástica se deu nos sécs. XIV-XVII, sendo marcado pelo conflito entre diferentes correntes de pensamento e interpretação doutrinais, e pelas novas descobertas científicas. A Reforma Protestante e o humanismo renascentista fizeram com que a escolástica, que representava a tradição atacada, entrasse em crise. A escolástica sobreviveu, entretanto, mesmo durante o período moderno, representando um pensamento cristão tradicional. *Ver* patrística; tomismo; universais.
2. O termo "escolástica" possui, às vezes, um sentido pejorativo, originário sobretudo da reação contra a tradição medieval pelo pensamento moderno, designando um pensamento dogmático, tradicional, formalista e repetitivo, preocupado com discussões estéreis e contrário a qualquer inovação.

escolha Decisão pela qual preferimos uma coisa a outras. Ex.: escolhemos um partido entre outros: "A escolha é um desejo deliberativo das coisas que dependem de nós" (Aristóteles); "Escolha e consciência são uma única e mesma coisa" (Sartre).

Escoto Erígena, João (c.810-c.877) Figura enigmática, cuja vida é pouco conhecida, teólogo e filósofo de origem irlandesa, viveu na corte de Carlos, o Calvo. Sua importância deveu-se sobretudo às traduções do grego para o latim de obras do Pseudo-Dionísio (também conhecido como Dionísio, o Areopagita) e de são Gregório de Nissa, filósofos da *patrística grega, de tradição platônica, que se tornaram graças a isso extremamente influentes no pensamento medieval. Sua principal obra é o tratado, de inspiração neoplatônica, *De divisione naturae* (Sobre a divisão da Natureza, 865), no qual estabeleceu uma hierarquia das criaturas, a partir de sua origem no Criador, a que tendem, por natureza, voltar. Essa obra constitui um dos primeiros e principais sistemas em sua época, a sintetizar a filosofia platônica e o pensamento cristão, tendo grande importância para a formação da tradição escolástica.

escravo 1. Nas sociedades greco-romanas, o escravo designa um indivíduo cuja vida é salva, após um combate, sua força de trabalho devendo ser posta a serviço do comprador, podendo também ser comprada. É neste sentido que *Hegel toma o termo em sua *"dialética do senhor e do escravo": ao transformar a natureza e a si mesmo por seu trabalho, o escravo acede à liberdade.
2. *Nietzsche utiliza a expressão "moral dos escravos" para designar a moral dos fracos que perverteram os valores originais, pretendendo passar sua impotência por uma virtude. *Ver* trabalho.

escrúpulo (lat. *scrupulus*: pequena pedra pontuda) No sentido moral, apreciação ou avaliação que uma consciência dedicada faz de seus deveres e obrigações, tendo um rigor muito grande em relação à sua própria conduta e atenção aguda às menores imperfeições que dela decorrem: "Um escrúpulo nada mais é que uma razão subjetivamente válida de recusar um assentimento" (Kant).

esotérico (gr. *esoterikós*: do interior). **1.** Diz-se do ensinamento ou doutrina que era ministrado, nas escolas gregas de filosofia, principalmente na de Aristóteles, apenas aos discípulos já instruídos. Nas seitas religiosas, diz-se do que é secreto (doutrina ou ensinamento), transmitido apenas a um pequeno grupo de iniciados. Opõe-se a exotérico, que significa "aberto ao público em geral".
2. O termo "esotérico" se aplica, hoje, tanto ao que é secreto (ensinamento, doutrina), não podendo ser divulgado, quanto ao que é hermético, só podendo ser compreendido por um pequeno grupo de iniciados ou especialistas. Em nossos dias, muita gente toma o termo "esotérico" com o significado de misterioso, oculto ou de difícil acesso.

espaço (lat. *spatium*: área, extensão) **1.** Em seu sentido geométrico, concepção abstrata de um ambiente vazio de todo conteúdo sensível e caracterizado pela continuidade, homogeneidade e tridimensionalidade.
2. Filosoficamente, é o meio homogêneo e ilimitado, definido pela exterioridade mútua de suas partes (impenetrabilidade), contendo todas as extensões finitas e no qual a percepção externa situa os objetos sensíveis e seus movimentos. Em outras palavras, sistema de referências graças ao qual podemos pensar a coexistência ou a simultaneidade, no tempo, de dois objetos diferentes: dois objetos não podem ocupar, ao mesmo tempo, o mesmo lugar. Para Kant, o espaço é uma "intuição pura" ou "uma forma *a priori* da sensibilidade", quer dizer, não é uma construção do espírito nem tampouco uma realidade independente de nós, mas um dado original de nossa sensibilidade, algo que é constitutivo de nosso modo de perceber e sem o qual não poderíamos ter sensações distintas; porque dois objetos percebidos ou são sucessivos (intuição do tempo) ou são simultâneos (intuição do espaço).

espécie (lat. *species*: aspecto, aparência) **1.** Na lógica clássica, a espécie constitui um dos universais designando aquilo em que se divide o gênero, isto é, aquilo que é compreendido em sua extensão: o homem é uma espécie do gênero animal.

2. No sentido biológico, classe dos seres vivos caracterizada por formas bem definidas e constituindo um tipo hereditário de fecundidade ilimitada.
3. No sentido teológico, particularmente no catolicismo, aparência sensível da presença real do corpo e do sangue de Cristo (no sacramento da Eucaristia) sob a forma do pão e do vinho.

especulação (lat. *speculatio*: observação, contemplação) **1.** Emprego desinteressado da razão em questões de ordem abstrata e distantes da experiência concreta, sem preocupação prática. No sentido clássico, sinônimo de teoria, contemplação. Sobretudo a partir do pensamento moderno, por influência do empirismo e do racionalismo crítico, a especulação adquire um sentido negativo, sendo um uso gratuito e inverificável da razão, cujos resultados por este motivo não são comprováveis nem confiáveis. *Oposto a* crítica.
2. Segundo Kant, a especulação é o uso da razão visando objetos inacessíveis à experiência humana, portanto incapaz de produzir um conhecimento legítimo, resultado da combinação da sensibilidade e do entendimento. "O fim último a que se relaciona a especulação, em seu uso transcendental, diz respeito a três objetos: a liberdade da vontade, a imortalidade da alma e a existência de Deus" (*Crítica da razão pura*).

especulativo (lat. tardio *speculativus*) Relativo à especulação, que faz uso da especulação ou que resulta desta. Para Kant, o conhecimento especulativo é aquele que diz respeito aos objetos inacessíveis à experiência, designando assim a pretensão da metafísica a ser ciência. *Oposto a* prático.

esperança (do lat. *sperare:* esperar) Expectativa aberta visando não resultados externos, mas a realização do ser pessoal ou uma mudança radical da condição humana: "Sem a esperança, não encontraremos o inesperado, que é inencontrável e inacessível" (Heráclito); "A esperança é o estofo de que nossa alma é feita; é um outro nome da exigência de transcendência, pois é a mola secreta do homem itinerante" (G. Marcel).

Espeusipo (c.407-339 a.C.) Filósofo grego (nascido em Atenas), sobrinho e discípulo de Platão, assumiu a direção da *Academia, após a morte do tio (348 ou 347 a.C.). Resta apenas um fragmento de uma de suas obras intitulada: *Sobre os números pitagóricos*.

Espinoza, Baruch (1632-1677) De família judia portuguesa, o filósofo Baruch Espinoza nasceu em Amsterdã, Holanda. Estudou o hebreu, o Talmude e a Bíblia. Aprendeu espanhol, português, holandês e francês. Logo rompeu com a ortodoxia judaica, mas sem se aproximar do cristianismo. Acusado de judeu e de ateu, de ímpio e de fatalista, tentou explicar seu ponto de vista sobre a religião. Em seu *Tratado teológico-político* (1670), colocou o problema das relações entre religião e Estado. Reconheceu ao Estado, poder soberano, o direito e o dever de fazer reinar a paz interior na comunidade, bem como de organizar as ações exteriores. *A ética, demonstrada segundo o método geométrico* (1677) é sua obra principal. Uma demonstração rigorosa, ordenada numa impecável série de teoremas, revela seu aspecto polêmico: trata-se de uma máquina de guerra contra a filosofia dominante, sobretudo contra a teoria do sujeito voluntário, pela qual o homem pretende converter-se em mestre e possuidor da natureza. A essa vontade livre, Espinoza opõe uma única necessidade, vida interna de todo o universo: *todas as coisas* (inclusive os homens) *são modos da substância única que é Deus*. A inteligência pode chegar ao saber absoluto; a essência de Deus e das coisas é totalmente inteligível; Deus é a natureza concebida como totalidade; dessa totalidade, o entendimento humano só pode conceber dois atributos: o pensamento e a extensão; mas as coisas singulares existem realmente; todo conhecimento verdadeiro se realiza por uma dedução de tipo geométrico; a ideia não consiste na imagem nem nas palavras, mas no exercício do intelecto que coincide com seu objeto; o homem não é um império num império, mas está submetido às leis comuns da natureza. Precisamos analisar as diferentes instituições em seu funcionamento: que poder as produz? Quais são seus efeitos? Eis o objetivo da obra inacabada *Tratado político* (1677). A alegria, a tristeza e o desejo são três afeições primitivas das quais nascem todas as outras. O bem, o mal, o belo e o feio não constituem propriedades das coisas, mas modos de imaginar. Como a superstição constitui a grande ameaça do homem, a tarefa do filósofo é eminentemente política: denunciar os sistemas políticos que só se impõem aos homens inspirando-lhes paixões tristes. É na cidade que o homem realiza sua liberdade: "O sábio é mais livre na cidade, onde obedece à lei comum, do que na solidão onde só obedece às suas paixões"; "Não devemos confundir o sentido de um discurso com a verdade das coisas". Se o *"Deus sive Natura"* de Espinoza não é um Deus criador, pessoal e juiz, nem por isso pode ser dissolvido no mundo (panteísmo).

espinosismo Nome genérico dado ao destino póstumo da filosofia de Espinoza, fundada num racionalismo integral que recusa toda distinção "moral", toda subjetividade, toda finalidade da natureza e que concebe o homem como um simples "modo finito da substância infinita" e não mais como o centro e o fim do universo. O espinosismo, rejeitado no séc. XVIII como um "sistema ateu" e reabilitado no séc. XIX como uma filosofia panteísta da natureza, opõe-se vigorosamente ao irracionalismo, pois entende que tudo o que existe deve ter uma explicação racional. Marx, Nietzsche e Freud, na medida em que elaboram uma visão naturalista do homem e do mundo, adotam uma postura espinosista. *Ver* Espinoza.

espiritismo (do lat. *spiritus*: sopro, vento, vida, espírito) Teoria (e prática) espiritualista segundo a qual os espíritos dos mortos sobrevivem sob uma tênue forma materializada, podendo reencarnar e entrar, em circunstâncias especiais, graças à intervenção de médiuns, em comunicação com os vivos. *Ver* idealismo, materialismo.

espírito (lat. *spiritus*: sopro) **1.** Na filosofia herdada de Descartes, o espírito é o princípio do pensamento: "Meu espírito, isto é, eu mesmo enquanto sou apenas uma coisa que pensa" (Descartes). Opõe-se ao corpo, à matéria, à extensão, na medida em que é indivisível e totalizante (a matéria é divisível e diversificante). O espírito testemunha nossa liberdade relativamente à natureza que é necessária e determinada. Enfim, é o aspecto espiritual ou religioso de nossa existência, oposto ao aspecto sensual, carnal e mundano. É o princípio do pensamento e da reflexão do homem.
2. Em seu sentido metafísico, notadamente em Hegel, o espírito, absolutamente primeiro, é a verdade da natureza: é a ideia que chegou ao ser-para-si; essa interiorização do ser-fora-de-si, que é a natureza, desenvolve-se do *espírito subjetivo* (alma, consciência, fatos psíquicos) ao *espírito objetivo* (direito, costumes, moralidade) e ao *espírito absoluto* (através da arte, da religião) a fim de chegar à filosofia, que é a forma última na qual se unem a arte (representação sensível) e a religião.
3. Além de designar entidades totalmente incorpóreas (Deus e o anjos, na teologia cristã, são "puros espíritos"), a palavra "espírito" designa ainda certas entidades sobrenaturais admitidas por certos povos ditos "primitivos" (o "Grande Espírito") ou, na linguagem corrente, o "sentido profundo" de algo: "ele não entendeu o *espírito* da coisa", o "espírito" de um texto, de um discurso etc.

espírito científico Conjunto de disposições intelectuais (sentido do problema, espírito crítico, dúvida etc.) e de qualidades morais (probidade etc.) que caracterizam o homem de ciência: "Antes de tudo, precisamos saber colocar problemas. O que quer que se diga, na vida científica os problemas não se põem por si mesmos. É justamente o sentido do problema que fornece a marca do verdadeiro espírito científico. Para um espírito científico, todo conhecimento é uma resposta a uma questão. Se não houver questão, não pode haver conhecimento científico" (*Bachelard).

Espírito das Leis, Do Obra de *Montesquieu (1784) onde, ao expor com uma abordagem nova os fatos sociais e políticos, demonstra que as Leis, quando submetidas a uma análise científica, não se originam nem dependem da fatalidade ou do arbítrio do Príncipe, mas das relações necessárias que derivam da natureza das coisas e que, por isso, obedecem a uma *necessidade racional*. Ao descrever os fundamentos dos governos – a *virtude* para a democracia, a *honra* para a monarquia e o *temor* para o despotismo –, defende a separação dos poderes, revela sua preferência pela democracia e lança as bases da filosofia do direito.

espírito de finura (fr. *esprit de finesse*) Expressão elaborada por *Pascal para designar a atitude de discernir relações nuançadas nos pensamentos e sentimentos, a sutileza de um pensamento mais intuitivo que lógico, mais preocupado com as razões do coração e correspondendo a uma boa compreensão do que nos cerca. Por oposição, há o "espírito geométrico", caracterizado por seu caráter lógico e calculador, preocupado com as razões mais duras e inflexíveis da razão. A partir de *Dilthey, costuma-se opor *compreensão (*esprit de finesse*) a *explicação objetiva e analítica (*esprit géométrique*).

espiritualismo Concepção que privilegia o *espírito ou *alma, em relação à *matéria ou ao *corpo, mantendo que o espírito constitui uma natureza autônoma e de caráter mais puro, mais elevado. A doutrina filosófica de Victor *Cousin é conhecida como *espiritualismo eclético*. Ver dualismo. *Oposto a* materialismo.

espontâneo/espontaneidade (lat. *spontaneus*: de livre vontade, voluntário) **1.** Que se faz voluntariamente, sem causa externa; ex.: ação espontânea, ato feito de livre e espontânea vontade. Instintivo, irrefletido; ex.: movimento físico espontâneo.
2. Segundo Kant, opõe-se a passividade, caracterizando a atividade do espírito no conhecimento. "Designamos pelo nome de 'sensibilidade' a capacidade que tem nosso espírito de receber representações, enquanto afetado de alguma maneira; por oposição a essa receptividade, a faculdade que temos de produzir nós mesmos as representações, ou a espontaneidade de nosso conhecimento, chama-se entendimento" (Kant, *Crítica da razão pura*).

esquema/esquematismo (gr. *skema*: contorno, delimitação, forma, figura) **1.** Na teoria do conhecimento kantiano, o esquema é o elemento que permite a aplicação dos conceitos puros do entendimento (as categorias) à experiência, tratando-se portanto de um elemento mediador entre o *entendimento e a *sensibilidade. "Tal representação mediadora é o esquema transcendental" (Kant, *Crítica da razão pura*, Doutrina transcendental do juízo, sobre o esquematismo dos conceitos puros do entendimento). O esquema é um produto da *imaginação, embora não seja uma imagem. "O esquema dos conceitos sensíveis, tais como as figuras no espaço... é um produto da imaginação pura *a priori*" (Kant, *id.*), por meio da qual tornam-se possíveis as imagens.
2. Kant denomina esquematismo o proceder do entendimento com o esquema. Reconhece, entretanto, a dificuldade de caracterizar a natureza do esquematismo, que é uma "arte oculta nas profundezas da alma humana, cujo modo de operar será sempre difícil à Natureza nos permitir descobrir ou revelar a nossos olhos" (Kant, *id.*).

essência (lat. *essentia*) **1.** Para a escolástica, é uma das grandes divisões do ser: é o ser mesmo das coisas, aquilo que a coisa é ou que faz dela aquilo que ela é. Para cada ser distinguimos uma *essência* e uma *existência* que ela pode ou não comportar. A essência repousa na tradição platônica das ideias, retomada na teoria aristotélica das "formas inteligíveis". Platão distingue um mundo invisível, permanente e sempre idêntico a si mesmo (o mundo das essências) e um mundo visível e flutuante (o mundo sensível): o primeiro é a garantia da realidade do segundo. Aristóteles retoma a noção de essência no contexto do problema da linguagem. Se tudo é mutante, se tudo é acidente (como queriam os sofistas), não há discussão possível. Distinguindo a essência dos acidentes, ele resolve o problema dos sofistas:

"Instruir Clínias é matá-lo, pois suprimir Clínias ignorante também é suprimir Clínias". Assim é a essência de Sócrates que se mantém através de seus diversos acidentes.

2. Na filosofia contemporânea, a essência não define nem revela a natureza do homem. Porque o homem, ao vir a ser, não possui essência, apenas uma condição, uma situação: "a essência do ser-aí (*Dasein*) consiste apenas em sua existência" (Heidegger); é o homem mesmo quem produz aquilo que ele é, por sua liberdade: ele é projeto, isto é, aquilo que ele é capaz de fazer de si mesmo; nele, "a existência precede a essência" (Sartre).

3. O termo *essencial* significa algo diretamente ligado à essência e opõe-se a *acidental*. Na linguagem comum, adquire o sentido de "muito importante", de "o mais importante", de "fundamental": "o essencial é a saúde".

essencialismo Doutrina filosófica que confere, contrariamente ao existencialismo, o primado à essência sobre a existência, chegando mesmo, em suas reflexões, a fazer total abstração dos existentes concretos. Trata-se de uma filosofia do ser ideal, que prescinde dos seres reais. A filosofia de Hegel pode ser considerada essencialista.

estado (lat. *status*, de *stare*: ficar em pé) A ideia de "estado" implica as ideias de passividade e de imobilismo, sendo oposta à de ação e à de movimento. Na física, o estado de um corpo significa esse corpo em determinado momento. Mas o termo "estado" pode ser tomado em vários sentidos:

1. Estado *de consciência*: é um fato psíquico (sentimento, emoção) consciente.

2. Estado *de natureza*: situação, imaginada por certos filósofos (Hobbes e Rousseau), na qual seriam encontrados os homens antes de se organizarem em sociedade — reconstituição hipotética, sem validade histórica.

3. O *Estado*: conjunto organizado das instituições políticas, jurídicas, policiais, administrativas, econômicas etc., sob um governo autônomo e ocupando um território próprio e independente. É diferente de governar (conjunto das pessoas às quais a sociedade civil delega, direta ou indiretamente, o poder de dirigir o Estado); diferente ainda da *sociedade civil* (conjunto dos homens ou cidadãos vivendo numa certa sociedade e sob leis comuns); diferente também da *nação* (conjunto dos homens que possuem um passado e um futuro comuns, entre outras nações), o *Estado* constitui a emanação da sociedade civil e representa a nação.

4. Para os empiristas Hobbes e Locke, o Estado é o resultado de um pacto entre os cidadãos para evitar a autodestruição através da guerra de todos contra todos.

5. Na concepção marxista, o Estado nada mais é do que a forma de organização que a burguesia se dá no sentido de garantir seus interesses e de manter seu poder ideológico sobre os homens: "Através da emancipação da propriedade privada da comunidade, o Estado adquiriu uma existência particular, do lado de fora da sociedade civil; mas ele não é senão a forma de organização que necessariamente os burgueses se deram ... com objetivo de garantir reciprocamente a sua propriedade e seus interesses" (Marx-Engels). Este *Estado-nação* se define pela fusão entre o Estado — tal como ele se constitui na Europa do séc. XVIII, como soberania e administração dos homens e do território que eles ocupam — e uma sociedade civil de tipo novo, caracterizada pela propriedade privada burguesa, tendo por fim a rentabilidade, o lucro e o crescimento das riquezas.

estado de direito Concepção do Estado segundo a qual o poder político não é onipotente, pois deve estar submetido aos ditames da lei. É considerado o fundamento da maioria dos regimes políticos contemporâneos. *Oposto a* Estado totalitário ou autocrático.

estado mental/cerebral É denominado "mental" o estado designando o lado subjetivo da atividade do psiquismo (pensar, perceber, sentir) e contendo representações ou sensações; e "cerebral" o estado designando a atividade propriamente físico-química do cérebro.

estados, teoria dos três Teoria formulada por Augusto Comte (ele a chama de "lei"), segundo a qual a humanidade teria passado, em seu processo histórico de desenvolvimento, de uma etapa *teológica* (caracterizada pela crença em poderes sobrenaturais organizadores do universo) ao estado *metafísico* (no qual a crença teológica teria sido substituída pela confiança em princípios abstratos, apreendidos racional e aprioristicamente) para atingir, finalmente, o estado *positivo* ou científico, no qual o conhecimento outra coisa não é senão a dedução da experiência.

estética (gr. *aisthetikós*, de *aisthanesthai*: perceber, sentir) **1.** Um dos ramos tradicionais do ensino da filosofia. O termo "estética" foi criado por Baumgarten (séc. XVIII) para designar o estudo da sensação, "a ciência do belo", referindo-se à empiria do gosto subjetivo, àquilo que agrada aos sentidos, mas elaborando uma ontologia do belo.

2. Kant emprega essa palavra num sentido diferente. Para ele, a estética transcendental é a ciência de todos os princípios da sensibilidade *a priori*. Se a estética deve ser uma ciência, não pode ser a ciência do belo, apenas uma crítica do gosto. Ela é uma teoria dos princípios *a priori* da sensibilidade, teoria esta que se insere no conjunto da teoria do conhecimento da filosofia transcendental. Na *Crítica do juízo*, ele fornece outro sentido para a estética: ela intervém no projeto de uma crítica do juízo para definir o juízo do gosto pelo qual o sujeito pode distinguir o belo na natureza e no espírito: "O juízo do gosto não é um juízo do conhecimento; por conseguinte, não é lógico, mas *estético*", seu princípio determinante só pode ser subjetivo. Mas ao definir o belo como "uma finalidade sem fim", Kant prepara a integração da teoria estética num sistema filosófico, o de Hegel.

3. Hegel afasta completamente do debate o problema da imitação da natureza, que não é, em si, nem bela nem feia. A arte não é outra coisa, diz Hegel, senão o mais subjetivo desenvolvimento do espírito *a partir* do real; e suas formas históricas representam, cada uma a seu modo, momentos desse desenvolvimento. Assim, a arte grega não é mais um ideal fixo definitivo, que se trataria de copiar ou de redescobrir, mas um ponto de equilíbrio ligado a determinada civilização. O espírito encarna-se uma última vez na arte romântica, na qual o infinito da intuição "dissolve a cada instante" as formas fixas. Por isso, a essa evolução histórica corresponde uma ascensão progressiva da arte; mas esta ascensão anuncia, de certa forma, a "morte" da arte.

4. Contemporaneamente, a estética, tendo renunciado em princípio a todo cânone, é caracterizada por uma abundância de correntes, cada uma constituindo suas teorias particulares.

esteticismo Doutrina da estética ou do belo; atitude de alguém que, ignorando toda consideração moral em seu julgamento e em sua conduta, limita-se a considerar a beleza como o único e supremo valor.

estoicismo Escola filosófica grega, deriva seu nome da *Stoa Poikilé*, um pórtico em Atenas, onde lecionava o seu fundador, o filósofo *Zenão de Cício, sendo também, por vezes, conhecida como *filosofia do *Pórtico*. O estoicismo desenvolveu-se como um sistema integrado pela lógica, pela física e pela ética, articuladas por princípios comuns. É, no entanto, a ética estoica que teve maior influência no desenvolvimento da tradição filosófica, chegando mesmo a influenciar o pensamento ético cristão nos primórdios do cristianismo. Na concepção estoica, os princípios éticos da harmonia e do equilíbrio baseiam-se, em última análise, nos princípios que ordenam o próprio *cosmo. Assim, o homem, como parte desse cosmo, deve orientar sua vida prática por esses princípios. A *ataraxia*, imperturbabilidade, é o sinal máximo de sabedoria e felicidade, já que representa o estado no qual o homem, impassível, não é afetado pelos males da vida. É sobretudo da valorização dessa atitude impassível que se deriva o termo *estoico*, em seu sentido corrente. Os estoicos sustentavam uma *física* materialista, sendo a matéria um *continuum*, em oposição ao *atomismo epicurista. Consideravam o mundo como um todo orgânico, animado por um princípio vital, o *logos spermatikós*, que constituía a própria alma (*pneuma*) do mundo. No ser humano, o *logos*, o princípio racional, seria uma manifestação depurada desse princípio vital. No séc. XX, as contribuições dos estoicos à *lógica* e à *teoria da linguagem* têm sido revalorizadas. Tradicionalmente, a lógica estoica teve pouca repercussão, uma vez que foi suplantada pela grande difusão da lógica aristotélica, da qual difere sobretudo por ser fundamentalmente uma lógica da proposição e não do silogismo. Historicamente, o estoicismo pode ser dividido em três períodos: 1) o *estoicismo antigo*, fundado por Zenão de Cício (c.335-264 a.C.) e difundido principalmente por Cleantes (331-232 a.C.) e Crisipo (c.280-c.205 a.C.); 2) o *estoicismo médio*, de caráter mais eclético, cujos principais representantes são Panécio (c.180-c.110 a.C.) e Posidônio (135-51 a.C.); e 3) o *estoicismo romano*, *imperial* ou *novo*, representado por Sêneca (4 a.C.-65 d.C.), Epicteto (50-125 ou 130) e Marco Aurélio (121-180).

estoicos (do gr. *Stoa*: pórtico em Atenas onde se reuniam os filósofos dessa escola) Adeptos do *estoicismo, ou seja, da doutrina filosófica de *Zenão de Cício, segundo a qual o ideal do sábio consiste em viver em perfeito acordo e em total harmonia com a natureza, dominando suas paixões e suportando os sofrimentos da vida cotidiana, até alcançar a mais completa indiferença e impassibilidade diante dos acontecimentos.

Estratão Filósofo grego (nascido em Lâmpsaco, ou em Atenas) peripatético que floresceu no séc. III a.C. Sucedeu a Teofrasto como diretor do Liceu (de 288 a.C. até a sua morte, em 268 a.C.). Suas pesquisas e ensinamentos relacionam-se sobretudo com as ciências da natureza.

estrutura (lat. *structura*) **1.** Conjunto de elementos que formam um sistema, um todo ordenado de acordo com certos princípios fundamentais. A forma ou modo de ordenação desse sistema, considerado em abstrato. Ex.: a estrutura do átomo, a estrutura da língua portuguesa, a estrutura da sociedade. **2.** Construção teórica formal, modelo visando estabelecer as correlações entre as variáveis de um sistema. Ex.: estrutura algébrica. **3.** Na teoria da *Gestalt (Gestalttheorie)*, a estrutura é a própria forma da organização de determinados elementos que adquirem sentido apenas enquanto fazem parte de um conjunto. Ex.: três pontos colocados em linha reta são percebidos como formando uma linha reta. **4.** *Estrutura profunda / estrutura superficial.* Na linguística de Chomsky, a estrutura profunda é uma realidade formal e abstrata, a estrutura da linguagem, subjacente a todas as línguas. A estrutura superficial é, por sua vez, a estrutura concreta de uma língua particular. "Podemos distinguir a 'estrutura profunda' de uma frase de sua 'estrutura superficial'. A primeira é a estrutura abstrata e subjacente que determina a interpretação semântica; a segunda é a organização superficial das unidades que determinam a interpretação fonética e que remetem à forma física do enunciado efetivo... não é necessário que a estrutura profunda e a estrutura superficial sejam idênticas" (Chomsky, *Linguística cartesiana*).

estruturalismo 1. Doutrina filosófica que considera a noção de *estrutura fundamental como conceito teórico e metodológico. Concepção metodológica em diversas ciências (linguística, antropologia, psicologia etc.) que tem como procedimento a determinação e análise de estruturas. **2.** Pode-se considerar o estruturalismo como uma das principais correntes de pensamento, sobretudo nas ciências humanas, no séc. XX. O *método estruturalista de investigação científica foi estabelecido pelo linguista suíço Ferdinand de Saussurre (1857-1913), que afirma ver na *linguagem "a predominância do sistema sobre os elementos, visando extrair a estrutura do sistema através da análise das relações entre os elementos" (E. Benveniste). A linguística, desse modo, teria por objeto não a descrição empírica das línguas, mas a análise do sistema abstrato que constitui as relações linguísticas. Lévi-Strauss aplicou o método estruturalista no estudo dos mitos e das relações de parentesco nas sociedades primitivas, tomando as estruturas sociais como modelos a serem descritos, estabelecendo assim o sentido da cultura em questão.

estupidez (lat. *stupiditas*) Incapacidade de se mover a inteligência pela inaptidão em apreender as relações entre os objetos ou acontecimentos: "A estupidez é uma falta de entendimento, uma espécie de inaptidão em fazer uso do princípio de causalidade, uma incapacidade de apreender imediatamente as ligações seja de causa e efeito, seja do motivo ao ato" (Schopenhauer); "Duas coisas são infinitas: o Universo e a estupidez humana" (Einstein).

eterno/eternidade (lat. *aeternus, aeternitas*) **1.** Na linguagem filosófica, esses termos devem ser empregados no sentido estrito de "dimensão temporal", "duração sem começo nem fim" e não, como no sentido corrente, de tempo muito longo ("isto dura uma eternidade") ou de tempo sem fim ("amor eterno"). Donde os dois modos de entendê-los: **2.** Como a infinitude do *tempo*, essa finitude sendo "linear" ou (algumas vezes) cíclica. Assim, a eternidade é um tempo sem começo nem fim. Quando dizemos: "A matéria é eterna", queremos afirmar que, embora ela esteja submetida ao tempo (pois se transforma), sempre existiu (sob uma forma ou outra) e sempre existirá (o que precisa ser provado). **3.** Como a "*não temporalidade absoluta*" (Hegel): essa negação de uma negação é propriamente a eternidade, "duração inteiramente simultânea". Assim, a eternidade é o caráter do ser subtraído a todas as formas de mudança e ao tempo, não possuindo nem começo nem fim. Para o cristianismo, a eternidade é um privilégio de Deus, privilégio tão essencial que por vezes se confunde com a essência divina; a imortalidade da alma sendo considerada uma participação *post mortem* (depois da morte) da eternidade (daí a expressão: "vida eterna"). Portanto, a eternidade é um atributo de Deus: tanto no sentido temporal quanto no intemporal. Ele está fora do tempo, pois o que para nós é passado, presente, futuro, para Ele é simultaneidade absoluta, presente permanente.

eterno retorno Espécie de mito introduzido na filosofia por Nietzsche para descrever a "condição humana", revigorando uma ideia esboçada por certos pitagóricos, admitida pelos estoicos e certos neoplatônicos, sob uma forma astrológica, para designar a doutrina no movimento cíclico absoluto e infinitamente repetido de todas as coisas. Em *Assim falou Zaratustra* (1883-85), ele retoma a ideia de Heráclito do devir, segundo a qual tudo flui, tudo muda, tudo retorna, e declara: tudo passa e tudo retorna, eternamente gira a roda do ser. Em *Ecce homo* (1888), tem sua primeira intuição, quase mística, do eterno retorno: se o tempo não é linear, não faz sentido a distinção entre o "antes" e o "depois". Se tudo retorna eternamente, o futuro já é um passado; e o presente é tão passado quanto futuro.

ética (gr. *ethike*, de *ethikós*: que diz respeito aos costumes) Parte da filosofia prática que tem por objetivo elaborar uma reflexão sobre os problemas fundamentais da moral (finalidade e sentido da vida humana, os fundamentos da obrigação e do dever, natureza do bem e do mal, o valor da consciência moral etc.), mas fundada num estudo metafísico do conjunto das regras de conduta consideradas como universalmente válidas. Diferentemente da *moral*, a ética está mais preocupada em detectar os princípios de uma vida conforme à sabedoria filosófica, em elaborar uma reflexão sobre as razões de se desejar a justiça e a harmonia e sobre os meios de alcançá-las. A moral está mais preocupada na construção de um conjunto de prescrições destinadas a assegurar uma vida em comum justa e harmoniosa. *Ver* moral.

Ética (*Ethica*) Principal obra de Espinoza, iniciada por volta de 1661 e publicada postumamente em 1677. Nela, procura demonstrar de modo rigoroso e ordenado ("more geometrico", isto é, "segundo o método geométrico") a falácia da filosofia dominante em seu tempo, em particular a teoria do sujeito voluntário pretendendo transformar o homem em "mestre e possuidor da natureza". Sua tese central consiste em dizer que todas as coisas, inclusive os homens, constituem modos da *substância única que é Deus: *Deus sive Natura*, quer dizer, Deus, ou seja, a Natureza. Muitos veem nesta concepção — que dissolve o mundo em Deus, num Deus nem criador nem pessoa — uma visão panteísta. No fundo, o que ela recusa é o *dever-ser*: não sendo um "império no império", o homem se encontra submetido às leis da natureza.

Ética a Nicômaco (*Ethica Nikomacheia*) Principal tratado de ética de *Aristóteles, aparentemente dirigido a seu filho Nicômaco. Nele defende a virtude como "justa medida", que pode ser atingida pelo homem se este demonstrar prudência (*phronesis*) em suas decisões, o que lhe permite atingir a felicidade (*eudaimonia*), que é a realização da vida do homem virtuoso. Teve grande influência no desenvolvimento das teorias éticas na tradição filosófica.

etiologia (gr. *aitiologia*) Termo criado por Demócrito para designar a busca "científica" das causas: "Eu preferiria encontrar uma única causa verdadeira a herdar o reino da Pérsia", teria dito ele. Portanto, a etiologia é a descrição analítica da causalidade. Transposto para a medicina, esse termo passou a designar o conjunto das causas que provocam uma doença.

etnocentrismo (do gr. *ethnos*: lugar de origem, e *kentron*: centro) **1.** Termo criado por W.S. Summer (1907) para designar a atitude geral mais ou menos inconsciente dos membros de determinado grupo de considerar sua sociedade ou sua cultura como modelo de referência para julgar outras sociedades e outras culturas.

2. Na antropologia contemporânea, atitude de um indivíduo ou grupo repudiando as formas culturais (morais, religiosas, sociais ou estéticas) que lhe pareçam distantes ou estranhas. Revela-se perigosa quando nega o direito do outro à diferença, correndo o risco de levar ao racismo, genocídio ou etnocídio.

eu, filosofia do O eu (*ego* em latim, *je* em francês) constitui o termo característico para designar a *filosofia do sujeito* (ou da consciência), que parte do pensamento pessoal a fim de construir toda uma teoria do conhecimento. Nascida com o *cogito* de Descartes, ela se encontra bem expressa no "Penso, logo existo". Podemos duvidar de tudo, podemos nos perguntar se os objetos que percebemos não constituem fantasmas ou visões de um sonho. Contudo, enquanto estamos duvidando, percebemos que há pelo menos uma coisa que permanece ao abrigo da dúvida: existe um certo ser, que se encontra aí e que está duvidando. "Esta proposição: *je sui, j'existe* é necessariamente verdadeira todas as vezes que a pronuncio ou que a concebo em meu espírito", comenta Descartes. E do *cogito*, ele tira a conclusão: eu sou uma substância que pensa. Cada vez que pensamos ou dizemos "eu", ou seja, que temos consciência atual de existir, esta consciência é um ato, não uma coisa.

Porque afirmar a existência de um *eu pensante* é exceder os limites de nossa experiência.

Eubúlides de Mileto Filósofo grego que floresceu no séc. IV a.C.; sucedeu a Euclides como chefe da escola *megárica ou escola de Mégara. Atribui-se a formulação do paradoxo de Epimênides. *Ver* Epimênides, paradoxo de.

Euclides (c.450-c.380 a.C.) Filósofo grego (nascido em Mégara ou em Gela, Sicília); foi discípulo de Sócrates, daí ser conhecido como "o Socrático", e fundou a escola megárica, ou escola de Mégara, também chamada escola erística. Restam apenas títulos de suas obras.

Eudemo de Rodes Filósofo grego que floresceu no séc.IV a.C.; foi discípulo de Aristóteles. É considerado um dos grandes peripatéticos. Restam fragmentos de seus escritos relacionados com a doutrina aristotélica.

eudemonismo (do gr. *eudaimonia*: felicidade) Doutrina moral segundo a qual o fim das ações humanas (individuais e coletivas) consiste na busca da felicidade através do exercício da virtude, a única a nos conduzir ao soberano bem, por conseguinte, à felicidade. É essa identificação do soberano bem com a felicidade que faz da moral de Aristóteles um eudemonismo; também a moral provisória de Descartes pode ser entendida como um eudemonismo (que não se deve confundir com *hedonismo).

eugenia/eugenismo (do gr. *eugenes*: bem-nascido) **1.** Ciência ou técnica que aplica racionalmente as leis da genética aos fatores hereditários tendo em vista obter melhores condições de reprodução, modificação ou purificação da raça humana.
2. *eugenismo* é uma teoria político-ideológica visando selecionar os indivíduos mais aptos para a perpetuação da espécie ou a melhoria da raça pura, bem como eliminar os menos aptos pela proibição do casamento, segregação ou esterilização dos grupos humanos considerados inferiores ou impuros.

evidência (lat. *evidentia*) Em seu sentido corrente, tudo aquilo que se impõe ao espírito com uma força tal que parece desnecessário demonstrá-lo ou prová-lo. Ex.: "O todo é maior do que a parte" (Euclides). Precisamos distinguir as "falsas evidências" das "evidências objetivas". Para Descartes, somente a evidência intelectual pode constituir critério de objetividade. A primeira regra do método consiste "em nada aceitar por verdadeiro a não ser que se imponha a mim como evidente". Uma ideia evidente é uma ideia ao mesmo tempo clara (presente ao espírito) e distinta (definida): a verdade das evidências é garantida metafisicamente pela veracidade divina; e as ciências são fundadas em evidências racionais primeiras. As falsas evidências são as dos preconceitos, as da infância e as dos sentidos. O modelo das evidências intelectuais é o das matemáticas. Aquilo que se chama de modo tautológico de "evidência absoluta" é apenas o grau absoluto da certeza.

evolução (lat. *evolutio*) **1.** Para os naturalistas do séc. XVIII: desenvolvimento, por simples engrandecimento, de um ser pré-formado.
2. Para os zoólogos do séc. XIX: transformação, no decorrer das épocas, das espécies; para os embriologistas, desenvolvimento epigenético do embrião, recapitulando, pelo menos sumariamente, a filogênese.
3. Para Herbert Spencer: transformação universal definida sobretudo pela integração e pela diferenciação progressivas: "A evolução é uma integração de matéria durante a qual esta passa de uma homogeneidade indefinida, incoerente, para uma heterogeneidade definida, coerente."
4. No sentido biológico atual, a evolução designa a transformação de uma espécie viva em outra espécie, seja sob a ação lenta de certos fatores externos, seja por mutações bruscas. Por analogia, transformação de um personagem real ou imaginário, sobretudo no que diz respeito a seu caráter e sentimentos. Por extensão, transformação do próprio caráter, dos sentimentos, de um conjunto de ideias, de uma doutrina etc.

Evolução criadora, A Obra de *Bergson (1907) tentando resolver o duplo problema da presença do ser vivo no Universo e do sentido desse Universo. Expõe uma gênese da inteligência e da matéria a partir da vida e mostra que a consciência mais profunda, a da *duração interior, é a do sentimento do *elã vital, ou seja, deste poder dinâmico assimilado a um jorrar criador de natureza espiritual que se orienta num sentido mais pressentido por nossos instintos que compreendido por nossa inteligência.

evolucionismo **1.** Nome genérico das diversas doutrinas ou teorias filosóficas que utilizaram o *transformismo* biológico ou que se desenvolveram apoiadas nele. O que têm em comum é o fato de constituírem um *relativismo* orientado no tempo para um absoluto incognoscível (Spencer) ou místico (Teilhard de Chardin).

2. Concepção biológica segundo a qual todas as espécies derivam umas das outras por um processo de transformação natural. *Ver* transformismo; criacionismo.

3. Doutrina filosófica segundo a qual a evolução constitui a lei geral dos seres (matéria, vida, espírito e sociedades), capaz de reger, por conseguinte, tanto as ciências quanto a própria moral.

4. Para Charles Darwin (1809-1882), célebre por ter criado a teoria segundo a qual "a luta pela vida e a seleção natural são consideradas como os mecanismos essenciais da evolução dos seres vivos", é a ideia de *seleção natural* que se encontra no cerne da questão da evolução: os organismos vivos formam populações denominadas espécies e apresentam "variações"; graças a essas variações, certos indivíduos são melhor "adaptados" a seu meio e engendram uma descendência mais numerosa. A seleção natural designa o conjunto dos mecanismos que fazem a triagem dos melhores indivíduos; assim, graças à "luta pela vida", as populações evoluem lentamente, isto é, se transformam e se diversificam produzindo formas cada vez mais complexas.

exegese (gr. *exegesis*, de *exegeisthai*: explicar, interpretar) Interpretação filológica ou doutrinal de textos fundamentais caracterizados por sua incompreensibilidade literal e por sua obscuridade devidas ao fato de terem sido escritos há muito tempo, em outro contexto cultural. Ex.: a exegese da Bíblia, dos textos das leis etc.

exemplarismo (do lat. *exemplar*: original, modelo) Doutrina afirmando a existência de *arquétipos ou modelos exemplares das coisas sensíveis. Ex.: o exemplarismo platônico. *Ver* arquétipo, paradigma.

existência (do lat. tardio *exsistentia*) **1.** Para a escolástica, a existência é uma das divisões do *ser, exprimindo simplesmente o "fato de ser", o fato de ser realmente, de ter uma existência substancial. *Oposto a* essência.

2. Para o *existencialismo contemporâneo, esse termo designa o modo de ser próprio do existente humano, a realidade humana naquilo que tem de absurdo, de deliberado (pela tomada de consciência) e de irredutível à consciência (contingência e factividade). A existência é "ek-sistência", isto é, arrancamento perpétuo de um mundo, de uma *situação no mundo com o qual não pode confundir-se, pois é "para-si" e não "em-si". Assim, é a mesma coisa dizer que o homem existe e que ele existe como *consciência ou *liberdade. *Ver Dasein;* essência.

existencialismo (fr. *existentialisme*) Filosofia contemporânea segundo a qual, no homem, a existência, que se identifica com sua liberdade, precede a essência; por isso, desde nosso nascimento, somos lançados e abandonados no mundo, sem apoio e sem referência a valores; somos nós que devemos criar nossos valores através de nossa própria liberdade e sob nossa própria responsabilidade. Quando Sartre diz que a existência precede a essência, quer mostrar que a liberdade é a essência do homem: "A liberdade do *para-si* aparece como seu *ser*." Assim, a filosofia existencialista é centrada sobre a existência e sobre o homem. Ela privilegia a oposição entre a existência e a essência. Quanto ao homem, ele é aquilo que cada um faz de sua vida, nos limites das determinações físicas, psicológicas ou sociais que pesam sobre ele. Mas não existe uma natureza humana da qual nossa existência seria um simples desenvolvimento. O cerne do existencialismo é a liberdade, pois cada indivíduo é definido por aquilo que ele faz. Daí o interesse dos existencialistas pela política: somos responsáveis por nós mesmos e por aquilo que nos cerca, notadamente, a sociedade: aquilo que nos cerca é nossa obra. Como o pensamento filosófico (abstrato e generalizante) não apreende a existência individual, na qual a angústia tem um papel preponderante, o existencialismo abre-se para a literatura e para o teatro, fazendo a filosofia despontar em romances e peças teatrais.

existente (al. *das Seiende*) Designa toda *realidade concreta, as coisas, os outros homens, o *Dasein* (o ser-aí ou a realidade humana). Enquanto existente, o homem é ao mesmo tempo o ser *entre* as coisas existentes, o ser *com* a realidade humana dos outros e o ser *em relação* consigo mesmo. "O existente é o ser-no-mundo" (Heidegger). *Ver* ente.

exotérico *Ver* esotérico.

experiência (lat. *experientia*) Distinguimos, na palavra "experiência", um sentido geral (*experience*, em inglês) e um sentido técnico, próximo de experimentação (*experiment*, em inglês).

1. Em seu sentido geral, a experiência é um *conhecimento espontâneo ou vivido, adquirido pelo indivíduo ao longo de sua vida. Ela aparece em relação à vida corrente (dizemos: "homem de experiência") ou em relação com a teoria do conhecimento. Para o empirismo, todo conhecimento deriva da experiência. Para o racionalismo, ao contrário, a experiência nada nos ensina, pois é aquilo que precisa ser explicado, não havendo experiência que não esteja impregnada de teoria. Ver empiria.
2. Em seu sentido técnico, experiência é a ação de observar ou de experimentar com a finalidade de formar ou de controlar uma hipótese. Assim, a experiência (no sentido de *experiment*) é o fato de provocar, partindo de condições bem determinadas, uma observação tal que seu resultado seja apto a fazer conhecer a natureza do fenômeno estudado. Sinônimo de experimento.
3. Conceitos: "A experiência é um princípio que me instrui sobre as diversas conjunções dos objetos no passado" (Hume). "Nenhum conhecimento *a priori* nos é possível senão o de objetos de uma experiência possível"; "A experiência é um conhecimento empírico, isto é, um conhecimento que determina objetos por percepções" (Kant).

experiência crucial Expressão criada por Francis Bacon para designar, por "exemplos da cruz", situações em que o sábio se encontra diante de duas hipóteses contraditórias (como o peregrino que, na encruzilhada dos caminhos, não sabe que estrada tomar). O sábio procede, pois, a uma experiência, sendo-lhe permitido excluir uma das hipóteses e confirmar a outra. Trata-se de uma experiência que se funda no princípio de contradição, que nos diz que uma coisa não pode ser ao mesmo tempo ela mesma e seu contrário.

experiencial Experiência vivida por um indivíduo na qual ele se encontra existencialmente comprometido ou implicado.

experimentação Interrogação metódica dos fenômenos, efetuada através de um conjunto de operações, não somente supondo a repetibilidade dos fenômenos estudados, mas a medida dos diferentes parâmetros: primeiro passado para a matematização da realidade. A experimentação "verifica" uma hipótese oriunda da experiência e chega, eventualmente, a uma lei, dita experimental.

experimentalismo (ingl. *experimentalism*) **1.** Ato de recorrer à experiência concreta (de ordem perceptual, intuitiva, ativística, axiológica ou mística) na fonte da verdade. *Oposto a* intelectualismo.
2. John Dewey usou o termo para indicar que a educação deve basear-se na experiência, empregando-a como sinônimo de *instrumentalismo.

experimento (lat. *experimentum*) Ver experiência.

explicação (lat. *explicatio*) **1.** Segundo a tradição empirista, a explicação consiste no conhecimento das leis de coexistência ou de sucessão dos fenômenos, de seu "como": se uma descrição diz o que é um objeto, uma explicação mostra *como* ele é assim. Um fato particular é explicado quando fornecemos a lei da qual sua produção constitui um caso.
2. Para os racionalistas, ao contrário, a explicação consiste na determinação das causas dos fenômenos, de seu "por quê", ou seja, em descobrir o consequente pré-formado em seus antecedentes, em reduzir os fatos à sua causa, a única causalidade inteligível sendo a adequação da causa ao efeito.
3. O trabalho da explicação, tipicamente uma atividade da ciência, reduz a explicação à descoberta das leis capazes de dar conta dos fenômenos.

êxtase (gr. *ekstasis*: ação de estar fora de si) **1.** Em seu sentido estrito, estado ao mesmo tempo afetivo e intelectual marcado exteriormente por uma imobilidade quase total e por uma diminuição das funções de relação.
2. Para os filósofos neoplatônicos, especialmente Plotino, união íntima com o Uno, na qual a alma, desligada do mundo, do conhecimento sensível e de si mesma, aniquila-se na substância infinita de Deus.
3. Estado psíquico caracterizado por um sentimento de beatitude e de união a um absoluto qualquer.
4. Estado místico da vida religiosa de união amorosa com Deus, caracterizado por um alheamento do mundo sensível e pelo fato de alcançar as realidades sobrenaturais por uma intuição suprarracional ou espiritual.

extensão (lat. *extentio*) Quando consideramos um conceito que designa uma classe de objetos, levamos em conta extensão ou denotação: a extensão do conceito "filosófico" é maior do que a do conceito "filosófico brasileiro". Quando o consideramos por um conjunto de características, consideramos sua *compreensão ou conotação: a compreensão do conceito "filósofo brasileiro" é maior que a do "filósofo". A física do séc. XII, e a metafísica que a completa, caracterizam a matéria pela extensão: ela é o atributo principal da substância corporal, diz Descartes, e os corpos só são conhecidos pela figura e pelo movimento.

externalista *Ver* internalista/externalista.

extrínseco *Ver* intrínseco/extrínseco.

extroversão/introversão Termos utilizados por *Jung para designar, no indivíduo, dois tipos de caráter: o *extrovertido*, orientando sua energia psíquica para o mundo exterior, gosta de comunicar-se com os outros; o *introvertido*, ao contrário, tende a voltar-se sobre si mesmo, colocando em primeiro plano sua vida interior. Quando radicalizadas, a extroversão e a introversão tornam-se fenômenos patológicos.

F

fabulação (lat. *fabulatio*: discurso, conversação) **1.** Atividade da *imaginação que consiste em fabricar relatos fictícios.
2. Espécie de *delírio* que implica certa confusão entre o presente e o passado, expressando-se num discurso incoerente dominado pelas formas imaginárias de perceber. Ao tornar-se mórbida, a fabulação recebe o nome de *mitomania*.

facticidade (do lat. *factitius*: artificial) Noção introduzida pela *fenomenologia contemporânea, notadamente por Sartre, para designar a determinação sob a qual é apreendida a *existência humana, impossível de ser fundada segundo o princípio da *"razão suficiente". Em outras palavras, entre os fenomenólogos, a facticidade designa aquilo que não é necessário, mas que simplesmente é. Em Sartre, o termo designa aquilo que pertence à ordem do fato, sem necessidade nem razão, presença absurda e constatada: "Minha facticidade, quer dizer, o fato de que as coisas *estão aí*, simplesmente como são, sem necessidade nem possibilidade de ser de outra forma." Assim, minha consciência é chamada a apreender-se a si mesma como um simples "fato" (daí o nome *facticidade*), fato anterior e irredutível a toda ideia de necessidade: ela é, em sua *contingência*, absurda, e as coisas estão aí sem necessidade, e eu entre elas.

factício (lat. *factitius*: artificial) **1.** Aplica-se àquilo que finge artificialmente a realidade das coisas, dos seres ou dos sentimentos.
2. Em Descartes, as ideias factícias são as que são "feitas ou inventadas" pela imaginação: ficções ou invenções do espírito. *Ver* ideia.

faculdade (do lat. *facultas*: capacidade, aptidão) A filosofia clássica afirma a unidade do *espírito humano, mas distingue nele diversas faculdades: o *entendimento, a *vontade, a *memória e a *imaginação.
1. Em Descartes, operação do espírito ou alma: "O entendimento não é outra coisa senão a alma enquanto retém e se lembra; a vontade não é outra coisa senão a alma enquanto quer e escolhe ... Todas essas faculdades são, no fundo, a mesma alma."
2. Capacidade intelectual que confere a alguém, certo poder de realizar determinadas coisas. Hoje em dia, fala-se mais de *aptidão* (física, moral, psicológica, intelectual) para certos empreendimentos.

falácia (do lat. *fallax*: enganoso) Argumento envolvendo uma forma não válida de raciocínio. Argumento errôneo, que possui a aparência de válido, podendo isso levar à sua aceitação. *Ver* círculo vicioso; princípio, petição de; sofisma

falsificabilidade Critério metodológico de cientificidade proposto por Karl Popper em contraposição ao critério *verificacionista dos neopositivistas ou fisicalistas, que consiste em distinguir ou demarcar a racionalidade científica das outras formas possíveis (não científicas) de racionalidade. Para objetivar seus resultados, o cientista constrói teorias cujas consequências tenta falsificar. Em outras palavras, para que uma teoria seja científica, é preciso que possua esse caráter distintivo que é a falsificabilidade ou refutabilidade. Só são científicas as teorias às quais a experiência pode dar um desmentido parcial e indireto. Do ponto de vista lógico, esse desmentido invalida toda a teoria. Assim, a falsificabilidade é o verdadeiro critério de demarcação entre o científico e o não científico. Por isso, uma teoria só pode ser considerada científica se for suscetível de ser refutada pela experiência. Se a física é uma "verdadeira ciência", é porque faz predições que a experiência pode, em princípio, contradizer. A psicanálise, em contrapartida, aparece como não científica, porque suas teorias são infalsificáveis, apesar de os "fatos" a confirmarem sempre. As teorias não refutáveis são metafísicas, o que não quer dizer que sejam falsas, mas que não são testáveis experimentalmente. "O marxismo e a psicanálise estão fora da ciência precisamente porque, por natureza, pela estrutura mesma de suas teorias, são irrefutáveis. Seu poder de interpretação é infinito: não há um fato histórico, uma observação clínica que tais teorias não possam assimilar" (Popper). *Ver* cientificidade; verificação/verificacionismo.

falso (lat. *falsus*) **1.** Diz-se de tudo aquilo (uma hipótese, uma afirmação, uma informação, uma teoria etc.) que não corresponde à realidade, ou seja, que não pode ser confirmado pela experiência.
2. Uma proposição é falsa quando é incompatível com outras proposições reconhecidas como verdadeiras, violando o princípio de identidade ou de não contradição: se a proposição "todo A é B" é verdadeira, a proposição "algum A não é B" é falsa. *Oposto a* verdadeiro.

falta (do lat. *fallere*: enganar) Violação de uma *norma ou regra moral por um sujeito considerado livre e consciente, por conseguinte responsável por seus atos, geralmente acompanhada de um sentimento de culpa. As filosofias que consideram o *livre-arbítrio" uma ilusão que os homens têm por ignorar as causas reais que os fazem agir não admitem as noções de falta, de pecado ou de culpabilidade.

fanatismo (do lat. *fanaticus*: inspirado, em delírio) **1.** "Primitivamente era o comportamento dos sacerdotes de certas divindades, Ísis, Cíbele, Belona, os quais entravam numa espécie de delírio sagrado, durante o qual se feriam e faziam jorrar seu sangue" (André Lalande).
2. Atitude passional de sectarismo, de intolerância e de agressividade relativamente às pessoas que não comungam da mesma fé religiosa, da mesma convicção (ou ideologia) política ou que não defendem os mesmos valores. *Ver* sectarismo; dogmatismo.

fantasia (gr. *phantasia*: imaginação) **1.** No sentido corrente, designa tanto a originalidade criadora de alguém quanto a irregularidade de um capricho da vontade ou do desejo.
2. Em seu sentido filosófico, designa a "imaginação reprodutora das imagens já percebidas na memória" (Aristóteles). Por extensão, designa a inspiração criadora, a imaginação artística.

fantasma (gr. *phantasma*: visão) Para os filósofos gregos, o fantasma é uma *imagem que procede diretamente dos objetos e atinge os sentidos (especialmente a visão) daqueles que os observam. Corresponde mais ou menos ao *simulacro de Lucrécio.

Farias Brito, Raimundo de (1862-1917) Farias Brito nasceu em São Benedito, Ceará, mas desenvolveu seu pensamento filosófico no Rio de Janeiro. Durante os longos anos em que lecionou lógica no Colégio Pedro II, ficou convencido do papel primordial da filosofia como saber fundamental do homem e como norma para a vida humana. Vivendo num clima de forte dominância do cientificismo positivista, proclamou a incapacidade da ciência de salvar o homem. Por isso, tentou aproximar a filosofia e a religião. Caberia à filosofia, sem negar a ciência, salvá-la e superá-la. Ao reduzir a exterioridade do mundo à interioridade do homem, Farias Brito defendeu uma metafísica espiritualista privilegiando o pensamento à vontade. Essa metafísica influenciou bastante o pensador católico Jackson de Figueiredo, fundador do Centro Dom Vital, e outros pensadores (Tristão de Ataíde, por exemplo) que desenvolveram uma espécie de metafísica cristã. Obras principais: *Finalidade do mundo*, em 3 vols.: *I. A filosofia como atividade permanente do espírito* (1895), *II. A filosofia moderna* (1899), *III. O mundo como atividade intelectual* (1905); *A verdade como regra das ações* (1905), *A base física do espírito* (1912), *O mundo interior* (1914), *Obras de Farias Brito*, póstuma (1951-1957), *Inéditos e dispersos*, póstuma (1966). *Ver* filosofia no Brasil.

fatalidade (do lat. *fatalitas*, de *fatum*: destino) Caráter daquilo que é obra do *destino, em geral de um acontecimento funesto e inevitável, pelo qual ninguém pode se sentir responsável: a morte é uma fatalidade, no sentido em que é irreversível e inevitável.

fatalismo (do lat. *fatalis*, de *fatum*: destino) Doutrina segundo a qual todos os acontecimentos do universo, especialmente os da vida humana, encontram-se submetidos ao destino, quer dizer, acontecem por uma necessidade absoluta, em conformidade com aquilo que está escrito e dito no chamado "livro do destino", não restando nenhum lugar para a inteligência e a iniciativa humanas. Convém observar que a palavra "fatalismo" não implica a noção de *causalidade. Fala-se do fatalismo dos astrólogos, mas eles fazem uma ressalva: "os astros conduzem, mas não obrigam" ou, no dizer de Sêneca: "os astros guiam aqueles que lhes fazem confiança, mas puxam os outros pelos cabelos". Por extensão, podemos chamar de fatalismo tudo aquilo que faz pressão sobre a vontade humana de modo aparentemente irreversível. Nesse sentido, há fatalidades: a morte para o indivíduo, por exemplo.

fato (lat. *factum*, de *facere*: fazer) **1.** Algo que existe, que acontece, que nos é dado pela *expe-

riência. Evento, ocorrência. Uma realidade objetiva. Difere de coisa ou objeto por possuir um sentido mais dinâmico, de algo que ocorre, de uma relação entre objetos. Ex.: "O mundo é a totalidade dos fatos, não das coisas" (Wittgenstein, *Tractatus logico-philosophicus*, 1.1).
2. Aquilo que corresponde a uma sentença declarativa e em relação a que a sentença pode ser considerada verdadeira ou falsa. Ex.: A Terra é redonda.
3. *Fato bruto*: dado empírico, resultado da maneira pela qual nossos sentidos são afetados diretamente. Ex.: uma impressão visual ou sonora, uma sensação de dor etc. Opõe-se a *fato científico*, que resulta de observações, medidas, comprovações etc., realizadas de acordo com um determinado método científico, relacionando-se com outros fatos do mesmo tipo e tendo seu sentido determinado por fazer parte de um sistema teórico. Ex.: a água ferve a 100°C.
4. *Verdade de fato*: Leibniz (*Monadologia*, 3.3) caracteriza as verdades de fato como verdades contingentes, cujo contrário é possível; opondo-se às verdades da razão, que seriam necessárias, sendo seu contrário possível.

fatos sociais "Há um tipo de fatos que apresentam caracteres muito especiais: consistem em modos de agir, pensar e sentir, exteriores ao indivíduo e dotados de um poder de coerção em virtude do qual a ele se impõem: constituem uma espécie nova, e é a eles que é reservado o qualificativo de *sociais*" (Durkheim).

fé (lat. *fides*: confiança, crença) **1.** Atitude religiosa do verdadeiro crente que se liga a Deus por um ato voluntário, a partir de uma testemunha de origem sobrenatural. As relações da fé com a razão estiveram no centro das filosofias medieval e clássica. Segundo Tomás de Aquino, "foi necessário, para a salvação do homem, que houvesse, fora das ciências filosóficas que a razão perscruta, uma doutrina diferente, procedendo por revelação divina". Sinônimo de crença.
2. Atitude mental que consiste em *ligar-se*, a partir de uma testemunha ou de uma autoridade indiscutível, a algo com o qual nos comprometemos. Assim, a fé aparece nas expressões jurídicas "dou fé", "respeitar a fé jurada", "testemunhar sob a fé do juramento" etc. Quando a fidelidade ao engajamento é uma fidelidade à verdade ou à intenção, fala-se de *boa-fé*. A *má-fé* é a duplicidade, a hipocrisia por palavra ou ato. A *má-fé* é um despistamento para o outro de seus verdadeiros sentimentos, um ocultamento do fundo de seu pensamento. Para Sartre, ao contrário, a *má-fé* consiste em se ocultar a si mesmo seus verdadeiros projetos ou o sentido de uma situação por essa espécie de duplicidade que é o modo de ser necessário do para-si (homem).

Fedro Diálogo onde *Platão trata do amor, da beleza e da retórica. Expõe a *dialética do amor (iniciada no *Banquete*) que será completada pela da *República*.

felicidade (lat. *felicitas*) **1.** Estado de satisfação plena e global de todas as tendências humanas.
2. Entre os gregos, a busca da felicidade estava vinculada à procura do bem supremo e da virtude. Aristóteles faz da felicidade "a atividade da alma dirigida pela virtude", isto é, pelo exercício da virtude, e não da simples posse.
3. Kant critica as concepções que depositam a felicidade nos sentidos ou que fazem dela um objeto da razão pura. Para ele, "a felicidade é sempre uma coisa agradável para aquele que a possui", mas ela supõe, "como condição, a conduta moral conforme a lei".
4. Em nossos dias, os filósofos da liberdade declaram que "não há moral geral" (Sartre), mas escolhas de existência. A felicidade não é mais um fim a ser atingido, mas uma função cíclica e intermitente, só surgindo na medida em que a afirmamos. Por sua vez, podemos falar da felicidade sem considerar a forma da sociedade em que ela se manifesta: "Freud estabeleceu o vínculo profundo entre a liberdade e a felicidade humana, de um lado, e a sexualidade, do outro: a sexualidade fornece a fonte original da felicidade e da liberdade e, ao mesmo tempo, a razão de suas restrições necessárias na civilização" (Herbert Marcuse). Assim, para Freud, "a felicidade não é um valor cultural": está subordinada às exigências do trabalho e da produção. *Ver* bem; contemplação.
5. Conceitos: "Uma vida feliz é impossível sem a sabedoria, a honestidade e a justiça, e estas, por sua vez, são inseparáveis de uma vida feliz" (Epicuro). "Ser feliz é necessariamente o desejo de todo ser racional mas finito; portanto, é inevitavelmente um princípio determinante de sua faculdade de desejar" (Kant). "Para sermos felizes, precisamos pensar na felicidade do outro" (Bachelard).

feminismo Conjunto de doutrinas e movimentos sociais tendo por objetivo fundamental a defesa da igualdade dos direitos entre o homem e a mulher e visando, sobretudo, a igualdade civil, política, cultural, econômica e profissional da mulher.

fenomenal (do gr. *phainomenon*) Que é relativo ao *fenômeno, ou composto de fenômenos. Ex.: realidade fenomenal. "Quando falo de objetos no espaço e no tempo, não falo das coisas em si, pois ignoro tudo sobre elas, mas apenas das coisas fenomenais, isto é, da experiência, como um modo de conhecimento que apenas o homem possui" (Kant, *Prolegômenos*).

fenomenalismo Doutrina segundo a qual o homem não pode conhecer as coisas em si, somente os *fenômenos (no sentido kantiano). Contrariamente ao fenomenismo, não considera as coisas em si ou "númenos" como simples palavras vazias de sentido, mas nelas reconhece uma realidade. A doutrina de Kant é um fenomenalismo.

fenomenismo Concepção filosófica atribuída sobretudo a Hume, que não admite a existência de nenhuma *substância, considerando a realidade como composta exclusivamente de *fenômenos e das percepções e ideias que formamos destes. *Ver* materialismo; objetivismo; subjetivismo. *Oposto a* substancialismo.

fenômeno (gr. *phainomenon*, de *phainesthai*: aparecer) **1.** Desde sua origem grega, o termo "fenômeno" tem um sentido ambíguo, oscilando entre a ideia de "aparecer com brilho" e a ideia de simplesmente "parecer". Assim, o fenômeno é algo de pouco seguro e, em última instância, uma ilusão. Daí a oposição metafísica entre o ser e o parecer: o ser em si não pode ser percebido por nossos sentidos; aquilo que nos aparece é apenas a diversidade dos seres particulares. O termo "fenômeno" adquire, então, o sentido genérico de "tudo o que é percebido, que aparece aos sentidos e à consciência".
2. O termo "fenômeno" passou a ser utilizado nas ciências experimentais e nas ciências humanas para designar não uma coisa, mas um processo, uma ação que se desenrola. Assim, a física e a química denominam "fenômeno" toda modificação que ocorre no estado de um corpo: o movimento é um fenômeno (o corpo em movimento se desloca); a dilatação dos gases é um fenômeno, mas os gases são corpos; a digestão (em biologia) é um fenômeno, mas o aparelho digestivo é um conjunto de órgãos.
3. Na filosofia de Kant, o termo "fenômeno" adquire um sentido particular, por oposição a "númeno". O "númeno" designa a coisa em si, tal como existe fora dos quadros do sujeito. Quanto ao "fenômeno", designa o objeto de nossa experiência, ou seja, aquilo que aparece nos quadros que lhe conferem as formas *a priori* da sensibilidade e as leis do entendimento. Mas Kant distingue a *matéria* do fenômeno, isto é, a sensação, e a *forma* do fenômeno, ou seja, o modo como essa sensação é ordenada em nosso espírito. O fenômeno se define, pois, como "um composto daquilo que recebemos das impressões e daquilo que nossa própria faculdade de conhecer tira de si mesma". Sendo assim, o fenômeno nada tem de uma aparição ilusória, mas constitui o fundamento mesmo de todo o nosso conhecimento. Segundo Kant, é essa distinção fundamental entre fenômeno e "númeno" que permite resolver a antinomia entre determinismo e liberdade. Porque o homem, como fenômeno, é determinado, no tempo, pelas leis da causalidade; como "númeno", porém, permanece livre (não é determinado por essas leis).
4. A expressão "salvar os fenômenos" consiste em acrescentar hipóteses suplementares a uma teoria de modo que os fatos que pareciam contradizê-la possam ser explicados por ela. Assim, para Galileu, "o real encarna o matemático. Por isso, ele não admite uma separação entre a experiência e a teoria. A teoria não se aplica aos fenômenos de fora, ela não 'salva' esses fenômenos, mas exprime sua essência" (Alexandre Koyré).

fenomenologia 1. Termo criado no séc. XVIII pelo filósofo J.H. Lambert (1728-1777), designando o estudo puramente descritivo do *fenômeno tal qual este se apresenta à nossa experiência.
2. *Hegel emprega o termo em sua *Fenomenologia do espírito* (1807) para designar o que denomina de "ciência da experiência da consciência", ou seja, o exame do processo dialético de constituição da *consciência desde seu nível mais básico, o sensível, até as formas mais elaboradas da consciência de si, que levariam finalmente à apreensão do *absoluto.
3. Corrente filosófica fundada por E. *Husserl, visando estabelecer um método de fundamentação da ciência e de constituição da filosofia como ciência rigorosa. O projeto fenomenológico se define como uma "volta às coisas mesmas", isto é, aos fenômenos, aquilo que aparece à consciência, que se dá como seu objeto intencional. O conceito de *intencionalidade ocupa um lugar central na fenomenologia, definindo a própria consciência como intencional, como voltada

para o mundo: "toda consciência é consciência de alguma coisa" (Husserl). Dessa forma, a fenomenologia pretende ao mesmo tempo combater o *empirismo e o *psicologismo e superar a oposição tradicional entre *realismo e *idealismo. A fenomenologia pode ser considerada uma das principais correntes filosóficas do séc. XX, sobretudo na Alemanha e na França, tendo influenciado fortemente o pensamento de *Heidegger e o existencialismo de *Sartre, e dando origem a importantes desdobramentos na obra de autores como *Merleau-Ponty e *Ricouer. Ver redução.

Fenomenologia do espírito (*Phänomenologie des Geistes*) Obra de *Hegel, publicada em 1807, contém o resultado do amadurecimento de seus cursos na Universidade de Iena (1801-1806), buscando traçar o processo de constituição da *consciência, cada um de seus momentos negando parcialmente o precedente e fazendo-a aceder a um grau de realidade suplementar. A consciência se eleva, das representações mais elementares do Ser absoluto (Deus) à sua representação filosófica adequada; parte da ingênua "certeza sensível" para atingir o "saber absoluto". Segundo Hegel, "este volume expõe o devir do saber". Em suma, constitui o que chamou de "ciência da experiência da consciência", examinando a história pela qual o homem se eleva até o *Absoluto. Trata-se de uma antropologia, descrevendo as "representações da consciência" (1ª parte) e as "experiências do espírito" (2ª).

fenomenotécnica Termo criado por Bachelard para designar sua filosofia "racionalista aplicada" ou "materialismo racional", que se atualiza na ação polêmica constante da razão, visando objetivar os fenômenos científicos *apesar* dos caracteres dos objetos comuns, determinar o abstrato-concreto através de uma técnica de produção dos fenômenos: produção teórica dos conceitos e produção material do objeto do trabalho teórico.

fetichismo (do port. *feitiço*) **1.** Historicamente, culto a um pequeno objeto considerado morada de um espírito e possuindo um poder mágico: "O fetichismo consiste em atribuir a todos os corpos exteriores uma vida essencialmente análoga à nossa, quase sempre mais enérgica. A adoração dos astros caracteriza esta primeira fase teológica" (Comte).
2. Para a psicanálise, desvio sexual consistindo no apego excessivo ou exclusivo da *libido a uma parte privilegiada do ser amado, a uma de suas vestes íntimas ou a qualquer outro objeto seu, suscitando desejo erótico.
3. Marx fala do "fetichismo da mercadoria" para designar o engano (ilusão) que se apodera dos homens quando se deixam fascinar por uma mercadoria de forma fantástica, desvinculando-a do trabalho humano.

Feuerbach, Ludwig (1804-1872) O filósofo alemão (nascido em Landshut) Ludwig Feuerbach é um pensador que faz parte da "esquerda hegeliana". Rompeu com Hegel em 1837, porque não reconhecia no movimento da história a "razão" que Hegel nele colocava. Criticou sua filosofia procurando seu verdadeiro conteúdo. Hegel havia posto no cume de todo o processo dialético a ideia absoluta. Feuerbach interpretou essa ideia de modo teológico e, em seguida, a condenou, colocando o homem no lugar de Deus (ou ideia). Em *A essência do cristianismo* e em *A essência da religião* (1841), mostra que a religião é uma *alienação do homem, adoração de ídolos criados pelos homens que projetam suas esperanças em vez de realizá-las. Segundo Engels, essa opinião teve um grande efeito em Marx. Está na origem do chamado "humanismo ateu" radical; o homem cria os deuses à sua imagem e semelhança, transfere para o Céu o ideal de justiça que não consegue realizar na Terra.

Feyerabend, Paul K. (1924-1994) Professor na Universidade da Califórnia (Berkeley), Paul K. Feyerabend (nascido em Viena, Áustria) sempre se interessou pela física, pelo teatro e pelas letras. Em 1954, recebeu, do presidente da república da Áustria, um prêmio por seus trabalhos nas ciências e em belas-artes. Em seguida, marcado pelo "segundo" Wittgenstein e por Karl Popper, nem por isso deixou de criticá-los. Deu-se conta de que a lógica formal constitui um elemento pernicioso para o desenvolvimento da filosofia. Revoltou-se contra o empirismo e adotou uma postura epistemológica por ele considerada "anarquista". Cansado de buscar uma metodologia geral suscetível de englobar tanto a ciência quanto os mitos, a metafísica e as artes, declarou abertamente que só há uma "regra" metodológica: "Admite-se tudo" ou "Tudo vale". Assim, seu "anarquismo epistemológico" é enfático: nenhuma teoria possui o privilégio da verdade sobre as outras; cada uma funciona mais ou menos, e sua concorrência é a única condição do progresso científico. Além de numerosos artigos em revistas e coletâneas, escreveu as obras: *Against Method: Outline of an Anarchistic Theory of Knowledge*

(1975), *Philosophical Papers* (1981), em 2 vols., *Farewell to Reason* (1987).

ficção (do lat. *fingere*: fingir, imaginar) Em seu sentido filosófico, é uma construção elaborada pela imaginação graças à qual um indivíduo acredita poder resolver um problema real (metafísico, lógico, moral ou psicológico). Ex.: o Gênio Maligno, de Descartes.

Fichte, Johann Gottlieb (1762-1814) Nascido em Rammenau, Alemanha, e profundamente marcado pela obra de Kant, o filósofo Fichte é um dos principais representantes do chamado *idealismo alemão pós-kantiano*. Foi professor nas Universidades de Iena e Berlim, tendo chegado a reitor desta última (1812). O ponto de partida da obra de Fichte são os problemas kantianos da fundamentação da experiência e da relação entre a necessidade causal do mundo natural e a liberdade no mundo moral. Posteriormente desenvolveu uma filosofia que prenunciava o idealismo absoluto de Hegel, formulando uma noção de "ego" como um ser ativo e autônomo em um sistema determinado pela Natureza. O "ego" resulta assim de um ato de auto afirmação da consciência originária, constituindo o mundo objetivo — o "não ego" — a partir das aparências. Seu idealismo, nesse sentido, dissocia-se da filosofia de Kant, sobretudo por abandonar a distinção kantiana entre objeto e coisa-em-si. Sua ética humanista e seu idealismo prático antecipam certas ideias do existencialismo como o fazer-se do homem por si mesmo. Obras principais: *Discursos à nação alemã* (1807-1808), em que defende a regeneração da Alemanha, então ocupada por Napoleão, e a necessidade de reformas sociais, e *Doutrina da ciência* (1810), em que expõe seu sistema.

Ficino, Marsílio (1433-1499) No plano das ideias, o filósofo e humanista Marsílio Ficino (nascido perto de Florença, Itália) encontra-se na origem do movimento renascentista. Ao traduzir para o latim o *Corpus hermeticum*, e, pela primeira vez, as obras completas de Platão e do neoplatônico Plotino, tornou-os acessíveis a um grande público. Em sua interpretação filosófica desses textos, Ficino insuflou vida nova em vários de seus conceitos, sobretudo no de "luz original", que deu nascimento ao mundo e continua a iluminar o universo. Ao inverter os valores neoplatônicos, Ficino torna a vida presente mais preciosa, pois ela se ilumina a partir de uma luz interior. Contudo, não aspiramos a essa "luz original", pois seu reflexo se torna mais importante, e se chama *beleza*. Preocupado ainda em "demonstrar" a imortalidade da alma e em estabelecer uma harmonia entre a razão e a fé revelada, Ficino partiu em busca de uma "paz da fé", resultante de uma união das crenças cristãs com a tradição grega depurada de seus elementos estranhos. Converteu-se, assim, num defensor da unidade da religião através da variedade dos ritos religiosos. Sua mensagem essencial consiste em dizer que tanto o sagrado quanto o sublime, o misterioso, o incognoscível e o "para-além" se revelam a nós na beleza deste mundo presente. Porque é a beleza que nos dá testemunho da luz e nos revela este mundo regido por forças maravilhosas. A obra essencial de Ficino consiste em 18 livros intitulados *Theologia platonica* (escritos entre 1469 e 1474).

fideísmo (do lat. *fides*: fé, crença) **1.** Doutrina que admite que a religião ou as verdades de fé constituem objeto de pura crença, essas verdades sendo independentes de toda e qualquer justificativa racional.
2. Doutrina segundo a qual as verdades fundamentais da ordem especulativa ou da ordem prática não devem ser justificadas pela razão, mas simplesmente aceitas como objeto de pura fé. O *fideísta* é, sobretudo, um crente, alguém que não admite que a razão seja suficiente para responder às grandes questões como a da existência de Deus ou da imortalidade da alma: uma resposta afirmativa a essas questões só pode repousar na fé. Ele é malvisto pela Igreja católica, que defende a ideia de que a razão possui um valor eminente, tanto para explicar o mundo quanto para fundar a crença em Deus.

figuras do silogismo São as quatro categorias nas quais se distribuem os modos possíveis de todo silogismo aristotélico. São determinadas pelo lugar do *termo médio* na premissa maior e na premissa menor (ele jamais aparece na conclusão). Assim, obtemos quatro figuras:
SP: na primeira figura, o termo médio é sujeito na premissa maior e predicado na menor.
PP: na segunda figura, o termo médio é predicado nas duas proposições.
SS: na terceira figura, o termo médio é sujeito nas duas proposições.
PS: na quarta figura, o termo médio é predicado na maior e sujeito na menor. *Ver* silogismo.

Filodemo (c. 110-28 a.C.) Filósofo grego (nascido em Gadara, Síria) epicurista; ensinou em

Roma. Encontraram-se, nas ruínas de Herculano, trinta e seis tratados atribuídos a esse filósofo.

filodoxia (do gr. *philia*: amizade, e *doxa*: opinião) Platão opõe os *filodoxos*, os "amantes da opinião", que se comprazem com as aparências e com a diversidade das coisas, aos *filósofos*, que procuram a ideia por detrás da diversidade das coisas. Kant também opõe filodoxia a filosofia, mas num sentido diferente. Para ele, a filodoxia nada mais é do que um diletantismo da reflexão filosófica, no qual são levantadas questões filosóficas sem preocupação de se chegar à verdade ou a soluções rigorosas.

Filolau Filósofo grego (nascido em Crotona ou em Tarento) que viveu no séc. V a.C.; pitagórico; fundou uma escola pitagórica em Tebas e foi um dos primeiros a divulgar o pensamento de Pitágoras. Restam apenas fragmentos de suas obras.

Fílon Filósofo grego, de origem judaica e cognominado "o Platão judeu"; viveu no séc. I da era cristã em Alexandria e é um dos principais representantes da chamada escola de *Alexandria. Chefiou uma embaixada de cinco judeus que foram a Roma pedir ao imperador que dispensasse os membros da comunidade judaica de prestarem culto divino à estátua do imperador. Como filósofo, procurou conciliar os ensinamentos do Velho Testamento com a filosofia de Platão e Aristóteles. Foi o inspirador do *neoplatonismo e da literatura cristã. Obras principais: *Sobre a vida contemplativa* e *Deus é um ser imutável*.

Fílon de Larissa Filósofo grego (nasceu em Larissa) que viveu nos sécs. II e I a.C. Dirigiu a *Nova Academia (c. 110 a.C.).

filosofia É difícil dar-se uma definição genérica de filosofia, já que esta varia não só quanto a cada filósofo ou corrente filosófica, mas também em relação a cada período histórico. Atribui-se a Pitágoras a distinção entre a *sophia*, o saber, e a *philosophia*, que seria a "amizade ao saber", a busca do saber. Com isso se estabeleceu, já desde sua origem, uma diferença de natureza entre a ciência, enquanto saber específico, conhecimento sobre um domínio do real, e a filosofia que teria um caráter mais geral, mais abstrato, mais reflexivo, no sentido da busca dos princípios que tornam possível o próprio saber. No entanto, no desenvolvimento da tradição filosófica, o termo "filosofia" foi frequentemente usado para designar a totalidade do saber, a ciência em geral, sendo a metafísica a ciência dos primeiros princípios, estabelecendo os fundamentos dos demais saberes. O período medieval foi marcado pelas sucessivas tentativas de conciliação entre razão e fé, entre a filosofia e os dogmas da religião revelada, passando a filosofia a ser considerada *ancilla theologiae*, a serva da teologia, na medida em que fornecia as bases racionais e argumentativas para a construção de um sistema teológico, sem contudo poder questionar a própria fé. O pensamento moderno recupera o sentido da filosofia como investigação dos primeiros princípios, tendo portanto um papel de fundamento da ciência e de justificação da ação humana. A filosofia crítica, principalmente a partir do Iluminismo, vai atribuir à filosofia exatamente esse papel de investigação de pressupostos, de consciência de limites, de crítica da ciência e da cultura. Pode-se supor que essa concepção, mais contemporânea, tem raízes no ceticismo, que, ao duvidar da possibilidade da ciência e do conhecimento, atribuiu à filosofia um papel quase que exclusivamente questionador. Na filosofia contemporânea, encontramos assim, ainda que em diferentes correntes e perspectivas, um sentido de filosofia como investigação crítica, situando-se portanto em um nível essencialmente distinto do da ciência, embora intimamente relacionado a esta, já que descobertas científicas muitas vezes suscitam questões e reflexões filosóficas e frequentemente problematizam teorias científicas. Essa relação reflexiva entre a filosofia e os outros campos do saber fica clara sobretudo nas chamadas "filosofia de": filosofia da ciência, filosofia da arte, filosofia da história, filosofia da educação, filosofia da matemática, filosofia do direito etc.

filosofia analítica Corrente de pensamento que se desenvolveu sobretudo na Inglaterra e nos Estados Unidos a partir do início do séc. XX, com base na influência de filósofos como Gottlob *Frege, Bertrand *Russell, George Edward *Moore e Ludwig *Wittgenstein, dentre outros. Caracteriza-se, em linhas gerais, pela concepção de que a *lógica e a teoria do *significado ocupam um papel central na filosofia, sendo que a tarefa básica da filosofia é a análise lógica das sentenças, através da qual se obtém a solução dos problemas filosóficos. Há, no entanto, profundas divergências sobre as diferentes formas de se conceber esta análise. *Ver* Carnap; Círculo de Viena; linguagem; Quine; semântica; significado.

Filosofia como ciência rigorosa, A (*Philosophie als strenge Wissenschaft*) Obra de *Husserl, publicada entre 1910-1911, na qual critica tanto os partidários do *naturalismo científico, quanto os defensores do *historicismo e define a filosofia como *fenomenologia, vale dizer, como apreensão do sentido dos fenômenos, pois somente ela pode captar o único ser apoditicamente dado (ou absoluto), o ser da *consciência. Ciência das essências, a filosofia mostra que a consciência, pela *intencionalidade, capta a "coisa mesma".

filosofia da história Concepção segundo a qual a história humana forma um todo e evolui conforme um plano racional em direção a um termo final conferindo-lhe um *sentido. Seu problema fundamental, analisado a partir do método dialético de *Hegel e *Marx, é o "sentido da história". Marcha a história do mundo no sentido de um aperfeiçoamento moral? De um progresso da cultura? Exprime uma decadência dos costumes? Orienta-se no sentido do capitalismo globalizado ou de um socialismo planificado? "Uma filosofia da história supõe que a história humana não seja uma simples soma de fatos justapostos, mas que seja uma totalidade em movimento para um estado privilegiado conferindo sentido ao conjunto" (*Merleau-Ponty).

Filosofia da miséria, A Obra de *Proudhon (1846) propondo a reforma do capitalismo: sem destruir a propriedade privada e a troca, deveria pôr em comum os meios de produção. Foi criticada por Marx em *A miséria da filosofia* (1847).

Filosofia das formas simbólicas Obra de *Cassirer (1929) onde ele analisa, através da evolução do conhecimento humano, fundado numa filosofia da história e do direito, as manifestações e as modificações da função simbólica nos diferentes domínios culturais: mitologia, religião, arte e ciência.

Filosofia do não, A Obra de *Bachelard (1940) que mostra, levando em conta a evolução do saber, a constituição de uma filosofia capaz de satisfazer ao mesmo tempo aos filósofos e aos cientistas. Na medida em que o saber só progride ultrapassando suas aquisições, essa filosofia só pode ser aberta, dialética e em ruptura com toda forma de dogmatismo e com toda forma fixista da razão.

filosofia no Brasil A expressão "filosofia no Brasil" foi utilizada pela primeira vez por Sílvio *Romero (1851-1914), em sua obra historiográfica *A filosofia no Brasil* (1878), para designar o pensamento filosófico produzido entre nós. Vejamos apenas duas fases distintas do desenvolvimento deste pensamento, a inicial e a de sua institucionalização:

1. Os primeiros a desenvolverem um pensamento filosófico no Brasil foram o português Silvestre Pinheiro Ferreira (1769-1846), que lecionou no Rio de Janeiro e foi autor de *Preleções filosóficas* (1813), e o franciscano (nascido no Rio de Janeiro) frei Montalverne (1784-1858), influenciado pelo espiritualismo eclético de Victor *Cousin e autor de um compêndio de filosofia (1833) quando lecionava no Seminário São José. Neste primeiro momento, no início do séc. XIX, o pensamento filosófico brasileiro, ainda muito incipiente, refletia a influência da reforma do Marquês de Pombal em Portugal, sobretudo quanto à substituição da *escolástica — ainda lecionada no século anterior nos seminários e universidades (principalmente em Coimbra) pelos jesuítas — por ideias mais próximas do espírito do *"Século das Luzes", sobretudo o racionalismo, o empirismo e as recentes descobertas científicas. A adoção oficial do compêndio do iluminista italiano Antonio Genovesi (1713-1769) para uso dos estudantes de filosofia no Brasil, antes e depois da independência, refletiu esta política. As principais correntes para o desenvolvimento do pensamento filosófico no país foram:

• O *ecletismo* ou espiritualismo eclético, representado pelo próprio Montalverne e por Domingos Gonçalves de Magalhães (1811-1882), Visconde de Araguaia, poeta romântico e político influente no 2º Império, autor de *Fatos do espírito humano* (1858), obra de grande repercussão por sua crítica ao empirismo, sendo inclusive traduzida para o francês.

• O *naturalismo*, inspirado sobretudo em *Maine de Biran, representado pelo médico e político baiano Eduardo Ferreira França (1809-1857), que se doutorou na França e foi autor de *Investigações psicológicas* (1854).

• O *pensamento católico*, de cunho conservador, empenhado em combater o *sensualismo e o ecletismo, defendendo a doutrina tomista e tendo como representantes o padre Patrício Muniz (1820-1871), natural da ilha da Madeira e autor da *Teoria da afirmação pura* (1863), e José Soriano de Souza (1833-1895), médico, doutor pela Universidade de Louvain, na Bélgica, autor do *Compêndio de filosofia, ordenado segundo os princípios de santo Tomás de Aquino* (1867).

• Os *evolucionistas*, influenciados por *Darwin, como José de Araújo Ribeiro, visconde do Rio

Grande, autor de *O fim da criação* (1875), e Guedes Cabral, autor de *As funções do cérebro* (1876).

• Os *positivistas*, discípulos de *Comte, que se destacam sobretudo no campo do pensamento político, como Benjamin Constant e Júlio de Castilhos, difundindo ideias republicanas e modernizadoras, podendo-se mencionar, no campo mais estritamente filosófico, Luís Pereira Barreto (1840-1922), autor de *As três filosofias*. O principal comentário de historiadores da filosofia no Brasil, como Sílvio Romero e o padre Leonel Franca, diz respeito à falta de originalidade do pensamento filosófico produzido no Brasil nesse período, o qual limitava-se a um pálido reflexo das ideias então surgidas na Europa, nem sempre aqui discutidas a partir de seus mais importantes representantes. A falta de originalidade e a importação das ideias têm sido assim o traço mais acentuado pelos historiadores mais tradicionais, sobretudo devido à falta de um desenvolvimento mais metódico do pensamento filosófico entre nós, bem como à ausência de uma verdadeira comunidade de pensamento, impossibilitada por não existir uma tradição acadêmica própria entre nós nesse período. Neste panorama destacam-se as obras de Tobias *Barreto e de *Farias Brito, pela originalidade de pensamento e pelo nível de elaboração teórica, certamente superior aos demais.

2. A segunda fase pode ser caracterizada pela criação, na década de 30, das faculdades de filosofia na Universidade de São Paulo (1934) e na Universidade Nacional, no Rio de Janeiro (1939), quando o pensamento filosófico começa a se institucionalizar no Brasil. O ensino oficial da filosofia entre nós data de 1841, tendo sido implantado no Colégio Pedro II do Rio de Janeiro, por iniciativa de Gonçalves de Magalhães. Ensino ministrado, em grande parte, por autodidatas, quase sempre oriundos das faculdades de direito (fundadas em 1827), dominadas pelos ideários do ecletismo, do positivismo, do *neokantismo e da escolástica. Mas a pesquisa e o ensino filosóficos só ganharam caráter mais sistemático quando foram convidados para a USP, no momento de sua criação, vários professores estrangeiros, sobretudo franceses, para a preparação de docentes. Nesse momento, fora das universidades, destacaram-se duas correntes filosóficas: o *neopositivismo, representado por Euryalo *Cannabrava, e o naturalismo, por Pontes de Miranda (1894-1979), ambos no Rio de Janeiro. E, nas universidades, a partir de então, destacaram-se as atividades de *Cruz Costa e Miguel Reale (S. Paulo), e Vieira Pinto (Rio). Hoje em dia, o papel das universidades torna-se cada vez mais importante no delineamento das tendências filosóficas no Brasil, na medida em que constituem suportes institucionais que garantem as atividades de ensino e pesquisa, assegurando boa parte das publicações em periódicos. Isso não significa que instituições alheias às universidades não venham prestando relevantes contribuições à reflexão filosófica. É o caso, para ficar apenas em dois exemplos, do Instituto Brasileiro de Filosofia, que vem publicando desde 1950 a *Revista Brasileira de Filosofia*, em São Paulo, e do ISEB (Instituto Superior de Estudos Brasileiros), sobretudo no final da década de 50 e início da de 60, no Rio de Janeiro. Mas foi a partir dos anos 70, com a criação dos programas de pós-graduação (mestrado e doutorado), que a atividade filosófica ganhou um novo impulso. Muitas dissertações de mestrado e teses de doutorado de real valor vêm sendo defendidas e têm sido publicadas. É sobretudo para os centros de pós-graduação que convergem as principais tendências do pensamento filosófico do Brasil de hoje. Os mais consolidados são os do Rio de Janeiro (UFRJ e PUC), de São Paulo (USP e PUC), Campinas (Unicamp), Porto Alegre (UFRGS) e Belo Horizonte (UFMG). É nessas instituições que tem se desenvolvido o debate em torno das questões mais centrais da filosofia contemporânea e da tradição filosófica. As pesquisas que vêm se desenvolvendo nos principais programas de pós-graduação têm se consolidado graças ao empenho de vários professores e pesquisadores altamente qualificados, muitos dos quais obtiveram seus títulos no exterior, e graças ao incentivo e apoio de órgãos governamentais como a CAPES (MEC) e o CNPq, bem como à coordenação da ANPOF (Associação Nacional de Pós-graduação em Filosofia), criada em 1983, o que tem tornado possível a realização de vários congressos, encontros, simpósios, seminários etc., que muito contribuem para a promoção do debate filosófico. É sobretudo nas universidades que se trava o amplo diálogo entre as diversas correntes de pensamento filosófico e aí também que os mais representativos filósofos brasileiros da atualidade desenvolvem suas atividades de ensino e pesquisa (poucos são os que se encontram fora dos quadros universitários). Na impossibilidade de, nos limites deste verbete, situar todos os principais filósofos atuantes entre nós neste momento, inclusive para não cometer a injustiça de omitir algum nome significativo, procuramos apenas indicar as principais linhas de pesquisa e correntes de pensamento que vêm marcando a atividade filosófica no Brasil de hoje:

- A corrente *culturalista* tem suas raízes no pensamento de Tobias *Barreto, ligado ao neokantismo de sua época. A partir da década de 50 essa tendência vem sendo desenvolvida por vários pensadores preocupados com a análise histórico-cultural das ideias filosóficas no Brasil.
- O *neotomismo* é uma corrente de pensamento católico bastante influente no Brasil a partir da década de 40, com a chegada de vários pensadores europeus desta linha para colaborar na implantação de cursos de filosofia, principalmente no Rio e em São Paulo. Jackson de Figueiredo, Gustavo Corção e Alceu de *Amoroso Lima são nomes representativos desta corrente.
- A *fenomenologia existencial*: os anos 60 marcaram uma intensificação das investigações em torno do pensamento de E. *Husserl, M. *Heidegger, J.P. *Sartre e M. *Merleau-Ponty, surgindo todo um grupo de pensadores que podem ser considerados discípulos, intérpretes e comentadores desses filósofos. Este grupo é composto sobretudo por professores que fizeram seus estudos de pós-graduação na França, na Bélgica (Louvain) e na Alemanha, e que continuam em grande atividade.
- A *filosofia da ciência* a partir da década de 70 tem se desenvolvido bastante, seja na perspectiva do neopositivismo e da filosofia analítica, preocupada sobretudo com as ciências naturais, seja na perspectiva epistemológica e da história das ciências influenciada por *Bachelard, *Koyré, *Canguilhem, *Foucault etc.
- O *pensamento marxista* atingiu seu maior desenvolvimento na década de 60, a partir da crise epistemológica gerada na Europa em torno da questão das várias formas de reinterpretação de Marx e do marxismo, encontradas nas obras de pensadores como *Althusser, *Gramsci, os da escola de *Frankfurt, L. *Goldmann, e outros. Esta corrente tem desenvolvido importantes trabalhos no campo da filosofia política e da cultura.
- A *filosofia* *analítica tem se desenvolvido mais recentemente tanto na linha dos temas oriundos do neopositivismo e da lógica, quanto na linha da filosofia da linguagem do "segundo" *Wittgen-stein. Este desenvolvimento deve-se sobretudo ao trabalho de professores que fizeram seus estudos de pós-graduação nos Estados Unidos, na Inglaterra e na Alemanha, principalmente.
- A *estética* tem sido também uma linha de pesquisa de grande desenvolvimento, por sua importância na reflexão sobre questões de filosofia da arte e da cultura.
- A *ética* igualmente vem motivando um grande número de pesquisadores, sobretudo devido aos desafios trazidos pela ciência e pela tecnologia em relação a questões morais, individuais e coletivas.
- O pensamento de *Nietzsche tem tido também grande influência em época mais recente, principalmente ao final da década de 70 e início da de 80, sobretudo a partir da interpretação de Heidegger e de Foucault das ideias deste pensador.

Dentre os principais periódicos que refletem a produção filosófica no Brasil, podemos destacar os seguintes: *Revista Brasileira de Filosofia* (São Paulo), *Discurso* (São Paulo, USP), *Manuscrito* e *Cadernos de História e Filosofia da Ciência* (Campinas, Unicamp), *Kriterion* (Belo Horizonte, UFMG), *Revista Filosófica Brasileira* (Rio de Janeiro, UFRJ), *Reflexão* (Campinas, PUC), *Síntese* (Belo Horizonte).

Nota bibliográfica: Antonio Paim, *História das ideias filosóficas no Brasil*, São Paulo, INL, 4ª ed., 1987; Henrique Cláudio de Lima Vaz, "A filosofia no Brasil, hoje", in Leonel Franca, *Noções de história da filosofia*, 20ª ed., Rio de Janeiro, Agir; Antônio Rezende, "A filosofia no Brasil", in *Curso de filosofia*, Rio de Janeiro, Zahar, 1986.

filosofia perene Expressão que designa uma concepção da filosofia situando-a acima das contingências humanas, das coerções sociais e das vicissitudes da história, posto que teria por objeto estudar as verdades intemporais da metafísica. Esta concepção se opõe à visão do filósofo engajado com seu tempo e reflexo de sua época.

filosofia positiva Expressão utilizada por *Comte para designar o modo de filosofar não metafísico ou científico, pretendendo fazer a síntese dos fenômenos observados e das leis da ciência positiva. *Ver* positivismo.

filosofia primeira (lat. *philosophia prima*) Expressão que traduz a fórmula aristotélica *proté philosophia*, encontrada na *Metafísica* (E,1). Consagrada pela *escolástica medieval, considera a problemática do *Ser e dos primeiros princípios como questão central da filosofia, da qual todas as demais dependem. Utilizada por vezes como sinônimo da própria metafísica.

filosofia romântica Expressão utilizada, por oposição à "filosofia das Luzes" (da *Aufklärung) para designar a doutrina dos filósofos Schlegel, Fichte, Schelling e Hegel, caracterizada "pela depreciação das regras estéticas e lógicas, pela apologia da paixão, da intuição, da liberdade, da espontaneidade, pela importância que eles atribuem à ideia da vida e à do infinito"(Lalande).

filósofo (gr. *philósophos*) Segundo a tradição, *Pitágoras é o criador desse termo, pretendendo com isso mostrar que, longe de ser um sábio (*sophós*), era, antes, um simples "amigo do saber" (*philósophos*). Entretanto, na tradição clássica, até o período moderno, o termo "filósofo" foi empregado em um sentido amplo, sendo praticamente equivalente a "sábio". Em um sentido mais específico, o filósofo é o metafísico, aquele que busca os primeiros princípios, que investiga o real em sua dimensão mais geral, mais básica, mais abstrata. "Buscar as causas primeiras e os verdadeiros princípios... é fundamentalmente aos que se dedicam a isso que denominamos filósofos" (Descartes, *Princípios da filosofia*, prefácio). Em uma acepção mais contemporânea, o filósofo é aquele que desenvolve uma reflexão crítica sobre os diferentes elementos que constituem sua experiência e sobre o contexto sociocultural em que vive, examinando seus pressupostos, tendo consciência de seus limites, procurando basear sua ação em princípios racionais.

fim (lat. *finis*) A palavra latina *finis* tem, pelo menos, quatro sentidos diferentes: a) limite; b) acabamento; c) grau supremo, o ponto último de alguma coisa; d) objetivo, finalidade. O vocabulário filosófico faz um uso privilegiado do termo "fim" no sentido de objetivo (com seus derivados: final, finalidade e finalismo). E distingue o fim consciente, para o qual tende o ser pensante ou consciente, e o fim inconsciente, ou seja, o resultado para o qual tende um processo inconsciente ou aquilo para que serve um objeto. Observemos que a palavra "fim" presta-se muito a jogos de palavras. Assim, a expressão "fim do homem" tanto pode significar aquilo que tende a humanidade quanto o desaparecimento ou extinção da humanidade. Da mesma forma, "o fim da filosofia" tanto pode significar "o objetivo ou finalidade da filosofia" quanto sua extinção pura e simples. *Ver* finalidade.

final, causa Aquilo que se tem em vista. *Ver* eficiente (causa).

finalidade 1. Caráter daquilo que, de modo consciente, tende para um objetivo através da organização dos meios (finalidade intencional): "Porque tudo o que age só age em vista de alguma coisa, devemos afirmar um quarto princípio (além da matéria, da forma e do princípio do movimento): aquele para o qual tende o agente, e que chamamos de fim" (Tomás de Aquino).
2. Conveniência e adaptação dos meios a um fim (finalidade natural): quando uma coisa, por sua natureza, serve de meio a outra, fala-se da finalidade externa; quando tem por fim o próprio ser, cujas partes são consideradas como meios, fala-se de finalidade interna: "nos seres vivos, tudo é reciprocamente meio e fim" (Kant). O chamado "princípio de finalidade", segundo o qual todo agente age segundo um fim, pretende dar conta de um objeto ou de um ser que designa sua função.
3. Kant popularizou a expressão "reino dos fins", isto é, da moral concebida como ligação sistemática entre os seres racionais que podem tornar a si mesmos como fonte e objetivo da moralidade. Assim, o provérbio "quem quer os fins quer os meios" é substituído pela fórmula "o fim justifica os meios". *Ver* teleologia.

finalismo Doutrina que transpõe o princípio de finalidade para a ordem da metafísica, com o objetivo de explicar os fenômenos do mundo material ou moral, tanto pela intervenção de um espírito criador e providencial quanto em função de um futuro "apocalipse" que virá justificar tudo o que se passou anteriormente.

finitismo 1. Doutrina que afirma o fim do mundo.
2. Teoria ou doutrina que sustenta que uma determinada entidade ou domínio é finito.

finitude (do lat. *finitus*, de *finire*: findar, limitar) A filosofia moderna se constitui tomando uma posição em relação ao tema do finito e do infinito, tema inaugurado pela transformação do "cosmo" grego.
1. No pensamento grego, a finitude tem um sentido de acabamento: o mundo é finito, limitado; a ordem que nele reina (o cosmo) repousa no limite. O "infinito" só tem o sentido de inacabado, de imperfeito.
2. O pensamento cristão introduz, na origem do mundo criado, um Deus perfeito *e* infinito. O infinito ganha um sentido positivo, mas a finitude do mundo criado não sai da ordem das coisas. É somente no séc. XV, com Nicolau de Cusa, que surge a ideia de um mundo infinito: o finito passa a subordinar-se ao infinito como o imperfeito ao perfeito.

3. Os filósofos da existência falam do sentimento subjetivo da finitude: a finitude do ser humano é sua contingência radical; pelo medo, pela angústia ou pelo sentimento do absurdo, o homem experimenta os limites de seu ser, a contingência radical de sua existência.

Fink, Eugen (1905-1975) Filósofo alemão, nascido em Konstanz, aluno e posteriormente colaborador de *Husserl, foi inclusive autor da *Sexta meditação cartesiana* de Husserl, tendo sido professor na Universidade de Freiburg, onde estudou com Husserl. Para ele, a tarefa da reflexão fenomenológica é a de descobrir a "origem do mundo", e não a de fundar nosso conhecimento do mundo, como pretende a reflexão crítica. Procurou ainda fundar especulativamente a atitude descritiva da *fenomenologia. Obras principais: *Representação e imagem* (1930), *O problema da fenomenologia de Husserl* (1938), *Contribuição à história dos inícios da ontologia* (1957), *O jogo como símbolo cósmico* (1960), *A filosofia de Nietzsche* (1960), *Ser e homem, sobre a natureza da experiência ontológica* (1977).

Fischer, Kuno (1824-1907) Filósofo e crítico literário alemão (nascido em Sandewalde); foi professor de Windelband; lecionou em Iena (1856) e em Heidelberg (1872-1907) e foi seguidor de Hegel. Escreveu uma monumental *História da filosofia moderna* em seis volumes (1852-1877), além de várias outras obras filosóficas e de estudos literários.

física/físico (lat. *physica*, do gr. *physike*: ciência da natureza) **1.** O termo "físico" designa a realidade material, concreta, objeto de nossos sentidos, em contraste com a realidade psíquica, subjetiva, interior, bem como a realidade espiritual ou abstrata. Ex.: mundo físico, objeto físico. *Oposto a* abstrato. *Ver* matéria.
2. Como ciência do mundo natural, a física está desde sua origem estreitamente ligada à filosofia. As *cosmologias dos primeiros filósofos, os *pré-socráticos, também denominados por Aristóteles de "fisiólogos", são precisamente uma tentativa de explicar o mundo material através de causas naturais e da existência de elementos primordiais, que seriam os princípios explicativos de toda a realidade. Física e *metafísica têm assim praticamente uma origem comum, como aspectos da tentativa de explicação da realidade em seu sentido mais próximo da experiência sensível e em seu sentido mais abstrato, teórico, especulativo. Com o surgimento da ciência moderna a partir do séc. XVII, a física tem um grande desenvolvimento, dando origem à físico-matemática e servindo de modelo para todas as ciências, sobretudo devido à contribuição de Newton, à construção de uma axiomática, de uma teoria rigorosa do mundo natural. Kant dirá então que a filosofia deveria ambicionar atingir o estágio acabado em que a física se encontrava. No período contemporâneo, as teorias físicas, como a da relatividade, e a mecânica quântica questionam os pressupostos centrais da física newtoniana e suscitam importantes questões para a filosofia da ciência, relacionadas com o realismo e o construtivismo, com as noções de tempo e espaço, verdade e verificação etc. Do mesmo modo, a discussão sobre o estatuto epistemológico das ciências humanas leva ao questionamento da adoção da física clássica como modelo de todas as ciências em geral.

fisicalismo (al. *Physikalismus*) Termo criado por Rudolf *Carnap em sua obra *Conceituação fisicalista* (1926) e que passou a designar a doutrina filosófica do *Círculo de Viena, o empirismo lógico, positivismo lógico ou neopositivismo. Sua ideia central é a de que a linguagem da *física constitui um paradigma para todas as ciências, naturais e humanas (dentre estas últimas sobretudo a psicologia), estabelecendo a possibilidade de se chegar a uma ciência unificada. Essa linguagem, por sua vez, se reduz a sentenças protocolares, que descrevem dados da experiência imediata, e a sentenças lógicas que são analíticas. A verificação empírica e o formalismo lógico são assim as bases da doutrina fisicalista. "Uma das tarefas mais importantes, relativas à lógica da ciência, será o desenvolvimento das operações que o fisicalismo sustenta que são possíveis: indicar as regras sintáticas para a inserção dos diferentes conceitos biológicos, psicológicos e sociológicos na linguagem física. Essa análise dos conceitos de língua gens parciais conduz à concepção de uma linguagem unitária que suprimiria o estado de dispersão que reina atualmente na ciência" (R. Carnap. *O problema da lógica da ciência*, 1934).

fixismo Doutrina segundo a qual as espécies não se transformam no curso das idades, pois foram criadas por Deus tais como se encontram atualmente. *Ver* transformismo; evolucionismo.

Fontenelle, Bernard le Bovier de (1657-1757) Filósofo racionalista francês, foi um dos principais seguidores de *Descartes, sobretudo no campo da ciência da natureza e da astronomia, embora em suas últimas obras tivesse desenvolvido uma teoria do conhecimento de caráter empirista. Defendeu, em sua obra *Digréssion sur les anciens et les modernes* (1688), a filosofia moderna contra os tradicionalistas, na célebre querela entre os antigos e os modernos. Teve grande influência no pensamento iluminista francês do séc. XVIII, tendo ocupado o cargo de secretário perpétuo da Academia de Ciência (1699). Dedicou-se também a atividades literárias e ao estudo das religiões, notabilizando-se por seu *L'origine des fables* (1680). Outras obras: *Entretiens sur la pluralité des mondes* (1686), *Éloge de Newton* (1727).

forma (lat. *forma*) **1.** Princípio que determina a matéria, fazendo dela tal coisa determinada: aquilo que, num ser, é inteligível. A matéria e a forma constituem o par central da física aristotélica. A forma é aquilo que, na coisa, é inteligível, podendo ser conhecido pela razão (objeto da ciência): a essência, o "definível". A matéria é considerada como um substrato passivo que deve tomar forma para se tornar tal coisa. Matéria e forma só podem ser dissociadas pelo pensamento.
2. Kant retoma essa concepção, em sua teoria do conhecimento, razão pela qual sua filosofia pode ser qualificada de formalista, na medida em que a forma nela é o produto da atividade autônoma do espírito. Assim, ele chama de "formas" as instituições da sensibilidade e as categorias do entendimento que, dominando a matéria, constituem-na em fenômenos. A forma designa aquilo que vem do sujeito, as estruturas de seu modo de conhecer (formas *a priori*): "chamo de matéria no fenômeno aquilo que corresponde à sensação; mas aquilo que faz com que o diverso do fenômeno seja coordenado na intuição, segundo certas relações, chamo de forma do fenômeno".
3. Enquanto oposta a elemento isolado, a forma designa a percepção global de um conjunto. É nesse sentido que se fala da *teoria da forma* (em alemão: *Gestalttheorie*): trata-se, antes de tudo, de uma teoria psicológica, mas que se estendeu a outros domínios de conhecimento. Segundo essa teoria, só percebemos conjuntos de elementos. Por exemplo, quando vejo algo, vejo ao mesmo tempo uma certa forma (no sentido de contorno ou forma geométrica), uma certa cor, uma certa distância etc. Esse conjunto percebido é chamado de forma.

Formação do espírito científico, A Obra de *Bachelard (1938) demonstrando que o progresso do conhecimento científico deve ser pensado em termos de *obstáculos inerentes a nosso pensamento comum: "conhecemos contra um conhecimento anterior, destruindo conhecimentos malfeitos". Assim, o pensamento científico, longe de exprimir a experiência imediata, deve instituir-se rompendo com a riqueza concreta do vivido empírico, com os dados da sensibilidade.

formal (lat. *formalis*) **1.** Em seu sentido vulgar, refere-se a: a) uma preocupação excessiva com os aspectos exteriores (educação formal); b) aquilo que possui um caráter abstrato, sem relação com o real (argumentação formal); c) aquilo que é apresentado de modo explícito e categórico (uma ordem formal).
2. Uma verdade é formal quando diz respeito à forma do conhecimento e é conforme às regras da lógica; por sua vez, uma moral é formal quando só considera a forma da moralidade, não se preocupando com as consequências de sua realização.
3. Hegel frequentemente opõe *formal* a *substancial*. Nas relações sociais, por exemplo, a família é substancial e natural, ao passo que são formais as relações entre os cidadãos que vivem numa sociedade civil que não dá a devida importância às relações humanas.
4. Causa formal. *Ver* causa.

formalismo (fr. *formalisme*) **1.** Atenção e preocupação exageradas com os detalhes de pura forma, através de um pensamento de tipo mecânico: formalismo jurídico, prática formalista de ritos.
2. Doutrina segundo a qual o valor moral de um ato depende não daquilo que realmente é feito, mas da intenção que comandou sua realização.
3. Na linguagem matemática, é chamada de formalismo a doutrina segundo a qual as verdades matemáticas são puramente formais, repousando unicamente num jogo de convenções e de símbolos.
4. Na estética, doutrina que atribui uma importância excessiva à forma (literária, artística etc.), em detrimento do "fundo".

formalização Construção de um sistema de conhecimentos por redução às suas estruturas formais e abstração feita de seu conteúdo empírico ou intuitivo. A formalização constitui a tarefa fundamental da disciplina denominada "logística", "lógica simbólica", "lógica matemática" ou simplesmente, em seu sentido mais antigo, "lógica formal". Ela se tornou hoje um instrumento de análise e de formulação indispensável ao matemático, ao linguista, ao filósofo, ao informático e, de modo geral, a todo aquele que está preocupado em controlar, com uma precisão máxima, as *démarches* de seu pensamento e a organização de seus discursos.

foro (íntimo) (lat. *forum*: lugar público) Em seu sentido moral, é o tribunal interior da *consciência dos indivíduos, o lugar onde ela toma soberanamente suas decisões, independentemente das coerções exteriores.

fortuito (lat. *fortuitus*) Que se produz por acaso, que depende do acaso, aparecendo como algo de imprevisível e que acontece de repente. *Ver* acaso.

Foucault, Michel (1926-1984) Um dos mais influentes pensadores franceses contemporâneos, identificado inicialmente com o estruturalismo — do qual certamente sofreu a influência, embora desenvolvendo um pensamento próprio, extremamente criativo e original —, Foucault nasceu em Poitiers e foi professor no Collège de France (1970). Empreendeu uma importante análise epistemológica do surgimento das ciências humanas e de seu papel em nossa cultura, bem como uma crítica à noção tradicional de sujeito. Por outro lado, foi também grande a influência do próprio método de análise do discurso proposto por Foucault. Seu ponto de partida é o conceito de *episteme*, uma rede de significados — uma "formação discursiva" — que caracterizaria uma determinada época nos diversos domínios da sociedade e da cultura: da literatura à ciência, da arte à filosofia. A *análise arqueológica*, que realizou, representa um método original em história das ideias, cujas bases são formuladas em sua obra *Arqueologia do saber* (1969). Essa análise é essencialmente uma análise do discurso, tomado no entanto em um sentido prévio a qualquer categorização, procurando estabelecer relações não tematizadas e examinar com rigor como as categorizações se dão *no* discurso, como o próprio discurso se constitui. Foucault questiona, em sua obra *As palavras e as coisas, uma arqueologia das ciências humanas* (1966), a noção de sujeito e a ideia de ciências humanas que dela se origina, tendo ficado célebre sua conclusão de que "o homem é uma invenção que a arqueologia de nosso pensamento mostra claramente a data recente, e talvez também o fim próximo". Mais tarde, inspirando-se em Nietzsche, desenvolveu seu método em outra direção, que chamou de "genealogia", conceito que introduziu em seu *Vigiar e punir* (1975). A genealogia é essencialmente uma análise histórica de como o *poder* pode ser considerado explicativo da produção dos saberes. Os discursos são vistos agora a partir das condições políticas que os tornam possíveis. O poder, contudo, deve ser visto aí de uma forma difusa, não se identificando necessariamente com o Estado, mas nas várias instâncias da vida social e cultural, em uma perspectiva que Foucault denominou "microfísica do poder". No primeiro volume de sua última obra, *História da sexualidade*, desenvolveu sua análise nessa direção. Foucault visitou diversas vezes o Brasil e sua obra teve grande impacto em nosso meio acadêmico e cultural. Além dos já citados, destacam-se ainda os seguintes livros: *História da loucura na idade clássica* (1961), *O nascimento da clínica* (1963), *A ordem do discurso* (1971), *História da sexualidade* em três volumes: *A vontade do saber* (1976), *O uso dos prazeres* (1984) e *O cuidado de si* (1984).

Fourier, Charles (1772-1837) O filósofo e reformador social francês Charles Fourier (nascido em Besançon) é um dos socialistas utópicos. Sua doutrina é uma vigorosa acusação aos comerciantes considerados "aranhas, sanguessugas, abutres e espoliadores" de serem responsáveis pelo triste estado da sociedade, pelo feudalismo que persiste e pelo assassinato dos trabalhadores. Ataca também a religião ("obra de um aventureiro charlatão"), a instituição familiar e "a civilização" (sinônimo de todas as perversões). Fourier, cujos "falanstérios" (comunidades cooperativistas) foram experimentalmente implantados na Europa e nos Estados Unidos, teve a ideia da orientação profissional, defendeu a propriedade comunitária, postulou a federação das comunidades, defendeu o princípio "a cada um segundo suas necessidades", advogou a utilização profissional das "motivações", sonhou com comunidades de trabalho, com cooperativas de produção de consumo, e com uma espécie de cogestão. Obras principais: *Théorie des quatre mouvements et destinées générales* (1808), *Traité de l'association domestique et agricole* (1822), *Le monde industriel et sociétaire* (1829), *La fausse industrie morcelée* (1835-1836).

Franca, Leonel (1893-1948) Pensador católico brasileiro, nascido em S. Gabriel, Rio Grande do Sul. Padre jesuíta, estudou em Roma. Foi fundador da Pontifícia Universidade Católica do Rio de Janeiro (1941) e da Revista *Verbum*, exercendo uma importante liderança nos meios católicos em sua época, juntamente com Alceu *Amoroso

Lima. Procurou renovar a filosofia cristã, sobretudo o *neotomismo, integrando em seu pensamento uma visão profundamente espiritual com uma reflexão sobre a sociedade e a cultura. Foi autor de um grande número de obras, destacando-se *A Igreja, A Reforma e a civilização* (1923), *A psicologia da fé* (1935), *A crise do mundo moderno* (1941), bem como *Noções de história da filosofia* (1ª ed. 1918), durante muito tempo um dos principais manuais de ensino da filosofia em nosso país.

Francastel, Pierre (1900-1969) Filósofo e esteta francês que elaborou ricas pesquisas sobre as dimensões sociais da arte: a cada período da história, as diferentes obras plásticas elaboram *sistemas figurativos* mostrando o papel da arte no desenvolvimento das civilizações e na compreensão da realidade social. Obras principais: *Peinture et société* (1951), *Art et technique* (1956), *La réalité figurative* (1965).

Frankfurt, escola de Nome genérico para designar um grupo de filósofos e pesquisadores alemães que, unidos por amizade no início dos anos 30, emigraram com o advento do nazismo, só retornando à Alemanha depois da guerra: Theodor *Adorno, Walter *Benjamin, Max *Horkheimer, Herbert *Marcuse, Jürgen *Habermas etc. A pretensão básica do grupo foi a de elaborar uma *teoria crítica* do conhecimento, de um lado, aprofundando as origens hegelianas de Marx, e, de outro, introduzindo um questionamento no sistema de valores individualistas. Assim, a escola de Frankfurt elucidou o caráter contraditório de *conquista racional* do mundo, pois a racionalidade científica e técnica consegue o feito de converter o homem num escravo de sua própria técnica. Procedeu ainda, de modo mais ou menos radical, segundo os autores, a uma crítica da "massificação" da indústria cultural, dos totalitarismos, da concepção positivista do mundo etc.

Frege, Gottlob (1848-1925) Considerado o criador da *lógica matemática e um dos principais iniciadores da filosofia analítica, Frege nasceu na Alemanha e foi professor de matemática na Universidade de Iena. Inspirando-se em Leibniz, reformulou toda a lógica tradicional, construindo um sistema para apresentá-la em linguagem matemática. Assim, é com base em sua *Begriffsschrift* (*Conceitografia*, 1879) que se desenvolveram o *cálculo proposicional* e o *cálculo dos predicados*. Uma das maiores contribuições de Frege ao desenvolvimento da lógica foi a invenção do quantificador e o uso de variáveis para formalizar a generalidade na linguagem natural. Grande parte do pensamento de Frege é voltada para questões de fundamentação da matemática, tais como a noção de prova e a natureza do número. Frege foi um dos principais defensores do *logicismo, considerando que a matemática pode ser reduzida à lógica; bem como do platonismo, ao definir números e relações matemáticas como objetos abstratos existentes autonomamente, independentes de nosso pensamento. A partir de suas investigações sobre a linguagem matemática, desenvolveu, entretanto, profundas reflexões sobre a natureza da linguagem e do significado, que se aplicam à linguagem natural. É famosa sua defesa da necessidade de se distinguir entre o sentido (*Sinn*) e a referência ou significação (*Bedeutung*) de uma sentença. Essas reflexões, assim como sua obra em lógica, abriram caminho para o desenvolvimento da filosofia da linguagem de tradição analítica, influenciando especialmente autores como Russell, Carnap e Wittgenstein. Suas obras principais, além da já citada, são: *Fundamentos da aritmética* (1884) e *As leis fundamentais da aritmética*, 2 vols. (1893-1903), incluindo ainda inúmeros artigos dentre os quais se destacam o influente "Sobre o sentido e a referência" (1892) e "O pensamento: uma investigação lógica" (1918).

Freud, Sigmund (1856-1939) Criador da psicanálise, e um dos autores que mais profundamente revolucionaram o pensamento de nossa época, Freud nasceu em uma família judaica de Freilberg, na Morávia, então parte do Império Austro-Húngaro. Formou-se em medicina na Universidade de Viena (1881), onde seguiu alguns cursos de *Brentano. Mais tarde tornou-se professor da universidade, passando também a manter um consultório em Viena. Começou a desenvolver sua teoria psicanalítica no início do século, alcançando grande fama e notoriedade. Em 1910, foi fundada a Associação Internacional de Psicanálise, sendo Freud seu primeiro presidente. Em 1938, com a anexação da Áustria pela Alemanha, exilou-se na Inglaterra, onde veio a falecer no ano seguinte. A teoria freudiana teve grande impacto não só na psiquiatria e na psicologia, mas na filosofia e nas ciências humanas e sociais em geral. Especialmente para a filosofia, sua revelação do *inconsciente como lugar de nossos desejos reprimidos, origem de nossos sonhos e fonte de nosso imaginário, provocou um profundo questionamento da tradição filosófica racionalista que definia o homem precisamente por sua consciência e racionalidade. "A psicanálise nos ensina que a essência do processo de *repressão* não consiste em suprimir, negar uma representação que indica uma pulsão, mas em impedi-la de tornar-se consciente. Dizemos assim que se encontra em um estado *'inconsciente'*, e podemos fornecer provas sólidas de que, mesmo inconsciente, ela produz efeitos, alguns dos quais podem até atingir finalmente a consciência." Freud desenvolveu assim um exame de um lado da natureza humana em grande parte ignorado até então pela filosofia, forçando a revisão da conceituação filosófica do pensamento, da razão, da consciência e da vontade. Também para a análise da cultura e da sociedade, a contribuição de Freud foi considerável, especialmente em seus estudos sobre a relação entre ordem social e culpa, que, segundo ele, se encontraria na própria gênese da sociedade, na morte do pai primitivo por seus filhos que o devoram e assumem seu papel. Apesar de sua análise antropológica ser questionável e de sua reconstrução histórica ser especulativa, o valor interpretativo da relação estabelecida por Freud entre ordem social e culpa permanece importante. A psicanálise representa também, do ponto de vista metodológico, uma revisão do próprio conceito de interpretação, indicando as relações da linguagem e dos signos em geral com o inconsciente e o desejo no homem, mostrando a necessidade de, através de uma técnica interpretativa própria, penetrar nesse mundo até então insuspeitado. Isso levou o próprio Freud a afirmar que "como Schliemann, havia desenterrado uma outra Troia, que se acreditava mítica". Obras principais: *A interpretação dos sonhos* (1900), *Psicopatologia da vida cotidiana* (1901), *O chiste e sua relação com o inconsciente* (1905), *Cinco lições sobre a psicanálise* (1909), *Totem e tabu* (1912), *O futuro de uma ilusão* (1927), *Mal-estar na civilização* (1930).

freudomarxismo Corrente de pensamento oriunda da aproximação (feita sobretudo por *Marcuse e *Reich) entre as teses de *Marx e *Freud sobre a *cultura e a *civilização: a) a análise marxista da ideologia, exprimindo e mascarando os conflitos de classes, anuncia a desmistificação freudiana do pensamento consciente; b) os conflitos entre as pulsões do Id e do Superego são interpretados como os conflitos entre os desejos individuais e as coerções de uma sociedade repressora.

Fries, Jakob Friedrich (1773-1843) Filósofo alemão, professor nas universidades de Heidelberg e Iena, fortemente influenciado pela filosofia de Kant, procurou desenvolver alguns temas centrais do projeto crítico kantiano, preocupando-se sobretudo com a necessidade de estabelecer os fundamentos últimos da razão. Defendeu um método de autoconhecimento reflexivo como modo através do qual se realizaria a "nova crítica da razão", permitindo a explicitação das leis do pensamento e tornando possível a justificação da validade do conhecimento *a priori*. Opôs-se à filosofia especulativa da natureza do idealismo pós-kantiano, defendendo o racionalismo crítico. Foi um pensador liberal no campo político, argumentando em favor do governo constitucional e de um sistema político representativo. Principais obras: *Nova crítica da razão*, 3 vols. (1807), *Ética* (1818), *História da filosofia* (1837-1840).

funcionalismo 1. Em ciências sociais, concepção metodológica que interpreta os fenômenos com base na função que exercem num determinado contexto e não como manifestações de uma essência. Tem entre seus iniciadores o francês Émile Durkheim e, como principais representantes, os americanos Talcott Parsons e Wright Mills.
2. Corrente da filosofia da mente (representada por Jerry Fodor) segundo a qual os fenômenos mentais podem ser compreendidos a partir de sua função e de sua significação interna, independentemente de seu suporte material. Ao opor-se às "teorias da identidade", afirmando que o cérebro e a mente são uma única e mesma coisa, defende (no plano metodológico) a separação entre os "atos mentais" e seu suporte material.

fundamento (lat. *fundamentum*, de *fundare*: fundar) **1.** Na linguagem corrente, designa aquilo sobre o qual repousa alguma coisa: outrora se falava dos "fundamentos de uma casa", mas hoje se fala de suas "fundações". A filosofia utiliza esse termo para designar aquilo sobre o qual repousa, de direito, certo conhecimento. Assim, o fundamento de um conjunto de proposições é a primeira verdade sobre a qual elas são deduzidas.
2. *Princípio explicativo que denota a existência de uma ordem de fenômenos ou de uma base do pensamento. Aquilo que Descartes censura nas disciplinas que lhe foram ensinadas é, antes de tudo, o fato de não repousarem em fundamentos sólidos, ou seja, em princípios construídos sobre fundações seguras. Ex.: a axiomática como funda-

mento da matemática, o princípio da gravidade como fundamento da mecânica celeste.

3. Aquilo que fornece a alguma coisa sua razão de ser ou que confere a uma ordem de conhecimento uma garantia de valor e uma justificativa racional.

Fundamento da metafísica dos costumes Obra de *Kant (1785) onde ele analisa a passagem: a) do conhecimento moral ordinário ao conhecimento filosófico; b) da filosofia elementar à metafísica dos costumes; c) da metafísica dos costumes à crítica da razão pura prática. Sua tese fundamental: a vontade só será considerada absolutamente boa quando for regida pelo *imperativo categórico.

futuro contingente Esta expressão da filosofia clássica designa um acontecimento futuro que, uma vez dadas as leis da natureza, tanto pode realizar-se quanto deixar de ocorrer. A sabedoria popular a exprime dizendo: "nunca estamos seguros de nada". Trata-se de um futuro apenas possível, não possuindo nenhuma necessidade. *Ver* necessidade; contingência.

G

Gadamer, Hans-Georg (1900-2002) Filósofo alemão (nascido em Breslau, hoje Wroclaw) e principal representante da corrente hermenêutica em seu país, Gadamer foi aluno de Heidegger e sucedeu a Karl Jaspers na cadeira de filosofia da Universidade de Heidelberg (1949). Seu pensamento, marcado pelas influências de Dilthey, de Heidegger e da tradição hermenêutica alemã, desenvolveu-se como uma tentativa de interpretação do ser histórico, através de sua manifestação na linguagem, forma básica da experiência humana. Preocupado em valorizar o elemento estético na experiência humana, bem como a força formativa da tradição e dos "preconceitos", Gadamer é considerado por muitos como um neorromântico e um tradicionalista. Tornou-se famosa sua polêmica com Habermas sobre as condições de possibilidade de uma filosofia crítica em relação ao papel da tradição no pensamento. Sua obra principal é *Verdade e método* (1960). Escreveu ainda numerosos estudos sobre a filosofia grega e a dialética, dentre os quais: *A ética dialética de Platão* (1928), *A dialética de Hegel* (1971), *A ideia de bem entre Platão e Aristóteles* (1978), *A arte de compreender, hermenêutica e tradição filosófica* (1982).

Galeno, Cláudio (130-200) Um dos grandes nomes da medicina antiga, influenciou a sua prática e o seu desenvolvimento quase até o Renascimento. Nasceu em Pérgamo, na Ásia Menor, e viveu em Roma. Foi autor de um grande número de tratados de medicina, dentre eles *De methodo medendi*, enfatizando a importância teórica e científica da medicina, bem como suas relações com a filosofia e com outras ciências. Afirmava que "o melhor médico é também um filósofo". Seu pensamento filosófico foi eclético, influenciado sobretudo por Platão e Aristóteles, a cujas obras escreveu comentários, hoje perdidos. Foi também autor de uma *Institutio logica*, uma introdução à lógica, muito usada no período medieval. Atribui-se a Galeno a formulação da "quarta figura" do *silogismo. Ver figura.

Galileu (1564-1642) Considerado um dos criadores da ciência moderna, Galileo Galilei, geralmente conhecido como Galileu, nasceu em Pisa, Itália, tendo sido professor em diversas universidades italianas como Pisa e Pádua. Serviu a vários Estados italianos como Veneza e Florença. Sua crítica ao sistema geocêntrico e sua defesa da astronomia de Copérnico abriram caminho para o desenvolvimento da moderna física e da astronomia. Galileu defendeu o uso da matemática como linguagem da física, estabelecendo assim um novo método para a ciência natural e afirmou que "o livro da Natureza é escrito em linguagem matemática". O uso do telescópio em suas observações astronômicas deu nova base para a comprovação das hipóteses de Copérnico. A principal contribuição de Galileu ao desenvolvimento da ciência moderna está precisamente na combinação do uso da linguagem matemática na construção das teorias, o que lhes dá maior rigor e precisão, com o recurso aos experimentos que permitem comprovar empiricamente as hipóteses científicas. Em 1633, Galileu foi preso pela Inquisição, já que suas teorias contradiziam a visão tradicional do universo mantida pela *escolástica e iam contra a doutrina cristã. Forçado a retratar-se, continuou, entretanto, suas pesquisas em silêncio. Obras principais: *O mensageiro das estrelas* (1610), *Il Saggiatore* (1623), *Diálogo sobre os dois principais sistemas do mundo* (1632) e *Discurso sobre as duas novas ciências* (1638).

Gandhi, o Mahatma (1869-1948) Pensador e militante pacifista indiano que, em sua luta pela independência de seu país, tornou-se a alma do movimento emancipatório utilizando uma dupla tática: a) não participação em greves, boicote às escolas do governo, recusa de cargos públicos; b) reivindicação da independência nacional (ocorrida em 1947) por meios pacíficos. Celebrizou-se no mundo todo como profeta da *não violência. Sua doutrina política e moral se funda no valor espiritual do trabalho doméstico. Como um novo Sócrates, fez de sua vida um ensinamento filosófico para o mundo e, por sua palavra, seduziu e aglutinou os indianos.

García Morente, Manuel (1888-1942) Filósofo espanhol (nascido em Arjonilla), professor de filosofia na Universidade de Madri desde 1912, teve uma formação neokantiana. Influenciado por seu mestre Ortega y Gasset, aderiu à filosofia da razão vital. Além de comentar os filósofos clássicos, elaborou um pensamento próprio no que diz respeito à ética, à filosofia da história, à filosofia dos valores e à metafísica. Escreveu: *La filosofia de Kant* (1917), *La filosofía de Bergson* (1917), *Ensayos sobre el progreso* (1932), *Lecciones preliminares de filosofía* (1937), *Fundamentos de filosofía* (1944), *Ensayos* (1945), *Ideas para una filosofía de la historia de España* (1958).

Gassendi, Pierre (1592-1655) O filósofo, astrônomo e cientista francês (nascido em Champtercier) Pierre Gassendi (inicialmente Gassend) apoiou Galileu em astronomia. Sua filosofia opunha-se ao cartesianismo e ao aristotelismo e defendia as doutrinas epicuristas, uma combinação de espiritualismo com sensualismo materialista. Obras principais: *Objections* (às *Meditações metafísicas*, de Descartes), *De vita et moribus Epicuri* (1647), *Syntagma philosophiae Epicuri* (1659).

genealogia (gr. *genealogia*) **1.** Em seu sentido corrente, designa o estudo e a definição da filiação de certas ideias.

2. O conceito de genealogia aparece na filosofia com a obra de *Nietzsche (*Genealogia da moral*) como uma forma crítica que questiona a *origem* dos valores morais e das categorias filosóficas que mascaram esses valores a serviço de interesses particulares. O empreendimento genealógico supõe que valores ou verdades não devam ser considerados em si mesmos, pois só possuem sentido quando ligados à sua origem. Essa origem é derivada. A "genealogia da moral", indo "para além do bem e do mal", utiliza um método de interpretação da hierarquia dos valores, mas invertendo-os: são os fracos e os escravos que dão um sentido aos valores morais. Os atuais valores mascaram sua decadência e sua ausência de *querer-viver. O ressentimento e a denegação constituem a base da positividade dos valores.

3. Michel *Foucault retoma o método genealógico inaugurado por Nietzsche, mas para investigar os processos de formação dos *discursos, sua formação ao mesmo tempo dispersa, descontínua e regular. A genealogia passa a ser uma *arqueologia dos conjuntos conceituais, que ele considera como um tipo novo de epistemologia histórica, englobando tanto a filosofia, a literatura e as artes quanto os métodos científicos. Esse estudo se distingue da genealogia pelo fato de não procurar as origens e as continuidades históricas, mas de detectar, para uma fase dada, as mais fortes *estruturas: as formações culturais deixam de ser consideradas "documentos" e se convertem em "monumentos".

generalização (do lat. *generalis*: que pertence a um gênero). **1.** Operação mental que consiste em estender a toda uma classe de seres ou de fenômenos aquilo que é constatado em alguns seres: é assim que se formam os conceitos empíricos.

2. Operação pela qual passamos de proposições especiais a proposições mais universais: a gravitação universal é uma generalização da queda dos corpos.

3. Nas ciências experimentais, o problema da generalização é colocado a partir do chamado *método indutivo: como induzir uma proposição universal a partir de um número limitado de casos particulares? A indução por enumeração completa é quase impossível. *Ver* indução.

gênero (lat. *genus*: origem, nascimento) Termo ou conceito que engloba outros termos ou conceitos, ou seja, que possui, relativamente a eles, uma maior *extensão. Ex.: animal é gênero relativamente a vertebrado; vertebrado é gênero relativamente a mamífero. O conceito que, relativamente ao gênero, possui uma menor extensão, consequentemente, uma maior *compreensão, é chamado de espécie. *Ver* universal.

gênio (lat. *genius*: espírito tutelar) **1.** O deus do nascimento; em seguida, o deus tutelar de cada indivíduo e que conduz seu *destino.

2. Conjunto de disposições naturais excepcionais, seja de um indivíduo, de um grupo ou de um povo, num determinado domínio das artes, das ciências, das letras etc., conferindo-lhes uma notável especificidade. Ex.: o gênio de Mozart, de Newton; o gênio da civilização grega.

3. Conjunto de disposições naturais pelas quais um indivíduo sai do ordinário ou do comum, revelando alguém superdotado de um poder de criação que se manifesta no domínio das artes: "Para se julgar objetos belos, torna-se necessário o gosto; mas para as belas-artes, é necessário o gênio"(Kant).

4. *Gênio maligno*: hipótese pela qual Descartes, supondo a existência de um "gênio mau" astucioso, enganador e poderoso, eleva a *dúvida universal e hiperbólica a seu mais alto grau (pois nem mesmo a matemática a ela escapa): "que ele me engane o quanto quiser, ele (gênio maligno) não poderá jamais fazer com que eu nada seja, enquanto eu pensar esse algo."

geocentrismo (do gr. *geo*: terra, e lat. *centrum*: centro) Teoria astronômica, de inspiração aristotélico-ptolomaica, segundo a qual não somente a Terra é imóvel, mas situa-se no centro do mundo (teoria derrubada pela teoria heliocêntrica de Copérnico e de Galileu). *Ver* heliocentrismo.

geração (do lat. *generatio*) "Geração" forma par com o termo "corrupção", na filosofia de Aristóteles, para designar os dois aspectos extremos da "evolução" cíclica da matéria viva: a geração é a passagem da *potência ao *ato, é a criação; a corrupção é a passagem inversa, é a destruição. *Ver* corrupção.

geral (do lat. *generalis*) **1.** O adjetivo "geral" deriva de "gênero", como "especial" é o adjetivo derivado de "espécie". Ex.: o fato de ser vertebrado é uma propriedade *geral* dos mamíferos, o que significa que os mamíferos pertencem ao *gênero* mais amplo dos vertebrados.
2. "Geral" é sinônimo de "universal" e se opõe a particular. É nesse sentido que se diz que "a indução conclui do particular ao geral". No dizer de Descartes, "é próprio de nosso espírito formar propriedades gerais do conhecimento das particulares".

Gestalt, teoria da A teoria da Gestalt (do al. *Gestalttheorie*: teoria da forma) é um princípio psicológico, que se estendeu a outros domínios de conhecimento, segundo o qual não percebemos jamais senão conjuntos de elementos. Por exemplo, quando vejo algo, vejo ao mesmo tempo uma certa forma (no sentido de contorno ou forma geométrica), uma certa cor, uma certa distância etc. Esse conjunto percebido se chama *forma*, significando configuração, estrutura e organização. O *gestaltismo* é a teoria (principalmente dos psicólogos Kurt Koffka e Wolfgang Köhler) segundo a qual a percepção é um fato global redutível a um agrupamento de sensações, desenvolvendo-se no campo determinado pela *pregnância* das formas. Ela se apoia na análise das ilusões de ótica.

Geulincx, Arnold (1624-1669) Filósofo flamengo (nascido em Antuérpia, Bélgica) cartesiano; foi professor em Leiden, Holanda; contribuiu para a divulgação da filosofia de Descartes, ou cartesianismo, nesse país, e também do *ocasionalismo, do qual foi um dos fundadores. Autor de um livro sobre lógica.

Gilson, Étienne (1884-1978) Nascido em Paris, França, Gilson foi um dos mais importantes historiadores do pensamento filosófico da Idade Média da primeira metade do séc. XX. Lecionou em Estrasburgo, na Sorbonne, no Collège de France e, finalmente, em Toronto (Canadá). Forneceu as bases históricas mais sólidas para o desenvolvimento do *neotomismo. Ninguém melhor do que ele elaborou uma síntese tão completa das influências do pensamento medieval, sobretudo de Tomás de Aquino, na filosofia moderna, sobretudo na de Descartes. Seu pensamento pessoal gira em torno de duas correntes: a gnoseológica, ou seja, uma teoria do conhecimento de cunho "realista metódico", e a metafísica, de inspiração tomista mas preocupada com uma interpretação "existencial" da realidade. Para ele, a realidade é, ao mesmo tempo, autoidentidade (platonismo), substância (aristotelismo), essência (agostinismo) e existência (tomismo). Obras principais: *Le thomisme* (1919), *Études de philosophie médiévale* (1921), *La philosophie au Moyen Âge*, 2 vols. (1922), *Saint Thomas d'Aquin* (1927), *Études sur le rôle de la pensée médiévale dans la formation du système cartésien* (1930), *L'esprit de la philosophie médiévale* (1932), *Réalisme thomiste et critique de la connaissance* (1939), *L'être et l'essence* (1948).

Girard, René (1923-) Considerado o "Hegel do cristianismo", o filósofo francês (nascido em Avignon) Girard é professor na Universidade de Stanford (Califórnia). Ao analisar os textos antropológicos e as grandes obras literárias, e após experimentar o que chama de a "hipótese mimética" de nossa atual sociedade de consumo, René Girard defende a tese segundo a qual a violência, o "assassinato fundador", encontra-se na origem de toda sociedade e de toda cultura. Ao desviar para uma vítima expiatória (logo imolada) a violência mimética desencadeada entre os membros do grupo, o assassinato fundador restaura a paz social e funda o religioso. Dessa forma, em todas as sociedades, os ritos e os interditos têm por finalidade prevenir o retorno da violência mimética ou repetir os mecanismos do sacrifício pacificador. Acreditando que "devemos hoje pensar escandalosamente", ele denuncia o fracasso das ideologias, da filosofia e das ciências do homem, e elabora uma reflexão original sobre o Novo Testamento, o mais "subversivo" texto da história da humanidade, declara. Obras principais: *Mensonge romantique et vérité romanesque* (1961), *La violence et le sacré* (1972), *Critique dans un* *souterrain* (1976), *Des choses cachées depuis la fondation du monde* (1978), *Le bouc émissaire* (1982).

Glucksmann, André (1937-) Filósofo francês conhecido por sua militância junto aos chamados *"novos filósofos". Enquanto filósofo político e militante nas lutas travadas em prol dos direitos do homem, Glucksmann concebe a reflexão filosófica como inseparável das lutas contemporâneas. Por isso, no cerne de suas meditações, situa-se a teoria da guerra e da opressão: "Chamo moderno o mundo onde as guerras de religião, os campos de concentração e os poderes maciços de destruição tentam fundar uma ordem." Os temas constantes de suas obras são a guerra, a violência e o poder do Estado: *Le discours de la guerre* (1967), *Stratégie et révolution en France* (1968), *La cuisinière et le mangeur d'hommes* (1975), *Les maîtres penseurs* (1977), *Le discours de la guerre: Europe 2004* (1979), *Cynisme et passion* (1981), *La force du vertige* (1983).

gnose (gr. *gnosis*: conhecimento) **1.** Na história das religiões, o termo "gnose" é reservado ao conjunto das doutrinas heréticas que, nos sécs. II e III, ameaçaram a unidade do cristianismo. Em substância, a gnose consiste em afirmar a possibilidade da salvação religiosa pelo conhecimento intelectual, sem o dom direto da graça divina. Por extensão, o termo passou a designar o conhecimento esotérico e perfeito das coisas divinas pelo qual se pretende explicar o sentido profundo de todas as religiões. Em outras palavras, conhecimento das coisas religiosas superiores ao conhecimento comum dos crentes ou ao ensinamento das Igrejas.
2. Atualmente, a partir do livro de Raymond *Ruyer sobre *La gnose de Princeton* (1974), não são poucos os astrônomos, físicos e biólogos a se considerarem gnósticos, em busca de um conhecimento que deve desembocar numa *sabedoria* que nos protegerá dos perigos da civilização industrial, em particular, do excesso de informações no qual ela mergulha o indivíduo. Os gnósticos desconfiam também das ciências humanas e de todas as falsas espiritualidades. A sabedoria gnóstica é a consequência de uma ontologia não materialista. As categorias explicativas do mecanicismo são cientificamente obsoletas, as causas mecânicas ou eficientes devendo ser substituídas por causas "informacionais". É sobre o modelo da percepção ou da memória que os gnósticos representam para si mesmos todos os elos existentes no universo. Assim, acreditam numa dimensão invisível do real, em algo que está além do espaço e do tempo e num Deus monista e panteísta, pois, no começo, temos o *Logos*, a Consciência, a Vida, o Grande Ordenador.

gnoseologia (do gr. *gnosis*: conhecimento, e *logos*: teoria, ciência) Teoria do *conhecimento que tem por objetivo buscar a origem, a natureza, o valor e os limites da faculdade de conhecer. Por vezes o termo "gnoseologia" é tomado como sinônimo de *epistemologia, embora seja mais amplo, pois abrange todo tipo de conhecimento, estudando o conhecimento em sentido mais genérico.

gnosticismo (do gr. *gnostikós*: que sabe) **1.** Conjunto de correntes situadas à margem do cristianismo, surgidas nos dois primeiros séculos de nossa era, na bacia mediterrânea, e pregando uma salvação religiosa pelo conhecimento intelectual. Foram condenadas pela Igreja católica.
2. Por extensão, gnosticismo é toda doutrina que supõe existir um conhecimento superior ou uma explicação total das coisas, sem vínculos necessários com uma religião.

Gödel, Kurt (1906-1978) Matemático e lógico nascido em Brno, Tcheco-Eslováquia; foi professor na Universidade de Princeton, nos Estados Unidos, a partir de 1938, destacando-se por seus teoremas sobre os limites dos sistemas formais e influenciando fortemente o desenvolvimento da lógica e da matemática no séc. XX. Em 1931, publicou uma prova da existência de sentenças indecidíveis em qualquer sistema formal da aritmética, conhecido como teorema de Gödel ou teorema da incompletude da aritmética. Simplificadamente, o teorema de Gödel estabelece que em qualquer sistema formal S da aritmética haverá uma sentença P da linguagem de S tal que se S é consistente nem P nem sua negação poderão ser demonstrados em S. Como corolário desse teorema temos o chamado segundo teorema de Gödel, estabelecendo que a consistência de um sistema formal da aritmética não pode ser demonstrada formalmente no próprio sistema; ou seja, nenhum sistema formal contém em si mesmo a prova de sua consistência. Os teoremas de Gödel tiveram grande importância na discussão sobre os fundamentos da matemática por mostrarem as limitações internas dos sistemas formais, levando à revisão dos projetos em filosofia da ciência que pretendiam encontrar na lógica matemática a linguagem perfeita para a ciência. Escreveu: *Sobre a completude do cálculo lógico*, tese (1930), além de vários artigos e ensaios, entre os quais "Alguns resultados metamatemáticos sobre completude e consistência" (1930) e "A consistência da hipótese do contínuo" (1940).

Goldmann, Lucien (1913-1970) Radicado na França a partir de 1934, o filósofo romeno (nascido em Bucareste) Lucien Goldmann foi bastante influenciado por Lukács, Max Weber, Dilthey e Jean Piaget. Tornou-se muito conhecido com sua obra *O deus escondido (Le dieu caché*, 1956), na qual, utilizando uma metodologia marxista, elabora uma interpretação original de Pascal e Racine, estudando-os em seu contexto sócio-histórico-cultural. Advogando sempre um "marxismo aberto" ou "não ortodoxo", contribuiu bastante para a elucidação dos fundamentos filosóficos das ciências humanas, fundado na ideia de uma "consciência possível" e no método dialético. Defendeu a tese de que a filosofia não é uma arquitetura dogmática imposta aos fatos humano-sociais, mas um instrumento para interpretá-los. Obras principais: *Introduction à la philosophie de Kant* (1948), *Sciences humaines et philosophie* (1952), *Le dieu caché: Etude sur la vision tragique dans les "Pensées" de Pascal et dans le théatre de Racine* (1956), *Marxisme et sciences humaines* (1970).

Górgias (c.485-380 a.C.) O retórico e filósofo grego (nascido na Sicília) sofista Górgias foi professor de oratória e retórica em Atenas. Como filósofo, não acreditava na existência de uma ciência real. Para ele, é impossível saber o que existe verdadeiramente e o que não existe. Nada existe, porque nem o ser nem o não-ser são dados da experiência. Por isso, não há uma relação do ser com o não-ser, pois o juízo se tornaria impossível caso o ser participasse do não-ser e vice-versa. Se existisse alguma coisa, não poderíamos conhecê-la, porque a realidade sensível não é inteligível, e o que seria inteligível não é dado, portanto é inexistente. Se podemos conhecer alguma coisa, nada podemos dizer sobre ela. Uma vez que a linguagem é perfeitamente arbitrária, as palavras traem o pensamento. Portanto, todo juízo distinto de "o ser é" (juízo estéril por sua imobilidade) é absurdo, pois confunde sujeito e atributos.

gosto (lat. *gustus*: sabor) **1.** Um dos cinco sentidos, sinônimo de paladar, tornou-se, num sentido genérico, o instrumento e o árbitro do discernimento estético. **2.** Na filosofia de Kant, o gosto é a "faculdade de julgar o belo". Quando ele fala em "juízo do gosto", quer dizer duas coisas: a) "o gosto é a faculdade de julgar um objeto ou um modo de representação, sem nenhum interesse, por uma satisfação ou uma insatisfação. Chamamos de belo o objeto de uma tal satisfação"; b) "pelo juízo do gosto (sobre o belo), atribuímos a cada um a satisfação proporcionada por um objeto ... Poderíamos mesmo definir o gosto pela faculdade de julgar aquilo que torna nosso sentimento, procedendo de uma representação dada, universalmente comunicável, sem a mediação de um conceito".

graça (lat. *gratia*: favor) **1.** Na linguagem teológica, dom gratuito concedido por Deus a um crente concernente à sua salvação, à remissão de seus pecados ou à sua constância na provação — graça natural, quando o eleva ao estado sobrenatural; graça atual, quando lhe permite praticar o bem e evitar o mal. Foi a propósito da graça que se desenvolveu a querela da *casuística.
2. Na linguagem estética, é uma qualidade (ritmo, charme etc.), própria do movimento real ou sugerido, por vezes situada acima da beleza ou considerada como uma forma de beleza que consiste na harmonia e no charme das formas, das atitudes e dos movimentos das coisas e dos seres.

Gramsci, Antonio (1891-1937) Político e pensador marxista italiano; foi um dos fundadores do Partido Comunista Italiano em 1921, sendo nomeado seu secretário geral em 1924. Eleito deputado logo em seguida, foi preso pelo regime fascista, vindo a morrer na prisão, onde compôs grande parte de sua obra teórica. Para Gramsci, o marxismo deve ser interpretado como uma "filosofia da *praxis*", como uma prática política revolucionária com uma firme base teórica. Divergiu da interpretação oficial do marxismo na União Soviética sob Stálin, e procurou recuperar os elementos dialéticos hegelianos da teoria marxista. É considerado um dos inspiradores do eurocomunismo contemporâneo. A maior parte de sua obra foi publicada postumamente, destacando-se as *Cartas da prisão* (1947) e os *Cadernos da prisão*, 6 vols. (1964). Toda a sua formação e seus escritos devem ser colocados sob o signo da história e do historicismo. Porque seu pensamento crítico se elabora a partir de três questões básicas: por que história? como a história? que história? E é em sua representação do marxismo que vai encontrar suas razões da história: "os cânones do materialismo histórico só são válidos *post factum*", não devendo tornar-se uma hipótese sobre o presente e o futuro.

grandeza (do lat. *grandis*: grande) Tudo aquilo suscetível de mais ou de menos, podendo ser mensurado direta ou indiretamente por referência a uma escala graduada. Há duas espécies de grandezas: contínuas (extensão geométrica) e descontínuas (números).

gratuito, ato Ato que seria praticado por um indivíduo sem nenhuma outra determinação ou motivação senão o capricho ou o arbítrio do momento (ou instante) que, apesar de racional, representa o exercício de uma arbitrariedade total. O objetivo de um ato gratuito, para aquele que o realiza, é o de afirmar, contra a moral e, mesmo, contra a razão, sua liberdade. Trata-se de uma noção mais literária que filosófica, introduzida por André Gide.

gregarismo (do lat. *gregarius*: relativo a rebanho) Atitude ou tendência mais ou menos instintiva de certos seres vivos a se unirem para formar bandos com o objetivo de viverem, como rebanho, uniões duráveis. No homem, essa tendência, chamada de mentalidade gregária, leva os indivíduos a um certo conformismo e a adotarem passivamente os modos de pensar, sentir, agir e reagir do grupo.

Grotius, Hugo (1583-1645) O jurista e estadista holandês (nascido em Delft) Huig de Groot, mais conhecido pelo nome latino de Hugo Grotius, foi preso por questões religiosas e condenado à prisão perpétua em seu país (1619). Em 1621, conseguiu fugir para a França e, no momento em que o *direito divino* se tornou a doutrina oficial da monarquia absoluta na França, Hugo Grotius publicou seu *O direito da guerra e da paz* (1625), inaugurando o *direito internacional* num domínio particularmente cruel: o da guerra. Nessa obra, afirmava e demonstrava que existe um direito natural (*jus gentium*, direito das gentes), independente da religião, baseado na razão e nas necessidades humanas fundamentais. Esse direito natural (primeira fórmula dos Direitos do Homem), expressão mais segura de uma consciência moral universal, fundava o direito internacional, portanto, devia aplicar-se à guerra. Porque a guerra não se justifica por um objetivo de paz, dizia Grotius. Por isso, a primeira providência a se tomar, no final de uma guerra, é eliminar-se todo traço de ódio possível de reiniciá-la. Daí a obrigação de se instaurar um direito concernente ao tratamento dos prisioneiros, às alianças militares etc., pois "não podemos nos permitir tudo", diz Grotius, que invoca a humanidade, a opinião pública e o julgamento de Deus. Seu direito natural vai inspirar o séc. XVIII, sobretudo Locke e Rousseau.

Guattari, Felix (1930-1992) Filósofo, psicanalista e militante político, defensor das causas das minorias e mais recentemente também da ecologia, nascido na França. Notabilizou-se sobretudo por sua obra *O anti-Édipo* (1972), escrita em parceria com *Deleuze, em que questiona alguns dos pressupostos tradicionais da psicanálise freudiana, abrindo caminho para a valorização das relações entre o inconsciente e o campo social. Aplicava suas concepções teóricas na Clínica La Borde, onde dedicava-se ao tratamento de psicóticos. Foi ainda autor dentre outras obras de *Caosmose: um novo paradigma estético* (1992), e *O que é a filosofia?* (1992), também com Deleuze.

Guéroult, Martial (1891-1976) Durante muito tempo professor de história da filosofia na Sorbonne e, em seguida, no Collège de France, Guéroult (nascido em Le Havre) procurou estudar os sistemas filosóficos a partir de seu interior, tentando sempre descobrir "a ordem das razões" e as articulações lógicas de cada sistema. Aplicou esse método "interno" ao estudo de vários autores, como mostram seus livros principais: *L'évolution et la structure de la doctrine fichtéenne de la science* (1930), *Dynamique et métaphysique leibniziennes* (1939), *Descartes selon l'ordre des raisons*, 2 vols. (1953), *Malebranche*, 3 vols. (1955-1958), *Spinoza*, 3 vols. (1968-1974), *Etudes sur Descartes, Malebranche, Leibniz* (1970).

Gurvitch, Georges (1894-1965) Sociólogo francês de origem russa, foi professor na Universidade de Paris. Construiu todo um aparelho teórico para explicar os fatos sociais fornecidos pela experiência concreta. Não aceitando a oposição indivíduo/sociedade, prefere ver entre eles uma "reciprocidade de perspectivas", sendo o Nós o lugar de encontro das consciências. Obras principais: *Morale théorique et sciences des moeurs* (1948), *Dialectique et sociologie* (1960), *La vocation actuelle de la sociologie* (1963), *Les cadres sociaux de la connaissance* (1966).

Gusdorf, Georges (1912-2001) Filósofo francês contemporâneo, autor de uma monumental história dos saberes no Ocidente moderno que tem por título geral *Les sciences humaines et la pensée* *occidentale* (As ciências humanas e o pensamento ocidental). Onze grandes volumes já foram publicados propondo uma verdadeira antropologia cultural que vem completar as várias histórias das ciências e das ideias já existentes. Essa vasta obra pode ser considerada como uma espécie de "discurso do método" para elucidar a unidade do saber em seu processo histórico de realização. Trata-se de uma história que, centrada nas ciências humanas, procura descobrir a "humanidade do homem", definindo as atitudes mentais e os modelos de inteligibilidade de cada época da cultura e vendo em todo conhecimento a expressão de uma presença no mundo e de um estilo de vida. Dentre os volumes publicados, destacam-se: *De l'histoire des sciences à l'histoire de la pensée* (1966), *Les origines des sciences humaines* (1967), *La révolution galiléenne*, 2 vols. (1969), *La science de l'homme au siècle des Lumières* (1976). Escreveu ainda: *Traité de l'existence morale* (1949), *Mythe et métaphysique* (1951), *Traité de métaphysique* (1953), *Introduction aux sciences humaines* (1960), *Les sciences de l'homme sont des sciences humaines* (1967).

Habermas, Jürgen (1929-) Filósofo alemão, pertencente à chamada "segunda geração" da escola de *Frankfurt, foi assistente de *Adorno no Instituto de Pesquisas Sociais de Frankfurt de 1956 a 1959, professor na Universidade de Heidelberg (1961-1964) e depois em Nova York (1968), diretor do Instituto Max Planck (1971), em Starnberg, Alemanha, sendo atualmente professor na Universidade de Frankfurt. A obra de Habermas desenvolve-se na perspectiva da teoria crítica da sociedade iniciada pela escola de Frankfurt, pretendendo ser uma revisão e uma atualização do *marxismo capaz de dar conta das características do capitalismo avançado da sociedade industrial contemporânea. Inspirando-se em *Weber, Habermas toma como ponto central de sua análise a racionalidade dessa sociedade, caracterizando-a em termos de uma *razão instrumental*, que visa estabelecer os meios para se alcançar um fim determinado. Segundo essa análise, o desenvolvimento técnico, e a ciência voltada para a aplicação técnica, que resultam dessa razão instrumental, acarretam a perda da autonomia do próprio bem, submetido igualmente às regras de dominação técnica do mundo natural. Para Habermas, numa perspectiva crítica, é necessário portanto recuperar a dimensão da interação humana, de uma racionalidade não instrumental, baseada no agir comunicativo entre sujeitos livres, de caráter emancipador em relação à dominação técnica. A ideologia corresponde, para Habermas, à distorção dessa possibilidade de ação comunicativa, produzindo relações assimétricas e impedindo que a interação se realize plenamente. A crítica, ao explicitar as condições da ação comunicativa, implícitas em todo uso significativo do discurso, permite o desmascaramento da ideologia e a retomada da razão emancipadora. Nesse sentido, a proposta de Habermas formula-se em termos de uma *teoria da ação comunicativa*, recorrendo inclusive à filosofia analítica da linguagem para tematizar essas condições do uso da linguagem livre de distorção como fundamento de uma nova racionalidade. Contra os críticos da *modernidade, que se caracterizam pela racionalidade técnica, como *Lyotard, Habermas, no entanto, defende o racionalismo do projeto iniciado pelo *Iluminismo, considerando-o como projeto ainda a ser desenvolvido e ainda significativo para nossa época, desde que a razão seja entendida criticamente, no sentido do agir comunicativo. Dentre suas obras mais importantes, destacam-se: *Teoria e praxis* (1963), *Técnica e ciência como "ideologia"* (1968), *Conhecimento e interesse* (1968), *O problema da legitimação no capitalismo tardio* (1973), *Para a reconstrução do materialismo histórico* (1976), *Teoria da ação comunicativa* (1981), *O discurso filosófico da modernidade* (1985), *O passado como futuro* (1993), *A inclusão do outro* (1996).

habitus (lat.: modo de ser, costume) Na filosofia escolástica, um dos acidentes suscetíveis de afetar a substância e que consiste no fato de possuir algo diferente de si: uma roupa, uma casa etc.

Hamelin, Octave (1856-1907) O filósofo francês (nascido em Le Lion-d'Angers) neokantista Octave Hamelin, inspirado no *neocriticismo de Charles Renouvier e na dialética hegeliana, formulou uma síntese do sistema de relações gerais (categorias) da experiência que concluía por uma filosofia da pessoa humana e divina. Obras principais: *Essai sur les éléments généraux de la représentation* (1907), *Système de Descartes*, póstuma (1911), *Système d'Aristote*, póstuma (1920).

Hamilton, sir William (1788-1856) Filósofo escocês, seguidor da *filosofia do senso comum* fundada por Thomas *Reid. Defendeu a doutrina idealista segundo a qual o homem é capaz de ter conhecimento direto dos objetos do mundo externo, porém considerando este conhecimento sempre relativo, condicionado. Sua principal obra é *Lectures on Metaphysics and Logic* (1859-1860). Seu pensamento foi objeto de uma obra crítica de J.S. *Mill, intitulada *An Examination of Sir William Hamilton's Philosophy* (1865). Ver Stewart, Dugald.

harmonia preestabelecida Teoria professada por *Leibniz para designar o acordo estabelecido por Deus entre todas as *substâncias criadas (*mônadas) sem que haja nenhuma ação direta e recíproca de umas sobre as outras: a partir de uma ação divina original, há um acordo das substâncias entre si. Serviu para explicar a relação da alma e do corpo, ao mesmo tempo inevitável e injustificável, no contexto da dicotomia cartesiana.

Hart, Herbert Lionel Adolphus (1907-1992) Filósofo e jurista inglês formado em Oxford, onde também foi professor, revolucionando o estudo da filosofia do Direito. Retomando a tradição utilitarista de *Bentham e as ideias do filósofo *John Austin, aplicou os princípios da filosofia analítica da linguagem à análise dos conceitos jurídicos, abrindo um novo caminho para seu entendimento. Obras principais: *Causation in Law* (com Tony Honoré, 1959), *The Concept of Law* (1961), *Punishment and Responsibility* (1968), *Essays on Bentham* (1982).

Hartmann, Nicolau (1882-1950) Nasceu em Riga (Estônia, na região do Báltico), estudou inicialmente na Rússia, fixando-se depois (1905) na Alemanha, onde foi professor na Universidade de Marburgo (1920), relacionando-se aí com os neokantianos da escola de Marburgo. Posteriormente, lecionou nas Universidades de Colônia (1925), Berlim (1931) e Göttingen (1945). Sua obra, inicialmente influenciada pelo *neokantismo, sofreu depois a influência do *idealismo hegeliano e da *fenomenologia. Hartmann se propôs elaborar uma filosofia sistemática que desse conta das questões centrais da tradição filosófica, caracterizando esse seu projeto como "uma filosofia de problemas". Nesse sentido, é um dos poucos filósofos do séc. XX a desenvolver uma obra englobando todos os campos fundamentais da filosofia: ontologia, filosofia da natureza, filosofia do espírito, estética, teoria do conhecimento e lógica, ordem segundo a qual se constitui para ele o sistema filosófico. Principais obras: *Metafísica do conhecimento* (1921), *A filosofia do idealismo alemão*, 2 vols. (1923-1929), *Fundamentos de ontologia* (1935), *Possibilidade e efetividade* (1938), *A estrutura do mundo real* (1940), *Filosofia da natureza* (1950).

Hayek, Friedrich August von (1899-1992) economista e pensador social austríaco (nasceu e estudou em Viena). Radicado na Inglaterra, foi professor na London School of Economics and Political Science. Em 1974, ganhou o prêmio Nobel de Economia. Fundamenta sua concepção de ciência social no individualismo metodológico. Pensador conservador, defensor do liberalismo econômico e crítico do marxismo, marcou muito o séc. XX. Principais obras: *The Road to Serfdom* (1944), *Law, Legislation and Liberty* (1973).

hedonismo (do gr. *hedoné*: prazer) **1.** Nome genérico das diversas doutrinas que situam o prazer como o soberano bem do homem ou que admitem a busca do prazer como o primeiro princípio da moral: a doutrina dos cirenaicos.

2. Num sentido mais estrito, o hedonismo pode ser entendido como um pensamento egocêntrico e egoísta, preocupado apenas com os prazeres. O fenômeno atual do consumismo, frequentemente acompanhado de uma certa preguiça intelectual e moral, ilustra esse modo de pensar. Enquanto se opõe às morais tradicionais do esforço e da renúncia, o hedonismo constitui o modo de pensar de certos discípulos de Nietzsche. Não confundi-lo com *epicurismo, para o qual a felicidade consiste na total ausência de perturbação (ataraxia).

Hegel, Georg Wilhelm Friedrich (1770- 1831) O mais importante filósofo do *idealismo alemão *pós-kantiano* e um dos que mais influenciou o pensamento de sua época e o desenvolvimento posterior da filosofia, Hegel nasceu em Stuttgart, na Alemanha, estudou filosofia na Universidade de Tübingen e foi professor nas Universidades de Iena (1801-1806), Heidelberg (1816-1818) e Berlim (1818-1831), chegando a reitor desta última (1829). Pode-se considerar a filosofia de Hegel como o último grande sistema da tradição clássica. Seu pensamento, extremamente complexo, desenvolveu-se na tradição do idealismo alemão, devendo ser compreendido sobretudo como uma ruptura com a filosofia transcendental kantiana. Partindo de uma reflexão sobre os grandes eventos históricos como a Revolução Francesa e as guerras napoleônicas, que marcaram a época em que viveu, Hegel considerava que a análise da consciência, realizada na perspectiva transcendental, ignorava a origem e o processo de formação dessa consciência, tomando-a como dada e analisando-a em abstrato. Sua filosofia parte assim da necessidade de examinar, em primeiro lugar, as etapas de formação da consciência, tanto em seu sentido subjetivo, no indivíduo, quanto em seu sentido histórico, ou cultural, representado pelo desenvolvimento do espírito (*Geist*). A *Fenomenologia do espírito* (1807), subintitulada "ciência da experiência da consciência", é a obra que inaugura esse pensamento, que será desenvolvido de forma sistemática em obras subsequentes, bem como em cursos e conferências. Hegel traça aí o percurso da consciência humana até chegar ao espírito absoluto, ou ainda, as etapas do caminho que o espírito percorre através da consciência humana até chegar a si mesmo. Em sua *Ciência da lógica* (1816), formula sua "filosofia do conceito", através da qual pretende examinar "a natureza das eventualidades puras que formam o conteúdo da lógica ... os pensamentos puros, o espírito que pensa, sua essência". A filosofia de Hegel é *dialética*, porém esta não deve ser vista aí como um método, mas como uma concepção do real mesmo, a contradição constituindo a essência das próprias coisas: "todas as coisas são contraditórias em si". Segundo Hegel, portanto, em suas *Lições sobre a história da filosofia* (1819-1828), os grandes sistemas filosóficos do passado não devem ser vistos como um conflito em si, mas como antecipando, de alguma forma, uma parcela da verdade sobre o real. O seu sistema representaria assim o fim da filosofia, a superação da oposição entre os diferentes sistemas e a síntese das verdades que todos contêm, resultado de sua análise das etapas do desenvolvimento do espírito. Suas principais obras, além das já citadas, são: *Propedêutica filosófica* (1809-1816), *Enciclopédia das ciências filosóficas* (1817) e *Princípios da filosofia do direito* (1821).

hegelianismo Nome genérico atribuído ao destino póstumo da filosofia de Hegel, que formou um grande número de discípulos que logo se dividiram em dois grupos: os hegelianos de *direita* e os hegelianos de *esquerda*. Assim, o impacto do sistema hegeliano sobre a filosofia foi inegável. Esse sistema, que se esforça por reunir o *espírito* e a *natureza*, o *universal* e o *particular*, o *ideal* e o *real*, foi tomado como referência, tanto por pensadores conservadores (de direita) quanto por revolucionários (de esquerda), tanto por crentes quanto por ateus. Os hegelianos de direita se tornaram os campeões do liberalismo. Quanto aos hegelianos de esquerda, apoiando-se na teoria da religião e da sociedade, converteram-se em defensores ardorosos da transformação revolucionária da sociedade. Entre estes últimos, Feuerbach e Marx foram os mais ilustres. Lênin dizia: "Para se compreender Marx, é preciso ter compreendido Hegel." *Ver* Hegel; devir; historicidade.

Heidegger, Martin (1889-1976) Um dos filósofos alemães mais importantes e influentes do séc. XX, Heidegger nasceu em Messkirch e foi inicialmente professor na Universidade de Freiburg (1916), onde havia estudado com *Husserl. Em 1923, foi nomeado professor-titular na Universidade de Marburgo e sucedeu a Husserl na cátedra de filosofia em Freiburg (1928), chegando a reitor da universidade por um breve período (1933). O envolvimento de Heidegger com o nazismo, ainda que possa ser considerado superficial, fez com que, após a ocupação da Alemanha em 1945 pelos aliados, fosse afastado da universidade. Autorizado a retornar em 1952, voltou a lecionar, entretanto de forma intermitente. A obra mais marcante de Heidegger, que no entanto permanece inacabada, é *Ser e tempo* (1927), na qual se afasta da *fenomenologia de seu mestre Husserl e inicia seu caminho de reflexão sobre o sentido mais profundo da existência humana, bem como sobre as origens da metafísica e o significado de sua influência na formação do pensamento ocidental. Procura assim recuperar a importância fundamental da questão do *ser, que na tradição do pensamento moderno dera lugar à problemática do conhecimento e da ciência. É necessário para Heidegger realizar uma destruição da ontologia tradicional para recuperar o sentido original do ser. Propõe assim toda uma nova terminologia filosófica que possa dar conta desse sentido. A existência só pode ser compreendida a partir da análise do *Dasein* (o *ser-aí*), do ser humano aberto à compreensão do ser. Heidegger retoma, em seguida, a questão clássica da tradição filosófica — o problema da *verdade — examinando-a em relação aos conceitos de ser e conhecer, para estabelecer sua gênese e seu sentido. Segundo Heidegger, a filosofia é uma exploração contínua: "o permanente em um pensamento é o caminho". A partir dos anos 30, dá-se a famosa "virada" (*Kehre*) em seu pensamento. Busca então nos fragmentos dos pré-socráticos (sobretudo *Parmênides e *Heráclito) as fontes da filosofia e uma forma mais direta e originária de apreensão do ser, de sua presença, de sua manifestação, anterior à constituição da noção metafísica de verdade, que segundo ele, nasceu com *Platão. É através da linguagem, sobretudo da linguagem poética, que essa apreensão se dá, já que "a linguagem é a morada do ser". Em sua fase final, a obra de Heidegger torna-se menos sistemática, mais fragmentária, mais poética, correspondendo à sua visão de um sentido mais originário do pensamento filosófico e de sua forma de expressão. Suas principais obras são: *Ser e tempo* (1927), *Kant e o problema da metafísica* (1928), *Sobre a essência da verdade* (1930, publicada em 1943), *Introdução à metafísica* (1935, publicada em

1953), *Caminhos que não levam a lugar nenhum* (Holzwege, 1950), *Carta sobre o humanismo* (1946), além de inúmeros artigos, ensaios e conferências publicados em coletâneas.

Heisenberg, Carl Werner (1901-1976) Físico alemão, estudou nas Universidades de Munique e Göttingen, e foi professor nas Universidades de Leipzig (1927-1941) e Berlim (1941-1945). Em 1932, recebeu o Prêmio Nobel de Física. Desenvolveu importantes pesquisas no campo da mecânica quântica, revelando sempre uma preocupação com as relações entre física e filosofia no que diz respeito aos fundamentos da física e às implicações filosóficas das novas teorias surgidas nesse campo. São importantes para a filosofia, especialmente em relação ao problema da causalidade, as consequências de seu "princípio da incerteza" ou da indeterminação. Obras principais: *Princípios físicos da teoria dos quanta* (1930), *Mudanças nos fundamentos da ciência natural* (1935), *Problemas filosóficos da ciência nuclear* (1952), *Física e filosofia: a revolução na ciência moderna* (1956). *Ver* indeterminismo.

helenismo Em um sentido amplo, helenismo refere-se à influência que a cultura grega (helênica, de Hellas, ou Grécia) passou a ter no Oriente Próximo (Mediterrâneo oriental: Síria, Egito, Palestina, chegando até a Pérsia e Mesopotâmia) após a morte de Alexandre (323 a.C.) e em consequência de suas conquistas. Como um dos períodos em que se divide tradicionalmente a história da filosofia, o helenismo vai da morte de Aristóteles (322 a.C.) ao fechamento das escolas pagãs de filosofia no Império do Oriente pelo imperador Justiniano (525 d.C.). O período do helenismo é marcado na filosofia pelo desenvolvimento das escolas vinculadas a uma determinada tradição, destacando-se a *Academia de Platão, a escola aristotélica, a escola epicurista, a escola estoica, o *ceticismo e o pitagorismo. Nessa época, houve uma tendência predominante ao ecletismo e muitos filósofos sofreram a influência de diferentes escolas. O principal centro de cultura do helenismo foi Alexandria no Egito.

heliocentrismo (do gr. *helios*: sol, e lat. *centrum*: centro) Sistema astronômico de Copérnico e de Galileu segundo o qual não é a Terra, mas o Sol, o centro de nosso sistema planetário; a Terra, como os demais planetas, giraria em torno do Sol (revolução) e em torno de si mesma (rotação). *Ver* geocentrismo; Aristarco de Samos.

Helvétius, Claude Adrien (1715-1771) Filósofo materialista francês, colaborador da *Enciclopédia, partidário do *sensualismo ateu segundo o qual tudo, inclusive o juízo intelectual, deve ser explicado pela sensibilidade física. Para ele, o prazer e a dor desempenham um papel importante na vida psíquica; e o interesse constitui uma noção central da existência individual. Em sua obra básica, *Do homem, de suas faculdades intelectuais e de sua educação* (1772), afirma o papel determinante das relações entre indivíduo e sociedade, e da educação como emanando da sociedade. Escreveu também o tratado *Do espírito* (1758).

Hempel, Carl Gustav (1905-1997) Filósofo da ciência alemão (nascido em Orianenburg) radicado nos Estados Unidos desde 1937, Hempel sempre esteve ligado ao movimento do *empirismo lógico, mas sem seguir dogmaticamente suas posições. Preocupado, sobretudo, com a análise lógica da linguagem científica, escreveu dezenas de artigos para elucidar os problemas da formação dos conceitos científicos, os problemas básicos da indução e da confirmação das hipóteses, e para examinar a função das leis gerais na história (para ele, a explicação histórica deveria ser semelhante à explicação das ciências naturais). Seus dois livros mais importantes são: *Aspects of Scientific Explanation and Other Essays in the Philosophy of Science* (1965) e *Philosophy of Natural Science* (1966).

Heraclides do Ponto Filósofo e astrônomo grego do séc. IV a.C.; foi discípulo de Platão. É considerado o primeiro a afirmar que a Terra girava em torno de seu próprio eixo. Restam apenas fragmentos de suas obras.

heraclitismo Nome genérico das diversas doutrinas inspiradas em Heráclito, afirmando uma filosofia da mobilidade universal e negando a possibilidade de se manter um discurso coerente sobre o ser sem se fazer apelo a uma noção contraditória: o *logos* (espécie de "razão comum") é o princípio unificador do discurso, capaz de harmonizar as forças opostas, mesmo que essa harmonia se exprima no conflito ("pai de todas as coisas"). Por extensão, toda doutrina que considere a mudança e o devir como a substância fundamental das coisas. *Ver* Heráclito; devir.

Heráclito (sécs. VI-V a.C.) Considerado o filósofo do *devir, do vir-a-ser, do movimento, o grego (nascido em Éfeso) Heráclito é o mais importante pré-socrático. Filósofo melancólico e obscuro, de estilo oracular, contentava-se com a representação: o sol é novo cada dia. O universo muda e se transforma infinitamente a cada instante. Um dinamismo eterno o anima. A substância única do cosmo é um poder espontâneo de mudança e se manifesta pelo movimento. Tudo é movimento: *"panta rei"*, isto é, "tudo flui", nada permanece o mesmo. As coisas estão numa incessante mobilidade. E a verdade se encontra no devir, não no ser: "Não nos banhamos duas vezes no mesmo rio." E a unidade da variedade infinita dos fenômenos é feita pela "tensão oposta dos contrários". "Tudo se faz por contraste", declarou. "Da luta dos contrários é que nasce a harmonia." Se nossos sentidos fossem bastante poderosos, veríamos a universal agitação. Tudo o que é fixo é ilusão. A imortalidade consiste em nos ressituarmos no fluxo universal. O pensamento humano deve participar do pensamento universal imanente ao universo. E o princípio unificador que governa o mundo é o *logos.

Herbart, Johann Friedrich (1776-1841) Pode ser considerado como o lógico e o organizador da pedagogia moderna e o projetador da psicologia científica. Seus dois livros fundamentais, *Pedagogia geral deduzida do fim da educação* (1806) e *A psicologia como ciência* (1824-1825) constituem uma resposta a Wolff e Kant. Conferiu à pedagogia uma missão humanista e humanitária: a de formar o homem do futuro, de modelar o homem universal através do desabrochamento do individual. Admite que é pelo sentido e pelo sensível que todo conhecimento se constrói. Para ele, "instruir é fazer nascer e fazer adquirir ideias". Daí todo o segredo da educação: "despertar o interesse para assegurar a apercepção" dos alunos. O educador deve-se referir incessantemente à *experiência*. São quatro os tempos do "ato didático": a) *mostrar* (descrever, observar, detalhar, analisar etc.); b) *associar* (comparar, ordenar, apreender relações, pôr em ordem etc.); c) *sistematizar* (extrair a lei, fazer a síntese, induzir, deduzir, raciocinar); d) *praticar* (executar o aprendido, reconhecê-lo no real, realizá-lo, aplicá-lo).

Herder, Johann Gottfried (1774-1803) Filósofo alemão (nascido em Mohrungen) das Luzes, discípulo de Kant. Embora discordando da filosofia transcendental e rompendo com o mestre, Herder elaborou uma teoria do conhecimento em que a origem do conhecimento deve ser procurada nas sensações da alma; por sua vez, as categorias deixam de ser noções transcendentais para se converterem em resultados da organização da vida. Sua doutrina da linguagem e sua filosofia da história levaram-no a considerar a linguagem em seu caráter evolutivo constante e a reconhecer que todas as realidades naturais evoluem e progridem: todo o universo possui um caráter evolutivo-histórico. Preocupado com o concreto e com o individual, estudou as comunidades humanas, suas linguagens, seus costumes, suas religiões e suas "mentalidades". Livros mais importantes: *Tratado sobre a origem da linguagem* (1772), *Outra filosofia da história da humanidade* (1774), *Do conhecer e do sentir da alma humana* (1778), *Ideias para uma filosofia da história da humanidade*, 4 vols. (1784-1791), *Entendimento e experiência, razão e linguagem, uma metacrítica da razão pura* (1800).

heresia (lat. *haeresis*, do gr. *hairesis*: ação de tomar, escolha, seita) Doutrina contrária aos ensinamentos oficiais de uma Igreja e a seus dogmas religiosos: a heresia jansenista. Por extensão, toda doutrina contrária às concepções estabelecidas ou oficialmente reconhecidas como verdadeiras: a ideia de movimento perpétuo real é uma heresia científica.

hermenêutica (gr. *hermeneutikós*, de *hermeneuein*: interpretar) **1.** Termo originalmente teológico, designando a metodologia própria à interpretação da Bíblia: *interpretação ou exegese dos textos antigos, especialmente dos textos bíblicos.
2. O termo passou depois a designar todo esforço de interpretação científica de um texto difícil que exige uma explicação. No séc. XIX, Dilthey vinculou o termo "hermenêutica" à sua filosofia da "compreensão vital": as formas da cultura, no curso da história, devem ser apreendidas através da experiência íntima de um sujeito; cada produção espiritual é somente o reflexo de uma cosmovisão (*Weltanschauung*) e toda filosofia é uma "filosofia de vida".
3. Contemporaneamente, a hermenêutica constitui uma reflexão filosófica interpretativa ou compreensiva sobre os símbolos e os mitos em geral. O filósofo Paul Ricoeur, por exemplo, fala de *duas* hermenêuticas: a) a que parte de uma tentativa de transcrição filosófica do freudismo, concebido como um *texto* resultando da colaboração entre o psicanalista e o psicanalisado; b) a que culmina numa "teoria do conhecimento", oscilando entre a leitura psicanalítica e uma fenomenologia.

hermetismo 1. De *Hermes*, deus grego que, entre outros atributos, possuía o "conhecimento sutil".

Os livros herméticos, atribuídos ao deus egípcio Hermes Trimegisto, cujos fragmentos foram encontrados no séc. III e traduzidos para o grego no séc. XV (por Marsilio Ficino), contêm uma doutrina filosófica oculta, cultivada por certos alquimistas da Idade Média. Apresentam-se como uma iniciação a uma espécie de alquimia espiritual, e têm por fundamento certas correspondências secretas entre o visível e o invisível, entre o homem e o universo, ou seja, entre o microcosmo e o macrocosmo: o hermetismo abriria o acesso à luz que faz do homem um ser novo como o ouro original, que o arrancaria da matéria e o conduziria ao Deus do amor, revelado em sua criação. O hermetismo influenciou bastante o Iluminismo e, no séc. XIX, foi retomado como etiqueta para o ocultismo.

2. Característica de todo pensamento considerado hermético, isto é, fechado, de difícil acesso e compreensão, necessitando de uma interpretação que revele seu sentido ou só podendo ser decifrado por iniciados.

Hessen, Johannes (1889-1971) Professor de filosofia na Universidade de Colônia (nasceu em Lobberich, Alemanha) e sistematizador de várias disciplinas filosóficas, Hessen, bastante influenciado pelo agostinismo, procurou elaborar uma filosofia cristã suscetível de articular as principais contribuições da *fenomenologia, do *neokantismo e da teoria dos valores. Obras principais: *A filosofia da religião do neokantismo* (1919), *Teoria do conhecimento* (1926), *O problema da substância na filosofia moderna* (1932), *Filosofia dos valores* (1940), *Tratado de filosofia*, 3 vols. (1947-1950).

heterodoxia (gr. *heterodoxos*: que tem uma opinião diferente) Toda doutrina ou opinião contrária a um saber oficial, instituído e institucionalizado, seja de ordem filosófica, religiosa, política etc. *Ver* heresia. *Oposto a* ortodoxia.

heteronomia (do gr. *heteros*: outro, e *nomos*: lei) Condição de um indivíduo ou de um grupo social que recebe de fora, de um outro, a lei à qual obedece. Em *Kant, por oposição à *autonomia da vontade, a heteronomia compreende todos os princípios da moralidade aos quais a vontade deve submeter-se: educação, constituição civil, sentimentos etc.

heurístico (do gr. *heuriskein*: encontrar) **1.** Que se refere à descoberta e serve de ideia diretriz numa pesquisa, de enunciação das condições da descoberta científica.

2. Diz-se que um método é heurístico quando leva o aluno a descobrir aquilo que se pretende que ele aprenda: a maiêutica socrática é, por excelência, um método heurístico. Não devemos confundir *heurística* ou hipótese de trabalho com *erística, do grego *eristikos*, que anima a disputa, a controvérsia. A erística é a arte da discussão e de manejar, no debate, sutilezas lógicas.

hilemorfismo ou **hilomorfismo** (do gr. *hylé*: matéria, e *morphé*: forma) Doutrina aristotélico-tomista segundo a qual todos os corpos constituem o resultado de dois princípios distintos mas absolutamente complementares: a matéria (*hylé*) e a forma (*morphé*); a matéria sendo aquilo de que a coisa é feita (pedra, madeira etc.), e a forma que faz com que a coisa seja isto ou aquilo (acidental ou substancialmente). A matéria e a forma são, respectivamente, as fontes das propriedades quantitativas dos corpos e de suas propriedades qualitativas.

hilozoísmo (do gr. *hylé*: matéria, e *zoé*: vida) Doutrina filosófica segundo a qual toda matéria é viva, o mundo é um ser vivente que participa de uma "alma do mundo".

hiperbólica, dúvida (gr. *hyperbolé*: exagero, excesso) Qualificação dada por Descartes à dúvida radical, também chamada de metafísica e "fingida", geral e universal, pela qual, uma vez em sua vida, de modo teórico e provisório, o homem precisa desfazer-se de todas as suas opiniões anteriores a fim de ter condições de "estabelecer algo de firme e de certo nas ciências". Descartes a chama de "hiperbólica" porque trata como absolutamente falso tudo aquilo que é duvidoso e porque rejeita universalmente, como sempre enganador, aquilo pelo qual ele foi algumas vezes enganado. Os graus dessa dúvida vão do conhecimento sensível às matemáticas, ao sonho e, enfim, à ação do gênio maligno. *Ver* dúvida, Descartes.

Hípias de Élida (séc. V a.C.) Em seus diálogos *Hípias* e *Protágoras*, Platão fala de Hípias, sofista da primeira geração, como um homem de saber enciclopédico e dominando todas as artes. Platão chama a atenção, ainda, para a diferença que ele teria estabelecido entre o que é bom por natureza, sendo eternamente válido, e o que é conforme à lei, sendo contingente e, por conseguinte, coagindo a natureza humana.

hipóstase (gr. *hypostasis*: suporte, base) Para os escolásticos, particularmente Tomás de Aquino, as hipóstases são as *substâncias individuais e primeiras: as três pessoas da Trindade são consideradas como substancialmente distintas; a união hipostática é aquela realizada por essas três pessoas num só Deus. Por extensão, e num sentido bastante pejorativo, a hipóstase passou a designar uma entidade fictícia falsamente considerada como uma realidade que existe fora do pensamento. Ex.: hipostasiar um conceito. Assim, o termo "hipóstase" passou a designar a transformação de um ser real ou de um dado concreto numa espécie de personificação ou de "reificação" e, como já vimos, dele deriva o verbo *hipostasiar*: considerar como uma coisa em si aquilo que não passa de um fenômeno (ex.: a temperatura) ou de uma relação (ex.: a grandeza). A linguagem comum tende a hipostasiar quando só utiliza o *nome* para designar as coisas, os fenômenos e as relações. Assim, hipostasiamos *a* dor ou *o* prazer como realidades exteriores a nós. *Ver* reificação.

hipótese (gr. *hypothesis*, de *hypothenai*: supor) Proposição mais ou menos precisa que emitimos tendo em vista deduzir, eventualmente, outras proposições. Em outras palavras, proposição ou conjunto de proposições que constituem o ponto de partida de uma demonstração, ou então, uma explicação provisória de um fenômeno, devendo ser provada pela experimentação. Enquanto os empiristas veem no ciclo experimental uma sequência mecânica de operações, a epistemologia contemporânea estabelece que a hipótese não é concluída a partir da observação, mas inventada. A rejeição da hipótese, para se ater unicamente aos fenômenos observáveis, foi proclamada por Newton em sua polêmica contra Descartes: *"hypothesis non fingo"*, dizia, "não elaboro hipóteses" imaginárias. Hoje em dia, tanto em seu sentido matemático de uma proposição que adotamos a fim de estudar as consequências lógicas que dela devemos tirar quanto em seu sentido de *suposição explicativa* (nas ciências experimentais), sua verificação permitindo-nos passar da simples percepção de um fenômeno à sua explicação, a hipótese se revela necessária ao trabalho científico e à reflexão filosófica.

hipotético (gr. *hypothetikós*) **1.** Que é da natureza de uma hipótese, que só existe em hipótese, condicional. *Oposto a* categórico.
2. *Juízo hipotético*: aquele cuja asserção está sujeita a uma condição (ex.: se chover, ele não virá). *Ver* juízo.
3. *Imperativo hipotético*: uma expressão criada por Kant. *Ver* imperativo.
4. *Proposição hipotética* ou condicional: aquela cuja afirmação ou negação está sujeita a uma condição (ex.: viajarei, se fizer bom tempo). *Ver* categórico.

hipotético-dedutivo Diz-se do raciocínio ou pesquisa que procede, por dedução, a partir de hipóteses. Ex.: suponho (hipótese) que a causa da mortalidade infantil excepcional numa favela seja a proliferação, aí, de mosquitos e valas negras (sujas). Logo, melhoro a higiene e o saneamento geral desse meio. Se minha hipótese é justa, a taxa de mortalidade infantil deve baixar; se ela não baixa, é porque minha hipótese é falsa, insuficiente ou dela não tirei todas as consequências etc. *Ver* método.

história (lat. e gr. *historia*). **1.** A palavra "história" designa ao mesmo tempo: a) uma certa disciplina, constituída de relatos, análises, pesquisas de documentos etc., cujos artífices são os historiadores; b) a matéria dessa disciplina, sobre a qual trabalham os historiadores, ou seja, a sequência de acontecimentos (sucessões de reis, alianças, assassinatos, eleições, guerras etc.) ou de estados (prosperidade, miséria, dependência, independência etc.) realizados ou sofridos pelos homens no passado. Assim como a matemática tem por objeto as grandezas e as relações, assim como a linguística tem por objeto a linguagem, a história tem por objeto a história.
2. Etimologicamente, designa o *relato*, e não os acontecimentos contados; em grego, *historia* significava "pesquisa, informação"; em seguida, "conhecimento" daquilo sobre o que fomos informados e "relato" daquilo que aprendemos. Até o séc. XIX, havia uma distinção entre a *história natural* (que corresponde ao que hoje denominamos "ciências naturais": geologia, zoologia, botânica etc.) e a *história civil* (que hoje chamamos pura e simplesmente de história). Por uma extensão de sentido, o termo "história" (relato de fatos) passou a designar também esses fatos, objeto do relato. Mas, nesse sentido, o termo só se aplica aos homens, ao conteúdo da história civil. Essa ambiguidade, relativamente recente, interessou muito aos filósofos e, em menor escala, aos historiadores. A história-relato é tomada e inserida na história-acontecimentos: os conhecimentos evoluem,

os métodos se depuram etc. E o historiador estuda a situação, os problemas, as disputas, as contradições dos homens do passado, mas considerando-se a si mesmo um indivíduo em situação, num outro momento, vivendo outros problemas e outras contradições: o historiador é uma parte da história. *Ver* historicidade; historicismo.

história, filosofia da Toda concepção filosófica admitindo que a história obedece, senão a uma intenção, pelo menos a um sentido. Consubstancial ao pensamento de *Hegel e de *Marx, a filosofia da história implica a concepção de uma temporalidade linear e orientada (um sentido) no interior da qual realiza-se, progressivamente, a racionalidade universal. Opõe-se a uma temporalidade cíclica, como em *Platão e em *Nietzsche. Seu alvo lógico consiste em saber se a história do mundo se desenrola no sentido de um aperfeiçoamento moral, de um progresso da cultura ou se exprime uma decadência dos costumes. Mais concretamente, consiste em procurar saber se ela se orienta no sentido de certa forma de capitalismo ou de certa forma de socialismo. *Ver* materialismo histórico.

história, fim da Do ponto de vista filosófico, a expressão "fim da história" (bastante utilizada nos últimos tempos pelos defensores das teorias econômicas neoliberais, por exemplo, Fukuyama) designa a derrocada da filosofia da *história (à maneira de *Hegel e de *Marx) e o surgimento da multiplicidade dos horizontes de sentido. Com o desmoronamento das grandes visões filosóficas, políticas e religiosas do mundo (megarrelatos), bem como com o declínio ou enfraquecimento do mito do *progresso e da emancipação, e das visões integradas e coerentes de mundo — que explicam todos os aspectos da realidade, dando coesão aos grupos humanos e fazendo-os aceitar as normas que regulam seus comportamentos e legitimam seus sistemas de valores (características da *modernidade) — , a expressão "fim da história" passou também a significar um novo estilo de pensamento, que estaria sendo elaborado num mundo onde prevalece uma nova *episteme, a *episteme da indiferenciação*, às voltas com uma pluralidade de horizontes de sentido, uma vez que não existiria mais um horizonte estável onde o homem contemporâneo pudesse situar os acontecimentos. Responsável por tal situação, a *mídia* (segundo *Baudrillard) induz os homens a viverem sem quadro de referência, fragmenta os fatos e os acontecimentos, permite que eles sejam observados de todos os ângulos, mas impedindo-os de se referirem a uma totalidade que lhes dê sentido.

historicidade 1. Caráter de tudo aquilo que é reconhecido como tendo realmente acontecido no passado ou realmente existido: a historicidade de Jesus.
2. Condição da existência humana que, embora comprometida com o tempo e solidária com seu passado histórico, define-se por sua projeção livre no futuro: "A análise da historicidade da realidade humana tenta mostrar que este existente não é 'temporal' pelo fato de encontrar-se na história, mas, ao contrário, se ele não existe e não pode existir senão historicamente, é porque ele é temporal no fundo de seu ser" (Sartre).
3. A *filosofia da história* é uma concepção segundo a qual a sequência dos acontecimentos não é incoerente e casual, mas segue um movimento determinado e se faz segundo certas grandes linhas de força. O justo conhecimento do passado, embora não nos permita prever o futuro com clareza de detalhes, pode nos indicar, pelo menos, um *sentido* ou uma direção. Nessa perspectiva, duas doutrinas são clássicas: a) o *idealismo histórico*, representado por Hegel, doutrina segundo a qual a razão se realiza através do devir sequencial dos acontecimentos: "a história universal é a representação do espírito em seu esforço para adquirir o saber daquilo que é" (Hegel); b) o *materialismo histórico*, criado por Marx e Engels, doutrina segundo a qual as forças materiais (especialmente econômicas) dominam e dão forma às forças espirituais (pensamentos, ideias políticas, religião, arte etc.). Marx e Engels criticam e ironizam Hegel por terem colocado a história "sobre a cabeça", e se orgulham de tê-la reposto "sobre seus pés": o espírito é o produto da história, não seu motor.
4. O *sentido da história* e o *fim da história* são concepções marxistas segundo as quais o processo histórico é determinado ao mesmo tempo por causas antecedentes (em última instância, econômicas) e pelos homens, desenrolando-se necessariamente de modo dialético e culminando necessariamente na sociedade sem classes (fim da história). O "sentido" quer dizer ao mesmo tempo "significação" e "direção".

historicismo 1. Método filosófico que tenta explicar sistematicamente pela história, isto é, pelas circunstâncias da evolução das ideias e dos costumes ou pelas transformações das estruturas econômicas, todos os acontecimentos relevantes do direito, da moral, da religião e de todas as formas de progresso da consciência.

2. De modo especial, teoria segundo a qual o *direito*, como produto de uma criação coletiva, evolui com a comunidade que o criou, só podendo ser compreendido numa perspectiva histórica. Sob sua aparência liberal, essa teoria é bastante reacionária, pois faz do direito a estrutura inconsciente de uma comunidade sacralizada por seu próprio passado.

3. Convém distinguir entre historicismo filosófico e historicismo epistemológico ou metodológico. O primeiro faz da história o fundamento de uma concepção geral do mundo ou, então, considera que todos os fenômenos sociais e humanos só são inteligíveis mediante o recurso da categoria "história" (frequentemente fundada numa oposição radical entre natureza e história). O segundo recusa toda e qualquer concepção do mundo, vendo na história apenas uma das condições de inteligibilidade do real.

Hobbes, Thomas (1588-1679) Filósofo materialista inglês, foi um empirista mas, na história da filosofia, é considerado sobretudo um pensador político. Estudou em Oxford. Viajou muito. Em 1621, encontrou-se com Francis Bacon, com ele indo para a França e a Itália. Descobriu a ciência de Galileu. Estudou os clássicos e se apaixonou por Euclides. No início da crise revolucionária de Charles I (decapitado em 1649), exilou-se em Paris, onde entrou em contato com Mersenne e com as *Meditações* de Descartes (às quais fez objeções). Retornou à Inglaterra em 1651, onde foi acusado de ateísmo pelo Parlamento. Manteve controvérsias violentas sobre a liberdade e a necessidade. Ganhou notoriedade. Suas obras principais são: *De cive* (1642), *Leviathan* (1651), *De homine* (1658), *De corpore* (1661). Os temas centrais de sua filosofia giram em torno: a) do estado de natureza, no qual as relações dos homens entre si são deixadas à livre iniciativa de cada um: "o homem é um lobo para o homem"; b) do Estado social: a sociedade política é a obra artificial de um pacto voluntário de um cálculo; todos os homens são iguais por natureza; do lado do conhecimento, tudo vem da sensação; c) da moralidade, que é o acordo da natureza com a ação: é bem tudo o que favorece e conduz à paz; pela paz e pela razão os homens fazem pactos; d) do papel do soberano: o de garantir a segurança e a prosperidade de seus súditos; o poder absoluto é legítimo quando assegura a paz civil; o soberano tem todos os direitos; a justiça é inteiramente dominada pela lei positiva; a lei imposta pelo soberano é justa por definição; a Igreja deve subordinar-se ao Estado; devemos seguir a lei do Estado de preferência à lei divina; a paz civil é o soberano bem, devendo ser mantida a todo preço; o papel do soberano, que Hobbes chama de Leviatã, indomável e terrível dragão bíblico, é puramente utilitário. Na guerra de todos contra todos, há a necessidade de um pacto social entre os indivíduos-cidadãos, cada um renunciando à sua liberdade em favor do soberano absoluto.

Holbach, Paul Henri (ou Heinrich) Dietrich, Barão de (1723-1789) Filósofo francês (nascido na Alemanha), radicado desde cedo em Paris. Inteiramente dedicado ao estudo e à atividade literária, conviveu com todos os intelectuais de sua época e foi grande colaborador da *Enciclopédia*. Considerado o "Mecenas dos filósofos", fez uma crítica severa das crenças cristãs e lutou contra todos os tipos de preconceitos: religiosos, sociais e políticos. Inteiramente favorável à visão mecânica do mundo, fez uma verdadeira apologia da ciência, da natureza e da razão. Sua filosofia é profundamente naturalista e materialista. Para ele, só havia uma realidade: a matéria. Não há Providência nem acaso. O homem nada mais é do que uma parte da natureza material. Holbach combateu tanto o *teísmo quanto o *destino e aderiu sem vacilar ao *ateísmo materialista. Obras principais: *O sistema da natureza ou as leis do mundo físico e do mundo moral* (1770), *O bom senso ou as ideias naturais opostas às ideias sobrenaturais* (1772), *O sistema social* (1773), *A política natural*, 2 vols. (1773), *A moral universal* (1776).

holismo (ingl. *holism*, do gr. *holos*: total, completo) 1. Doutrina que considera que a parte só pode ser compreendida a partir do todo, que privilegia a consideração da totalidade na explicação de uma realidade, sustentando que o todo não é apenas a soma de suas partes, mas possui uma unidade orgânica.

2. Em biologia, é a doutrina que considera o organismo vivo como um todo indecomponível.

3. Teoria formulada pelo estadista sul-africano Jan Christiaan Smuts (1870-1950), em sua obra *Holism and Evolution* (1926), afirmando que o universo e especialmente a natureza viva constituem-se de unidades que formam "todos" (como organismos vivos) que são mais do que a simples soma das partículas elementares.

4. *Holista*: adepto ou seguidor do holismo; *holista* ou *holístico*: relativo ao holismo (ex.: teoria holística ou holista, sistema holístico ou holista).

Holton, Gerald (1922-) Filósofo e historiador das ciências norte-americano que recebeu parte de sua formação em Viena antes de estabelecer-se nos Estados Unidos. Sua obra remete diretamente à de Alexandre Koyré, de quem retomou o método rigoroso; sofreu a influência de Gaston Bachelard. Seus dois livros fundamentais, *Thematic Origins of Scientific Thought* (1973) e *The Scientific Imagination* (1978) vêm-nos lembrar que o progresso científico não é outro senão o progresso literário, filosófico ou artístico e que as preocupações fundamentais do homem moderno se ligam diretamente às das gerações passadas. Professor de história das ciências em Harvard, Holton fundou a revista *Science, Technology and Human Values*, por estar convencido de que os cientistas manifestam certa indiferença em relação à história das ciências. Diferentemente daqueles que só se interessam pelos períodos gloriosos do passado das ciências, Holton, à semelhança de Bachelard, não estudou a ciência do passado, mas a ciência atual em seu passado. Suas investigações versam, em grande parte, sobre a natureza da imaginação científica, a natureza da imaginação individual do cientista articulando-se com o desejo coletivo de inovação, no qual se entrelaçam tanto as determinações psicológicas quanto as determinações socioeconômicas. Essa concepção ilumina numerosas questões essenciais ao trabalho científico, seu funcionamento e sua organização. Por isso, a história das ciências, nessa perspectiva, desempenha um papel importante de elo de ligação entre a epistemologia e a "política das ciências". Porque a ciência é um fato cultural total, não devendo mais prevalecer o mal-entendido histórico entre ciência e filosofia, humanismo e tecnologia.

homem (lat. *homo, hominis*) O que é o homem? Seria um objeto real ou apenas uma ideia? Seria uma certa variedade animal, que os antropólogos chamam de *Homo sapiens*? O fato é que o homem existe no planeta Terra há dezenas de milhares de anos. Hoje em dia, quando se fala da "morte do homem" (M. Foucault), trata-se da *ideia* ocidental de homem, criada pelo cristianismo e pela Antiguidade greco-latina. A Bíblia afirma a posição dominante do homem sobre a natureza (Adão, Noé) e conta a Aliança que o Deus único e criador estabeleceu com uma parte dos descendentes de Adão. Além disso, afirma que o próprio Deus se fez homem para salvar os homens. O fato de o homem relacionar-se com Deus torna-o diferente do resto da natureza. Aos poucos, o pensamento grego elabora a ideia de que o homem é "um animal dotado de razão" (Aristóteles). As duas correntes vão-se encontrar na Idade Média, graças aos esforços conceituais da escolástica. Com o Renascimento, há uma reviravolta: a Terra deixa de ser o centro do mundo, gira em torno do Sol, descobre-se a existência de outros homens além do oceano etc. É a época do *humanismo*, na qual a ideia de homem vai *laicizar-se*. Utiliza-se a matemática para se descrever e conhecer o mundo (Galileu, Newton). Na dúvida metódica de Descartes, a única evidência que subsiste é o "eu penso, logo existo". Tudo o que não é *pensamento* é reduzido à *extensão* submetida às leis matemáticas da mecânica. Assim, o homem se converte num *ser abstrato*, num mestre do universo, simplesmente porque sabe que pensa e porque sabe medir a extensão. O prodigioso desabrochar das ciências parece confirmar essa visão (a *Enciclopédia e a filosofia das Luzes). No séc. XIX, o homem, *sujeito* do conhecimento desde o séc. XVII, torna-se *objeto* de conhecimento: começam a nascer as ciências do homem. Darwin situa o homem numa linhagem evolutiva e mostra que ele também é um animal. Marx mostra que os homens não dominam as leis da economia, mas são dominados por elas. A psicologia descobre que o homem está longe de fazer o que quer, de ser o que acredita ser. A *ideia* de homem é abalada. Questiona-se o cerne mesmo dessa ideia: a *razão*. O que entendemos hoje por *homem*? Afinal, "o que é o homem?", se perguntava Kant. Se a ideia de homem morreu, nem por isso o homem *concreto* deixou de existir.

homeomerias (gr. *homoiomereia*: "sementes" das coisas) Termo criado por Aristóteles para designar os elementos "materiais" ou as "sementes" das coisas que, na doutrina de Anaxágoras, se reúnem para formar os diferentes corpos existentes no mundo. Estas "sementes", que se encontravam confundidas com o caos primitivo, foram agregadas a partir do momento em que esse caos foi ordenado por uma inteligência (*"nous"*). Cada "semente" de cada corpo se encontra em todo corpo. Assim, chamamos de "ouro", por exemplo, aquele corpo que contém o maior número de "sementes" de ouro.

Homo faber Expressão criada por Bergson para designar, em oposição ao *Homo sapiens* dos zoologistas, o homem primitivo quando, guiado apenas pelos instintos, revelou-se um fabricador de instrumentos antes de "pensar" propriamente: é da essência do homem "fabricar coisas e fabricar a si mesmo" (Bergson). Ao ser popularizada essa expressão, passou-se a atribuir ao *Homo faber* os produtos das indústrias rudimentares e "arcaicas" da era pré-industrial. Dela surgiram outras expressões: *Homo oeconomicus* (designando o modelo ideal sobre o qual os economistas analisam os problemas de troca e de trabalho), *Homo loquax* (designando o homem cujo pensamento teria surgido de uma reflexão sobre a linguagem), *Homo sociologicus, Homo ludens* etc.

Horkheimer, Max (1895-1973) Um dos fundadores e principais membros, juntamente com *Adorno, da escola de *Frankfurt, Horkheimer nasceu na Alemanha, doutorando-se pela Universidade de Frankfurt, onde dirigiu a partir de 1930 o famoso Instituto de Pesquisas Sociais, que viria a ser o núcleo da escola. Em 1934, foi para os Estados Unidos, onde lecionou na Universidade Columbia, em Nova York, regressando em 1950 à Alemanha. Horkheimer desenvolveu, em estreita colaboração com Adorno, uma profunda reflexão sobre o projeto filosófico, político, científico e cultural do *Iluminismo, e sua influência na formação da sociedade contemporânea e de sua ideologia, no célebre *Dialética do Iluminismo* (1947). Sua obra é voltada sobretudo para temas centrais da sociedade contemporânea como a família, a questão da autoridade política e do autoritarismo, a cultura de massas, a ideologia da sociedade burguesa. Apesar de crítico do materialismo dialético, Horkheimer pode ser considerado um neomarxista por seu uso de categorias do marxismo em suas análises e por sua crítica ao positivismo sociológico. Obras principais: *A situação atual da filosofia social* (1931); *Estudos sobre a autoridade e a família* (1936), em colaboração com *Marcuse e outros membros da escola; *Por uma crítica da razão instrumental* (1967). Muitos de seus artigos e ensaios foram publicados na *Revista de pesquisa social*, que dirigiu, destacando-se *Um novo conceito de ideologia* (1930) e *Teoria tradicional e teoria crítica* (1937).

humanidade (lat. *humanistas*) **1.** Como sinônimo de *gênero humano*, o conceito de "humanidade" designa o conjunto dos seres humanos. Fala-se, assim, da "história da humanidade", do devotamento ou trabalho para "o bem da humanidade" ou da "religião da humanidade" (expressão de Comte, que considera a humanidade um ser coletivo).
2. Conjunto de características específicas do ser humano que o torna diferente dos outros animais. Assim, quando pedimos a alguém para "agir com humanidade", pedimos-lhe que aja com bondade natural, com indulgência, com "humanismo", sem crueldade, com justiça etc. *Ver* humanismo.
3. No sentido atual e forte do termo, *humanidades* designa "as disciplinas que contribuem para a formação (*Bildung*) do homem, independentemente de qualquer finalidade utilitária imediata, isto é, que não tenham necessariamente como objetivo transmitir um saber científico ou uma competência prática, mas estruturar uma personalidade segundo uma certa *paidea*, vale dizer, um ideal civilizatório e uma normatividade inscrita na tradição, ou simplesmente proporcionar um prazer lúdico" (S.P. Rouanet, *As razões do Iluminismo*).

humanismo (do lat. *humanitas*) Movimento intelectual que surgiu no Renascimento. Lutando contra a esclerose da filosofia escolástica e aproveitando-se de um melhor conhecimento da civilização greco-latina, os *humanistas* (Erasmo, Tomás Morus etc.) se esforçaram por mostrar a dignidade do espírito humano e inauguraram um movimento de confiança na razão e no espírito crítico. Por uma espécie de deslocamento, o termo "humanismo" tomou dois sentidos particulares: a) na filosofia, designa toda doutrina que situa o homem no centro de sua reflexão e se propõe por objetivo procurar os meios de sua realização; b) na linguagem universitária, designa a ideia segundo a qual toda formação sólida repousa na cultura clássica (chamada de *humanidades*). Numa palavra, o humanismo é a atitude filosófica que faz do homem o valor supremo e que vê nele a medida de todas as coisas. Herdeiro de Kant, o humanismo contemporâneo, sobretudo dos existencialistas e de certas correntes marxistas, define o homem como o ser que é o criador de seu próprio ser, pois o humano, através da história, gera sua própria natureza.

Hume, David (1711-1776) O filósofo e historiador escocês David Hume nasceu em Edimburgo. Estudou filosofia e se interessou pelas letras. Abandonou o curso de direito e dedicou-se ao comércio, passando três anos na França (1734-1737). Retornou à Inglaterra, tornou-se secretário do general Saint Clair e o acompanhou a Viena e

Turim. Em 1744, candidatou-se a uma cadeira de filosofia em Edimburgo, foi acusado de ateísmo e não nomeado. Posteriormente, candidatou-se à cadeira de lógica em Glasgow, para substituir Adam Smith, e fracassou novamente. Conseguiu ser nomeado bibliotecário da faculdade de direito, onde se dedicou a uma grande atividade literária. Em 1763, retornou à França como secretário da embaixada, onde conheceu Rousseau. Voltou à Inglaterra e tornou-se subsecretário de Estado (1767-1768). No ano seguinte (1769), regressou então a Edimburgo, onde permaneceu até sua morte. A filosofia de David Hume caracteriza-se como um *fenomenismo que procede ao mesmo tempo do *empirismo de Locke e do *idealismo de Berkeley; também é conhecida por ser um *ceticismo, na medida em que reduz os princípios racionais a ligações de ideias fortificadas pelo hábito e o eu a uma coleção de estados de consciência. Suas obras principais são: *A Treatise of Human Nature* (1739), *Essays Moral and Political* (1741), *An Enquiry Concerning Human Understanding* (inicialmente intitulado *Philosophical Essays Concerning Human Understanding*) (1748), *Political Discourses* (1752), *History of England during the Reigns of James I and Charles I* (1754 ss.), *Dialogues on Natural Religion* (1779), póstuma. Abordam os seguintes temas fundamentais: a) não é possível nenhuma teoria geral da realidade: o homem não pode criar ideias, pois está inteiramente submetido aos sentidos; todos os nossos conhecimentos vêm dos sentidos; b) a ciência só consegue atingir certezas morais: suas verdades são da ordem da probabilidade; c) não há causalidade objetiva, pois nem sempre as mesmas causas produzem os mesmos efeitos; d) convém que substituamos toda certeza pela probabilidade. Eis seu *ceticismo*, a condição da tolerância e da coexistência pacífica entre os homens. Trata-se de um ceticismo teórico, não válido na vida prática.

Husserl, Edmund (1859-1938) Criador da *fenomenologia, Husserl nasceu em Prosznitz, na Morávia (atual República Tcheca), tendo estudado matemática e filosofia nas Universidades de Leipzig, Berlim e Viena, onde sofreu a influência de *Brentano. Foi professor nas Universidades de Halle (1887), Göttingen (1906) e Freiburg (1938). Sua filosofia desenvolveu-se inicialmente como uma reação contra o psicologismo e o naturalismo, então largamente dominantes nos meios acadêmicos alemães. Conservou da influência de Brentano a retomada do conceito aristotélico de *intencionalidade, entendido aqui como a direção da consciência ao objeto, ao real, que é definidora da própria consciência e que será um dos conceitos-chave de sua teoria fenomenológica. Sua obra *Ideias para uma fenomenologia pura e uma filosofia fenomenológica* (1913) propõe a fenomenologia como uma investigação sistemática da consciência e de seus objetos. Segundo Husserl, os objetos se definem precisamente como correlatos dos estados mentais, não havendo distinção possível entre aquilo que é percebido e nossa percepção. A experiência inclui, entretanto, não só a percepção sensorial, mas todo objeto do pensamento. A filosofia de Husserl é assim uma forma de idealismo transcendental, fortemente influenciada por Kant, uma tentativa de descrição fenomenológica da subjetividade transcendental, dos modos de operar da consciência. Foi grande a influência de Husserl na filosofia contemporânea, especialmente na Alemanha, onde Heidegger e Scheler foram seus discípulos, e na França, mais diretamente com o desenvolvimento de uma filosofia fenomenológica (*Merleau-Ponty) e indiretamente com o *existencialismo. Suas obras mais importantes são: *Filosofia da aritmética* (1891) e *Investigações lógicas* (1900-1901) da chamada fase "pré-fenomenológica", *A filosofia como ciência rigorosa* (1910-1911), *Ideias para uma fenomenologia pura e uma filosofia fenomenológica* (1913), *Lógica formal e transcendental* (1929), *Meditações cartesianas* (1931), *A crise das ciências europeias e a fenomenologia transcendental* (1936).

Huxley, Thomas Henry (1825-1895) Biólogo e filósofo inglês (nascido em Ealing), Thomas Huxley foi um ardoroso defensor da teoria da evolução do naturalista Charles Darwin (1809-1882). Obras principais: *Zoological Evidences as to Man's Place in Nature* (1863), *Lay Sermons* (1870), *Science and Culture* (1881), *Evolution and Ethics* (1893).

hybris Nome que designa, em grego, toda espécie de desmedida, de exagero ou de excesso no comportamento de uma pessoa: orgulho, insolência, arrebatamento etc. Bastante empregado na filosofia moral, esse termo se opõe a medida, equilíbrio.

Hyppolite, Jean (1907-1968) Filósofo francês que se notabilizou por ter contribuído para uma espécie de "renascimento hegeliano" na França. Considerava Hegel o filósofo moderno "central", de quem teriam partido as grandes filosofias contemporâneas: marxismo, fenomenologia e existencialismo. Por isso, procurou pôr essas correntes em diálogo com o pensamento hegeliano a fim de se reconciliarem com a história e, finalmente, com a *liberdade, "a reconciliação mesma".

Obras principais: *Gènese et structure de la Phénoménologie de l'esprit de Hegel* (1946), *Introduction à la philosophie de l'histoire de Hegel* (1948), *Sens et existence dans la philosophie de Maurice Merleau-Ponty* (1963), *Figures de la pensée philosophique*, 2 vols. (1971).

I

Iâmblico (c.250-330) Filósofo grego (nascido na Síria) neoplatônico. Abriu uma escola de filosofia numa cidade síria. Para ele, o neoplatonismo era uma religião que se opunha ao cristianismo. Escreveu uma *Vida de Pitágoras* e um *Tratado sobre os mistérios*.

Ibn Gabirol *Ver* Avicebrón.

Ibn Khaldun (1332-1406) Filósofo e historiador árabe, nascido em Túnis. Desempenhou numerosas missões políticas na Espanha e África do Norte antes de dedicar-se ao ensino em Túnis e no Cairo, onde morreu. Preocupado em organizar o saber científico e filosófico de um ponto de vista histórico, interessou-se também por estudar o problema das estruturas sociais, antecipando-se às questões de economia política e de sociologia do conhecimento. Obra principal: *Prolegômenos à história universal* (1377).

ideal (do lat. tardio *idealis*) **1.** Que se refere a uma *ideia e não a uma realidade empírica. Ex.: o ponto geométrico é uma entidade ideal. Possui o sentido de uma aspiração ou de um limite, acessível ou não: o estado ideal, tendo por vezes uma conotação negativa, no sentido de algo irrealizável: uma solução ideal.
2. Modelo perfeito que se postula como guia ou orientação para uma determinada conduta ou ação: ideal ético.

idealismo (do lat. tardio *idealis*) Em um sentido geral, "idealismo" significa dedicação, engajamento, compromisso com um *ideal, sem preocupação prática necessariamente, ou sem visar sua concretização imediata. Ex.: o idealismo de fulano. O termo "idealismo" engloba, na história da filosofia, diferentes correntes de pensamento que têm em comum a interpretação da realidade do mundo exterior ou material em termos do mundo interior, subjetivo ou espiritual. Do ponto de vista da problemática do conhecimento, o idealismo implica a redução do objeto do conhecimento ao sujeito conhecedor; e, no sentido ontológico, equivale à redução da matéria ao pensamento ou ao espírito. O idealismo radical acaba por levar ao *solipsismo.

1. A teoria das ideias, de Platão, é, por vezes, impropriamente chamada de idealismo. Na verdade, deve ser considerada um "realismo das ideias", já que para Platão as ideias constituem uma realidade autônoma — o mundo inteligível — existente por si mesma, independente de nosso conhecimento ou pensamento.
2. *Idealismo imaterialista*. Segundo Berkeley, a realidade do mundo dos objetos materiais está apenas na existência destes como ideias, seja na mente de Deus, seja no homem, criado por Deus. Este o sentido de seu famoso pensamento: *"Esse est percipi"* (Ser é ser percebido). *Ver* imaterialismo.
3. *Idealismo transcendental*. Doutrina kantiana, também conhecida como idealismo crítico, que considera os objetos de nossa experiência, enquanto dados no espaço e no tempo, como fenômenos, isto é, aparências, devendo distinguir-se da coisa-em-si — a realidade enquanto tal — que é para nós incognoscível. O objeto é algo portanto que só existe em uma relação de conhecimento. "Chamo de idealismo transcendental de todos os fenômenos a doutrina segundo a qual nós os consideramos sem exceção como simples representações, e não como coisas-em-si" (Kant).
4. *Idealismo alemão pós-kantiano*. É o desenvolvimento da doutrina kantiana, sobretudo por Fichte e Schelling, que no entanto deram a essa doutrina uma interpretação mais subjetiva e menos crítica, prescindindo da noção de coisa-em-si e considerando o real como constituído pela consciência.
5. *Idealismo absoluto*. Termo empregado por Hegel para caracterizar sua metafísica, segundo a qual o real é a ideia, entendida contudo não em um sentido subjetivo, mas absoluto. Opõe-se, portanto, aos vários tipos de idealismo subjetivista, acima indicados (2-4), e constitui-se em uma forma de monismo. *Ver* espiritualismo; racionalismo; psicologismo. *Oposto a* materialismo, realismo.
6. Na tradição filosófica, o idealismo se opõe fundamentalmente ao *materialismo, na medida em que, para ele, o universo se reduz, seja a dois

princípios heterogêneos, a *matéria e o *pensamento, seja a um único princípio, o pensamento. Neste caso, os objetos materiais são apenas representações de nosso *espírito, ou seja, o ser das coisas nada mais é do que a *ideia que o espírito delas possui. Opõe-se ainda, neste sentido, a *empirismo e a *realismo.

7. Contemporaneamente, sob influência da crítica marxista, o termo "idealismo" designa uma concepção generosa ou ambiciosa, mas irrealizável ou utópica. Especialmente na moral, frequentemente significa uma ignorância das condições concretas do agir humano.

ideia (lat. e gr. *idea*: visão) A ideia é, em um sentido geral, uma *representação mental, imagem, pensamento, conceito ou noção que temos acerca de algo. As "ideias de alguém" são seus pensamentos, opiniões, concepções sobre alguma coisa. Ex.: as ideias políticas de fulano, a minha ideia de liberdade, não tenho ideia do que seja isso etc. *Ver* conceito.

1. Em Platão (principalmente em *Fédon*, *República* e *Parmênides*) as ideias são formas, modelos perfeitos ou paradigmas, eternos e imutáveis, constituindo um mundo transcendente, do qual os objetos concretos do mundo de nossa experiência sensível são cópias ou imagens imperfeitas, derivadas das ideias. Não se trata, portanto, da ideia como pensamento ou entidade mental, concepção posterior na história da filosofia, mas da ideia como a própria essência do real, considerada como existindo autonomamente. Só podemos atingir esse mundo inteligível na medida em que, pelo processo dialético, nossa mente se afaste do mundo concreto, através de sucessivos graus de abstração, até chegar à contemplação das ideias.

2. Para Descartes, as ideias são representações mentais, produtos da atividade de nossa consciência, definidas como "aquilo que a mente percebe diretamente". Distingue ele três tipos de ideias: 1) *inatas*, que se originam da própria mente, independentemente de qualquer experiência anterior, e incluindo as ideias de um Deus Perfeito, da substância pensante e da matéria extensa; 2) *fictícias*, ou da imaginação, ideias produzidas pela mente e que dizem respeito a uma realidade imaginária (p. ex., a quimera, a sereia); 3) *adventícias*, formadas pela mente a partir da experiência sensível. "Podemos agora distinguir três tipos de ideias: as ideias que formamos nós mesmos a partir do mundo exterior, as ideias factícias (uma quimera, uma sereia) e, por fim, as ideias inatas que nos são dadas por Deus e que, claras e distintas, são os elementos necessários para o conhecimento das leis da natureza, igualmente criadas por Deus." Podemos conhecer as ideias inatas, fundamentos da ciência, voltando-nos para nós mesmos pela reflexão. *Ver* adventício; factício.

3. Segundo os empiristas, as ideias são objetos mentais, resultados de um processo de abstração, que representam objetos externos percebidos pelos sentidos. "Por ideias, entendo as pálidas imagens das impressões em nosso pensamento e raciocínio" (Hume).

4. Para Kant, as ideias são conceitos reguladores da razão, formais e necessários, aos quais não corresponde nenhum objeto da experiência sensível. As ideias da razão pura são, na dialética transcendental (*Crítica da razão pura*), ideias que não possuem correlato objetivo, mas são necessárias ao funcionamento da razão, p. ex., as ideias de alma, da existência do mundo exterior e de Deus.

5. A ideia absoluta é, em Hegel, a "verdade plena do ser", a unidade do conceito e do real, de tal modo que "todo o real é uma ideia".

6. Conceitos: "Pela palavra ideia entendo tudo o que pode estar em nosso pensamento" (Descartes). "Por ideias entendo as imagens enfraquecidas das impressões no pensamento e no raciocínio" (Hume). "Entendo por ideia um conceito racional necessário ao qual nenhum objeto que lhe corresponde pode ser dado nos sentidos" (Kant).

identidade (lat. tardio *identitas*, de *idem*: o mesmo) Relação de semelhança absoluta e completa entre duas coisas, possuindo as mesmas características essenciais, que são assim a mesma.

1. A identidade numérica indica que duas coisas são, na realidade, uma única. Ex.: Vênus é a Estrela da Manhã.

2. A *identidade temporal* significa que podemos identificar um mesmo objeto que nos aparece em momentos diferentes. Ex.: Uma mesma árvore no inverno sem folhas e na primavera coberta de flores.

3. Na lógica, *o princípio da identidade*, uma das três leis básicas do raciocínio para Aristóteles, se expressa pela fórmula "A=A", ou seja, todo objeto é igual a si mesmo.

4. A questão da identidade e da diferença, do mesmo e do outro, é uma das questões mais centrais da metafísica clássica em seu surgimento (Heráclito, Parmênides, Platão). Temos, por um lado, a busca de um elemento único, a essência, o ser, que explique a totalidade do real (Parmênides); por outro lado, o pluralismo de Heráclito vê o real como reino da diferença, da mudança e do conflito, sendo que em um sentido dialético algo pode ser e não ser o mesmo, já que está em mudança. Platão busca, de certo modo, conciliar ambas as posições que o influenciaram em sua metafísica dualista, segundo a qual a mudança pertence ao mundo material, ao mundo das aparências, sendo o mundo das formas fixo, eterno, imutável. *Ver* igualdade; indiscerníveis. *Oposto a* diferença.

ideologia (fr. *idéologie*) **1.** Termo que se origina dos filósofos franceses do final do séc. XVIII, conhecidos como "ideólogos" (*Destutt de Tracy, *Cabanis, dentre outros), para os quais significava o estudo da origem e da formação das ideias. Posteriormente, em um sentido mais amplo, passou a significar um conjunto de ideias, princípios e valores que refletem uma determinada visão de mundo, orientando uma forma de ação, sobretudo uma prática política. Ex.: ideologia fascista, ideologia de esquerda, a ideologia dos românticos etc.
2. Marx e Engels utilizam o termo em *A ideologia alemã* (1845/1846), em um sentido crítico, para designar a concepção idealista de certos filósofos hegelianos (*Feuerbach, *Bauer, *Stirner) que restringiam sua análise ao plano das ideias, sem atingir portanto a base material de onde elas se originam, isto é, as relações sociais e a estrutura econômica da sociedade. A ideologia é assim um fenômeno de *superestrutura, uma forma de pensamento opaco, que, por não revelar as causas reais de certos valores, concepções e práticas sociais que são materiais (ou seja, econômicas), contribui para sua aceitação e reprodução, representando um "mundo invertido" e servindo aos interesses da classe dominante que aparecem como se fossem interesses da sociedade como um todo. Nesse sentido, a ideologia se opõe à ciência e ao pensamento crítico. "A produção das ideias, das representações, da consciência é... diretamente entrelaçada com a atividade material e com as relações dos homens... Se na ideologia os homens e as suas relações aparecem de cabeça para baixo, como numa câmara escura, esse fenômeno deriva-se do processo histórico de suas vidas... Os pensamentos dominantes nada mais são do que a expressão ideológica das relações materiais dominantes concebidas sob a forma de pensamentos, por conseguinte as relações que fazem de uma classe a classe dominante, por conseguinte os pensamentos de sua dominação" (Marx e Engels, *A ideologia alemã*).

3. O termo "ideologia" é amplamente utilizado, sobretudo por influência do pensamento de Marx, na filosofia e nas ciências humanas e sociais em geral, significando o processo de racionalização — um autêntico mecanismo de defesa — dos interesses de uma classe ou grupo dominante. Tem por objetivo justificar o domínio exercido e manter coesa a sociedade, apresentando o real como homogêneo, a sociedade como indivisa, permitindo com isso evitar os conflitos e exercer a dominação.

Ideologia alemã, A (*Die deutsche Ideologie*) Obra de Marx e Engels (1846), publicada postumamente, na qual criticam os hegelianos e seus continuadores, os neo-hegelianos, principalmente Feuerbach, Bauer e Stirner, considerando que sua filosofia oficial converteu-se em uma ideologia justificadora do poder, por não perceberem que só o *materialismo histórico pode analisar a sociedade em termos de "luta de classes". São os processos econômicos que determinam a existência de classes sociais em todas as épocas e constituem (sob a forma de forças produtivas e de relações de produção) a *infraestrutura* da sociedade, causa e substrato da *superestrutura* ideológica (crenças religiosas, morais, estéticas, jurídicas etc.).

ideólogo 1. Em um sentido genérico, ideólogo é o formulador ou defensor de uma determinada *ideologia, geralmente de caráter político-partidário. Ex.: "ideólogo do partido".
2. O termo "ideólogos" (*idéologues*) designa o grupo de filósofos franceses, de inspiração empirista, que, no final do séc. XVIII e início do XIX, se dedicaram ao estudo do processo de formação das *ideias e das *sensações, sustentando a perfectibilidade indefinida do homem; destacaram-se *Destutt de Tracy, *Cabanis, Volney, Carat.

idolatria (lat. eclesiástico *idolatria*, do gr. *eidolatres*, de *eidolon*: imagem, e *lautreuein*: adorar) Culto ou adoração de imagens (ídolos) que representam a figura divina, acabando por substituí-la como objeto de veneração. Admiração, adoração, veneração por algo ou alguém que passa a assumir características divinas. Culto a falsos deuses.

ídolo (lat. eclesiástico *idolum*, do gr. *eidolon*: imagem) **1.** Imagem de divindade utilizada como objeto de culto e adoração, por vezes possuindo características mágicas ou milagrosas. Por extensão, qualquer objeto ou pessoa a quem se venera ou admira.

2. No sentido dado por Francis Bacon, falsa noção, ideia falsa ou ilusória, preconceito, do qual devemos nos libertar para realizar a ciência como interpretação verdadeira da natureza. São de quatro tipos: 1) *ídolos da tribo*: pertencem à natureza humana, são inerentes ao homem; 2) *ídolos da caverna*: característicos do homem individual, cada qual em sua própria "caverna"; 3) *ídolos do mercado*: originam-se das relações humanas, da comunidade a que os indivíduos pertencem, e da linguagem que usam; 4) *ídolos do teatro*: oriundos de dogmas filosóficos tradicionais e de falsas teorias que acabam por "aprisionar" o espírito humano. *Ver* ideologia.

ignorância (lat. *ignorantia*: ausência de conhecimento) **1.** Em um sentido genérico, a ignorância é a atitude daquele que, não sabendo utilizar as suas capacidades racionais, engana-se quanto à qualidade de seus conhecimentos, tomando por verdade o que não passa de uma *opinião falsa ou incerta e expondo-se à *ilusão e ao *erro.
2. O "só sei que nada sei" socrático exprime a ignorância filosófica, ou seja, a que permite o acesso ao saber, já que se reconhece como ignorância, abrindo o caminho para o conhecimento. É neste sentido que Sócrates afirmava também que "o reconhecimento da ignorância é o início da sabedoria".

ignoratio elenchi Expressão latina que designa o *sofisma daquele que, ignorando voluntariamente o que deve ser provado (*elegchos*, em grego, significa prova), tenta provar outra coisa distinta da que se encontra em pauta.

igualdade (lat. *aequalitas*) **1.** Noção lógica ou matemática, significando a equivalência entre duas grandezas: $3 + 2 = 5$, ou entre duas proposições: $(a + b)^2 = a^2 + 2ab + b^2$.
2. O termo "igualdade" aparece ainda na expressão "igualdade entre os homens" e possui várias acepções: a) a igualdade *jurídica* ou civil significa que a lei é a mesma para todos; b) a igualdade *política* significa que todos os cidadãos têm o mesmo acesso a todos os cargos públicos, sendo escolhidos em função de sua competência; c) a igualdade *material* significa que todos os homens dispõem dos mesmos recursos. As duas primeiras igualdades, igualdades de princípios, constituem a base das democracias. De fato, as desigualdades materiais geram desigualdades políticas e jurídicas: essa situação foi descrita, pelo socialismo do séc. XIX, como "democracia formal".

3. É questionável a expressão "igualdade natural" ou biológica, pois, por natureza, não somos idênticos uns aos outros.

Iluminismo (al. *Aufklärung*, fr. *Lumières*, ingl. *Enlightenment*) **1.** Movimento filosófico, também conhecido como Esclarecimento, Ilustração ou Século das Luzes, que se desenvolve particularmente na França, Alemanha e Inglaterra no séc. XVIII, caracterizando-se pela defesa da ciência e da racionalidade crítica, contra a fé, a superstição e o dogma religioso. Na verdade, o Iluminismo é muito mais do que um movimento filosófico, tendo uma dimensão literária, artística e política. No plano político, o Iluminismo defende as liberdades individuais e os direitos do cidadão contra o autoritarismo e o abuso do poder. Os iluministas consideravam que o homem poderia se emancipar através da razão e do saber, ao qual todos deveriam ter livre acesso. O *racionalismo e a teoria crítica no pensamento contemporâneo podem ser considerados herdeiros da tradição iluminista. *Ver Aufklärung;* Diderot; Enciclopédia; Kant; modernidade; Voltaire.
2. Em um sentido mais específico, e até quase oposto ao do item acima, o Iluminismo é a doutrina que atribui papel central à iluminação, ou luz interior, na experiência humana. O Iluminismo seria assim uma forma de *espiritualismo, ou mesmo de *irracionalismo, valorizando a *intuição, a experiência mística e a atitude visionária. Segundo *Schopenhauer (*Parerga und Paralipomena*): "O Iluminismo tem por órganon a luz interior, a intuição intelectual ... quando toma por base uma religião, torna-se *misticismo*. É uma tendência natural e primitiva do espírito humano. Mas não se pode considerá-lo um método filosófico, já que os conhecimentos que evoca não são comunicáveis".

ilusão (lat. *illusio*, de *illudere*: zombar de) Erro ou engano resultante da *percepção, levando-nos a tomar uma coisa por outra. Interpretação errônea dos dados sensoriais.
1. A atribuição de um caráter ilusório a nosso conhecimento do mundo, ou mesmo a sua existência, é característica do *ceticismo.
2. Em Kant, a ilusão (*Scheim*) transcendental é resultado da crença errônea de que as formas *a priori* da intuição e as categorias do entendimento descrevem a verdadeira natureza da realidade em si, não sendo apenas a maneira pela qual nossa consciência estrutura o conhecimento da realidade, em si mesma incognoscível (*númeno).

"... há em nossa razão (considerada subjetivamente, isto é, como faculdade do conhecimento humano) regras fundamentais e máximas relativas a seu uso que possuem a aparência de princípios objetivos e que nos fazem tomar a necessidade subjetiva de uma relação entre nossos conceitos, exigida pelo entendimento, por uma necessidade objetiva da determinação das coisas em si. Trata-se de uma ilusão que nos é impossível evitar". *Oposto a* certeza.

3. Conceitos: "É ilusão o engano que subsiste mesmo quando sabemos que o objeto suposto não existe" (Kant). "A verdade se opõe ao erro, que é a ilusão da razão, como a realidade tem por contrário a aparência, a ilusão do entendimento" (Schopenhauer). "A vida tem necessidade de ilusões, isto é, de não verdades tidas por verdades ... devemos estabelecer a proposição: só vivemos graças a ilusões" (Nietzsche).

Ilustração *Ver* Iluminismo.

imagem (lat. *imago*, de *imitari*: imitar) Representação mental que retrata um objeto externo percebido pelos sentidos. "O termo 'imagem' designa ... uma certa maneira de a consciência se dar um objeto" (Sartre). Há várias controvérsias filosóficas quanto ao papel da imagem na constituição de nosso conhecimento do real, defendido especialmente pelos empiristas. Para alguns filósofos, a ideia é uma imagem mental do objeto externo, isto é, um retrato ou figuração deste que aparece em nossa mente. Outros objetam que nesse caso não seria possível termos imagens de objetos abstratos como a virtude, o triângulo (tomado em geral, e não um triângulo de tipo específico) etc., sendo que por esse motivo a representação não deve ser tomada como imagem. Entre os psicólogos, o termo "imagem" designa toda *representação sensível (auditiva, tátil etc.). Assim, podemos ter uma imagem de uma melodia em nossa cabeça, ou a imagem de nosso corpo. Essa imagem (objeto do espírito) se distingue desse outro objeto do espírito que é a *ideia, na medida em que possui como ponto de partida uma percepção sensorial. A faculdade de produzir imagens mentais constitui a *imaginação.

imaginação (lat. *imaginatio*) Faculdade criativa do pensamento pela qual este produz representações (imagens) de objetos inexistentes, não tendo, portanto, função cognitiva.

1. Descartes chama de *ideias da imaginação* as ideias produzidas por nossa mente (a quimera, a sereia), que não correspondem a objetos da experiência.

2. Em Kant, a imaginação (*Einbildungskraft*) é uma faculdade da consciência que unifica e sintetiza a diversidade dos dados da intuição, constituindo assim a condição de possibilidade do conhecimento.

3. Tradicionalmente distingue-se a *imaginação reprodutiva*, que produz imagens daquilo que percebemos, e a *imaginação criadora*, que produz imagens do que jamais percebemos. A imagem não é cópia de um objeto real, mas seu processo é uma imitação da percepção. Assim, quando imaginamos Deus, a imagem que produzimos não copia nenhum objeto, mas se compõe de elementos de objetos reais.

imaginário (lat. *imaginarius*) **1.** Que existe apenas como produto da imaginação, que não tem existência real. Ex.: o centauro é um ser imaginário. *Oposto a* real.

2. Em um sentido mais específico, é o conjunto de representações, crenças, desejos, sentimentos, através dos quais um indivíduo ou grupo de indivíduos vê a realidade e a si mesmo.

3. A fenomenologia existencialista de Sartre considera o imaginário ou o "ato de imaginar" como a capacidade que tem a consciência de *nadificar o real, de desligar-se da plenitude do dado e de romper com o mundo.

4. A originalidade da psicanálise freudiana consiste em fundar a solidariedade do *desejo e do imaginário. Assim, a criança, em situação de impotência, tem necessidade de outrem para satisfazer suas necessidades: "deseja", então, o retorno de uma presença benéfica (geralmente a da mãe) e alucina o objeto perdido que dá satisfação a fim de reatualizar sua presença. É aí que se dá o imaginário. E quando Freud define o sonho como "realização do desejo", mostra que o desejo atualiza, numa cena que vive no presente, aquilo que corresponde à sua exigência. Portanto, é a partir dessa análise que se deve compreender toda criação imaginária: o desejo que preenche uma ausência é sempre desejo do outro (Hegel definia o desejo do homem como "desejo do desejo do outro").

imanência/imanente (lat. tardio *immanentia*, *immanens*, de *immanere*: ficar no lugar) Qualidade daquilo que pertence ao interior do ser, que está na realidade ou na natureza. A oposição imanência/transcendência pode ser aproximada da oposição interior/exterior. Diz-se que é "imanente" aquilo que é interior ao ser, ao ato, ao objeto de pensamento que consideramos. No *panteísmo, Deus é imanente ao mundo, quer dizer, encontra-se em toda parte, confunde-se com o mundo. Entre os *escolásticos, imanente opõe-se a transitivo: uma ação imanente só produz efeito no interior do próprio agente. Ex.: a visão é uma ação imanente, só tendo efeito sobre aquele que vê. *Oposto a* transcendência.

imanentismo Doutrina ontológica segundo a qual tudo é imanente ou interior a seu próprio *ser. Em teologia, o imanentismo é uma forma de *panteísmo, identificando Deus com o Universo, ou considerando-o presente em todas as coisas, ou na *natureza, tal como na fórmula de Espinoza: *"Deus sive Natura"* (Deus, ou a Natureza). *Oposto a* transcendentalismo.

imaterialismo Termo utilizado por Berkeley para designar sua concepção de idealismo que nega a existência do mundo material, considerado independentemente de nossa percepção. É este o sentido da fórmula de Berkeley: *"Esse est percipi"* (Ser é ser percebido). *Ver* idealismo.

imediato Que se obtém de maneira direta, sem intermediário; por exemplo, conhecimento imediato é aquele que se obtém diretamente.

imoralidade Qualidade do que é imoral, do que não é moral. *Oposto a* moralidade.

imoralismo (al. *Immoralismus*) Termo atribuído a Nietzsche, opondo-se a *moralismo e definindo-se como crítica aos valores da moral tradicional em seu sentido dogmático e absoluto. Entendido como doutrina que nega a possibilidade de uma moral, identifica-se com *amoralismo.

imortalidade Qualidade daquilo que não morre, que é eterno, indestrutível. No pensamento filosófico e teológico, encontramos várias doutrinas sobre a imortalidade da alma. Alguns pensadores sustentam que a alma imortal possui uma identidade pessoal que se manteria mesmo após a dissolução do corpo (Tomás de Aquino, Descartes), sendo que, para outros, a alma imortal é apenas uma realidade espiritual genérica sem características individuais (Plotino). *Ver* espiritualismo; dualismo.

imperativo (lat. *imperativus*, de *imperare*: comandar) Proposição que exprime uma ordem condicional ou categórica.

1. *Imperativo categórico*: princípio ético formal da razão prática, absoluto e necessário, fundamento último da ação moral, segundo Kant, expresso pela seguinte fórmula: "Age de tal forma que a norma de tua conduta possa ser tomada como lei universal."

2. *Imperativo hipotético*: também segundo Kant, princípio representando a necessidade prática de uma ação possível, considerada como meio de se alcançar um determinado fim. Ex.: "se queres X, então deves fazer Y".

Imperialismo, estádio supremo do capitalismo, O Obra de *Lênin (1916) onde define o imperialismo por cinco fatores fundamentais: a) concentração do capital e aparecimento dos monopólios; b) importância da exportação dos capitais; c) criação de uma oligarquia financeira; d) formação de empresas internacionais; e) repartição do planeta entre as potências capitalistas.

implicação (lat. *implicatio*: envolvimento) Em um sentido geral, relação entre duas sentenças, na qual a verdade da primeira permite inferir a verdade da segunda; ou em que a segunda é entendida como consequência da primeira. Formula-se através de uma condicional: "Se A, então B". Em lógica, devemos distinguir entre: a. *Implicação lógica*: a sentença A implica logicamente a sentença B, se não é possível que A seja verdadeira e B seja falsa. A relação de implicação lógica é formal no sentido de que se dá entre duas sentenças independentemente de seu conteúdo significativo, mas em virtude apenas de sua *forma lógica. b. *Implicação material*: não depende do conteúdo das sentenças, mas apenas de seu valor de verdade. *Ver* inferência; dedução; consequência; condicional.

impressão (lat. *impressio*) **1.** Marca deixada na consciência ou na memória por uma experiência sensível ou percepção. Aquilo que a mente retém de uma sensação ou percepção.

2. Em Hume, o dado da sensibilidade tal qual este se apresenta de forma imediata e não interpretada à nossa consciência. Imagem sensorial que serve de base ao conhecimento. "As percepções que penetram em nós com mais força e violência, podemos chamar de *impressão* ... compreendendo todas as nossas sensações, paixões e emoções tais como aparecem pela primeira vez em nossa alma".

imutabilidade (lat. *immutabilitas*) Característica daquilo que não é sujeito a mudança ou transformação. No surgimento da *metafísica (Parmênides, Platão), a imutabilidade do *ser é a sua característica mais fundamental, opondo-se assim a essência do real, fixa, eterna, imutável, ao mundo das aparências, da mudança, da diversidade, do não-ser portanto. Ver mobilismo.

inatismo 1. Concepção segundo a qual certas ideias, princípios ou estruturas do pensamento são inatas em virtude de pertencerem à natureza humana — isto é, à mente ou ao espírito — sendo, portanto, nesse sentido, universais.
2. A doutrina da *reminiscência de Platão pode ser considerada uma forma clássica de inatismo, já que postula que a alma traz consigo, ao encarnar-se em um corpo, ideias que contemplou quando existia separada deste no mundo inteligível e das quais agora se "recorda".
3. Em Descartes, as *ideias inatas têm um papel fundamental em sua teoria do conhecimento, constituindo a base da certeza e da possibilidade do conhecimento, dado seu caráter imediato e evidente, o que caracterizaria uma concepção inatista.
4. No pensamento contemporâneo, encontramos nas teorias linguísticas de Chomsky uma concepção inatista, já que ele defende a ideia de que há uma estrutura linguística do pensamento universal e inata, que constituiria a competência do falante, tornando possível o aprendizado da língua.
5. Na biologia, especialmente na genética, tem-se discutido quais as características que se podem considerar inatas em um indivíduo, como membro de uma espécie, sobretudo do ponto de vista da hereditariedade.

incerteza, relações de Relações estabelecidas por Heisenberg (1927) segundo as quais, na microfísica, não podemos determinar ao mesmo tempo a posição e a velocidade de uma partícula atômica; portanto, o estado futuro de um sistema só pode ser previsto em termos de probabilidade.

incognoscível Que não pode ser conhecido, que está fora do alcance do conhecimento humano.
1. Para o ceticismo clássico, a realidade seria em última análise incognoscível; nosso conhecimento seria sempre parcial, limitado, variável.
2. Segundo Kant, o *númeno, a realidade em si mesma, seria incognoscível, já que conhecemos o real apenas como objeto de nosso conhecimento e portanto sujeito às determinações da estrutura de nossa consciência. Ver idealismo.

incompreensível (lat. incomprehensibilis) Que não pode ser compreendido, misterioso, enigmático. Algo cujo alcance está além de nossa razão e não pode ser por ela explicado. Segundo alguns autores, devemos distinguir o incompreensível, algo que pode ser admitido, mas não pode ser explicado, do ininteligível ou do incognoscível. "A natureza de Deus é imensa, incompreensível, infinita ... há uma infinidade de coisas em sua potência cujas causas ultrapassam o alcance de meu espírito"(Descartes).

incondicionado Que não está sujeito a nenhuma condição, que não depende de nada, não pressupõe nada. Aquilo que existe por si mesmo. *Absoluto. Característica de *Deus como ser supremo e criador.

inconsciente Em seu sentido freudiano, é uma das *qualidades psíquicas* que, juntamente com o pré-consciente e o consciente, formam a figuração espacial do aparelho psíquico. Todo fato psíquico pode ser, assim, *inconsciente*, depois tornar-se *pré-consciente* e *consciente*, ou vice-versa. Portanto, o inconsciente é uma hipótese suscetível de explicar que os sonhos, as angústias, as neuroses e certas "esquisitices" da vida cotidiana, reagrupadas sob o nome de *atos falhos* (lapsos, esquecimentos, perdas de objetos etc.), não constituem, aos olhos da psicanálise, atos desprovidos de sentido. Para Freud, boa parte daquilo que constitui nosso ego ou nossa consciência (por exemplo, desejos, lembranças etc.) é inconsciente e escapa, embora ativamente, à nossa consciência. Os desejos e as lembranças que se tornaram inconscientes são chamados de *recalcados*: tudo se passa como se nossa consciência não quisesse conhecê-los, embora não consiga aboli-los. Eles se manifestam em nossa vida consciente sob a forma de "esquisitices" (sonhos, atos falhos) cujo sentido ignoramos. Antes de se manifestarem à consciência, os desejos e as lembranças recalcados são submetidos a uma *censura* que os despista e os torna inacessíveis. *Recalque* e *censura* são também processos inconscientes. Quanto aos fatos psíquicos *latentes* (que se ocultam), mas suscetíveis de se tornarem conscientes, Freud os chama de *pré-conscientes*. Filósofos e psicólogos utilizam o termo *subconsciente* para designar aquilo que pertence ao espírito e é suscetível de tornar-se consciente, embora não o seja atualmente.

indefinido (lat. indefinitus) Que não tem definição, indeterminado. Sem limite espacial ou temporal, sem forma ou característica precisa. Os juízos negativos são por vezes diferenciados dos juízos indefinidos ou limitativos. Em Kant, são aqueles que não determinam uma característica positiva da coisa que mencionam. Ex.: a rosa é não vermelha, proposição que não afirma qual a cor da rosa. *Ver* juízo; *apeiron*.

indeterminismo Doutrina que se opõe ao determinismo. Relativismo.
1. Em ética, concepção segundo a qual o homem possui o *livre-arbítrio, isto é, a liberdade de escolha em sua ação.
2. Na metafísica, concepção segundo a qual os eventos não possuem *causas determinadas, não podendo ser previstos nem explicados a partir de *leis gerais, estando sujeitos ao *acaso e sendo sua ocorrência *contingente.
3. Na mecânica quântica de Heisenberg, impossibilidade de medir de forma precisa a trajetória de uma partícula subatômica, por não se poder determinar com a mesma precisão sua velocidade e sua posição. Este princípio, conhecido como "princípio da incerteza" ou "desigualdade de Heisenberg", levou ao questionamento das noções de espaço e movimento da física clássica.

indiferença, liberdade de (do lat. *indifferens*) Estado de total neutralidade afetiva, em que alguém não privilegia nem manifesta interesse por qualquer objeto: "Esta indiferença que sinto, quando não me deixo levar por um lado mais que por um outro pelo peso de alguma razão, é o mais baixo grau da liberdade" (Descartes). Segundo uma anedota, *Tales ensinava a seus discípulos que "é indiferente viver ou morrer"; alguém lhe pergunta: "Por que você não morre?" Resposta: "Porque é indiferente". No budismo, a indiferença é o resultado de um desapego metódico. *Ver* livre-arbítrio.

indiscerníveis 1. Diz-se que dois objetos são indiscerníveis quando não se pode distinguir um do outro.
2. *Princípio da Identidade dos Indiscerníveis* ou *Lei de Leibniz*; princípio formulado por Leibniz, segundo o qual não há dois objetos idênticos no universo. Mesmo objetos da mesma espécie diferem entre si, não apenas do ponto de vista espacial e temporal, mas por suas qualidades intrínsecas.

individuação 1. O princípio de individuação é a característica ou qualidade que diferencia um indivíduo dentre todos os outros da mesma espécie.

2. Na escolástica discute-se sobre o que caracteriza um indivíduo como diferente dos demais, se apenas a matéria de que é feito, ou se alguma característica formal ou essencial (a ecceidade — *haecceitas*); isto é, se haveria algo como a "socrateidade", que distinguiria Sócrates de todos os outros seres humanos. Este problema se relaciona com o dos critérios de estabelecimento da identidade pessoal. *Ver* ecceidade; Duns Scotus.

individualidade Aquilo que caracteriza o indivíduo, que o distingue dos demais. Característica pessoal, aquilo que é próprio de alguém como indivíduo.

individualismo Doutrina que valoriza o indivíduo acima de tudo, especialmente em relação à sociedade ou à comunidade a que ele pertence.
1. Em teoria política a doutrina segundo a qual a finalidade da *sociedade e do *Estado é preservar os direitos do indivíduo, protegê-lo e garantir sua *liberdade, tratando-se portanto de uma forma de *liberalismo. Por outro lado, a valorização do indivíduo em oposição à sociedade, considerada repressora, é característica de algumas concepções de *anarquismo.
2. Em ética, concepção segundo a qual os valores éticos se definem a partir do indivíduo.
3. De um ponto de vista da *moral, as doutrinas individualistas tomaram aspectos diferentes, podendo-se distinguir: a) o *hedonismo antigo*, que aconselha a cada homem perseguir os seus próprios prazeres (*Aristipo e *Epicuro); b) o *individualismo igualitário*, concepção ético-política segundo a qual a vida social repousa num contrato ligando os indivíduos entre si (*Rousseau); c) o *individualismo libertário*, doutrina que exalta a revolta individual contra as instituições políticas e sociais e recusa todas as formas de autoridade (*Stirner); d) o *individualismo aristocrático*, concepção antidemocrática que rejeita e menospreza os valores igualitários da civilização de massa e exalta as virtudes nobres de alguns indivíduos superiores (*Nietzsche).

indivíduo (lat. *individuum*: corpo indivisível) 1. Tudo aquilo que constitui uma unidade, não podendo ser dividido sem descaracterizar-se como tal. Objeto simples, sem partes. Aquilo que é contável. Algo que possui características próprias que o distinguem das outras coisas.
2. Do ponto de vista do problema dos *universais, discute-se se só os particulares (este homem, esta maçã) são indivíduos, ou se também os uni-

versais, tais como qualidades ou propriedades (a brancura, a justiça), também podem ser considerados indivíduos.

indução (lat. *inductio*) **1.** Em lógica, forma de raciocínio que vai do particular ao geral, ou seja, que procede à generalização a partir da repetição e da observação de uma regularidade em um certo número de casos. Ex.:
Se A1 tem a propriedade P;
Se A2 tem a propriedade P;
Se An tem a propriedade P;
Então, todo A tem a propriedade P.
Uma vez que é empiricamente impossível examinar todos os casos de A, a indução é sempre probabilística, seu grau de certeza sendo proporcional ao número de casos examinados.
2. Em um sentido psicológico e pedagógico, na filosofia clássica (sobretudo em Platão), a indução (*epagogé*) é entendida como um certo tipo de ensinamento, um processo de se levar alguém a adquirir um determinado tipo de conhecimento ou a adotar uma determinada atitude em relação a algo.
3. Em filosofia da ciência, discute-se bastante o papel da indução como elemento constitutivo do método científico, permitindo a generalização dos resultados e conclusões dos experimentos científicos. O método indutivo é valorizado sobretudo pelas concepções empiristas. Vários são os problemas relacionados à indução, desde a discussão dos critérios de justificação dos procedimentos indutivos, e sua relação com a probabilidade e a estatística, até o questionamento da racionalidade da indução. *Ver* método.

inefável (lat. *ineffabilis*) Que não pode ser expresso pela linguagem, que não pode ser dito. Indizível. Por extensão, diz-se da experiência que não pode ser adequadamente traduzida em palavras. Ex.: para a religiosidade mística, Deus é inefável.

inércia, princípio de Princípio segundo o qual (num sistema galileano de movimento uniforme) um corpo não pode passar do repouso ao movimento nem modificar seu movimento sem a ação de uma força ou causa exterior.

inerência (lat. *inhaerentia*) Característica daquilo que está ou existe em algo, que pertence a seu interior, como uma propriedade essencial. Ex.: a mortalidade é uma inerência do homem.

inferência (do lat. *inferre*: concluir, tirar uma conclusão) Processo lógico de derivar uma proposição da outra, ou de se obter uma conclusão a partir de determinadas premissas, de acordo com certas regras operatórias. *Ver* dedução; implicação; lógica; silogismo.

infinito (lat. *infinitus*) Diz-se do que não tem limite, nem começo, nem fim. Ilimitado, inesgotável.
1. *Infinito potencial*: conceito negativo e incompleto, trata o infinito como um limite. Dado um número qualquer n, pode-se sempre acrescentar uma unidade $n + 1$, e a $n + 1$ outra unidade $(n + 1) + 1$, ao infinito. A série numérica seria assim potencialmente infinita.
2. *Infinito atual*: conceito positivo e completo, trata o infinito como existente. O conjunto infinito de números inteiros é aquele a que não se pode acrescentar nenhuma unidade porque já inclui todos os números inteiros. "Não me sirvo jamais do termo 'infinito' para significar apenas aquilo que não tem fim, o que é negativo e ao qual apliquei o termo 'indefinido', mas apenas para significar uma coisa real, que é incomparavelmente maior que todas aquelas que têm fim" (Descartes). Alguns filósofos como Aristóteles e os empiristas negam a possibilidade do infinito real, admitindo apenas a possibilidade teórica do infinito potencial.
3. Os paradoxos de *Zenão de Eleia baseiam-se na noção de movimento e na possibilidade de divisão ao infinito do espaço. *Ver* paradoxo.
4. A *física e a astronomia inauguradas no pensamento *moderno introduzem a ideia de um universo infinito em oposição às concepções predominantes no período clássico de um cosmo fechado e limitado.

infinitos, dois Preocupado em entender o que é o homem, *Pascal o situa entre dois infinitos: o infinitamente grande (os espaços infinitos) e o infinitamente pequeno (simbolizado por um inseto): "Nada em relação ao infinito, tudo em relação ao nada, meio entre nada e tudo. Somos alguma coisa e não somos tudo" (Pascal); "O quantum que *deve* ser último, acima do qual não podemos acrescentar nem maior nem menor, é habitualmente chamado de *infinitamente grande* ou *infinitamente pequeno*" (Hegel).

infraestrutura Conceito que no *marxismo designa numa sociedade sua estrutura econômica, ou seja, as relações econômicas de produção e as contradições delas decorrentes. A infraestrutura, sendo a base material da sociedade, determina a superestrutura, isto é, a ordem política, jurídica, cultural, educacional etc., dessa sociedade; porém, essa relação não deve ser vista de forma mecânica, mas dialética, já que a superestrutura, por sua vez, influencia também a infraestrutura, assegurando sua manutenção e reprodução, ou podendo levar a modificações nela. "Na produção social de sua existência, os homens entram em relações determinadas, necessárias, independentes de sua vontade, *relações de produção* que correspondem a um grau de desenvolvimento determinado de suas forças produtivas materiais. O conjunto dessas relações de produção constitui a *estrutura* econômica da sociedade, a base concreta sobre a qual se constrói uma *superestrutura jurídica e política e à qual correspondem formas determinadas de consciência social. O modo de produção da vida material condiciona o processo da vida social, política e intelectual em geral" (Marx). Em síntese, a infraestrutura designa o conjunto dos elementos considerados fundamentais pelo marxismo na evolução e no funcionamento de uma sociedade: o potencial econômico, a organização do trabalho, as estruturas sociais e as relações entre as classes. O conjunto complementar é constituído pela superestrutura: a *ideologia, as instituições políticas, a cultura, as crenças religiosas etc.

iniciação Frequentemente tomado como sinônimo de aprendizagem, o termo adquire um sentido particular em etnologia e antropologia: nas sociedades tradicionais, designa os ritos de passagem de um indivíduo de uma classe de idade à seguinte, ou de seu ingresso num grupo secreto, impondo-lhe uma espécie de morte para sua existência anterior a fim de ter acesso a conhecimentos particulares sobre sua vida, a religião e a moral.

injustiça (lat. *injustitia:* não conforme à justiça) Caráter daquilo que é contrário à justiça, faltando com o respeito aos direitos dos outros ou não reconhecendo seus méritos: "A injustiça consiste, sob uma aparência de direito, em subtrair de alguém o que lhe pertence segundo a interpretação verdadeira das leis" (Espinoza).

inquietude (lat. tardio *inquietudo*, do lat. *inquietus*: perturbado) 1. Estado de não repouso considerado, na Idade Média e no séc. XVII, como um mal a ser rejeitado. Em seguida, passou a ser uma dimensão positiva do desejo e da vontade, pois onde há desejo há inquietude, isto é, solicitações mais ou menos imperceptíveis, "impulsos" que mais ou menos nos intranquilizam.

2. Nas morais "existenciais", quer dizer, que designam os modos de ser não essenciais da consciência (Heidegger), a inquietude tem valor positivo, pois é o que permite ao homem superar-se. Quanto a seu aspecto negativo, que se revela na insegurança e nas formas patológicas de comportamento, depende mais da psiquiatria, embora não se confunda com a angústia.

instituição (lat. *institutio*: disposição, arranjo) 1. Filosoficamente, tudo o que constitui obra dos homens, não da natureza.
2. Politicamente, conjunto das leis fundamentais do Estado.
3. Sociologicamente, os modos de pensar e se comportar preestabelecidos e fixados por uma sociedade: "Podemos chamar de instituição todas as crenças e todos os modos de conduta instituídos pela coletividade" (E. Durkheim); "Instituições são regras públicas de ação e pensamento" (M. Mauss).

instrumentalismo (ingl. *instrumentalism*) 1. Concepção segundo a qual as teorias científicas são apenas um instrumental para o tratamento do fenômeno e não uma tentativa de se chegar ao conhecimento da realidade em si mesma, devendo portanto ser consideradas do ponto de vista de seus resultados e não de sua verdade ou falsidade. Opõe-se ao realismo e relaciona-se com o pragmatismo e o convencionalismo.
2. O pragmatismo de John Dewey (1859-1952) é também denominado "instrumentalismo", por tratar o pensamento como um modo de agir sobre as coisas, funcionando como um instrumento constituidor de nossas experiências. É, por vezes, também conhecido como experimentalismo.
3. Para a escola de *Frankfurt, sobretudo para Habermas, a razão instrumental é aquela que considera a realidade, o mundo natural, como objeto de conhecimento pela ciência, com a finalidade de levar a um controle e a uma dominação pela técnica dos processos naturais, submetendo-os aos interesses da produção industrial. A concepção instrumentalista de razão e de ciência é, portanto, criticada tendo em vista os efeitos e consequências da submissão da razão científica aos interesses da ideologia da dominação técnica, sobretudo no capitalismo avançado.

integrismo Concepção que, em matéria religiosa, corresponde à recusa de toda evolução ou inovação, sobretudo na liturgia, levando ao apego às práticas tradicionais do culto.

intelecto (lat. *intellectus*, de *intelligere*: compreender) **1.** Na concepção clássica grega, a partir de Anaxágoras, o intelecto (*nous*) significa o princípio de ordenação do *cosmo e, por extensão, a faculdade do pensamento humano, enquanto esta reflete a ordem cósmica. Distingue-se assim das *sensações e dos *desejos e *apetites, sendo, pois, "a parte da alma com a qual esta conhece e pensa" (Aristóteles).
2. A escolástica medieval, sobretudo com Tomás de Aquino, desenvolve o conceito aristotélico de intelecto, definindo-o como faculdade do entendimento humano, do *pensamento conceitual, de pensar por ideias gerais.
3. *Intelecto agente* ou *ativo* (*intellectus agens*): segundo a tradição aristotélica e escolástica, trata-se do intelecto como agente, isto é, transformando as sensações em percepções e tornando-as abstratas, inteligíveis, como conceitos. Daí a fórmula "Nada está no intelecto que não tenha estado antes nos sentidos". Na tradição agostiniana, especificamente, o intelecto agente é interpretado como a Luz Divina, a iluminação, que caracteriza nosso entendimento e torna possível o conhecimento humano.
4. *Intelecto paciente* ou *passivo* (*intellectus patiens*): segundo a tradição aristotélica e escolástica, o intelecto passivo opõe-se ao ativo, sendo considerado como a capacidade de receber e ordenar os conceitos e ideias que resultam do processo de abstração realizado pelo intelecto agente.
5. Os modernos preferem falar de entendimento. *Ver* entendimento.

intelectualismo 1. Concepção segundo a qual o *intelecto ou *entendimento é o fundamento principal ou único do *conhecimento e da *ação humanos. *Oposto a* experimentalismo.
2. Doutrina que afirma a superioridade das funções intelectuais, às quais se reduzem todas as outras, e que privilegia o *pensamento conceitual ou discursivo.
3. Doutrina segundo a qual a *realidade é de natureza inteligível, podendo ser conhecida pela *razão humana. *Ver* racionalismo. *Oposto a* voluntarismo, vitalismo.
4. Em um sentido pejorativo, o *intelectualismo* constitui uma espécie de deformação profissional do intelectual, que o desvincula do "comum dos mortais" por só se interessar pelos problemas que "transcendem" a realidade concreta.

inteligência (lat. *intelligentia*) Termo cujo sentido genérico se aproxima de intelecto, entendimento e razão. Capacidade humana de solucionar problemas através do pensamento abstrato, envolvendo memória, raciocínio, seleção de dados, previsão, analogia, simbolização etc.
1. Para a escolástica medieval, a inteligência é a faculdade do entendimento, base da possibilidade do conhecimento humano do real, dom divino concedido por Deus às criaturas humanas.
2. Em uma acepção psicológica, a inteligência pode ser considerada como a faculdade de aprender e aplicar o aprendido, adaptando-se a situações novas através do conhecimento adquirido em processos anteriores de adaptação, sendo assim essencialmente criativa.
3. *Inteligência artificial*: campo de estudos que se desenvolveu contemporaneamente a partir da cibernética, da teoria dos autômatos, das teorias da informação e da comunicação, e da engenharia da computação, englobando a matemática, a informática, a linguística, a epistemologia, a neurologia etc. Refere-se sobretudo à possibilidade de se construir um computador que reproduza o pensamento humano ou seja capaz de desenvolver um comportamento inteligente. Por outro lado, permite também que se considerem os sistemas de operação de computadores como modelos para a análise do modo de operar da inteligência humana.

inteligibilidade Capacidade de ser inteligível, compreensível, acessível ao entendimento humano. Para Kant o *númeno seria inteligível mas não cognoscível.

inteligível (lat. *intelligibilis*) Que pode ser compreendido, que é acessível ao entendimento humano.
1. Para Platão, é o mundo das ideias ou formas, constituído pelas formas puras das quais os objetos no mundo sensível são cópias, sendo por natureza imutável, eterno, perfeito. "No mundo inteligível, a ideia de bem é percebida por último e a custo ... é causa de tudo quanto há de direito e belo em todas as coisas" (Platão). Na concepção platônica, o mundo inteligível constitui a verdadeira realidade, existindo separada e autonomamente do mundo sensível, o que faz com que seus críticos, principalmente Aristóteles, levantem o problema da dificuldade de relação entre os dois mundos, de natureza diferente e oposta.
2. Em Plotino, traduz-se por vezes o termo *nous* por "inteligência" ou "inteligível", constituindo em sua ontologia a segunda emanação ou

hipóstase, tendo sua origem no Uno do qual se engendra pela contemplação.

intemporal Que não está sujeito ao tempo, a variações e mudanças causadas pelo tempo. Eterno, imutável, definitivo. Ex.: uma verdade intemporal.

intenção (lat. *intentio*) Propósito, direção, sentido, finalidade, objetivo que determina uma certa ação, sendo entretanto a intenção ela própria independente da realização do ato visado. Ex.: a intenção foi boa, porém deu tudo errado; não foi minha intenção ofendê-lo.
   1. Em um sentido relativo ao conhecimento, encontrado já na escolástica e retomado posteriormente pela fenomenologia, a intenção é a faculdade que dá sentido ao ato do entendimento, isto é, o dirige a seu objeto no real.
   2. Do ponto de vista ético, discute-se a relação entre a intenção e a realização do ato, quanto à constituição do próprio ato, quanto à responsabilidade do autor e quanto à atribuição de um valor ao ato.

intencional 1. Que possui uma *intenção ou corresponde a ela. Deliberado, visado, pretendido, que é de nossa responsabilidade. Ex.: Ato intencional.
   2. Segundo a *fenomenologia, a *consciência intencional é a consciência voltada para o *objeto. Por sua vez, o objeto intencional é o objeto visado pela consciência. *Ver* intencionalidade.

intencionalidade Conceito central da *fenomenologia, derivado de Brentano que, por sua vez, teria se inspirado na *escolástica. A intencionalidade é a característica definidora da *consciência, na medida em que está necessariamente voltada para um objeto: "Toda consciência é consciência de algo". A consciência só é consciência a partir de sua relação com o objeto, isto é, com um mundo já constituído, que a precede. Por outro lado, esse mundo só adquire sentido enquanto objeto da consciência, visado por ela. A inter-relação entre a consciência e o real definida pela intencionalidade representa a tentativa da fenomenologia superar a oposição entre *idealismo e *realismo.

interdisciplinaridade Correspondendo a uma nova etapa do desenvolvimento do conhecimento científico e de sua divisão epistemológica, e exigindo que as disciplinas científicas, em seu processo constante e desejável de interpenetração, fecundem-se cada vez mais reciprocamente, a interdisciplinaridade é um método de pesquisa e de ensino suscetível de fazer com que duas ou mais disciplinas *interajam* entre si. Esta interação pode ir da simples comunicação das ideias até a integração mútua dos conceitos, da epistemologia, da terminologia, da metodologia, dos procedimentos, dos dados e da organização da pesquisa. Ela torna possível a complementaridade dos métodos, dos conceitos, das estruturas e dos axiomas sobre os quais se fundam as diversas práticas científicas. O objetivo utópico do método interdisciplinar, diante do desenvolvimento da especialização sem limite das ciências, é a unidade do saber. Unidade problemática, sem dúvida, mas que parece constituir a meta ideal de todo saber que pretende corresponder às exigências fundamentais do progresso humano. Não confundir a interdisciplinaridade com a multi- ou pluridisciplinaridade: justaposição de duas ou mais disciplinas, com objetivos múltiplos, sem relação entre si, com certa cooperação mas sem coordenação num nível superior.

interesse (lat. *interesse*). 1. Em sentido genérico, aquilo que desperta e orienta a vontade ou desejo de alguma coisa. Finalidade ou objetivo prático que temos em relação a algo. Valor que atribuímos a alguma coisa. Ex.: Meu interesse pela filosofia é antigo; Tenho todo o interesse em descobrir a verdade sobre o que ocorreu.
   2. Na metafísica clássica (Platão, Aristóteles), o conhecimento, como atividade da razão, é considerado como algo inferior, devendo ser relegado à esfera da ação, da prática. Assim, para Aristóteles, a sabedoria é superior à arte ou à técnica, porque constitui o conhecimento pelo conhecimento, puro e desinteressado, sem fins práticos que a condicionariam, enquanto que a arte ou a técnica tem uma finalidade ou interesse, um objetivo prático que a define.
   3. Conceito fundamental da ética kantiana, segundo o qual é o interesse que faz com que a razão seja "prática", constituindo assim uma determinação da vontade. O interesse é o que nos "move" a realizar algo.
   4. Para Habermas, o conhecimento humano é sempre dirigido por um interesse. "Chamo de *interesses* as orientações básicas que aderem a certas condições fundamentais da reprodução e da autoconstituição possíveis da espécie humana: trabalho e interação."

internalista/externalista Duas concepções opostas da história das ciências: a primeira (internalista) procura estudar a evolução das "ideias" científicas, o desenvolvimento dos conceitos e das teorias, enquanto a segunda (externalista) enfatiza a inserção social da ciência, especialmente as influências ou determinações das "necessidades sociais". De um lado, situam-se aqueles que defendem uma concepção segundo a qual a ciência constitui uma realidade autônoma e racional, sendo desnecessário o estudo das origens e dos diversos desenvolvimentos de "a ciência": ela se constituiria sem referências a contextos históricos bem determinados e às "necessidades" próprias de certos meios. Do outro, situam-se os partidários de uma concepção segundo a qual a ciência constitui uma atividade que, apesar das aparências, é socialmente condicionada, só manifestando uma racionalidade relativa, porque o segredo da ciência encontra-se numa espécie de ativismo social e econômico. Enquanto os "internalistas" concebem "a ciência" como a expressão de puras exigências da razão, como uma instituição privilegiada, transcendente à sociedade e compreensível apenas como uma busca desinteressada da verdade, os "externalistas" a concebem em suas determinações socioeconômico-culturais bastante concretas. Alexandre Koyré ilustra a primeira concepção; John Dermond Bernal, a segunda.

interpretação (lat. *interpretatio*) Explicação do sentido de algo. Reconstrução de um pensamento ou texto cujo sentido não é imediatamente claro. *Ver* hermenêutica.

Interpretação dos sonhos, A (*Die Traumdeutung*) Obra de *Freud (1900), na qual ele estabelece os fundamentos da *psicanálise como ciência do *inconsciente, elaborando sua teoria do inconsciente e suas principais noções (censura, recalque, libido, trabalho do sonho etc.). Desenvolve sobretudo a realidade do complexo de Édipo e a tríplice repartição do psiquismo: id, ego e superego. Ao revelar a importância essencial da sexualidade infantil, considera sua ciência como a terceira revolução (a primeira foi a de *Copérnico e *Galileu, a segunda a de *Darwin) na ideia que o homem faz de si mesmo e de sua situação no mundo.

intersubjetividade 1. Interação entre diferentes *sujeitos, que constitui o sentido cultural da experiência humana. O problema da intersubjetividade está relacionado à possibilidade de *comunicação, ou seja, de que o sentido da experiência de um indivíduo, como sujeito, seja compartilhado por outros indivíduos. Trata-se de noção encontrada contemporaneamente na *fenomenologia e na filosofia analítica da linguagem, com o objetivo de superar o subjetivismo e o *solipsismo. *Ver* outro.
2. Termo utilizado pela *epistemologia para designar a *objetividade, isto é, a objetividade de n sujeitos concordando quanto ao sentido de algo ou quanto a um resultado determinado.

intrínseco/extrínseco (do lat. tardio *intrinsecus, extrinsecus*) **1.** Intrínseco significa "que pertence à natureza de algo, que lhe é interior". Extrínseco significa "que vem do exterior, que tem uma origem ou causa externa".
2. Na escolástica, as propriedades intrínsecas são essenciais, pertencem necessariamente ao objeto, enquanto que as extrínsecas são acidentais, contingentes, não pertencendo necessariamente ao objeto.

introspecção (do lat. *introspicere*: olhar para dentro) Visão interior, ato pelo qual a consciência examina a si própria, volta-se sobre si mesma. Autoinspeção.
1. Na filosofia da consciência, de tradição cartesiana, é o procedimento pelo qual o sujeito examina o conteúdo de sua própria consciência. A introspecção, por ser um meio de acesso privilegiado da consciência a si própria, e por seu caráter imediato, teria a validade de suas conclusões garantida.
2. Na psicologia chamada "introspeccionista", é o método de descrição da estrutura e dos conteúdos da consciência, sendo considerada o único meio válido de acesso à realidade psíquica.
3. O caráter imediato e privilegiado da introspecção passou a ser questionado na filosofia contemporânea, que aponta os pressupostos inevitáveis que esse tipo de exame envolveria sobre a própria natureza da consciência e da subjetividade, não tendo portanto o caráter originário pretendido. Além disso, questiona-se a introspecção como base para o método científico devido a seu caráter, por definição, subjetivo e à impossibilidade de generalização de suas conclusões.

intuição (lat. *intuitio*: ato de contemplar) Forma de contato direto ou imediato da mente com o real, capaz de captar sua essência de modo evidente, mas não necessitando de demonstração.
1. "Por intuição entendo... a concepção firme do espírito puro e atento, que se origina unicamente

da luz da razão, e que sendo mais simples é, por conseguinte, mais segura do que a própria dedução" (Descartes). Para Descartes, a ideia de Deus e o próprio *cogito seriam objetos da intuição.

2. *Intuição empírica*: conhecimento imediato da experiência, seja externa (intuição sensível: dados dos sentidos como cores, odores, sabores etc.); seja interna (intuição psicológica: dados psíquicos como imagens, desejos, emoções, paixões, sentimentos etc.).

3. *Intuição racional*: percepção de relações e apreensão dos primeiros princípios (identidade, não contradição, terceiro excluído). É considerada a base do conhecimento discursivo já que este pressuporia sempre um ponto de partida não discursivo para não ser circular.

4. Para Kant, na *Crítica da razão pura*, a intuição (*Anschauung*) pura é uma forma *a priori* da sensibilidade, constituindo com o entendimento as condições de possibilidade do conhecimento. São duas as intuições: de espaço e de tempo, possibilitando a unificação do sensível e a recepção de percepções. "Os pensamentos sem conteúdo são vazios, as intuições sem conceitos são cegas" (Kant).

5. Compreensão global e instantânea de um fato ou pessoa, baseada em uma capacidade especial de discernimento (a intuição feminina, a intuição do médico diagnosticar etc.).

6. Sentimento súbito (*insight*) de um caminho para a solução de um problema ou da descoberta de uma relação científica. *Oposto a* dedução, conceito.

intuicionismo Qualquer doutrina que tem a *intuição por base, ou que atribui à intuição um lugar privilegiado no *conhecimento.

1. Em ética, concepção segundo a qual apreendemos os valores éticos, de forma evidente, pela intuição.

2. Em lógica, teoria que se opõe à lógica clássica e que se inspira na matemática intuicionista de L.E.J. Brouwer (1881-1966). Trata-se de uma forma de construtivismo, que considera os objetos matemáticos, tais como números, como construções mentais. A lógica intuicionista nega o princípio do terceiro excluído, admitindo a existência de sentenças que não seriam nem verdadeiras nem falsas, mas indecidíveis, uma vez que nessa concepção uma sentença só pode ser considerada verdadeira caso possa ser demonstrada, provada. O conceito intuicionista de prova é, por sua vez, bastante restrito, já que todas as provas devem ser construtivas, isto é, devem poder ser efetivamente construídas, o que exclui, p. ex., demonstrações envolvendo o *infinito. O intuicionismo é, portanto, uma forma de finitismo.

intuitivo Que se baseia na *intuição. Ex.: pensamento intuitivo, conhecimento intuitivo.

Investigações filosóficas (*Philosophische Untersuchungen*) Principal obra da chamada "2ª fase" do pensamento de *Wittgenstein em que este rompe, sob vários aspectos, com a filosofia apresentada no *Tractatus*, sobretudo com sua concepção de *lógica e de *linguagem. Wittgenstein começou a escrever os pensamentos que deram origem a esta obra em 1937; porém, ela só foi publicada postumamente em 1953. Nela, desenvolve uma concepção interativa e comunicacional de linguagem e da constituição do significado, representada sobretudo pela noção de *jogo de linguagem. Defende também uma visão de filosofia como método elucidativo de caráter terapêutico. Suas ideias, apresentadas de modo fragmentário e assistemático, tiveram grande influência no desenvolvimento da filosofia contemporânea, sobretudo na Grã-Bretanha e nos Estados Unidos.

Investigações lógicas Obra de *Husserl onde, ao recusar o *psicologismo, tenta encontrar um fundamento rigoroso para o pensamento lógico. Se a lógica for concebida como dependente da forma de nosso espírito, esbarraremos num relativismo destruindo a ideia mesma de verdade. Donde ser indispensável acedermos a uma ciência das relações entre objetos ideais (necessários e objetivos) situados fora da consciência psicológica. O objetivo almejado: a construção de uma teoria do conhecimento entendida como relação entre consciência e objeto mediante a significação.

ioga (palavra hindu: junção, unificação) Técnica hindu visando, através de vários exercícios de domínio de si, da ascese moral e da *meditação, libertar o indivíduo a fim de que possa realizar a unidade de sua essência.

ipseidade (do lat. *ipse*: si mesmo) Na filosofia escolástica, designa o fato de um indivíduo ser ele mesmo, dotado de uma identidade própria e, por conseguinte, diferente de todos os outros indivíduos. Na filosofia heideggeriana, designa o ser próprio do homem como *existência (*Dasein*) responsável.

ironia (lat. *ironia*, do gr. *eironeia*: dissimulação) Recurso de expressão que parece indicar o oposto do que se pensa sobre algo. Ex.: elogia-se quando se quer depreciar, chama-se de "grande" algo obviamente pequeno etc. A ironia como forma de argumentação é utilizada por Sócrates para revelar a seu interlocutor sua própria ignorância, relacionando-se, portanto, à *maiêutica. "Na ironia, o homem anula, na unidade de um mesmo ato, aquilo que coloca, faz crer para não ser acreditado, afirma para negar e nega para afirmar" (Sartre).

irracional (lat. *irrationalis*) Que é contrário à *razão, desprovido de razão, ou inacessível ao entendimento humano, não podendo ser explicado. Que não se pode justificar racionalmente. Absurdo. Ex.: uma crença irracional, uma atitude irracional.
 1. Do ponto de vista da *ação humana, todo ato que não resulta de uma ação consciente e dirigida pela razão. Opõem-se, assim, frequentemente, por um lado a razão, por outro o desejo, o impulso, o instinto.
 2. Em matemática, o número irracional é aquele que não pode ser representado por uma relação de dois inteiros. A descoberta dos números irracionais pela escola pitagórica, a partir da descoberta da incomensurabilidade entre o lado e a diagonal do quadrado, levou à crise da concepção pitagórica da matemática como a chave da compreensão do real.

irracionalismo 1. Doutrina que nega o valor da razão humana, ou limita seu alcance apenas a certos domínios.
 2. Doutrina que nega a racionalidade do real, considerando-o irracional, contingente, aleatório, sujeito ao acaso.
 3. Em filosofia, especificamente, o irracionalismo se define sobretudo pela valorização da vontade, do sentimento, do desejo e da ação, como elementos centrais que dão sentido à existência do homem e do mundo, contrariamente à tradição dominante, fortemente racionalista. *Ver* vitalismo; niilismo; ceticismo. *Oposto a* racionalismo.

isomorfismo (do gr. *isos*: igual, *morphé*: forma) Princípio segundo o qual duas entidades possuem a mesma forma, ou uma estrutura comum que lhes garante a correspondência. Ex.: Nas doutrinas clássicas o isomorfismo entre o intelecto e o real justificaria a possibilidade do conhecimento como representação correta do real.

J

Jacobi, Friedrich Heinrich (1743-1819) Filósofo alemão (nascido em Dusseldorf); partidário do fideísmo, opôs o seu sentimentalismo religioso aos sistemas racionalistas, especialmente ao panteísmo de Espinoza, acusando Lessing e Kant de serem também panteístas. Suas obras mais importantes são: *Sobre a filosofia de* Espinoza*; Sobre o empreendimento de conduzir a razão à inteligência*. Ver fideísmo; panteísmo.

Jaeger, Werner (1881-1961) Considerado um dos mais importantes historiadores do pensamento grego, Werner Jaeger (nascido em Lobberich, Alemanha) emigrou para os Estados Unidos em 1934, onde se notabilizou por seus trabalhos de historiador da filosofia antiga. Seus estudos lançaram uma nova luz sobre as interpretações da cultura grega, de Aristóteles e dos pré-socráticos. Entre outros, os mais importantes são: *História da evolução da metafísica de Aristóteles* (1921), *Aristóteles* (1923), *Paideia*, 3 vols. (1933-1945), *Cristianismo antigo e paideia grega* (1961).

Jakobson, Roman (1896-1982) Linguista, filólogo e crítico literário de origem russa, radicou-se nos Estados Unidos, tendo sido professor na Universidade de Harvard. Nos anos 20 e 30 participou juntamente com N.Trubetskoy do Círculo Linguístico de Praga. Em suas pesquisas procurou determinar as leis gerais dos sistemas fonéticos e os diferentes estados da língua segundo os períodos históricos de seu desenvolvimento. Investigou os fenômenos mais básicos da linguagem e os processos pelos quais passa ao se tornar mais complexa, partindo da compreensão da origem da linguagem na criança. Para Jakobson, o momento crucial da linguagem não é o da produção dos sons, mas aquele em que é utilizada a "oposição distintiva", isto é, uma diferença de sons articulados significantes. Sua teoria nos permite compreender a linguagem como estrutura — sendo considerada portanto uma forma de *estruturalismo — e a língua como ato. Aplicou também seu método estrutural à análise de textos literários, através de uma Poética própria. Principais obras:
Preliminares à análise da linguagem (1950), *Ensaios de linguística geral* (1963).

James, William (1842-1910) O filósofo e psicólogo norte-americano William James é conhecido como um dos fundadores do *pragmatismo, definindo a verdade por "aquilo que tem êxito praticamente e traz o novo ao mundo", e como o primeiro a desenvolver a psicologia nos Estados Unidos. Seu livro *Principles of Psychology* (1890) é um clássico. Em 1875, criou, em Harvard, o primeiro laboratório de psicologia. Teve, como alunos, entre outros, Edward Lee Thorndike e John Dewey. Uma de suas teses centrais diz que a consciência é uma função biológica, que ela é ação sobre e no real, adaptação ativa a um meio que a influencia, mas que também modela (pois é operante). James encontra-se na origem do "funcionalismo" que será adotado por Dewey e outros da "escola de Chicago". Seu pragmatismo deriva, na ordem do conhecimento, do empirismo e, na ordem da ação, do utilitarismo de John Stuart Mill. O espírito que o domina sustenta que se deve dar maior importância à prática (*pragma*, em grego) do que à teoria, o critério da verdade devendo ser procurado na ação. Porque a verdade é uma ideia que tem êxito, o verdadeiro é aquilo que se verifica e que é útil. O mesmo ocorre na ordem moral: o justo consiste naquilo que é vantajoso para nossa conduta. O conhecimento deve ser prospectivo, voltado para o futuro. Por isso, a verdade é concebida como um "programa", seu valor sendo medido por sua eficácia. William James fala inclusive do valor monetário (*cash value*) de nossas ideias. Outras obras importantes de sua autoria: *The Will to Believe and Other Essays* (1897), *The Varieties of Religious Experience* (1902), *Pragmatism* (1907), *The Meaning of Truth* (1909), *A Pluralistic Universe* (1909), *Essays in Radical Empiricism*, póstuma (1912).

Jankélévitch, Vladimir (1903-1985) Durante muito tempo professor na Universidade de Paris I (Sorbonne), o filósofo francês Jankélévitch sempre se considerou, "essencialmente, um professor de liceu", não sendo "dotado para a erudição nem para a filosofia 'científica'", pois declara "fazer uma filosofia geral". Formou numerosas gerações de estudantes. Dedicou-se especialmente às questões da metafísica, aos problemas da moral e a seus músicos preferidos (Fauré, Debussy, Ravel etc.). Com grande capacidade de maravilhamento, trabalha incansavelmente nos mais variados domínios: "É quando ele é injustificado que o maravilhamento é o mais filosófico." Na origem da reflexão filosófica encontram-se o espanto e o maravilhamento. Obras principais: *La mauvaise conscience* (1933), *Du mensonge* (1943), *Philosophie première* (1954), *Le pur et l'impur* (1960), *Traité des vertus*, 3 vols. (1968-1970), *Le paradoxe de la morale* (1981), *De la musique au silence*, 3 vols. (1973-1979).

jansenismo Doutrina teológica e filosófica baseada no *Augustinus*, obra de publicação póstuma (1640) do bispo holandês Cornélio Jansênio (1585-1638), que negava o *livre-arbítrio e afirmava que a graça era um privilégio inato concedido a poucas pessoas. O jansenismo floresceu principalmente na França nos sécs. XVII e XVIII, tendo como centro o convento de Port-Royal, em Paris, onde se instalaram os seus defensores mais acirrados, entre os quais Antoine *Arnauld, Pierre Nicole e Blaise *Pascal. Os jansenistas, que além de tudo adotavam uma moral rigorosa, foram combatidos pelos jesuítas e condenados como heréticos em várias bulas papais.

Jaspers, Karl (1883-1969) O alemão Karl Jaspers (nascido em Oldenburg) é um filósofo cuja obra se inspira em Kierkegaard. Ele chega à filosofia através da psiquiatria. Em sua primeira obra, *Psicopatologia geral* (1913), já estudava as perturbações da relação do homem com o mundo, as perturbações da *existência. A existência não seria o indivíduo biológico, tampouco o pensamento generalizante ou a vida sem problemas, mas o homem que joga seu destino no curso de sua história e que pode, por decisão, perder-se ou ganhar-se a cada instante de sua vida. Em sua *Autobiografia filosófica* (1963), caracterizou assim sua pesquisa: "O homem só toma consciência de seu ser nas situações-limite. É por isso que, desde minha juventude, procurei não dissimular o pior. Eis uma das razões que me levou a escolher a medicina e a psiquiatria: a vontade de conhecer o limite das possibilidades humanas, de apreender a significação daquilo que comumente nos esforçamos por velar ou ignorar." A primeira experiência do homem, que Kierkegaard chamou de "angústia", é a *vertigem da liberdade* mais pessoal. Se somos sinceros conosco mesmos, não podemos deixar de perceber, na profundeza de nossa existência, uma *razão de crer e de esperar* e, por conseguinte, o apelo misterioso da transcendência. Jaspers escreveu ainda: *Psicologia das concepções filosóficas do mundo* (1919), *Introdução à filosofia* (1950), *Razão e desrazão de nosso tempo* (1952), *A bomba atômica e o futuro do homem* etc.

jogo (lat. *jocus*: brincadeira) **1.** Em seu sentido geral, o jogo é uma atividade física ou mental que, não possuindo um objetivo imediatamente útil ou definido, encontra sua razão de ser no prazer mesmo que proporciona. Esta atividade, começando na criança ou no pequeno animal como gasto de energia, tendo valor de treinamento ou de aprendizagem, muda de natureza com o desenvolvimento do subjetivo humano: jogos de imitação, nos quais a criança projeta seus desejos (bonecas etc.); jogos com regras ou socializados, nos quais o prazer se vincula ao respeito às regras, às dificuldades de vencer uma competição.

2. Alguns teóricos (J.Huizynga, em seu *Homo ludens*, 1940, p. ex.) fazem da atividade lúdica (o homem é um ser lúdico) o fundamento de diversas manifestações culturais. Entre os adultos, o jogo é considerado, em certo sentido, como o oposto do trabalho e como uma oportunidade de expressão de sua liberdade. Como há uma raiz biológica na atividade lúdica, o jogo frequentemente está ligado à juventude, à espontaneidade, ao crescimento e ao gasto de energias.

3. Jogo de linguagem. *Wittgenstein usa em suas *Investigações filosóficas* (1953) a noção de jogo de linguagem (*Sprachspiel*) para caracterizar a sua concepção de linguagem como comunicação e interação, tendo objetivos determinados para os falantes que devem seguir regras para realizar estes objetivos.

4. Teoria dos Jogos (*Game Theory*). Teoria matemática que busca formular modelos explicativos de situações em que os participantes devem tomar decisões de caráter estratégico em relação uns aos outros, visando a realização de seus objetivos e interesses. Os jogos podem ser cooperativos, quando os objetivos dos participantes são comuns; de conflito, quando os objetivos são opostos; ou mistos, quando há objetivos de ambos os tipos. Trata-se assim da aplicação de modelos matemáticos nas ciências sociais inicialmente proposta por John von Neumann (1903-1957) e Oskar Morgenstern (1902-1977) em sua obra *Theory of Games and Economic Behavior* (1944).

Jonas, Hans (1903-1969) Filósofo e teólogo alemão que se destacou por ter colocado um novo problema para a *moral: o da responsabilidade para com a natureza. Estava convencido de que a sociedade moderna, graças aos extraordinários desenvolvimentos das ciências e das tecnologias, põe nossa natureza em perigo. Enquanto a moral tradicional se preocupa com o presente e as relações entre os homens, Jonas defende que precisamos de uma nova moral capaz de pensar as relações dos homens com a natureza e suas responsabilidades para com o futuro da humanidade. Mas como podemos conhecer as consequências de nossos atos? Pelo *"princípio responsabilidade"* levando-nos a nos comprometer com a preservação da humanidade futura. Obras principais: *O Princípio responsabilidade* (1979); *Para uma ética do futuro* (1992).

jônica, escola Fundada na Jônia, região da Ásia Menor, por Tales de Mileto, no séc. VI a.C., a escola jônica é considerada como o início da filosofia na Grécia antiga. Anaximandro, discípulo de Tales de Mileto, Anaxímenes, Heráclito e Anaxágoras são outras figuras importantes dessa escola, cuja base filosófica consistia em explicar o universo a partir de um princípio primeiro ou fundamental, geralmente um dos quatro elementos: a água, para Tales, o *apeiron, para Anaximandro; o ar, para Anaxímenes, o fogo, para Heráclito.

Jovens hegelianos Expressão que designa a jovem geração de discípulos de Hegel, como Bruno Bauer, Ludwig Feuerbach, Max Stirner, Ferdinand Lasalle e outros, também conhecidos como "hegelianos de esquerda". Embora tendo posições teóricas diferentes, em sua interpretação do mestre valorizavam a dialética e faziam oposição ao regime dominante, criticando o caráter contemplativo e especulativo da filosofia hegeliana. Marx foi influenciado por este pensamento em sua juventude, porém em seguida denunciou sua insuficiência, sobretudo em sua obra (com Engels) *A ideologia alemã*.

juízo (lat. *judicium*: julgamento, discernimento) **1.** Ato de julgar ou decidir sobre algo. Ex.: fazer mau juízo de alguém. Capacidade de pensar ou discernir. "Como podemos relacionar todos os atos do entendimento a juízos, o entendimento em geral pode ser representado como uma *faculdade de julgar*"(Kant). Equilíbrio, racionalidade: ele tem juízo.
2. Relação que se estabelece através do pensamento entre diferentes conceitos, constituindo na atribuição de um predicado ou propriedade a um sujeito e tendo a forma lógica básica "S é P" (juízo predicativo). "Chamamos julgar a ação de nosso espírito, através da qual, unindo diversas ideias, este afirma de uma algo que pertence a outra, como quando tendo a ideia de Terra e a ideia de redondo, afirmo sobre a Terra que esta é redonda, ou nego que seja redonda". (*Logique de Port-Royal*, de Antoine *Arnauld e Pierre Nicole).
3. Faculdade fundamental do pensamento humano que consiste no conjunto de condições que tornam possível o funcionamento do pensamento e sua aplicação a objetos.
4. Na filosofia contemporânea a noção de juízo é derivada sobretudo de Kant, que estabelece as seguintes distinções: 1) *juízo analítico*: juízo em que o predicado ou atributo está incluído na essência ou definição do sujeito. Ex.: Todos os corpos são extensos; 2) *juízo sintético*: quando o predicado acrescenta algo à compreensão do sujeito. Ex.: Os corpos são pesados. Os juízos sintéticos, por sua vez, se dividem em sintéticos *a priori*, possuindo caráter necessário, mas ao mesmo tempo representando conhecimento, ex.: os juízos da matemática e as leis gerais da física; e juízos sintéticos *a posteriori*, aqueles que são simplesmente derivados da experiência.
5. Ainda segundo Kant, os juízos podem ser caracterizados: quanto à *qualidade*: afirmativos: "S é P" ("Sócrates é sábio"); negativos: "S não é P" ("Sócrates não é sábio"); indefinidos ou limitativos: "S é não P" ("Sócrates é não sábio"), em que se nega uma qualidade, sem contudo atribuir uma outra que caracterize o sujeito. A distinção entre negativo e limitativo não é encontrada geralmente na tradição, sendo específica ao sistema kantiano, nem sempre aceita fora dele. Quanto à *quantidade*: universais: "Todo S é P" ("Todo homem é mortal"); particulares: "Algum S é P" ("Alguns vertebrados são mamíferos"); singulares: "Esse S é P" ("Este homem é brasileiro"). Quanto à *relação*: categóricos: "S é P"("Brasília é a capital do Brasil"); hipotéticos: "Se S, então P" ("Se chover, ele não virá"); disjuntivos: "Ou S, ou P" ("Ou ele virá ou não virá"). Quanto à *modalidade*: assertóricos: "S é P" ("José é carioca"); problemáticos: "É possível que S seja P" ("É possível que João seja eleito"); apodíticos: "É necessário que S seja P" ("Todo triângulo tem como soma de seus ângulos internos 180°").
6. A discussão sobre a natureza do juízo, se lógica ou se psicológica, relaciona-se às tentativas

de redução do pensamento à linguagem, ou vice-versa, e contemporaneamente, sobretudo na filosofia da linguagem, tem levado à tese de que o juízo se exprime sempre através de uma proposição, ou seja, tem uma estrutura necessariamente linguística. *Ver* discurso; proposição; valor.

Jung, Carl Gustav (1875-1961) Psiquiatra e psicanalista suíço, trabalhou na clínica psiquiátrica da Universidade de Zurique (1900-1902) e estudou em Paris, regressando a Zurique onde passou a lecionar na universidade (1905). Seu primeiro contato com Freud foi em 1907, tornando-se durante algum tempo seu principal discípulo e colaborador. A ruptura entre os dois se deu em 1913 por divergências em relação à doutrina freudiana da origem sexual das neuroses. Jung seguiu então um caminho próprio, formulando uma teoria da totalidade do psiquismo, segundo a qual, além do *consciente*, cujo núcleo seria o *ego* — e considerando que seu conjunto de relações com o real forma a "persona" —, devem-se levar em conta o *inconsciente pessoal* e o *inconsciente coletivo*. O inconsciente pessoal é constituído por elementos reprimidos, adquiridos durante a história pessoal dos indivíduos em sua experiência de vida. O inconsciente coletivo pertence à espécie humana e jamais se torna de fato plenamente consciente. Esse inconsciente é estruturado por *arquétipos*, que são disposições hereditárias de reação. Os *mitos são imagens arquetípicas, constituídos historicamente, socialmente. Podemos, a partir da decifração desses mitos e de seu papel na formação do inconsciente coletivo, chegar a elementos comuns a toda a humanidade, portanto a algo que unifica o indivíduo e a espécie, a experiência pessoal e a cultura. Suas principais obras são: *A psicologia dos processos inconscientes* (1917), *Simbologia do espírito* (1948), *Formas do inconsciente* (1950), *Investigações para a história dos símbolos* (1951).

justiça (lat. *justitia*) **1.** *Justiça distributiva*: princípio ético-político que estabelece a atribuição a cada um do que lhe é devido.
2. *Justiça comutativa*: conjunto de princípios e leis que regulam as relações entre os indivíduos em uma sociedade e que devem ser cumpridos de modo rigoroso e igualitário. "Quando os homens são amigos não há necessidade de justiça" (Aristóteles).
3. Instituição jurídica que julga a aplicação da lei segundo um código estabelecido.
4. Princípio *moral que estabelece o *direito como um *ideal e exige sua aplicabilidade e seu acatamento. Por extensão, virtude moral que consiste no reconhecimento que devemos dar ao direito do outro.

justo (lat. *justus:* que observa o direito, conforme ao direito) **1.** No sentido lógico, significa exato, conforme à verdade ou à realidade.
2. No vocabulário religioso, aquele que age em conformidade com a lei de Deus e recebe Sua aprovação. *Sinônimo de* santo.
3. No sentido moral, o que é conforme ao direito, ao dever e à lei: "É justo o que é conforme ao dever, às leis exteriores. É justa toda ação que permite à liberdade do arbítrio de cada um coexistir com a liberdade de qualquer outro segundo uma lei universal" (Kant).

K

kabala Ver cabala.

Kant, Immanuel (1724-1804) Um dos filósofos que mais profundamente influenciou a formação da filosofia contemporânea, Kant nasceu em Königsberg, na Prússia Oriental (Alemanha), atualmente Kaliningrado na Rússia, onde passou toda a sua vida, tendo chegado a reitor da Universidade de Königsberg, onde foi estudante e professor. O pensamento de Kant é tradicionalmente dividido em duas fases: a *pré-crítica* (1755-1780) e a *crítica* (1781 em diante), que se inicia com a publicação da *Crítica da razão pura*, sua obra capital. Na fase pré-crítica o pensamento kantiano está totalmente inserido na tradição do sistema metafísico de *Leibniz e *Wolff, então dominante nos meios acadêmicos alemães. Sua principal obra nesse período é a *Dissertação de 1770*, com a qual tornou-se catedrático da universidade, e que, embora elaborada dentro do quadro conceitual da metafísica tradicional, prenuncia alguns dos temas centrais da fase crítica, como a questão dos limites da razão e da solução dos problemas metafísicos. A fase crítica se inicia, nas palavras do próprio Kant, por influência de suas leituras inglesas, sobretudo de *Hume. É famosa sua afirmação nos *Prolegômenos* de que "Hume despertou-me de meu sono dogmático". As objeções céticas de Hume ao racionalismo dogmático e à metafísica especulativa levaram Kant a questionar e reconsiderar essa tradição, ao mesmo tempo procurando defender a possibilidade da ciência e da moral, contra o ceticismo arrasador de Hume. A filosofia crítica se resume, portanto, a quatro grandes questões: 1) o que podemos saber? 2) o que devemos fazer? 3) o que temos o direito de esperar? e 4) o que é o homem? Em sua *Lógica* (1800), Kant afirma que "a filosofia ... é por um lado a ciência da relação entre todo conhecimento e todo uso da razão; e, por outro, do fim último da razão humana, fim este ao qual todos os outros se encontram subordinados e para o qual devem se unificar". A primeira questão é tratada essencialmente na *Crítica da razão pura*, em que Kant investiga os limites do emprego da razão no conhecimento, procurando estabelecer as condições de possibilidade do conhecimento e assim distinguir os usos legítimos da razão na produção de conhecimento, dos usos especulativos da razão que, embora inevitáveis, não produzem conhecimento e devem ser distinguidos da ciência. São duas as fontes do conhecimento humano: a sensibilidade e o entendimento. Através da primeira, os objetos nos são dados; através do segundo, são pensados. Só pela conjugação desses dois elementos é possível a experiência do real. Por outro lado, nossa experiência da realidade é condicionada por essa estrutura em que se combinam sensibilidade e entendimento, de tal forma que só conhecemos realmente o mundo dos fenômenos, da experiência, dos objetos enquanto se relacionam a nós, sujeitos, e não a realidade em si, tal qual ela é, independentemente de qualquer relação de conhecimento. O método *transcendental, que Kant então formula, caracteriza-se precisamente como análise das condições de possibilidade do conhecimento, ou seja, como reflexão crítica sobre os fundamentos da ciência e da experiência em geral. A *Crítica da razão prática* (1788) analisa os fundamentos da lei moral, formulando o famoso princípio do imperativo categórico: "age de tal forma que a norma de tua ação possa ser tomada como lei universal". Trata-se de um princípio formal e universal, estabelecendo que só devemos basear nossa conduta em valores que todos possam adotar, embora não prescrevendo especificamente quais são esses valores. Na *Crítica da faculdade de julgar* (1790), Kant procura estabelecer as bases objetivas para o juízo estético, em um princípio semelhante ao ético. Na verdade, essa obra vai além da questão da estética, envolvendo todo juízo teleológico e o reconhecimento de um fim ou propósito que daria sentido à natureza. Assim, "a beleza é a forma da finalidade em um objeto, percebida entretanto separadamente da representação de um fim". Kant escreveu ainda outras obras de grande importância como os *Prolegômenos a toda metafísica futura* (1783), que pretende ser uma retomada das ideias da *Crítica da razão pura* de forma mais acessível; os *Fundamentos da metafísica dos costumes* (1785), que também tratam da questão ética; um tratado sobre a *Religião nos limites da simples razão* (1793); uma obra política, o *Tratado sobre a paz perpétua* (1795); a *Antropologia de um ponto de vista pragmático* (1798); a *Lógica* (1800); além de vários outros textos dentre os quais se destacam "A ideia de uma história universal de um ponto de vista cosmopolita" (1784), considerado como origem da filosofia alemã da história; e "O que significa o Iluminismo?" (1783), em que analisa o racionalismo iluminista e seu projeto filosófico. *Ver* kantismo; neokantismo; número; *a priori*.

kantismo Foi grande a influência de Kant em sua época, sobretudo após a publicação da *Crítica da razão pura* (1781), tendo surgido imediatamente vários seguidores da, assim chamada, *filosofia crítica*, bem como pensadores tradicionalistas que reagiram contra ela por considerá-la um ataque à *metafísica. Contribuíram decisivamente para a difusão da filosofia kantiana filósofos como Marcus Herz (1747-1803), Jakob S. Beck (1761-1840) e Karl L. Reinhold (1758-1823). Mesmo pensadores que criticaram Kant demonstraram ter sido influenciados fortemente por ele, como Gottfried Herder (1744-1803) e Friedrich Jacobi (1743-1819). O kantismo designa essencialmente a filosofia crítica — o método analítico *transcendental — e a consequente rejeição da metafísica especulativa, representando a última etapa do *racionalismo iluminista, que logo dará lugar, com o *idealismo alemão pós-kantiano*, à filosofia romântica de *Schelling, ao idealismo subjetivista de *Fichte, e ao idealismo absoluto de *Hegel, todos igualmente influenciados pelo pensamento de Kant, ainda que rompendo explicitamente com o kantismo.

Kardec, Allan (1803-1869) Hippolyte-Léon-Rivail, conhecido por Allan Kardec, foi o grande apóstolo do espiritismo na França, onde nasceu, sendo sua doutrina conhecida como kardecismo. Sua principal obra, *O livro dos espíritos*, contém uma exposição teórica e todo um conjunto de práticas espíritas, ditadas, segundo ele, pelos próprios espíritos. Nesta obra, explica desde fenômenos como as mesas que andam, até a moral, a sobrevida das almas, a morte aparente, o sonambulismo e sua concepção de Deus. Segundo Kardec, há no homem três coisas: o corpo, a alma ("Espírito encarnado no corpo") e o perispírito ("o elo que une a alma ao corpo, princípio intermediário entre a matéria e o Espírito"). Funda-se, assim, teoricamente, a possibilidade das "materializações", isto é, das aparições. O perispírito é invisível em condições normais, mas o espírito pode torná-lo visível. A tese central do espiritismo kardecista é a da reencarnação dos espíritos. Escreveu também uma *Imitação do Evangelho segundo o espiritismo* (1864).

Kelsen, Hans (1881-1973) Filósofo do direito e jurista, nascido em Praga, tornou-se professor em Viena em 1917, radicando-se a partir de 1940 nos Estados Unidos onde lecionou nas Universidades Harvard e da Califórnia. Sua concepção de direito inspira-se na distinção kantiana entre Ser e Dever Ser, tendo sido influenciado pelo *neokantismo da *escola de Marburgo. Defendeu uma concepção de uma teoria pura do direito como uma pura ciência normativa, que deve ser distinta da consideração da lei positiva. Principais obras: *Ciência do direito e direito* (1922), *Teoria pura do direito* (1933).

Keynes, John Maynard (1883-1946) Economista inglês nascido em Cambridge, em cuja universidade estudou e da qual foi professor, tendo pertencido ao círculo intelectual do qual fizeram parte também *Russell, *Moore e *Wittgenstein. Exerceu vários cargos públicos, tendo sido representante da Inglaterra na Conferência de Paris após o término da Primeira Guerra Mundial e recebendo posteriormente o título de barão Keynes. Sua teoria econômica, de caráter liberal, teve grande influência, sobretudo por sua defesa da necessidade do desenvolvimento econômico e do pleno emprego, apresentada em sua obra *The general theory of employment, interest and money* (1936), na qual critica o liberalismo clássico que vê o mercado como regulador da economia. Com seu *A treatise on probability* (1922) contribuiu também para o desenvolvimento da teoria da probabilidade, sustentando que a noção de probabilidade deve ser entendida como aplicada a proposições e não a fatos ou eventos.

Kierkegaard, Sören Aabye (1813-1855) Pensador romântico e precursor do existencialismo contemporâneo, Kierkegaard nasceu em Copenhague, Dinamarca, onde estudou filosofia e teologia. Profundamente marcado por angústias pessoais e familiares às quais se somou a crise provocada pelo rompimento de seu noivado com Regina, Kierkegaard desenvolveu um pensamento indissociável de sua vida pessoal e de seus sentimentos trágicos. Atacou o cristianismo e especialmente o luteranismo de sua pátria, valorizando contra a religião estabelecida a vivência da religiosidade. Combateu o hegelianismo e a metafísica especulativa, por seu caráter abstrato e sua busca do universal, defendendo a necessidade de uma "filosofia existencial". Seu estilo é irônico e polêmico, porém também poético, embora sem nenhuma preocupação teórica ou sistemática, muito distante da forma tradicional do tratado filosófico de sua época, tendo sido quase todas as suas obras publicadas sob pseudônimo. Para Kierkegaard, o homem é um ser que se caracteriza pelo desespero que se origina das contradições de sua existência e de sua distância de Deus: "o homem é uma síntese de infinito e de finito, de temporal e de eterno, de liberdade e de necessidade" (*Desespero humano*). Em sua obra *Estágios do caminho da vida* (1845), formula uma doutrina de três níveis de consciência, o *estético*, no qual o indivíduo busca a felicidade no prazer, cuja fugacidade entretanto leva ao desespero inevitável; o *ético*, em que procura alcançar a felicidade pelo cumprimento do dever, sendo no entanto condenado ao eterno arrependimento por suas faltas; e finalmente, o *religioso*, em que o homem busca Deus, entretanto a verdadeira fé é a angústia da distância de Deus. Dentre suas obras destacam-se ainda: *Ou... ou* (1843), *Tremor e terror* (1843), *O conceito de angústia* (1844), as *Migalhas filosóficas* (1844) e o *Diário*, escrito ao longo de vários anos. É significativa a influência de Kierkegaard no existencialismo contemporâneo, sobretudo em Heidegger, bem como na renovação da teologia, principalmente protestante, que se dá no séc. XX com Karl Barth e a "teologia dialética" ou "teologia da crise".

Kojève, Alexandre (1902-1968) Filósofo e historiador da filosofia russo (nascido em Moscou). Emigrou em 1920 e se instalou em Paris, após uma temporada na Alemanha. Durante dez anos (a partir de 1933), ministrou um curso sobre a *Fenomenologia do espírito* de Hegel, tendo por discípulos Raymond Aron, Merleau-Ponty, Lacan, entre outros. Elaborou uma interpretação de Hegel inspirada na filosofia de Heidegger. Sua obra *Introduction à la lecture de Hegel* (1947) contribuiu decisivamente para introduzir Hegel na França. Em 1968, publicou *Essai d'histoire raisonnée de la philosophie païenne*, estudo dos pré-socráticos elaborado num estilo hegeliano.

Kolakowski, Leszek (1927-) Filósofo polonês; tendo lecionado na Universidade de Varsóvia, viu-se obrigado a exilar-se no Canadá (1969) por ter sido considerado "marxista revisionista". Marcado pelo marxismo, pelo *kantismo, pelo *existencialismo sartriano e por certos elementos da filosofia analítica, estabeleceu uma distinção entre o marxismo "institucional", que nada mais seria do que uma racionalização dos imperativos do poder político, negando a liberdade humana, e o marxismo "real", e tornando possíveis a liberdade e o humanismo. Não acreditando que o destino individual pudesse estar submetido ao determinismo de nenhuma lei histórica, pois isto eliminaria a liberdade de escolha dos indivíduos, Kolakowski se tornou defensor de um marxismo "crítico", implicando certo "liberalismo filosófico" de caráter humanista. Além de numerosos artigos, escreveu, entre outros, os seguintes livros: *Ensaios sobre filosofia medieval* (1956), *Concepções do mundo e vida cotidiana* (1957), *O indivíduo e o infinito* (1958), *Ensaios filosóficos* (1964), *Cultura e fetiche* (1967), *História do marxismo*, 3 vols. (1º vol., 1977).

Koyré, Alexandre (1892-1964) Filósofo de origem russa. Após seguir os cursos de Husserl e de Hilbert em Göttingen (Alemanha), de 1908 a 1911, instalou-se em Paris onde se ligou aos ensinamentos de Bergson e de Brunschvicg. Após sua tese de doutorado em filosofia (1929) na École Pratique des Hautes Études, orientou-se para a filosofia das ciências. É um dos fundadores da *epistemologia contemporânea. Seus trabalhos, consagrados à gênese dos grandes princípios da ciência moderna, ao modo como eles surgiram na era renascentista e se desenvolveram até Newton, deram-lhe uma reputação internacional: *Do mundo fechado ao universo infinito* (1961), *Estudos galileanos* (1939), *A revolução astronômica* (1961), *Estudos newtonianos* (1965), *Estudos de história do pensamento científico* (1966). No prefácio a esta obra, declara: "Procurei analisar a revolução científica do séc. XVII, ao mesmo tempo fonte e resultado de uma profunda transformação espiritual que revolucionou não só o conteúdo, mas as próprias limitações do nosso pensamento. A substituição do cosmo finito e hierarquicamente ordenado do pensamento antigo e medieval por um universo infinito e homogêneo implica e impõe a reformulação dos princípios básicos da razão filosófica e científica."

Krause, Karl Christian Friedrich (1781-1832) Nasceu na Alemanha (em Eisenberg). Teve uma vida muito atribulada. Seu pensamento filosófico foi elaborado numa linguagem bastante obscura. Mas Krause se considerou o mais autêntico seguidor do pensamento de Kant e criticou as falsas interpretações de Fichte, Schelling e Hegel. Defendeu uma doutrina que, sem ser "panteísta", afirmava a realidade do mundo como mundo-em-Deus e a unidade do espírito e da Natureza na humanidade. Preocupado com a ascensão da humanidade para Deus, até chegar a uma "humanidade racional", aplicou seu pensamento metafísico à ética e à filosofia do direito. Rejeitou a teoria absolutista do Estado, inspirada no hegelianismo, e defendeu as associações com finalidade universal (a família e a nação) face às associações limitadas e "instrumentais", como a Igreja e o Estado, encarregadas de realizar a moral e o direito. Obras principais: *Fundamentos do direito natural* (1803), *Sistema de moral* (1810), *O ideal da humanidade* (1811), *Lições sobre o sistema da filosofia* (1828), *Lições sobre as verdades fundamentais da ciência* (1829); obras póstumas: *A filosofia absoluta da religião* (1834), *A doutrina do conhecer e do conhecimento como primeira introdução à ciência* (1836), *Espírito da história da humanidade* (1843), *O sistema da filosofia do direito* (1874), *A união da humanidade* (1900).

Kuhn, Thomas (1922-) Filósofo norte-americano, professor de história das ciências na Universidade da Califórnia e depois na Universidade de Princeton. Sua preocupação fundamental consiste em explicar a evolução da ciência pelo jogo das relações sociais no interior do meio científico: a ciência progride quando os cientistas são treinados numa tradição intelectual comum e a utilizam para resolver problemas que ela suscita. Para ele, uma ciência "madura" é, essencialmente, uma sucessão de tradições, cada uma tendo sua própria teoria e seus próprios métodos de pesquisa e guiando a comunidade científica durante certo tempo, antes de ser abandonada. Daí seu conceito-chave de *ciência normal* (aplicado para resolver problemas) imposto por um *paradigma aceito pelo conjunto dos pesquisadores e defendido enquanto não for abalado por uma *revolução. Quando se produz essa revolução, um novo paradigma é adotado, e volta-se a praticar a nova ciência normal. Obras principais: *The Copernican Revolution* (1957), *The Structure of Scientific Revolutions* (1962), *The Essential Tension: Selected Studies in Scientific Tradition and Change* (1977), *Black Body Theory and the Quantum Discontinuity, 1894-1912* (1978).

L

Laberthonnière, Lucien (1860-1932) Teólogo e filósofo francês (nascido em Chazelet). Apresentou uma doutrina da imanência pela qual o sobrenatural e a graça atendem a um desejo profundo do homem, com destaque para o sentido prático, moral, dos dogmas teológicos. Suas ideias foram condenadas pela encíclica *Pascendi* do Papa Pio X, em 1907, e suas obras *Essais de philosophie religieuse* (1903), *Le réalisme chrétien et l'idéalisme grec* (1904), foram postas no Índex, naquele mesmo ano. *Ver* modernismo.

La Boétie, Etienne de (1530-1563) O francês Etienne de La Boétie (nascido em Sarlat), amigo de Montaigne, escreveu, aos 23 anos de idade, *A servidão voluntária*, mais tarde intitulada *Contra um*. A servidão voluntária é a *aceitação passiva da tirania*, a covardia de um povo diante de *um único*. A monarquia não se distingue da *tirania que é o *exercício do poder pessoal*. La Boétie faz uma análise psicológica e política das formas e dos meios de opressão. Contra a opressão, procura despertar "o sentido da liberdade", o primeiro dos direitos e dos bens do homem. Já esboça a ideia da greve ou da resistência passiva: "que o povo, sem rebelião aberta, apenas deixe de colaborar com a dominação, e o gigante se desmorona". O papel dos intelectuais é o de "esclarecer o povo".

Lacan, Jacques (1901-1981) Psicanalista francês (nascido em Paris) cuja "releitura" de Freud marcou profundamente a filosofia de nosso tempo. Seu ponto de partida consistiu numa crítica radical da psicanálise "à americana", bastante adaptativa. Preocupado com os vínculos profundos entre a *ego psychology* e o *american way of life*, defendeu um radical "retorno a Freud". Para ele, Freud não pode ser considerado o herdeiro da filosofia nem tampouco da psicologia clássica ou da biologia. Pelo contrário, teria inaugurado um *domínio teórico novo* que transtornou completamente a geografia das antigas "ciências do homem", instituindo um novo objeto (o inconsciente) de uma "contraciência": a psicanálise. "Ler Freud", declarou, "é, antes de tudo, compreender que o inconsciente de Freud não pode ser confundido com o emprego romântico de um inconsciente se referindo ao arcaico, ao primordial, ao primitivo. Nada a ver. O que vemos em Freud é um homem que se encontra permanentemente em luta com cada pedaço de seu material linguístico para descobrir suas articulações" (*Le Figaro littéraire*, 1º/12/66). Para esse retorno a Freud, Lacan empregou os instrumentos de análise dos campos do saber já constituídos (o vocabulário da dialética hegeliana e as informações da antropologia do séc. XIX) ou em vias de constituição (o estruturalismo antropológico, a linguística saussuriana, os sistemas de formalização lógicos, as teorias dos jogos etc.). O conjunto das teorias lacanianas pode ser situado sob o signo de dois enunciados, ambos se referindo à noção de *inconsciente e às suas relações com a *linguagem e com a noção de *sujeito: 1. O inconsciente é estruturado como uma linguagem; 2. O inconsciente do sujeito é o discurso do outro. O que Lacan pretende mostrar, com todo o seu longo ensino e em seus seminários, retomados em sua grande obra *Écrits* (1966), é que devemos conferir à relação do homem com a linguagem uma dimensão totalmente diferente, pois ela é aquilo pelo qual nascem sujeito humano e mundo de objetos. Porque é ingressando em sua ordem (a ordem do significante), submetendo seu desejo à sua grande regra de aliança e de troca, que o homem se constitui enquanto tal face a um mundo, ele mesmo resultado do arranjo das impressões sensíveis nas categorias do sentido. De um lado, não se situa o ser pensante, do outro, as coisas organizadas e, entre ambos, as palavras. Ao dizer que "o inconsciente se estrutura como uma linguagem" e ao assimilar o discurso a uma "retórica", Lacan não identifica linguagem e inconsciente. O que afirma é que o inconsciente obedece a leis formais análogas às que o linguista extrai sobre significantes puramente linguísticos. Considerados por muitos os "evangelhos apócrifos da psicanálise", os *Écrits* de Lacan têm o grande mérito de, ao combater a redução da psicanálise a uma prática de assistência social dos grandes conjuntos, restabelecer seu primado teórico.

Lachelier, Jules (1823-1918) Considerado um dos maiores representantes da tradição espiritualista e idealista do séc. XIX, o filósofo Lachelier (nascido em Fontainebleau, França) tornou-se — inspirando-se na problemática kantiana, notadamente a da relação entre a necessidade natural e a liberdade — um ardoroso defensor da doutrina denominada "positivismo espiritualista". Construiu toda uma metafísica idealista e espiritualista, que se define como a "ciência do pensamento em si mesmo". Obras principais: *De la nature du syllogisme* (1871), *Du fondement de l'induction* (1871), *Études sur le syllogisme* (1907).

Laércio, Diógenes *Ver* Diógenes Laércio.

Laffitte, Pierre (1823-1903) Considerado o mais fiel discípulo de *Comte, Pierre Laffitte (nascido na França) se transformou, a partir de 1852, no grande apóstolo do movimento positivista, convertido em "religião da humanidade". Foi designado por Comte, em 1857, como seu sucessor e grande sacerdote da "Igreja positiva". Seu papel consistiu em defender e organizar o *positivismo de seu mestre, particularmente em seu *Cours de philosophie première*, 2 vols. (1889-1895). Escreveu ainda: *Cours philosophique sur l'histoire générale de l'humanité* (1859), *Les grands types de l'humanité*, 3 vols. (1874-1897) e *De la morale positive* (1880).

Lakatos, Imre (1922-1974) Imre Lakatos nasceu na Hungria. Opôs-se ao nazismo como militante comunista. Foi preso durante três anos por suas ideias "heterodoxas" e "revisionistas". Após a revolta húngara de 1956, exilou-se em Viena e, em seguida, passou a ensinar na Universidade de Cambridge, Inglaterra, onde se dedicou à filosofia da ciência e à história das ciências. Modificou e ampliou algumas teses de Popper, sobretudo as concernentes ao critério de falsificabilidade e ao "progresso" das ciências. Considerou as teorias de Kuhn interessantes, mas discordou de seu "historicismo, que explica o desenvolvimento e o crescimento científicos por critérios "externos". Para ele, não há filosofia da ciência sem história da ciência, tampouco história da ciência sem filosofia da ciência. Considerava a história da ciência como "racionalmente construível", defendendo, assim, um "internalismo": a história é explicável em termos da teoria dos programas de investigação centrados na análise dos fatos empíricos mediante uma racionalidade que se converte em metodologia. Obras principais: *The Changing Logic of Scientific Discovery* (1970), *Criticism and the Growth of Knowledge*, em colaboração (1970), *Proofs and Refutations* (1971), *Boston Studies in the Philosophy of Science*, vol. VIII (1971), *Philosophical Papers*, 2 vols. (1978): I. *The Methodology of Scientific Research Programmes*; II. *Mathematics, Science and Epistemology*.

Lalande, André (1867-1963) Filósofo francês (nascido em Dijon), durante muitos anos titular da cadeira de filosofia das ciências na Sorbonne, André Lalande pode ser considerado como o epistemólogo da identidade. Com efeito, desde seu primeiro livro, *Lectures sur la philosophie des sciences* (1893), até a elaboração de seu famoso *Vocabulaire technique et critique de la philosophie* (de 1900 a 1926), e passando pelas obras *Les illusions évolutionnistes* (1931), *Les théories de l'induction et de l'expérimentation* (1929) e *La raison et les normes* (1948), Lalande se preocupou apenas com um objetivo: unificar os espíritos, descobrir nos filósofos o que eles têm de comum. Com esse intuito, tentou unificar a linguagem dos filósofos redigindo seu *Vocabulaire technique et critique de la philosophie*, citado acima. Sua filosofia "sintética" visava provar que a razão é comunitária, que ela é a "faculdade de reduzir as coisas à unidade", seu processo de explicação consistindo num processo de identificação.

Lamarck, Jean-Baptiste de Monet (1744-1829) Naturalista francês, um dos fundadores da *biologia moderna. Ao recusar o *fixismo, que admitia espécies vivas criadas separadamente, defendeu duas teses: a) a unidade da vida, que ele opõe ao inorgânico; b) a transformação das espécies em função das circunstâncias exteriores. Para ele, o meio exterior pode modificar ou suscitar uma necessidade durável, podendo agir sobre um órgão: este pode desaparecer por falta de uso, ou se desenvolver por um uso intensivo. Seu *transformismo se apoia na lei da hereditariedade do adquirido; o desenvolvimento individual se submete à ação direta do meio. *Darwin opôs-se a esta tese com sua teoria da seleção natural. Obras principais: *Sistema dos animais sem vértebras* (1801), *Filosofia zoológica* (1809).

Lambert, Jean Henri, em fr., **Johann Heinrich,** em al. (1728-1777) Filósofo, físico e matemático franco-alemão (nasceu em Mulhouse e morreu em Berlim). Realizou pesquisas sobre calor, luz e cores, introduziu inovações no campo da matemática, interessou-se pelos princípios da perspectiva e estudou problemas relacionados com a fotometria. Escreveu um livro importante, sobre filosofia, que trata da teoria do conhecimento: *Novo órganon*.

La Mettrie, Jules Offray de (1709-1751) Médico francês, desenvolveu uma filosofia materialista, influenciada por Locke e pela tradição empirista, bem como pelo *materialismo de filósofos da Antiguidade como Aristipo de Cirene e Epicuro. Em seu *L'histoire naturelle de l'âme* (1745), opôs-se à concepção cartesiana da *alma como uma *substância imaterial, pocurando explicá-la a partir da natureza humana concreta e sensível, tese que defendeu também em seu *L'homme machine* (1748), que opunha ao *dualismo corpo-alma.

Lange, Friedrich Albert (1828-1875) Filósofo e socialista alemão; neokantista, deu uma interpretação nitidamente psicológica e fenomenista ao criticismo nas obras *História do materialismo* (1866) e *Estudos lógicos* (1877). Escreveu também um livro, intitulado *A questão dos trabalhadores*, no qual afirmou que a educação da classe operária era a solução para a questão social. Ver neokantismo.

Lao Tsé Legendário filósofo chinês do séc. V a.C. Arquivista na corte dos Tcheu, mas desgostoso com a decadência de sua época, emigra para o Ocidente. Ao atravessar a fronteira do reino, teria ditado ao guarda, antes de desaparecer, o *Tao-te king*, tratado sobre o princípio das coisas e o verdadeiro "caminho" ou destino do homem. Os taoístas acreditam que Lao Tsé se instalou na Índia e que sua doutrina se tornou o budismo.

Las Casas, Bartolomeu de (1474-1566) Religioso dominicano espanhol que, ao perceber a situação insustentável de exploração e injustiça em que se encontravam os índios após a conquista da América, dedica apaixonadamente sua vida a defender a dignidade e os direitos dos nativos. Além de reivindicar o direito de revolta, analisar a natureza da tirania e defender a liberdade de consciência, denuncia o sistema colonial da *"encomienda"*, que, a pretexto de "civilizar" e "evangelizar" parte do território, os proprietários haviam convertido num sistema de exploração e barbárie. Enfrenta os colonizadores e os reis da Espanha para o reconhecimento dos "direitos humanos" dos "selvagens" e contra os crimes cometidos no Novo Mundo. Obras principais: *Brevíssima relação da destruição das Índias* (1540), *História das Índias* (publicada no séc. XIX).

Lavelle, Louis (1833-1951) Francês, professor na Sorbonne, depois no Collège de France, tornou-se mais conhecido por ter elaborado, além de uma filosofia do ser, uma filosofia dos *valores. Sua *ontologia especulativa de tipo reflexivo sustenta a tese da unidade do *ser. Para ele, a primeira evidência é a afirmação do ser. Na origem de todo pensamento encontra-se uma primeira experiência: a do sujeito se apreendendo como ente, isto é, como fazendo parte do ser. É como metafísico que Lavelle constrói sua filosofia dos valores e já anuncia o existencialismo cristão. Suas obras principais são: *Le mal et la souffrance* (1941) e *Traité des valeurs*, em 2 volumes: *Théorie générale de la valeur* (1951) e *Le système des différentes valeurs* (1955).

laxismo (do lat. *laxus*: frouxo, distendido) Concepção ou atitude moral que minimiza os deveres e obrigações e é leniente com as faltas cometidas. Relaxamento moral. Permissividade. *Oposto a rigorismo*.

lazer (do lat. *licere*: ser permitido) Tempo estranho às ocupações e preocupações habituais do qual podemos dispor livremente para fazer o que quisermos, reparar nosso cansaço, nos entreter, cultivar nossas aptidões e desenvolver nossa personalidade.

Lefebvre, Henri (1905-1991) Filósofo e sociólogo marxista francês, professor na Universidade de Paris-Nanterre. Como sociólogo preocupou-se com a análise da vida cotidiana, sendo considerado o criador da chamada *sociologia urbana*, estudando a cidade, o cotidiano vivido, as relações da linguagem com a sociedade e as estruturas das sociedades burocráticas e de consumo. Rompeu em 1958 com o Partido Comunista Francês do qual tinha sido militante por muito tempo, por tentar renovar o pensamento marxista a partir dos escritos do jovem Marx, criticando o dogmatismo do materialismo dialético oficial. Apoiou o movimento estudantil de maio de 1968 e em 1978 voltou a aproximar-se do Partido Comunista. Principais obras: *A consciência mistificada* (1936), *Lógica formal e lógica dialética* (1947), *Introdução à modernidade* (1962), *Marx* (1964), *O marxismo* (1965), *A crítica da vida cotidiana* (1968), *O fim da história* (1971), *O pensamento marxista e a cidade* (1976), *Um pensamento tornado moderno* (1980).

Lefort, Claude (1924-) Filósofo francês cujo pensamento é fortemente marcado por Merleau-Ponty. Conhecido, sobretudo, como pensador político de tradição marxista, Lefort não nega sua formação de fenomenólogo e evita os dogmatismos do materialismo dialético. Lançando mão de sua vasta cultura marxista, faz uma análise profunda das burocracias socialistas no poder e das ideologias que lhes dão suporte. Obras principais: *Éléments d'une critique de la bureaucratie* (1971), *Le travail de l'oeuvre en Machiavel* (1973), *Un homme de trop: Essai sur l'Archipel du Goulag* (1975), *Les formes de l'histoire* (1978), *Sur une colonne absente: Écrits autour de Merleau-Ponty* (1978). Analista da burocracia e do totalitarismo, teórico político e historiador das representações democráticas no início do séc. XIX, Lefort continua a estudar as ideologias das sociedades modernas e a desenvolver uma concepção libertária da democracia.

legalidade (lat. medieval *legalitas*) 1. Característica daquilo que está de acordo com a lei, ou que é regido por leis.
2. Observância exterior às leis, sem que isso corresponda a uma convicção ou a um respeito interno às mesmas. "Se a vontade se determina conforme a lei moral, mas não por respeito à lei, o ato terá legalidade, mas não moralidade" (Kant).

legalismo 1. Atitude que consiste em se apegar à letra das *leis, em detrimento de seu espírito.
2. Doutrina segundo a qual a *ciência deve limitar-se ao estabelecimento de leis e abandonar a vã procura das causas.

Le Goff, Jacques (1924-) Historiador francês, celebrizado por ter consagrado sua obra à história dos valores no Ocidente medieval. Procura compreender as estruturas essenciais da civilização medieval pelo viés das sensibilidades e das mentalidades. Ao recusar as rupturas clássicas, considera que a Idade Média não termina com o Renascimento, mas com a Revolução Industrial, quando desaparecem as referências a essa civilização: "A cultura medieval marca uma fase da aventura ocidental muito mais longa que a Idade Média dos manuais. Ela exprime um conjunto de valores – um modelo de organização dos valores – que se desfaz entre 1750 e 1850". Obras principais: *Les intellectuels au Moyen Age* (1967), *La civilisation de l'Occident medieval* (1964), *Pour un autre Moyen Age* (1981), *La naissance du purgatoire* (1981), *L'Homme medieval* (1989), *Saint-Louis* (1996).

lei (lat. *lex, legis*) 1. Em um sentido geral, é a expressão de uma relação causal de caráter necessário, que se estabelece entre dois eventos ou fenômenos. "As leis, em seu sentido mais amplo, são relações necessárias, derivadas da natureza das coisas; e, nesse sentido, todos os seres têm suas leis" (Montesquieu).
2. Classicamente se estabelece uma distinção entre as leis humanas — que regulam as relações entre os homens e têm um caráter convencional, prescritivo, normativo, sendo originárias do uso, do costume, das práticas sociais — e as leis naturais, que descrevem os princípios que regem os processos naturais e são portanto universais e necessárias. Hume, entretanto, questionou a natureza da necessidade expressa pela lei natural, considerando que seu caráter necessário resulta apenas de nossa forma de perceber as regularidades no real, que projetando-se sobre a própria realidade acaba por atribuir a esta um caráter de necessidade que, no entanto, não pode ser encontrado na realidade como tal.
3. *Lei científica*: aquela que estabelece, entre os fatos, relações mensuráveis, universais e necessárias, permitindo que se realizem previsões. As leis científicas têm uma formulação geral, sendo ou uma generalização a partir da experiência ("a água ferve a 100°C") ou uma formulação mais complexa ("dois corpos não podem ocupar ao mesmo tempo o mesmo lugar no espaço"), frequentemente de caráter dedutivo e expressa em linguagem matemática ("$E = mc^2$"). As leis científicas têm sempre um caráter hipotético; dadas tais condições, tal resultado será obtido. Há várias hipóteses sobre a natureza da lei científica: se esta descreve realmente os processos naturais como são, ou se são meras construções teóricas que nos permitem interpretar de forma mais coerente os fenômenos naturais, derivando assim sua validade não de uma correspondência essencial com a realidade, mas de sua coerência e de sua força explicativa.
4. *Lei moral*: conjunto de princípios ou regras relativos à conduta humana. Também na moral, há grandes controvérsias quanto à natureza das leis. Platão, e grande parte da tradição grega, considera que a lei moral é reflexo da própria lei natural, isto é, dos princípios gerais que regem o cosmo, aos quais atingimos através de nossa razão. Os sofistas, entretanto, dão início a uma tradição que atribui às leis morais um caráter meramente convencional e, portanto, mutável, variável.
5. *Lei divina*: preceito religioso revelado por Deus aos homens. Ex.: os Dez Mandamentos da lei de Moisés.

6. Leis da lógica ou *do pensamento*: lei do raciocínio. Classicamente, os princípios segundo os quais a razão humana opera em sua capacidade inferencial. Princípios gerais pressupostos em todo juízo humano, como a lei da identidade, a lei do terceiro excluído, e a lei da não contradição.

Leibniz, Gottfried Wilhelm (1646-1716) O filósofo e matemático alemão (nascido em Leipzig) Gottfried Wilhelm Leibniz, além de filosofia e matemática, interessava-se também por direito, pelas questões religiosas e sobretudo por política. Sonhou com a fundação de uma confederação dos Estados europeus. Descobriu, em 1676, ao mesmo tempo que Newton, o cálculo infinitesimal. Trabalhou para a reunião das Igrejas católica e protestante. Suas obras mais importantes: *Ensaio filosófico sobre o entendimento humano* (1690), *Novos ensaios sobre o entendimento humano* (1704), *A teodiceia* (1710) e *A monadologia* (1714). Sua filosofia é influenciada pelo *mecanicismo* cartesiano e pelas *causas finais* de Aristóteles. Acreditando na onipotência da razão, ele reintegra no universo a *força*, o dinamismo e o ponto de vista do individual concreto. Ao grande problema do acesso ao saber, responde dizendo que não há um caminho único. Seu sistema é formado de uma pluralidade de cadeias de razões, todas representando uma possibilidade de entrada no sistema. Assim, na *Monadologia*, começamos pela *"mônada"; na *Teodiceia, por Deus. Para ele, a demonstração matemática permite determinar o possível, mas é impotente para provar o real, que nos é revelado pela experiência. Torna-se imprescindível um princípio superior: o da "razão suficiente". As mônadas são os elementos das coisas, os átomos da natureza. O universo é o conjunto das mônadas, diferentes umas das outras e se hierarquizando segundo seu maior ou menor grau de perfeição, numa série crescente cujo cume é Deus. Cada uma das mônadas constitui um espelho representativo de todo o universo. Mas essa representação jamais é inteiramente perceptível, a não ser por Deus. As mônadas são fechadas, "sem portas nem janelas", mas podem coexistir segundo uma "harmonia preestabelecida": a série dos estados do universo teria sido regulada de modo ótimo, desde a origem, no ato criador da divindade; cada mônada é um universo do qual está parcialmente consciente, todas sendo como pontos de vista sobre a mesma paisagem. A combinação das ideias que dá origem ao universo é uma combinação entre uma infinidade de possíveis. Mas o possível não é o real. Uma vez que o mundo existe, é necessário, conforme o princípio de razão suficiente, uma razão suplementar: ele é o *melhor dos mundos possíveis*. *Ver* otimismo/pessimismo.

Lênin (1870-1924) Nome adotado pelo político e pensador marxista russo Vladimir Ilitch Ulianov, um dos principais líderes da Revolução de Outubro de 1917, e governante do Estado soviético até sua morte em 1924. A filosofia de Lênin desenvolveu-se a partir da influência de Marx e Engels, considerando-se o *leninismo ou marxismo-leninismo como uma forma aplicada da teoria marxista em um dado momento histórico na União Soviética, transformando-se depois em doutrina oficial do Partido Comunista, o que acarretou um forte dogmatismo, como ocorre com todo pensamento "oficial". O marxismo-leninismo enfatiza o papel revolucionário do indivíduo nos processos de transformação social contra o determinismo histórico de certas interpretações do materialismo dialético. Lênin tinha como preocupação central em seu pensamento a relação entre teoria e prática, a questão da luta pelo poder e da conquista do Estado pelo proletariado. Daí sua afirmação de que "não há revolução sem teoria do processo revolucionário". Sua principal obra nesse sentido é *O Estado e a revolução* (1917). Criticou, em sua principal obra filosófica, *Materialismo e empiriocriticismo* (1909), os partidários russos, sobretudo Bogdanov, da filosofia positivista de Richard Avenarius e Ernst Mach — o *empiriocriticismo —, considerando-os como reacionários, fideístas e representantes do pensamento burguês. Além dos já citados, seus principais trabalhos de cunho filosófico estão reunidos nos *Cadernos filosóficos*, editados postumamente (1933).

leninismo Doutrina política criada por Lênin (1870-1924), líder da Revolução Russa, como interpretação própria do marxismo, também conhecida como marxismo-leninismo: "não consideramos a teoria de Marx como um todo acabado". O leninismo preocupou-se sobretudo com a organização e a fundamentação doutrinária do Partido Comunista, tendo em vista seu papel histórico e sua função revolucionária. *Ver* marxismo; revolução.

Le Senne, René (1882-1954) Filósofo espiritualista francês. Notabilizou-se por ter elaborado uma caracterologia fundada na análise introspectiva. Obras principais: *Le mensonge et le caractère* (1930), *Traité de morale générale* (1943), *Traité de caractérologie* (1949).

Lesniewski, Stanislaw (1886-1939) Filósofo e lógico polonês; foi aluno de Lukasiewicz e também fez parte da escola analítica da Polônia; procurou elaborar uma teoria geral dos objetos com a finalidade de criar um sistema lógico original que servisse de base para a matemática.

Lessing, Gotthold Ephraim (1729-1781) Escritor e filósofo alemão. Dramaturgo e historiador, tentou reconciliar o romantismo e o racionalismo, sendo um dos principais representantes do Iluminismo na Alemanha. Sua teoria da história, fundada na fé no progresso moral da humanidade e expressa em sua obra *A educação do gênero humano* (1780), marca o pensamento de *Fichte.

Leucipo (séc. V a.C.) Filósofo grego, criador do atomismo ou teoria atomista. Considerado discípulo de Parmênides ou de Zenão de Eleia, pouco se sabe de sua vida. Segundo Diógenes Laércio, Leucipo acreditava que o universo é infinito, possuindo uma parte cheia e outra vazia. A parte cheia seria constituída por "elementos": os *átomos girando em forma de torvelinho. Esse movimento dos átomos não possui lugar, obedecendo à razão e à necessidade. No único fragmento que nos restou, declara: "Nada deriva do acaso, mas tudo de uma razão sob a necessidade." Assim, tudo tem uma razão de ser (determinismo), pois os átomos não se movem devido ao acaso, mas devido à necessidade; e isso, chocando-se mutuamente e rechaçando-se uns aos outros. No dizer de Aristóteles, Leucipo foi o primeiro pensador a formular uma teoria atomista para explicar a formação das coisas, teoria essa desenvolvida por *Demócrito. *Ver* atomismo.

Leviatã, O (*Leviathan*) Obra mais importante e influente de *Hobbes (1651), tratando da "matéria, da forma e do poder de um estado eclesiástico e civil". Após expor os princípios gerais de sua concepção de natureza humana, Hobbes procura estabelecer, sobre bases tão sólidas quanto as da geometria euclidiana, uma verdadeira *ciência política*. No estado de natureza, o homem é um lobo para o homem. Esta guerra de todos contra todos gera o pacto social fazendo passar a diversidade dos indivíduos à unidade do Estado. Este pacto é feito entre os indivíduos que se tornam cidadãos, não entre eles e o soberano. O soberano é absoluto, cada indivíduo renunciando à sua liberdade. Com isso, considera-se fundado, no pensamento político, o despotismo.

Lévinas, Emmanuel (1905-1995) O filósofo judeu Lévinas (nascido na Lituânia), professor honorário na Universidade de Paris-Sorbonne, pratica uma filosofia rigorosa e difícil. Sua obra, original e complexa, fala com rara profundidade metafísica dos pressupostos do pensamento e da atenção às coisas. Por longo tempo companheiro de Husserl e de Heidegger, Lévinas desenvolve seu pensamento filosófico a fim de penetrar nos arcanos do *Talmude*: "O que me interessa, é colocar os problemas do *Talmude* na perspectiva da filosofia". Para ele, a relação com o *outro é a relação fundamental, pois é sobre ela que se enxertam o ser e o saber. Obras principais: *Quatre lectures talmudiques* (1968), *Humanisme de l'autre homme* (1972), *Du sacré au saint: Cinq nouvelles lecture talmudiques* (1977), *De Dieu qui vient à l'idée* (1982).

Lévi-Strauss, Claude (1908-2009) Filósofo e antropólogo nascido em Bruxelas, Bélgica, estudou na Universidade de Paris-Sorbonne e é considerado um dos principais representantes do *estruturalismo francês. De 1934 a 1937, foi professor na Universidade de São Paulo, e de 1938 a 1939 realizou pesquisas antropológicas junto aos índios bororos e nhambiquaras no Brasil Central. Foi também professor nos Estados Unidos, tornando-se mais tarde professor no Collège de France e membro da Academia Francesa de Letras. A obra de Lévi-Strauss é importante sobretudo devido à sua formulação e defesa do método estruturalista, bem como à aplicação deste método em pesquisas antropológicas sobre sociedades indígenas. Segundo Lévi-Strauss, a problemática das ciências humanas e sociais é essencialmente uma problemática de linguagem, entendida aí em um sentido amplo; incluindo a comunicação não verbal e todo sistema de signos em geral. À semelhança de *Marx e *Freud, Lévi-Strauss busca para além dos fenômenos e manifestações superficiais as "estruturas profundas", descrevendo seu método metaforicamente como "um modo de pensar geológico". Assim, em contraste com o funcionalismo, ao qual seu pensamento se opõe, Lévi-Strauss desenvolveu uma visão segundo a qual há nas manifestações culturais mais diversas das sociedades uma estrutura comum, um sistema, que pode ser reconstruído, revelando, p. ex., as relações entre os modos de vestir, os hábitos alimentares, as estruturas de parentesco, a forma de poder e o sistema econômico de uma sociedade. Essas relações formam uma sintaxe a ser decifrada pelo antropólogo. Em seu pensamento a história é vista como um elemento superficial, opondo-se também ao humanismo, já que o estudo antropológico-cultural na concepção estruturalista é o estudo de um sistema de signos e não da experiência humana e da subjetividade. É famosa a esse respeito sua polêmica com *Sartre. Nesse sentido, o estruturalismo revê as relações entre cultura e natureza, afirmando que o homem se torna homem na medida em que pertence a uma sociedade, a uma cultura. Obras principais: *La vie familiale et sociale des indiens Nambikwara* (A vida familiar e social dos índios nhambiquaras, 1948), *Structures élémentaires de la parenté* (Estruturas elementares de parentesco, 1949), *Tristes tropiques* (Tristes trópicos, 1955), em que relata suas experiências no Brasil, *Anthropologie structurale* (Antropologia estrutural, 1958), *La pensée sauvage* (O pensamento selvagem, 1962), e os famosos quatro volumes: *Le cru et le cuit* (O cru e o cozido, 1964), *Du miel aux cendres* (Do mel às cinzas, 1967), *L'origine des manières de table* (A origem das maneiras à mesa, 1968), *L'homme nu* (O homem nu, 1971), em que analisa os mitos não como explicações do mundo natural, mas como tentativas de solução de problemas concretos da vida social de um povo.

Lévy-Bruhl, Lucien (1857-1939) Filósofo e sociólogo francês (nascido em Paris). Suas opiniões sobre a mentalidade, os costumes, a moral e a religião dos povos primitivos causaram grande repercussão, mas tiveram pouca aceitação. Obras principais: *L'idée de responsabilité* (1885), *L'Allemagne depuis Leibniz* (1890), *Philosophie de Jacobi* (1894), *La philosophie de Auguste Comte* (1900), *La morale et la science des moeurs* (1900), *Les fonctions mentales dans les sociétés inférieures* (1910), *La mentalité primitive* (1922), *La mythologie primitive* (1935), *L'expérience mystique et les symbols chez les primitifs* (1938).

Lewin, Kurt (1890-1947) Psicólogo americano de origem alemã, notabilizou-se por estudar o comportamento humano de modo dinâmico e por ter desenvolvido a teoria do "campo da personalidade" e da motivação. Ao dedicar-se ao estudo experimental da dinâmica de grupo, torna-se o maior representante do neobehaviorismo. Obras principais: *Uma teoria dinâmica da personalidade* (1935), *Representação conceitual e medida das forças psicológicas* (1938), *Para resolver os conflitos sociais* (1948).

Lewis, Clarence Irving (1883-1964) Filósofo norte-americano (nascido em Stoneham, Massa-chusetts) que apresentou algumas inovações em lógica matemática, inclusive o cálculo modal. Obras principais: *Survey of Symbolic Logic* (1918), *Mind and the World Order* (1929). *Ver* modalidade.

lexis (do gr. *legein*: dizer) Proposição suscetível de ser verdadeira ou falsa, mas que, em seu enunciado, não é nem afirmada nem negada. Ex.: os outros planetas poderiam ser habitados.

liberalismo 1. O liberalismo político considera a vontade individual como fundamento das relações sociais, defendendo portanto as liberdades individuais — liberdade de pensamento e de opinião, liberdade de culto etc. — em relação ao poder do Estado, que deve ser limitado. Defende assim o pluralismo das opiniões e a independência entre os poderes — Legislativo, Executivo e Judiciário — que constituem o Estado.

2. O liberalismo econômico, cujo principal teórico foi Adam Smith, considera que existem leis inerentes ao próprio processo econômico — tais como a lei da oferta e da procura — que estabelecem o equilíbrio entre a produção, a distribuição e o consumo de bens em uma sociedade. O Estado não deve interferir na economia, mas apenas garantir a livre iniciativa e a propriedade privada dos meios de produção. O liberalismo econômico defende assim a chamada "economia de mercado".

3. O *neoliberalismo* econômico constitui, em nossos dias, a doutrina que, diante de certo fracasso do liberalismo clássico e da necessidade de reformar alguns de seus modos de proceder, admite uma certa intervenção do Estado na economia, mas sem questionar os princípios da concorrência e da livre empresa.

liberdade (lat. *libertas*) Condição daquele que é livre. Capacidade de agir por si mesmo. Autodeterminação. Independência. Autonomia.

1. Em um sentido político, a liberdade civil ou individual é o exercício, por um indivíduo, de sua cidadania dentro dos limites da lei e respeitando os direitos dos outros. "A liberdade de cada um termina onde começa a liberdade do outro" (Spencer). Mais especificamente, a liberdade política é a possibilidade de o indivíduo exercer, em uma sociedade, os chamados direitos individuais clássicos, como direito de voto, liberdade de opinião e de culto etc. "A livre comunicação dos pensamentos e opiniões é um dos direitos mais preciosos do homem; todo cidadão deve portanto poder falar, escrever, imprimir, livremente, devendo contudo responder ao abuso dessa liberdade nos casos determinados pela lei" (*Declaração dos direitos do homem*, 1789).

2. Em um sentido ético, trata-se do direito de escolha pelo indivíduo de seu modo de agir, independentemente de qualquer determinação externa. "A liberdade consiste unicamente em que, ao afirmar ou negar, realizar ou envidar o que o entendimento nos prescreve, agimos de modo a sentir que, em nenhum momento, qualquer força exterior nos constrange" (Descartes).

3. É discutível, do ponto de vista filosófico, se o homem teria realmente a liberdade em um sentido absoluto, dados os condicionamentos biológicos, psicológicos e sociais que o limitam. Kant considera que a liberdade é a ação em conformidade com a lei moral que nos outorgamos a nós mesmos. A liberdade implica assim a responsabilidade do indivíduo por seus próprios atos. Sartre, em sua perspectiva existencialista, crê que o homem é livre, "porque somos aquilo que fazemos do que fazem de nós". Haveria sempre a possibilidade de escolha a partir da condição em que nos encontramos, porque o homem nunca é um ser acabado, predeterminado. Ainda segundo Sartre, "não há diferença entre o ser do homem e seu ser livre". *Ver* autonomia; destino; dever; imperativo; livre-arbítrio; vontade. *Oposto a* determinismo; necessidade.

4. *Liberdade de pensamento*: em seu sentido estrito, é inalienável. Se não creio em Deus, nenhuma força física pode impor-me essa crença, só podendo impedir-me de expor meu ateísmo ou forçar-me a declarar o contrário do que penso. Em tal situação, não há liberdade de pensamento. Reivindicar a liberdade de pensar significa lutar pela liberdade de exprimir meu pensamento. Voltaire ilustra bem essa liberdade: "Não estou de acordo com o que você diz, mas lutarei até o fim para que você tenha o direito de dizê-lo."

libertário Aquele que defende uma prática de liberdade absoluta e irrestrita do indivíduo, não aceitando nenhuma autoridade moral, política ou religiosa. *Ver* anarquismo.

libertinagem Atitude de rejeição dos princípios morais e crenças religiosas. Desregramento moral. Amoralidade.

libido (lat. *libido*: vontade, desejo amoroso, sensualidade) Neologismo utilizado por Freud (1898) para designar a energia dinâmica da vida psíquica do indivíduo e expressando não só sua pulsão sexual mas suas tendências afetivas (amor sexual) e as demais variedades de amor (de si, pelos pais, pelos filhos, a amizade etc.). Em outras palavras, energia fundamental presidindo a todas as pulsões que dependem do *Eros.

Liceu (gr. *lykeion*, lat. *lyceum*, de *lykos*: lobo) O Liceu foi a escola de Aristóteles; como para a Academia de Platão trata-se, na origem, do nome de um lugar; um ginásio de Atenas onde o filósofo ensinava passeando (peripateticamente). Até os dias de hoje, a palavra *Liceu* designa a "escola filosófica de Aristóteles", além de significar, em um sentido geral, escola de nível médio.

Liebmann, Otto (1840-1912) Filósofo alemão que foi o iniciador do movimento que preconizava o retorno ao criticismo de Kant, dando assim origem ao *neokantismo e ao *neocriticismo. Obras principais: *Kant e seus epígonos* (1865), *Análise da realidade* (1876).

limite (lat. *limes, limitis*: fronteira) **1.** Aquilo que separa uma coisa da outra que lhe é contígua. Fronteira.

2. Fim, término, ponto além do qual não se pode progredir.

3. O conceito de limite é aplicado na antropologia filosófica sobretudo em relação à condição do homem como ser limitado por sua própria natureza, o que colocaria em todas as suas realizações e projetos a marca da finitude.

4. Do ponto de vista da teoria do conhecimento e da filosofia da ciência, o problema dos limites do conhecimento e da razão humana é levantado por concepções céticas e relativistas que consideram impossível ao homem chegar ao conhecimento total e completo da realidade tal como ela é. Os condicionamentos externos — históricos e sociais — e a própria natureza do processo cognitivo interfeririam nas tentativas de se atingir esse conhecimento, constituindo os limites de sua possibilidade.

linguagem (do lat. *lingua*) **1.** Em um sentido genérico, pode-se definir a linguagem como um *sistema de *signos convencionais que pretende representar a *realidade e que é usado na comunicação humana. Distinguem-se, em algumas teorias, a língua empírica, concreta (p. ex., o português, o inglês etc.), da linguagem como estrutura lógica, formal e abstrata, subjacente a todas as línguas. Teorias como a de *Chomsky, p. ex., buscam nesse sentido a determinação de universais linguísticos que constituiriam precisamente essa estrutura. Algumas teorias valorizam mais o

aspecto comunicacional da linguagem, considerando que isso define sua natureza; outras definem a linguagem como um sistema de signos cujo propósito é a referência ao real, a representação da realidade.
2. A linguagem torna-se um conceito filosoficamente importante sobretudo na medida em que, a partir do pensamento moderno, passa-se a considerá-la como elemento estruturador da relação do homem com o real. A partir daí afirma-se mesmo a natureza intrinsecamente linguística do *pensamento, discussão essa que permanece em aberto ainda hoje na filosofia. Igualmente, uma vez que toda teoria tem necessariamente uma formulação linguística e se constrói linguisticamente, o problema da natureza da linguagem e do *significado passa a ser de grande importância para a *epistemologia. *Ver* discurso; metalinguagem; semântica; pragmática; proposição.

livre (lat. *liber*) O indivíduo livre é aquele que é capaz de autodeterminar-se, ou seja, de agir em conformidade com sua própria vontade sem nenhuma determinação exterior. "Ser livre é agir de acordo com sua própria natureza" (Leibniz). A ação livre, entretanto, não se opõe à *razão, antes a pressupõe, como fundamento mesmo da liberdade de escolha e da decisão livre. "O homem livre é aquele que, seguindo apenas os conselhos de sua razão, não é guiado em suas atitudes pelo medo da morte, mas deseja diretamente o bem" (Espinoza). *Ver* livre-arbítrio.

livre-arbítrio Faculdade que tem o indivíduo de determinar, com base em sua consciência apenas, a sua própria conduta; liberdade de escolha alternativa do indivíduo; liberdade de autodeterminação que consiste numa decisão, independentemente de qualquer constrangimento externo mas de acordo com os motivos e intenções do próprio indivíduo. Desde sto. Agostinho, passando pelos jansenistas e luteranos, o livre-arbítrio tem sido tema de grandes polêmicas em teologia e em ética. *Oposto a* determinismo. *Ver* jansenismo; liberdade.

livre-exame (do lat. *liber:* de condição livre, independente) Atitude de alguém recusando receber suas crenças já prontas de uma autoridade religiosa e defendendo seu direito de submetê-las ao exame de sua própria consciência e de interpretá-las por si mesmo.

livre-pensamento Doutrina, mentalidade ou atitude de alguém que, só reconhecendo como autoridade a razão, declara-se independente de toda autoridade religiosa, opõe-se a toda revelação sobrenatural e reduz a crença religiosa à categoria de superstição. De um modo geral, acreditando apenas nas luzes da razão, o *livre-pensador* se afirma como agnóstico, não necessariamente como materialista.

Llul, Ramon (1232-1315) Filósofo e teólogo franciscano catalão, empenhou-se em converter os infiéis, sobretudo os muçulmanos da península ibérica. Sua imensa obra tem o objetivo, após o fracasso das Cruzadas, de converter os infiéis, não pela força, mas pela persuasão lógica. Preocupou-se com a questão da formulação de uma *linguagem universal que expressasse os conceitos mais gerais de nosso entendimento, dando origem a uma combinatória que articularia estes conceitos. Chegou a propor a construção de um mecanismo que concretizasse este projeto. Teve grande influência no desenvolvimento da lógica e da discussão sobre a natureza da linguagem nos sécs. XVII e XVIII. Sua principal obra foi a *Ars magna* (1274).

Locke, John (1632-1704) John Locke nasceu perto de Bristol, Inglaterra. Estudou medicina e foi secretário político de vários homens de Estado. Fez várias viagens ao exterior. Até os 38 anos, não manifestou nenhuma vocação filosófica. Foi somente em 1670/71 que seu pensamento tomou um novo rumo: surgiu-lhe a ideia de sua grande obra: *An Essay concerning Human Understanding* (Ensaio sobre o entendimento humano, 1690). No mesmo ano, escreveu *An Essay concerning Toleration* (Ensaio sobre a tolerância). Em 1693, publicou *The Reasonableness of Christianity* (A razoabilidade do Cristianismo). Sua obra é uma reação contra Descartes e sua doutrina das ideias inatas. Ao descrever a formação de nossas ideias, Locke mostra que todas elas têm por fonte a *experiência. Ele defende o *empirismo contra o racionalismo cartesiano. O essencial de sua doutrina é sua teoria do conhecimento: a) todo conhecimento humano tem sua origem na sensação: "nada há na inteligência que, antes, não tenha estado nos sentidos"; não há ideias inatas no espírito; b) a partir dos dados da experiência, o entendimento vai produzir novas ideias por abstração; c) se o entendimento humano é passivo na origem, pois é tributário dos sentidos, tem também um papel ativo, pois pode combinar as ideias simples e formar ideias complexas. Assim, seu empirismo leva-o a conferir à probabilidade um papel essencial no conhecimento.

Quanto à política, parte da seguinte ideia: "Os homens são todos, por natureza, livres, iguais e independentes, e ninguém pode ser despossuído de seus bens nem submetido ao poder político sem seu consentimento". A consequência de seu empirismo se revela na concepção do Estado social e do poder político: em primeiro lugar, refuta o direito divino e o absolutismo, pois trata-se de renunciar a essas especulações para se voltar às coisas mesmas; em seguida, declara que o poder só é legítimo quando é a emanação da vontade popular, pois a soberania pertence ao povo que a delega a uma assembleia ou a um monarca; finalmente, antecipa Marx declarando que o fundamento da propriedade é o trabalho.

lógica (lat. *logica*, do gr. *logike*, de *logos*: razão) **1.** Em um sentido amplo, a lógica é o estudo da estrutura e dos princípios relativos à *argumentação válida, sobretudo da *inferência dedutiva e dos métodos de prova e demonstração. *Ver* argumento; dedução; implicação.

2. Tradicionalmente, há três maneiras gerais de se conceber a lógica: a) Como *ciência do real*: ou seja, as categorias (como sujeito e predicado) e princípios lógicos (como a lei da *identidade e a lei do *terceiro excluído) refletiriam categorias e princípios ontológicos; seriam portanto derivados da própria natureza e estrutura do real. Esta é essencialmente a concepção aristotélica, que predomina em grande parte no pensamento antigo e medieval, embora sobreviva em certas concepções contemporâneas como o *platonismo de Frege. b) Como *ciência do pensamento*: ou seja, as categorias e princípios lógicos refletiriam a estrutura e o modo de operar de nosso pensamento, especificamente de nosso raciocínio dedutivo; seriam o resultado da explicitação e sistematização dessas categorias e princípios. Essa visão é característica do pensamento moderno, sendo representada principalmente pela *Logique de Port-Royal* (1662), de Antoine *Arnauld e Pierre Nicole, inspirada no racionalismo cartesiano, e cujo subtítulo era precisamente "a arte de pensar". O *intuicionismo contemporâneo, ao menos com Brouwer, mantém uma visão próxima a esta. c) Mais contemporaneamente, a lógica é vista sobretudo como *ciência da linguagem*, ou seja, como ciência das linguagens formais, e das categorias e princípios que utilizamos para a construção de sistemas formais, para operar com esses sistemas e para fundamentar sua validade. *Ver* platonismo.

3. A *lógica formal* ou *aristotélica* consiste em uma investigação das categorias e princípios através dos quais pensamos sobre as coisas, do ponto de vista apenas da estrutura formal desse pensamento, abstração feita de seu conteúdo. Divide-se em *lógica do conceito*, ou seja, dos termos ou categorias que usamos; *lógica das proposições*, ou seja, do modo como formamos nossos juízos relacionando os conceitos e expressando-os em proposições; e uma *lógica do raciocínio*, ou do *silogismo, que examina como relacionamos inferencialmente as proposições para delas extrair conclusões. O caráter formal da lógica aristotélica pode ser representado pelo uso de variáveis. Assim, da proposição "todo A é B" podemos deduzir corretamente que "algum B é A", mas não que "todo B é A", quaisquer que sejam os AA e BB a que nos referimos.

4. A *lógica matemática* construída a partir de *Frege e *Russell, principalmente, com inspiração em *Leibniz e nos matemáticos ingleses do séc. XIX Augustus de Morgan e George Boole, consiste em uma construção de um sistema formal, dedutivo, axiomático, aplicando essencialmente os princípios de uma linguagem algébrica à lógica formal, o que vem no entanto a alterá-la profundamente. Assim, não só na lógica matemática é possível expressar relações e sistematizar formas de raciocínio inexistentes na lógica aristotélica como também a própria forma de operar com o sistema e fazer demonstrações se torna mais precisa e rigorosa através do uso do simbolismo matemático. A lógica matemática é constituída sobretudo pelo *cálculo proporcional* e pelo *cálculo dos predicados* inicialmente formulados por Frege em sua *Conceitografia* (1879), desenvolvidos por Russel em seus *Principia mathematica* (1910-1913, com *Whitehead). Esses sistemas tiveram um grande desenvolvimento no período contemporâneo.

5. *Lógica modal*: trata-se do sistema lógico que leva em conta não só as inferências entre sentenças declarativas, do tipo "S é P", mas também entre sentenças que expressam modalidade, isto é, relações de necessidades, possibilidade e impossibilidade entre os termos "S" e "P". Aristóteles já havia tratado da modalidade em seu *Órganon*, e na lógica matemática contemporânea constroem-se sistemas formais que possuem operadores relativos à necessidade, possibilidade e impossibilidade, através dos quais se podem representar essas relações.

6. *Lógica indutiva*: *Ver* indução; probabilidade.

7. *Lógicas não clássicas*: sistemas formais desenvolvidos na lógica matemática contemporânea, como p. ex. a *lógica deôntica*, que levam em conta noções como obrigação, permissão, dever etc. na relação de inferência entre sentenças; ou que são *polivalentes*, trabalhando não só com os valores verdadeiro e falso, como na lógica clássica (bivalente), mas também o necessariamente verdadeiro, o necessariamente falso, ou ainda o indeterminado ou indecidível (lógica intuicionista).

8. *Lógica transcendental*: para Kant, "a ciência do entendimento puro e do conhecimento racional pelo qual pensamos os objetos completamente *a priori*. Uma tal ciência que determinaria a origem, a extensão e o valor objetivo desses conhecimentos deveria ter o nome de lógica transcendental" (*Crítica da razão pura*). Ver transcendental.

logicismo Teoria que considera a matemática redutível à lógica, representada pela obra de B. Russell e A.N. Whitehead: *Principia Mathematica* (1910), que por sua vez teriam se inspirado em Frege, e, mais remotamente, em Leibniz, que considerava que todas as sentenças da matemática poderiam ser derivadas de alguns conceitos básicos da lógica. A demonstração de teoremas sobre os limites dos sistemas formais, tais como o teorema de Gödel (1931), levou ao abandono do projeto logicista.

logos (do gr. *legein*: falar, reunir) 1. Conceito central da filosofia grega que possui inúmeras acepções em diferentes correntes filosóficas, variando às vezes no pensamento de um mesmo filósofo. Na língua grega clássica equivale a "palavra", "verbo", "sentença", "discurso", "pensamento", "inteligência", "razão", "definição" etc. Supõe-se que em seu sentido etimológico originário de "reunir", "recolher", estaria contido o caráter de combinação, associação e ordenação do *logos*, que daria assim sentido às coisas.

2. Já em Heráclito, encontramos dois dos sentidos básicos, inter-relacionados, que o termo terá na filosofia grega. O *logos* como princípio cósmico, como a própria racionalidade do real, o princípio subjacente ao fogo, que é para Heráclito o elemento primordial. E *logos* como inteligência ou razão humana, voltada para o conhecimento do real.

3. Para Platão, sobretudo no *Teeteto* e no *Sofista*, o *logos* é a definição, a sentença predicativa que expressa uma qualidade essencial de algo.

4. Em Aristóteles, o *logos* é a sentença que pode ser verdadeira ou falsa, e que manifesta ou expressa o pensamento, daí a expressão *logos apophantikós* (aquele que manifesta algo).

5. Segundo os estoicos, para os quais esse conceito tem uma importância fundamental, o *logos* é um princípio divino, criador e ativo — *logos espermatikós* (isto é, seminal) — do qual toda a realidade depende. Isso se aplica inclusive à lei moral, já que esta se define por "viver de acordo com a natureza".

6. Na doutrina cristã, influenciada pelo estoicismo e pelo neoplatonismo, o *logos* (*verbum*) é a segunda pessoa da Santíssima Trindade — o Filho — palavra ou verbo através do qual Deus cria o mundo, tal como encontramos no Evangelho de São João (I,1, 14): "No princípio era o Verbo, e o Verbo estava junto de Deus e o Verbo era Deus ... E o Verbo se fez carne e habitou entre nós."

7. No neoplatonismo, especialmente em Plotino, o *logos* aparece como uma realidade intermediária entre Deus e o Mundo.

Longino, Cássio (c.213-273) Filósofo e retórico grego neoplatônico; foi discípulo de Amônio Sacas em Alexandria e professor em Atenas. Conselheiro político de Zenóbia, rainha de Palmira, foi decapitado pelos romanos, depois da queda de Zenóbia. Restam apenas fragmentos de suas obras filosóficas e retóricas. Atribuem-lhe erroneamente a autoria do *Tratado do sublime*.

Lorenzen, Paul (1915-1994) Filósofo e lógico alemão, professor da Universidade de Erlangen, dedicou-se basicamente à lógica e aos fundamentos da matemática, desenvolvendo uma concepção construtivista. Procurou posteriormente aplicar seu construtivismo a outras áreas, inclusive à ética. Principais obras: *Introdução à lógica e à matemática operativas* (1955), *Lógica formal* (1958), *Lógica, ética e teoria das ciências construtivas* (1973, em colaboração com O. Schwemmer). Seus discípulos e seguidores deram origem à assim chamada "escola de Erlangen". Ver construtivismo.

Lotze, Rudolf Hermann (1817-1881) Filósofo e psicólogo alemão (nascido em Bautzen); foi professor de Windelband. É considerado como um dos fundadores da psicologia fisiológica; como filósofo, elaborou um sistema de idealismo teleológico. Suas obras mais importantes são: *Psicologia médica* (1852), *Sistema de filosofia* (1874-1879).

Lucrécio (98-55 a.C.) O poeta latino ou romano Titus Lucretius Carus, mais conhecido como

Lucrécio, tornou-se famoso por seu poema filosófico *Da natureza das coisas*, no qual glorifica Epicuro e revela sua concepção do mundo. Composto em seis cânticos, esse poema começa invocando Vênus, princípio de toda a vida; em seguida, expõe as leis de Demócrito e de Epicuro a respeito do universo; depois, ressitua o homem na natureza e em suas relações com a história do universo; termina mostrando as etapas que o homem e a civilização devem percorrer antes de alcançar a sabedoria, fim supremo da existência. Com grande qualidade poética, Lucrécio descreve todos os fenômenos da natureza, dos mais belos aos mais horrorosos, explicando-os por causas naturais, à maneira do *atomismo probabilista e mecanicista de Epicuro, pois a filosofia precisa libertar os homens do terror, das superstições e do medo dos deuses. Contra todos os medos, o filósofo deve buscar o sentido do belo e a tranquilidade da alma.

lugar (lat. *locus:* lugar, local) **1.** Situação ocupada por um corpo no espaço ou a porção da *extensão que ocupa: "O lugar é o limite do corpo envolvente" (Aristóteles); "O lugar e o espaço são diferentes: o lugar nos marca mais expressamente a situação que a grandeza ou a figura; ao contrário, pensamos mais nestas quando falamos do espaço" (Descartes).
2. Por extensão, tudo aquilo ao qual um ser pode ser referido. Ex.: "Deus é o lugar dos espíritos" (Malebranche).

Lukács, Georg (1885-1971) Filósofo marxista húngaro, estudou em Berlim e em Heidelberg, com Max Weber. Chegou a Comissário da Instrução Pública no breve governo de Béla Kun na Hungria em 1919, e após a queda deste refugiou-se em Viena. Posteriormente, foi professor de estética na Universidade de Budapeste (1945-1956), e ocupou também o cargo de Ministro da Cultura da Hungria no governo de Imre Nágy por um curto período (1956). Sua obra mais importante, de grande originalidade na análise marxista que desenvolveu, é *História e consciência de classe* (1923). Apresenta aí um marxismo bem próximo de suas raízes hegelianas, valorizando o materialismo histórico, contra as interpretações dogmáticas do materialismo dialético inspiradas em Engels. Sua interpretação do marxismo foi de grande influência no desenvolvimento da sociologia do conhecimento. Sua obra, entretanto, não foi bem recebida pelos círculos marxistas ortodoxos e pelo Partido Comunista da União Soviética.

Lukács retratou-se então das posições aí mantidas, procurando ser fiel à doutrina oficial, principalmente durante o período em que viveu na União Soviética na década de 30. Produziu também numerosos trabalhos de estética e crítica literária, sobretudo sobre o realismo na literatura. Além desses, escreveu: *Goethe e seu tempo* (1947), *Ensaios sobre o realismo* (1948), *Prolegômenos a uma estética marxista* (1954), *Ontologia do ser social* (1971-1973).

Lukasiewicz, Jan (1878-1956) Lógico polonês (nascido em Lwow); fundador da escola analítica da Polônia, procurou renovar a lógica ampliando a lógica aristotélica. Em colaboração com Alfred Tarski, elaborou os sistemas lógicos de três valores (verdadeiro, falso, possível). Criou um tipo de simbolismo lógico formal. Suas obras principais são: *Sobre o princípio de contradição de Aristóteles, A lógica bivalente, Os fundamentos lógicos do cálculo das probabilidades.*

luta de classes Segundo o marxismo, conflito existente na sociedade capitalista entre a classe dominante, detentora do controle dos meios de produção, e a classe dominada — o proletariado — que vive de seu trabalho, a serviço dos interesses da classe dominante. Nas situações revolucionárias, este conflito, geralmente latente, se explicita gerando uma crise e uma revolta. "Nossa época, a época da burguesia, se distingue pelo fato de ter simplificado os antagonismos de classe. Toda a sociedade se divide, cada vez mais, em dois campos inimigos, em duas grandes classes diretamente opostas uma à outra: a burguesia e o proletariado" (K. Marx e F. Engels, *Manifesto do partido comunista*).

Lutero, Martinho (1483-1546) Teólogo e reformador alemão, notabilizou-se por ter lutado, no seio da Igreja, como monge agostiniano, contra seus abusos e erros, notadamente contra a venda das indulgências. Sua oposição constituiu o início da Reforma, simbolizada pela frase "o cristão tem consciência de ser sempre pecador, sempre justo e sempre arrependido". Traduziu o Novo Testamento para o alemão, visando torná-lo acessível a todos os fiéis. Em seguida, junto com Melanchton, o Antigo Testamento. O essencial de sua doutrina está contido no *Pequeno tratado da liberdade cristã* (1520), também exposto no *Manifesto à nobreza alemã*.

Luxemburgo, Rosa (1871-1919) Filósofa e pensadora marxista polonesa (nascida em Zamosc),

Rosa Luxemburgo emigrou para a Suíça, onde se ligou a vários marxistas revolucionários. Em seguida, desempenhou, na Alemanha, uma intensa atividade de organização revolucionária. Depois de ajudar a formar o Partido Comunista Alemão, foi detida e assassinada em Berlim pelos membros da "Freikorps". Trabalhou muito para o desenvolvimento prático e teórico do *marxismo. Combateu os revisionismos, notadamente o de Kautsky. Discordou de Lênin quanto à questão das nacionalidades e da estratégia revolucionária. Sua mais importante contribuição teórica diz respeito às análises da acumulação do capital. Ao estudar as condições históricas do capitalismo, chegou à conclusão de que ele só poderia manter seu impulso estendendo-se a países não capitalistas e a países subdesenvolvidos. O resultado desse processo acumulativo é a produção de armas e a criação de mercados coloniais. Consequência: surgimento de guerras e de revoluções, culminando na revolução socialista. Obras principais: *Reforma ou revolução* (1899), *Luta de massas, partido e sindicatos* (1906), *A acumulação do capital* (1916), *A crise da social-democracia* (1916).

luxo (lat. *luxus*: esplendor, fausto, luxo) Modo de vida suntuoso em que os bens supérfluos são adquiridos por meio de enormes gastos: "No interior de uma comunidade, o luxo associa o gosto ao exagero do conforto na vida social" (Kant).

luz natural (lat. *lumen naturale*) **1.** Na tradição escolástica, principalmente em Tomás de Aquino, o aspecto divino do intelecto humano, a razão originária de Deus, que ilumina o espírito humano, tornando possível o conhecimento do real.

2. Descartes retoma esse conceito, interpretando-o como a razão que produz o conhecimento cuja verdade é garantida por Deus: "A faculdade de conhecer que Deus nos deu, e que nós chamamos 'luz natural', não percebe jamais nenhum objeto que não seja verdadeiro no que ela o percebe". *Ver* bom senso.

Lyotard, Jean-François (1924-1998) Na época da informática e da telemática em que se desintegram os grandes blocos do saber (literário e científico), o filósofo francês Lyotard se interroga sobre a ausência de crenças do mundo contemporâneo, que ele denomina "pós-moderno": "Nas sociedades pós-modernas, o que falta é a legitimação do verdadeiro e do justo." Após estudar as relações da arte com o inconsciente (*Discours-figure*, 1969), publica um livro bastante polêmico, *L'économie libidinale* (1975), no qual vincula a economia política ao desejo, a teoria ao gozo e a arte às intensividades afetivas. Em *La condition post-moderne* e em *Au juste* (ambos de 1979), analisa a explosão da informática, da cibernética e dos bancos de dados. Convencido de que a aquisição e a exploração de nossos conhecimentos se modificaram em profundidade, declara que, depois da revolução industrial e depois da circulação das imagens e dos sons, é a aceleração vertiginosa dos saberes que modifica nossa atual vida cotidiana. Seus livros mais recentes são: *La constitution du temps par la couleur dans les oeuvres récentes d'Albert Ayme* (1980), *L'assassinat de l'expérience par la peinture* (1984), *Le différend* (1984).

M

Mach, Ernst (1838-1916) Físico e filósofo da ciência austríaco, principal inspirador do positivismo lógico. Nasceu na Morávia e estudou física na Universidade de Viena, onde mais tarde foi também professor de filosofia indutiva (1895-1910), depois de ter lecionado por muitos anos física na Universidade de Praga (1867-1895). Dedicou-se principalmente à análise da natureza e do papel de certos conceitos básicos da mecânica, combatendo as interpretações "metafísicas" na física. Considerava um erro supor que há uma correspondência entre o que existe na natureza e os conceitos e relações da ciência. Assim sendo, uma teoria que recorre ao conceito de átomo pode ser útil cientificamente, mas não prova a existência dos átomos. Desenvolveu sobretudo em suas obras científicas uma filosofia radicalmente empirista, segundo a qual os fundamentos do conhecimento científico se encontram na experiência sensível, sendo que, em última análise, todas as ciências têm uma unidade básica dada por sua origem comum nas sensações. Obras principais: *Exposição histórico-crítica da evolução da mecânica* (1883), *A análise das sensações* (1886), *Lições científicas populares* (1896), *Conhecimento e erro* (1905), *Ideias diretrizes de minha teoria do conhecimento científico-natural e as reações de meus contemporâneos a elas* (1910).

má consciência Ver boa consciência/má consciência.

macrocosmo/microcosmo 1. Termos originários da medicina grega clássica, significando respectivamente "grande mundo" e "pequeno mundo". Algumas doutrinas filosóficas antigas, tais como o estoicismo e o epicurismo, supunham uma correspondência entre o corpo humano e suas partes, por um lado — o microcosmo — e as partes constitutivas do universo — o macrocosmo — por outro lado. "Como o organismo forma em si mesmo uma unidade harmônica, um 'pequeno mundo' (microcosmo) contido no 'grande mundo' (macrocosmo), pode-se sustentar que a vida seria indivisível" (Claude Bernard).
2. Para a física, o microcosmo é o mundo do átomo, enquanto o macrocosmo é o mundo dos corpos celestes, do universo e das galáxias.

magia/mágica (lat. tardio *magia*, do gr. *mageia*) **1.** Prática ocultista. Crença animista na possibilidade de influenciar os espíritos que habitam o mundo natural. Poder que certos indivíduos excepcionais possuiriam de intervir nos processos naturais através de encantamentos, ritos, poções, talismãs etc. Poder de interpretar os sonhos, ler o futuro, adivinhar acontecimentos etc. *A magia branca* seria o uso desse poder para influenciar os espíritos e a natureza de modo a fazer o bem, curar doenças, impedir desgraças etc.*A magia negra*, por sua vez, seria o poder de influenciar os espíritos e a natureza de modo a realizar malefícios, causar danos ao inimigo etc.
2. Segundo a antropologia, os poderes mágicos fazem parte, nas sociedades primitivas, das práticas religiosas e representam a tentativa de os homens controlarem os processos naturais para seus próprios fins.
3. Durante o período medieval e o Renascimento, as práticas mágicas, sobretudo a alquimia e a astrologia, adquirem um papel importante no sentido de constituírem uma tentativa de conhecimento e controle pré-científico da natureza.

maiêutica (do gr. *maieutiké*: arte do parto) **1.** No *Teeteto*, Platão mostra Sócrates definindo sua tarefa filosófica por analogia à de uma parteira (profissão de sua mãe), sendo que, ao invés de dar à luz crianças, o filósofo dá à luz ideias. O filósofo deveria, portanto, segundo Sócrates, provocar nos indivíduos o desenvolvimento de seu pensamento de modo que estes viessem a superar sua própria ignorância, mas através da descoberta, por si próprios, com o auxílio do "parteiro", da verdade que trazem em si.
2. Enquanto método filosófico, praticado por Sócrates, a maiêutica consiste em um procedimento dialético no qual Sócrates, partindo das opiniões que seu interlocutor tem sobre algo, procura fazê-lo cair em contradição ao defender seus pontos de vista, vindo assim a reconhecer sua ignorância acerca daquilo que julgava saber. A partir do reconhecimento da ignorância, trata-se então de descobrir, pela razão, a verdade que temos em nós. *Ver* dialética; reminiscência; método.

3. O modelo pedagógico conhecido como "socrático" inspira-se na maiêutica como forma de ensinar os indivíduos a descobrirem as coisas por eles mesmos.

Maimônides, Moisés (1135-1204) Filósofo e médico judeu (nascido em Córdoba, Espanha) que viveu no Cairo, sendo o principal representante da filosofia judaica no período medieval. Admirador de Aristóteles, contribuiu para que a filosofia grega marcasse racionalmente o pensamento judeu de seu tempo. Sua obra mais importante é *O guia dos indecisos* (1190), em que procura conciliar ensinamentos da tradição judaica com a filosofia aristotélica, visando estabelecer a harmonia entre a razão e a fé. Trata-se de obra para iniciados, de estilo bastante obscuro, porém de influência muito grande no pensamento cristão do final da Idade Média, tendo sido lida por sto. Alberto Magno, Tomás de Aquino e outros escolásticos.

Maine de Biran (1766-1824) O filósofo francês (nascido em Bergerac) Maine de Biran (cujo nome real era Marie François Pierre Gontier de Biran) se preocupava em demonstrar que é a experiência do esforço que revela a indissolubilidade do querer e da consciência. Embora convivesse com os ideólogos, elaborou um pensamento solitário. Moralista estoico, interessou-se pelos estudos da psicologia humana e procurou deduzir, de uma experiência da introspecção, toda uma teoria da natureza humana que iria influenciar os filósofos reflexivos franceses do final do séc. XIX, sobretudo Bergson. Obras principais: *Influence de l'habitude sur la faculté de penser* (1803), *Mémoire sur la décomposition de la pensée* (1805), *Essais sur les fondements de la psychologie* (1812), *Essais d'anthropologie* (1823) e *Journal intime*, póstumo (de 1859 a 1870). Ver ideologia.

Maistre, Joseph de Ver De Bonald / De Maistre.

mais-valia Conceito fundamental utilizado por *Marx para sublinhar a exploração imposta ao proletariado pelo proprietário dos meios de produção; a força de trabalho dos operários é o único *valor de uso capaz de multiplicar o valor. Ao vender sua força de trabalho ao empregador, em troca de um salário, ela se torna um *valor da troca como qualquer outra mercadoria: "o valor da força de trabalho é determinado pela quantidade de trabalho necessária à sua produção". Todavia, o empregador prolonga ao máximo a duração do trabalho do operário. Este sobretrabalho cria um sobreproduto, uma mais-valia que não é paga ao trabalhador, que lhe é subtraída e marca a sua exploração. Quando a mais-valia é aumentada pela introdução de máquinas mais aperfeiçoadas, por um controle maior da produção individual ou por uma aceleração do ritmo de trabalho, falamos de *mais-valia relativa*. E o único modo, segundo a teoria marxista, de se acabar com a mais-valia, é substituir a propriedade privada pela propriedade coletiva dos meios de produção.

mal (lat. *malum*) **1.** Em um sentido geral, tudo que é negativo, nocivo ou prejudicial a alguém. "Podemos considerar o mal em um sentido metafísico, físico ou moral. O mal metafísico consiste na simples imperfeição, o mal físico no sofrimento, e o mal moral no pecado" (Leibniz).
2. Na metafísica clássica, encontramos uma controvérsia quanto à definição do mal no que concerne à sua caracterização ontológica. Por um lado, temos o mal como privação, falta, ausência, identificando-se com o não-ser, como algo que não existe em um sentido absoluto mas apenas como imperfeição, limitação de um ser. Assim, p. ex., a ignorância seria um mal, a imprudência seria um mal etc. Por outro lado, o mal pode ser visto como um princípio absoluto, como parte do real, como uma entidade existente por si mesma, em oposição ao bem. *Ver* maniqueísmo.
3. O problema do mal sempre preocupou os filósofos, especialmente os moralistas. O mal metafísico não constitui problema; se fôssemos perfeitos, seríamos Deus, e não mais haveria criação. Toda criatura é menos perfeita que seu criador, somente Deus é incriado. Mas por que o bom Deus permitiu que ficássemos submetidos ao sofrimento e ao pecado? A resposta do cristianismo é que o mal é uma provação cuja recompensa será infinita no paraíso. Mas o filósofo não se satisfaz com isto; que o mal nos serve de provação mostra seguramente a bondade de Deus, porém, poderíamos dizer; "Se Deus não fosse bom, o mal seria gratuito e sofreríamos à toa". Isto não explica por que há o mal. Se Deus nos recompensa pelo mal que praticamos ou sofremos, não poderia simplesmente tê-lo evitado? Leibniz responde: nosso mundo é o melhor dos mundos possíveis. *Kant faz uma distinção entre a "maldade", que reside no ato de se fazer o mal acidentalmente, e a "malignidade diabólica", que procede da vontade de se fazer o mal pelo mal, e concebe a má ação como o resultado de uma escolha deliberada.

4. Segundo Nietzsche, que propõe em sua filosofia (*Para além do bem e do mal*) uma transformação de todos os valores tradicionais, "bem e mal, noções imutáveis, não existem". O mal seria apenas aquilo que impede a "afirmação da vida".

Malebranche, Nicolas (1638-1715) O filósofo e teólogo francês Nicolas de Malebranche, sacerdote oratoriano, descobriu a filosofia lendo as obras de Descartes. O êxito de sua filosofia se deu em função das polêmicas teológicas que empreendeu. Sua filosofia pode ser definida como uma cristianização do cartesianismo, uma tentativa de síntese entre sto. Agostinho e Descartes. Sua principal obra é *A pesquisa da verdade* (1674-75). Em seguida, publicou as *Meditações cristãs* (1683), *Tratado de moral* (1684), *Conversações metafísicas* (1688) etc. Participou de todas as querelas religiosas de seu tempo. Morreu no mesmo ano que Luís XIV. Sua síntese se baseia em três pontos principais: a) a teoria das causas ocasionais; b) a teoria da visão em Deus; c) a noção de ordem, de onde decorre a moral. Essencialmente, sua filosofia consiste em dizer que nada há que, considerado como se deve, não nos conduza a Deus. Trata-se de uma filosofia fundamentalmente religiosa: nela, a vida segundo a razão não é outra coisa senão uma parte da vida religiosa. A teoria das *causas ocasionais* nos mostra que a única ação eficaz é a de Deus; a teoria da *visão em Deus* nos mostra que somente Ele é nossa luz: todas as coisas, tornadas transparentes à razão, nos levam a perceber que somente em Deus tudo vive e tudo se move. *Ver* ocasionalismo.

Malraux, André (1901-1976) Escritor, pensador e homem político francês. Romancista e crítico literário, combateu na Resistência durante a Segunda Guerra. Seu aguçado ideal de liberdade e justiça social levou-o a tomar parte ativa em todas as lutas libertárias de seu tempo. Sua obra representa uma importante contribuição aos avanços da estética, da filosofia da cultura e das grandes criações artísticas. Obras principais: *La condition humaine* (1933), *La création artistique* (1948), *Musée imaginarie de la création sculpture mondial* (1954), *La métamorphose des dieux* (1957).

maná (termo de origem hebraica, *manna*) **1.** No livro do *xodo*, o "pão dos céus", que Deus teria enviado para alimentar o povo judeu no deserto em sua marcha para a Terra Prometida. Quando viram este alimento, caído dos céus milagrosamente, perguntaram "man hu?", "o que é isto?", e o alimento ficou conhecido como "maná". **2.** Na etnologia religiosa, poder sobrenatural detido (nas sociedades arcaicas) por certos seres humanos ou objetos inanimados: "O maná é a força por excelência, a eficácia verdadeira das coisas, que corrobora sua ação mecânica sem aniquilá-la. É a ação espiritual à distância" (M. Mauss).

maniqueísmo (do lat. tardio *manichaeus*, do gr. tardio *manichaios*, de *Manichaios*: Maniqueu, do persa *Manes*, o fundador da seita) **1.** Doutrina criada por Manes (séc. III), que se difundiu pelo Império romano e pelo Ocidente cristão, florescendo nesse período. Combina elementos do zoroastrismo, antiga religião persa, e de outras religiões orientais, além do próprio cristianismo. Mantém uma visão dualista radical, segundo a qual encontram-se no mundo as forças do *bem ou da luz, e do *mal, ou da escuridão, consideradas princípios absolutos, em permanente e eterno confronto. O maniqueísmo teve grande influência nos primórdios do cristianismo, sendo combatido por sto. Agostinho, que inicialmente o havia adotado. **2.** Em um sentido genérico, "visão maniqueísta" é aquela que reduz a consideração de uma realidade a uma oposição simplista entre algo que representaria o bem e algo que representaria o mal.

maoísmo Doutrina marxista baseada no pensamento do líder político chinês Mao Tsé-tung (1893-1976).

Maquiavel, Niccolò (1469-1527) Homem solitário e revoltado, o italiano Maquiavel (nascido em Florença) tornou-se, aos 29 anos, secretário do governo republicano de Florença. Empreendeu várias missões diplomáticas. Os Medicis, porém, sustentados pelo papa Júlio II, apoderaram-se de Florença e dos Estados vizinhos. O republicano Maquiavel organizou, em vão, a resistência. Foi preso, torturado e banido (exilado). Em San Casciano, onde se refugiou e passou 10 anos, escreveu dois livros: *O discurso sobre a primeira década de Tito Lívio* e *O Príncipe*. Em 1520, escreveu *A arte da guerra*, no qual reivindicava a substituição dos mercenários por milícias nacionais. Tentou reaproximar-se dos Medicis, mas continuou sob suspeita. Sua obra mais célebre, *O Príncipe*, não é, como pretendia Frederico II em seu *Antimaquiavel*, um manual de técnica política de um realismo satânico, sem se preocupar com as questões de justiça, de direito, da autoridade legítima e da moral. No contexto em que foi escrito, a Itália era um país dividido em vários principados, além dos Estados do papa. A problemática de Maquiavel era: como chegar ao poder? Como exercê-lo? Como conservá-lo? Para abordá-la, rompeu com todas as teorias da legitimação do poder, deixando o domínio do direito pelo domínio do fato, que é o da força. Imagina uma Itália unificada, desembaraçada das pilhagens e dos chefes de bandos, uma Itália regenerada numa nova república. Para a realização desse sonho, não se precisava de um profeta falador nem de um novo tirano, mas de um libertador inspirado e realista, de um profeta armado: o príncipe. O príncipe deveria ter uma tríplice missão: a) tomar o poder; b) assegurar a estabilidade política; c) construir a República unificada. Maquiavel viu em Lourenço de Medici a figura desse príncipe. Deveria ser um herói trágico, impiedoso e astucioso, resoluto e frio, porque esta era a única maneira de controlar a instabilidade política e a perversão dos homens, a fim de que fosse instaurada a cidade justa. O termo *maquiavelismo é utilizado para designar a doutrina política realista de Maquiavel, procurando, a partir da experiência e da história, instaurar as leis e as técnicas eficazes do poder pessoal.

maquiavelismo 1. Concepção política inspirada em Maquiavel, que buscou estabelecer os princípios que governam a prática política a partir da experiência concreta dos povos. Considera-se, assim, Maquiavel como um dos criadores da ciência política, por sua preocupação com o fato político em si, desvinculando-o do aspecto moral e do juízo de valor sobre ele.

2. Em um sentido pejorativo, preocupação exclusiva com a eficácia no exercício do poder político, com a competência do governante em exercer o poder, lançando mão de todos os meios a seu alcance. Recurso à astúcia na prática política para se obter os fins desejados, não importando os meios utilizados.

Marburgo, escola de Ramificação do neokantismo de orientação lógico-metodológica, isto é, orientado no sentido das ciências da Natureza e da física matemática. *Ver* neokantismo.

Marcel, Gabriel (1889-1973) Filósofo e dramaturgo francês (nascido em Paris), Gabriel Marcel procurou traduzir direta e intensamente o sentido dramático da *existência humana. "Estou convencido", diz ele, "de que é no drama e através do drama que o pensamento metafísico se apreende a si mesmo e se define *in concreto*". Seu pensamento é ao mesmo tempo profundamente existencial e naturalmente religioso ou cristão. Daí se considerar seu existencialismo como um "socratismo cristão", por oposição ao existencialismo ateu de Sartre. Concebe sua filosofia como uma exploração a ser feita e como um caminho a ser percorrido. Por isso, define o ser humano como um ser itinerante, como "um homem que caminha" (*Homo viator*), como um peregrino do absoluto. É nesse percurso que o homem descobre o sentido de sua vida, seus semelhantes e Deus. Porque essa itinerância constitui o lugar mesmo da esperança do homem. Sua moral começa pela amizade do ser humano por si mesmo: "o egoísta é alguém que não se ama bastante, mas insuficientemente"; o amor de si é inseparável do amor dos outros e de Deus como Tu absoluto. Suas obras mais conhecidas são: *Être et avoir* (1935) e *Le mystère de l'être* (1951), além de um grande número de peças teatrais de caráter filosófico.

Marco Aurélio (121-180) Imperador e filósofo romano; reinou de 161 a 180; reformou a administração do império, principalmente no que diz respeito às finanças e ao judiciário, e derrotou os partos, germanos e sármatas em prolongadas guerras. É considerado um dos mais importantes filósofos estoicos da terceira fase, o chamado *estoicismo romano*, *imperial* ou *novo*, tendo deixado uma coletânea de preceitos e máximas, intitulada *Pensamentos*, ou *Meditações*, escrita em grego, no fim de sua vida, e que bem reflete a doutrina da escola estoica. Apesar de sua formação estoica e de seu humanismo, nada fez para melhorar a situação dos cristãos nas terras sob o seu domínio. *Ver* estoicismo.

Marcuse, Herbert (1898-1979) Filósofo alemão (nascido em Berlim), estudou na Universidade de Freiburg, onde foi aluno de Husserl e Heidegger. Posteriormente ligou-se a Adorno e Horkheimer, entrando para o Instituto de Pesquisas Sociais de Frankfurt (1933) e tornando-se um dos mais destacados membros da escola de *Frankfurt. Transferiu-se para os Estados Unidos (1934), como a maioria dos membros da escola, tendo sido professor em diversas universidades americanas (Columbia, Harvard, Califórnia). Marcuse alcançou grande notoriedade sobretudo a partir dos movimentos estudantis de 1968 na França, Alemanha e Estados Unidos, devido a suas teses revolucionárias e a sua interpretação crítica da sociedade industrial contemporânea. A principal contribuição de Marcuse à teoria crítica frankfurtiana pode ser considerada a relação que desenvolveu entre o pensamento de Marx e o de Freud, em uma interpretação que realça o sentido libertário tanto do marxismo quanto da teoria psicanalítica. Para Marcuse, a repressão sexual e a repressão social são indissociáveis em nossa cultura. Denunciou inclusive a aparente tolerância existente no liberalismo de certas sociedades industriais avançadas como uma pseudoliberdade, conduzindo no fundo ao conformismo. Marcuse criticou igualmente o marxismo oficial da União Soviética, considerando-o muito distante do caráter revolucionário da filosofia de Marx. Suas principais obras são: *Razão e revolução* (1941), *Eros e civilização* (1955), *O homem unidimensional* (1964), *O fim da utopia* (1967), além de inúmeros artigos coletados em *Cultura e sociedade*, 2 vols. (1965).

Marías, Julián (1914-2005) Discípulo de Ortega y Gasset, cujo pensamento prolonga e desenvolve, Julián Marías (nascido em Valladolid, Espanha) desenvolveu, à luz da filosofia da razão vital, um pensamento que procura sistematizar os grandes temas da filosofia. Seu objetivo central é apresentar a filosofia como um "fazer humano" e como "um ingrediente da vida humana" baseados na situação real dos homens. Para ele, a filosofia é um fazer radical, no sentido em que deve justificar-se a si mesmo, e um saber sistemático e circunstancial radicado na vida humana. Obras principais: *História de la filosofia* (1941), *Introducción a la filosofia* (1947), *Idea de la metafísica* (1954), *El oficio del pensamiento* (1958), *Nuevos ensayos de filosofia* (1967), *Antropologia metafísica* (1970).

Maritain, Jacques (1882-1973) O filósofo francês (nascido em Paris) Maritain pode ser considerado um dos mais importantes pensadores católicos do período entreguerras. Convertido ao catolicismo por influência de Léon Bloy (1906), após ter sido discípulo de Bergson, tornou-se um dos principais representantes da neoescolástica e, especialmente, do *neotomismo, cujas teses fundamentais explicou e defendeu com ardor. Toda a sua vasta obra, no campo da arte, da política e da metafísica, é perpassada pela preocupação fundamental de descompatibilizar a fé católica com os saberes das ciências positivas. Seu projeto foi o de instaurar uma metafísica cristã que, ao afirmar o primado da questão ontológica sobre a gnoseológica, permitisse evitar os erros e os desvios aos quais sucumbira o idealismo moderno. "A metafísica, que considero como fundada em verdade, pode caracterizar-se como um realismo crítico e como uma filosofia da inteligência e do ser ou, mais justamente, do *existir* considerado como o ato e a perfeição de todas as perfeições" (*Confissão de fé*, 1941). Convencido de que a filosofia tomista não constitui um pensamento do passado a ser restaurado, mas um pensamento vivo a ser aprofundado, dedica-se, de corpo e alma, à missão de atualizar o tomismo numa perspectiva bastante personalista e cristã do homem. Seus livros mais importantes são: *Arte e escolástica* (1920), *Os graus do saber* (1932), *Sete lições sobre o ser* (1934), *Ciência e sabedoria* (1935), *Filosofia da natureza* (1941), *De Bergson a Tomás de Aquino* (1944), *O humanismo integral* (1944), *A pessoa e o bem comum* (1947).

Marx, Karl (1818-1883) Filósofo alemão, nascido em Trier de uma família judia convertida ao protestantismo. Sua obra teve um grande impacto em sua época e na formação do pensamento social e político contemporâneo. Estudou direito nas Universidades de Bonn e de Berlim, doutorando-se pela Universidade de Iena (1841), com uma tese sobre a filosofia da natureza de *Demócrito e de *Epicuro. Ligou-se aos "jovens hegelianos de esquerda", escrevendo em jornais socialistas. Depois de um intenso período de militância política, marcado pela fundação da "liga" dos comunistas (1847) e pela redação, com *Engels, do *Manifesto do Partido Comunista* (1848), exilou-se na Inglaterra (1849), onde viveu até a sua morte, desenvolvendo suas pesquisas e escrevendo grande parte de sua obra na biblioteca do Museu Britânico, em Londres. Sua obra não se restringe ao campo da filosofia apenas, mas abrange ainda sobretudo os campos da história, da ciência política e da economia. O pensamento de Marx desenvolve-se a partir do contato com a obra dos economistas ingleses como Adam Smith e David Ricardo, e da ruptura com o pensamento hegeliano e com a tradição idealista da filosofia alemã. É então que surge o *materialismo histórico, segundo o qual as relações sociais são determinadas pela satisfação das necessidades da vida humana, não sendo apenas uma forma, dentre outras, da atividade humana, mas a condição fundamental de toda a história. Logo, a economia política, que estuda a natureza dessas relações de produção, deve ser a base de todo estudo sobre o homem, sua vida social e sua expressão cultural. Grande parte das obras de Marx foram escritas em colaboração com Engels, sendo por vezes difícil separar as ideias de um e as de outro. Apesar de ter elaborado um grande número de obras teóricas nos mais diversos campos da filosofia e das ciências sociais, Marx nunca abandonou a militância política, nem a convicção de que a tarefa de uma filosofia, que se queira verdadeiramente crítica, deve ser a transformação da realidade. Escreveu também um grande número de artigos para jornais, meio como ganhou a vida em Londres, e de textos em que analisou os eventos históricos e políticos de sua época como as comunas de Paris. Suas principais obras são: *A crítica da filosofia do direito de Hegel* (1843, publicada postumamente); *A sagrada família* (1845), em colaboração com Engels; *A ideologia alemã* (1845-1846), em colaboração com Engels, também publicada postumamente; *A miséria da filosofia: resposta à filosofia da miséria de Proudhon* (1847); *A luta de classes na França* (1850); *O 18 Brumário de Luís Bonaparte* (1852); *Crítica da economia política* (1859); *O capital*, 3 vols. (1867-1895), tendo Engels colaborado na edição desta obra.

marxismo Termo que designa tanto o pensamento de Karl Marx e de seu principal colaborador Friedrich *Engels, como também as diferentes correntes que se desenvolveram a partir do pensamento de Marx, levando a se distinguir, por vezes, entre o marxismo (relativo a esses desenvolvimentos) e o pensamento marxiano (do próprio Marx). A obra de Marx estende-se em múltiplas direções, incluindo não só a filosofia, como a economia, a ciência política, a história etc.; e sua imensa influência se encontra em todas essas áreas. O marxismo é, por vezes, também conhecido como *materialismo histórico, materialismo dialético e *socialismo científico (termo empregado por Engels). O pensamento filosófico de Marx desenvolve-se a partir de uma crítica da filosofia hegeliana e da tradição racionalista. Considera que essa tradição, por manter suas análises no plano das ideias, do espírito, da consciência humana, não chegava a ser suficientemente crítica por não atingir a verdadeira origem dessas ideias — a qual estaria na base material da sociedade, em sua estrutura econômica e nas relações de produção que esta mantém. Isto equivaleria, segundo Marx, a "colocar o homem de Hegel de cabeça para baixo". Seria portanto necessário analisar o capitalismo — modo de produção da sociedade contemporânea para Marx — a fim de revelar sua natureza de dominação e exploração do proletariado, e desmascará-la. O pensamento de Marx, entretanto, não se restringe a uma análise teórica, mas busca formular os princípios de uma prática política voltada para a revolução que destruiria a sociedade capitalista para construir o socialismo, a sociedade sem classes, chegando ao fim do Estado. "Os filósofos sempre se preocuparam em interpretar a realidade, é preciso agora transformá-la." O marxismo se desenvolveu em várias correntes que podemos subdividir em políticas e teóricas, embora nem sempre a fronteira entre ambas seja muito nítida. Dentre as correntes políticas temos, p. ex., o *marxismo-leninismo*, ou simplesmente *leninismo, também chamado de marxismo ortodoxo, ou materialismo dialético, que se tornou a doutrina oficial na União Soviética, após a revolução de 1917; o *trotskismo*, de Leon *Trotski, que defendeu contra o leninismo a teoria da revolução permanente; o *maoísmo*, doutrina desenvolvida por Mao Tsé-tung, que chegou ao poder na China após a revolução de 1947. Dentre as correntes teóricas, podemos destacar os seguintes pensadores e escolas: o alemão Karl Kautsky (1854-1938), um dos principais seguidores de Marx, defensor de um marxismo revolucionário, contra tendências revisionistas como a de Eduard Bernstein; o húngaro Georg *Lukács (1885-1971), que propõe uma interpretação de Marx valorizando suas raízes hegelianas; o alemão Karl Korsch (1889-1961), que enfatiza a base filosófica da teoria social e política de Marx; o austromarxismo de, dentre outros, Max Adler (1873-1937), que incorpora elementos kantianos à sua interpretação de Marx; o alemão Ernst *Bloch (1885-1977), que insere o marxismo na tradição do idealismo alemão; o italiano Antonio *Gramsci (1891-1937), fundador do Partido Comunista Italiano e que desenvolve uma filosofia da *praxis*; o francês Louis *Althusser (1918-90), que faz uma leitura de Marx em uma perspectiva estruturalista; o marxismo de Sartre; o marxismo da escola de *Frankfurt de *Adorno, *Horkheimer, *Benjamin e posteriormente *Marcuse e *Habermas, que se volta para a análise da sociedade industrial, do capitalismo avançado e de sua produção cultural. Muitas dessas correntes encontram-se inclusive em conflito, cada uma buscando ser mais fiel ao pensamento autêntico de Marx; porém umas enfatizam seu aspecto econômico e político, outras a análise histórica, outras ainda o caráter filosófico; umas destacam a influência de Hegel, outras a doutrina revolucionária. Um dos aspectos mais polêmicos da interpretação do pensamento de Marx diz respeito à sua atualidade, ou seja, à validade da análise marxista, voltada para a realidade do surgimento do capitalismo no séc. XIX, em sua aplicação agora à sociedade contemporânea com o capitalismo avançado, que possui características não previstas pelo próprio Marx. Isso faz com que várias dessas correntes se denominem "neomarxistas", na medida em que constituem tentativas de desenvolvimento e adaptação do pensamento de Marx a essa nova realidade.

masoquismo Derivado do nome de Leopold Sacher-Masoch, que, em seu romance *A Vênus das peles* (1870), descreve práticas de crueldade sexual. O psiquiatra Richard Kraft-Ebbing cunhou este termo para designar a perversão sexual pela qual um indivíduo só consegue satisfazer seus desejos e alcançar prazer sexual através de seu próprio sofrimento físico ou de sua humilhação: "O masoquismo é um sadismo voltado para si mesmo" (Freud).

matéria (lat. *materia*) **1.** Substância sólida, corpórea. Substância da qual algo é feito, constituinte físico de algo. *Oposto a* forma, espírito.
2. Nas cosmogonias dos pré-socráticos, a matéria se constituía dos quatro elementos (água, terra, ar, fogo) primordiais, de cuja combinação resultava toda a natureza. Diferentes correntes privilegiaram um ou outro elemento como mais central, e essa visão teve forte influência nas ciências da Antiguidade.
3. Em Aristóteles e na tradição escolástica, a matéria é a realidade sensível, princípio indeterminado de que o mundo físico é composto, caracterizando-se a partir de suas determinações como "matéria de" algo. Nesse sentido, a matéria é sempre relativa à forma. A matéria é o princípio da individuação, sendo que dois indivíduos da mesma espécia são diferentes entre si não quanto à sua forma, que é a mesma, mas quanto à matéria.
4. Descartes identifica a matéria, sem a substância extensa, reduzindo o mundo material a propriedades geométricas do espaço: "a natureza da *matéria*, ou do *corpo* tomada em geral, não consiste em ser uma coisa dura, com um certo peso ou cor, ou que nos afeta os sentidos de alguma outra maneira, mas apenas em ser uma substância extensa em comprimento, largura e profundidade". A matéria é, assim, aquilo que ocupa o espaço.
5. Para Kant, a matéria é o dado da sensibilidade, o elemento empírico da experiência sensível que constitui o conteúdo do conhecimento: "Aquilo que no fenômeno corresponde à sensação, eu chamo de *matéria* desse fenômeno, mas aquilo que faz com que a diversidade do fenômeno seja ordenada na intuição através de certas relações, eu chamo de *forma* no fenômeno ... se a matéria do fenômeno só pode nos ser dada *a posteriori*, a forma deve ser dada *a priori* no espírito."
6. Na lógica aristotélica, a matéria de um juízo é o seu conteúdo, ou seja, os conceitos designados pelo sujeito e pelo predicado, enquanto a forma é o tipo de relação estabelecida. Ex.: os juízos "Este homem é branco" e "Este homem não é branco" são iguais do ponto de vista material, diferindo pela forma, sendo o primeiro particular afirmativo e o segundo particular negativo. *Ver* materialismo.

material, causa *Ver* causa.

materialismo 1. Na filosofia clássica (sobretudo no *atomismo, *epicurismo e *estoicismo), doutrina que reduz toda a realidade à *matéria, embora o próprio conceito de matéria possa variar bastante, bem como variam as respostas às muitas dificuldades geradas por esta concepção. De modo geral, portanto, o materialismo nega a existência da *alma ou da *substância pensante cartesiana, bem como a realidade de um mundo espiritual ou divino cuja existência seria independente do mundo material. O próprio pensamento teria uma origem material, como um produto dos processos de funcionamento do cérebro. No início do pensamento moderno, o desenvolvimento da *física gerou uma concepção materialista conhecida como *mecanicismo, que procurava uma explicação científica do real baseada exclusivamente em mudanças quantitativas na matéria. *Ver* dualismo; fenomenalismo; imaterialismo. *Oposto a* espiritualismo, idealismo.
2. *Materialismo dialético*: termo utilizado inicialmente pelo filósofo marxista russo Plekhanov (1857-1918), sendo empregado posteriormente por *Lênin para caracterizar sua doutrina, que interpreta o pensamento de *Marx em termos de um *socialismo proletário, enfatizando o *método dialético em oposição ao materialismo mecanicista. *Ver* dialética; marxismo.
3. *Materialismo histórico*: termo utilizado na filosofia marxista para designar a concepção materialista da *história, segundo a qual os processos de transformação social se dão através do conflito entre os interesses das diferentes classes sociais: "Até o presente toda a história tem sido a história da luta entre as classes, as classes sociais

em luta umas com as outras são sempre o produto das relações de produção e troca, em uma palavra, das relações econômicas de sua época; e assim, a cada momento, a estrutura econômica da sociedade constitui o fundamento real pelo qual devem-se explicar em última análise toda a superestrutura das instituições jurídicas e políticas bem como as concepções religiosas, filosóficas e outras de todo período histórico" (Engels, *AntiDühring*). *Ver* luta de classes; marxismo.

matriarcado (do lat. *mater:* mãe e do gr. *arché:* governo) Regime político das sociedades onde a linhagem genealógica reconhecida é a materna e o poder é exercido pelas mulheres. *Ver* patriarcado.

máxima (do lat. medieval *sententia maxima*) **1.** Pensamento filosófico, de formulação concisa, contendo geralmente um preceito moral. Ex.: As *Máximas de La Rochefoucauld*. "Não te consideres jamais um filósofo e não pronuncies belas máximas diante dos ignorantes. Ao contrário, faze aquilo que as máximas prescrevem" (Epicteto, *Manual*).
2. Na ética kantiana, a máxima é um princípio subjetivo, com base no qual um indivíduo orienta sua conduta. "A máxima é o princípio subjetivo que o próprio sujeito dá a si mesmo como regra (trata-se de como ele deseja agir). O princípio do dever, ao contrário, é aquilo que a razão lhe prescreve de modo absoluto, portanto objetivamente (trata-se de como ele deve agir)" (Kant, *Doutrina do direito*).

mecanicismo/mecanismo (lat. tardio *mechanisma*: invenção engenhosa, máquina) **1.** No pensamento moderno, principalmente com Galileu, Descartes e Newton, dá-se a substituição das teorias organicistas de Aristóteles e da escolástica por uma concepção de espaço geometrizado, no interior do qual as relações entre os objetos são governadas deterministicamente por uma causalidade cega. A natureza passa a ser considerada como uma "máquina", um mecanismo em funcionamento. Os fenômenos físicos seriam assim explicados pelas leis do movimento.
2. O próprio corpo humano, na concepção dualista de Descartes, é visto como uma máquina, animada pela alma: "Suponho que o corpo não é senão uma estátua ou máquina ... Todas as funções que atribuo a essa máquina ... seguem-se naturalmente da pura disposição de seus órgãos, da mesma forma como ocorre ... com os movimentos de um relógio" (Descartes). *Oposto a* vitalismo.

3. Em um sentido estrito, o mecanicismo é a filosofia que se explicitou no início do séc. XVII, postulando que todos os fenômenos naturais deveriam ser explicáveis, em última instância, por referência à matéria em *movimento. Em seu sentido metafísico, o mecanicismo sustenta que o movimento da matéria exige, para se conservar, não somente uma garantia de sua duração, mas um princípio de sua emergência; nesse sentido, não é incompatível com uma *teologia, por admitir a figura de um Deus criador.

mediação (do lat. tardio *mediatio*) **1.** Em um sentido genérico, ação de relacionar duas ou mais coisas, de servir de intermediário ou "ponte", de permitir a passagem de uma coisa a outra.
2. Na tradição filosófica clássica, a noção de mediação liga-se ao problema da necessidade de explicar a relação entre duas coisas, sobretudo entre duas naturezas distintas, p. ex., o mundo sensível e o mundo inteligível, em Platão; Deus e o homem, na escolástica; o corpo e a alma, em Descartes.
3. Na lógica aristotélica, o termo médio é aquele que realiza no silogismo uma função de mediação entre os outros termos das premissas, permitindo que se chegue à conclusão.
4. Na dialética hegeliana, e posteriormente na marxista, a mediação representa especificamente as relações concretas — e não meramente formais — que se estabelecem no real, e as articulações que constituem o próprio processo dialético.

mediato (lat. tardio *mediatus*) Que se obtém através de um intermediário, indireto; p. ex., conhecimento mediato é aquele que se obtém de maneira indireta. *Oposto a* imediato.

meditação (lat. *meditatio*: reflexão) **1.** Exercício religioso de reconhecimento interior pelo qual alguém se abstrai (se ausenta) do mundo exterior e, fazendo silêncio, concentra seu pensamento em Deus e nas coisas espirituais.
2. Para *Descartes, atividade reflexiva do sujeito pensante permitindo-lhe desembaraçar-se das falsas opiniões para melhor atingir uma verdade. Quer dizer: retiro filosófico tendo por objetivo pôr em questão "todas as suas opiniões para estabelecer algo de firme e certo nas ciências"; *Kant diz: "Por meditar, entendo refletir ou pensar metodicamente".

Meditações metafísicas (*Meditationes de Prima Philosophia*) Obra de Descartes (1641), escrita originariamente em latim, na qual pretende fundamentar o conhecimento humano, refutando o *ceticismo, e demonstrar a existência de *Deus e a imortalidade da *alma. O filósofo começa por duvidar de tudo, a fim de só admitir como verdadeiro aquilo que se impuser a ele de modo claro e distinto. A primeira certeza é o ato mesmo de duvidar, que é um ato de pensar. Fica assim estabelecida a existência do pensamento: "Penso, logo existo" (*Cogito, ergo sum*), primeiro objeto do conhecimento verdadeiro. Após examinar todas as ideias que possui em seu espírito, Descartes demonstra que o homem não pode ser autor da ideia de *infinito, que nos ultrapassa, sendo o sinal tangível da realidade de Deus. A certeza de Deus é nosso segundo conhecimento verdadeiro. Da ideia mesma de Deus, de sua perfeição, podemos deduzir sua existência e consequentemente a veracidade de nosso conhecimento do mundo natural, estabelecendo assim os princípios que fundamentam a ciência (física). *Ver* cogito.

medo Fenômeno psicológico de forte caráter afetivo, marcado pela consciência de um perigo ou objeto ameaçador determinado e identificável. Difere da *angústia, onde o objeto ameaçador não é identificado. *Ver* temor.

megalomania (do gr. *mega*: grande, e *mania*: loucura) 1. *Mitomania ou loucura de grandeza levando um indivíduo a acreditar-se extremamente rico, imperador ou Deus, caracterizada pela tendência a superestimar não só seu valor físico (força, desempenho sexual) mas suas capacidades intelectuais e sua importância social.
2. Psicanaliticamente, superestimação patológica que alguém faz de sua personalidade e de sua importância num ambiente de orgulho injustificado ou de vaidade sem fundamento.

megárica, escola, ou **Mégara, escola de** Escola filosófica grega, fundada por Euclides de Mégara (cidade próxima a Atenas), que floresceu entre os sécs. V e IV a.C., sofrendo a influência tanto do eleatismo quanto do pensamento de Sócrates. Também conhecida como escola erística. Notabilizou-se sobretudo pela elaboração de paradoxos, dos quais o do mentiroso ou paradoxo de Epimênides, formulado por Eubúlides de Mileto, é o mais célebre. Nenhum escrito dos megáricos sobreviveu, sendo a obra deles conhecida apenas através de referências em outras fontes. *Ver* Epimênides, paradoxo de.

Meinong, Alexius von (1853-1920) Filósofo e psicólogo austríaco, foi aluno de *Brentano na Universidade de Viena. Professor na Universidade de Graz, ali fundou o primeiro laboratório de psicologia experimental na Áustria. Em sua obra principal, *Sobre a teoria do objeto* (1904), formula uma teoria dos objetos baseada em uma psicologia descritiva, distinguindo três elementos básicos no pensamento: o ato mental, seu conteúdo e o objeto. O objeto é definido como aquilo a que o ato mental se dirige, sendo que pode não existir como uma entidade real. Essa concepção de "objeto subsistente", existente como objeto do pensamento apenas, foi violentamente atacada por Bertrand *Russell, sobretudo em sua teoria das descrições definidas. Escreveu ainda: *Sobre os fundamentos empíricos de nosso saber* (1906), *Sobre a situação da teoria dos objetos no sistema das ciências* (1907), *Sobre possibilidade e probabilidade* (1914).

meio ambiente Conjunto dos fatores externos (materiais, orgânicos, históricos, culturais ou ideológicos) exercendo uma forte influência nos indivíduos. Em outras palavras, constitui o universo característico de cada espécie, tal como o percebe em seu meio vital e graças ao qual pode agir eficazmente. *Ver* ecologia.

melancolia (gr. *melancholia*: bile negra) 1. No sentido corrente, estado de abatimento ou prostração acompanhado de atitudes de devaneio.
2. Estado patológico caracterizado por uma profunda tristeza, depressão, ansiedade, desgosto pela vida e uma generalizada atitude de mau humor e pessimismo, levando o indivíduo à inação ou ao estado de torpor.

melhorismo (do lat. *melior*: melhor) Doutrina segundo a qual, embora não esteja livre do mal nem seja o melhor possível, o mundo está em constante aperfeiçoamento graças às ações dos homens bem dirigidas. *Oposto a* *otimismo e *pessimismo.

memória (lat. *memoria*) Capacidade de reter um dado da experiência ou um conhecimento adquirido e de trazê-lo à mente; considerada essencial para a constituição das experiências e do conhecimento científico. A memória pode ser entendida como a capacidade de relacionar um evento atual com um evento passado do mesmo tipo, portanto como uma capacidade de evocar o passado através do presente. Segundo Aristóteles, "É da memória que os homens derivam a experiência, pois as recordações repetidas da mesma coisa produzem o efeito de uma única experiência" (*Metafísica*, I, 1).

Mendelssohn, Moses (1729-1786) Filósofo alemão de origem judaica, nasceu em Dessau. Bastante influenciado pelo racionalismo iluminista, seu sistema de pensamento buscava conciliar as verdades da razão e as verdades oriundas da experiência sensorial. Defendeu ainda as crenças e as práticas judaicas no interior das sociedades cristãs, procurando reformar e modernizar o judaísmo. *Kant se opôs na *Crítica da razão pura* a seus argumentos sobre a imortalidade da alma. Principais obras: *Diálogos filosóficos* (1755), *Cartas sobre as sensações* (1756), *Escritos filosóficos* (1766), *Fédon, ou a imortalidade da alma* (1767), *Jerusalém, ou sobre o poder religioso e o judaísmo* (1786).

Menipo Filósofo e poeta grego (nascido em Gadara, Síria), que floresceu no séc. III a.C., da escola cínica. Afirma-se ter sido um escravo liberto, de origem fenícia. Escreveu sátiras em prosa e verso, que não chegaram até nós, num estilo muito pessoal, ridicularizando as fraquezas dos homens, especialmente de outros filósofos.

mentalidade Conjunto de ideias, crenças, valores, nem sempre conscientes, subjacentes aos costumes, práticas, hábitos de uma sociedade ou grupo social, caracterizando sua maneira de agir, seus sentimentos, sua produção cultural. Ex.: mentalidade provinciana, mentalidade progressista. *Ver* ideologia.

mente (lat. *mens, mentis*: espírito) Termo sinônimo de "espírito", "intelecto", "consciência", utilizado entretanto geralmente em um sentido mais positivo e experimental. Designa assim o conjunto de faculdades ou poderes racionais do homem, tais como o pensamento, a percepção, a memória, a imaginação, o desejo etc. As teorias substancialistas, como a de Descartes, supõem que a mente existe como tal; enquanto que as teorias empiristas como a de Hume não consideram a mente como existente por si mesma, mas apenas como o conjunto de suas funções de pensar, perceber etc. *Oposto a* corpo. *Ver* dualismo.

mentira 1. Ato através do qual um emissor altera ou dissimula deliberadamente aquilo que ele reconhece como verdadeiro, tentando fazer com que o ouvinte aceite ou acredite ser verdadeiro algo que é sabidamente *falso. Diferentemente do *erro e do engano, a mentira supõe a *intenção de dizer o falso, sendo por este motivo moralmente condenável.

2. Por extensão, mentira é todo esforço de dissimulação de um indivíduo para parecer o que não é ou, ao contrário, não parecer o que é. *Rousseau faz dela o símbolo da sociedade de sua época e diz que o teatro é a oficialização da mentira. *Ver* *Epimênides, paradoxo de.

3. Em um sentido freudiano, a mentira constitui um mecanismo de defesa, uma forma de racionalização, ou seja, de construção, diante de uma ameaça real ou possível (em geral, imaginária) a certos interesses do indivíduo, de um discurso de autojustificação.

mentiroso, paradoxo do Nome dado ao clássico sofisma "Eu minto", por referência ao lendário Epimênides (séc. IV a.C.), que diz: "Todos os cretenses mentem sempre; ora, ele é cretense; logo, mente. Conclusão: os cretenses não mentem. No entanto, se Epimênides diz a verdade, os cretenses mentem" etc. Logo, se Epimênides diz a verdade, está mentindo, e se mente diz a verdade. Fora da verdadeira conclusão lógica que se impõe e impede essa falsa regressão ao infinito ("não é verdade que os cretenses mentem sempre"), esse tipo de paradoxo é útil para distinguir a linguagem da metalinguagem, o que se diz e o fato de dizê-lo.

mérito (lat. *meritum*: ato que merece ou justifica algo) Valor moral considerado em função dos esforços realizados por alguém com o objetivo de superar dificuldades ou vencer obstáculos: "O mérito é esta qualidade de uma pessoa que repousa no querer próprio do sujeito segundo a qual uma razão legisladora universal (da natureza e do livre-querer) se harmonizaria com os fins dessa pessoa" (Kant).

Merleau-Ponty, Maurice (1908-1961) Fundador, com Sartre, da célebre revista *Les Temps Modernes*, o filósofo francês Merleau-Ponty sofreu a influência do *existencialismo e das *fenomenologias de Husserl e Heidegger, tendo sido professor na Sorbonne e no Collège de France. Além de obras de filosofia política, em que reflete sobre a situação europeia do pós-guerra como *Humanismo e terror* (1947), Merleau-Ponty desenvolveu uma importante obra sobre a consciência, incluindo *A estrutura do comportamento* (1942) e o clássico *A fenomenologia da percepção* (1945). Sua "filosofia da ambiguidade" sustenta que a experiência humana possui um sentido eminentemente enigmático. Defendeu o papel e a importância da reflexão filosófica na situação conturbada do mundo contemporâneo, sobretudo em sua obra *Elogio da filosofia* (1953). Levando em conta os trabalhos da psicologia contemporânea, da psicanálise e da linguística, Merleau-Ponty tenta elucidar, fundado na tradição fenomenológica de Husserl, a relação originária do homem com o mundo, e evidenciar as camadas de sentido pré-intelectuais e pré-discursivas a partir das quais e contra as quais torna-se possível o discurso das ciências. Pensador político preocupado com os problemas de seu tempo, ele os analisa (o messianismo revolucionário, o terrorismo militante, o clericalismo stalinista, por exemplo) em *As aventuras da dialética* (1955).

Merquior, José Guilherme (1940-1991) Filósofo, cientista social, ensaísta e crítico literário, nascido no Rio de Janeiro. Formado em filosofia e em direito pela Universidade Federal do Rio de Janeiro, doutorou-se em literatura brasileira pela Universidade de Paris-Sorbonne, vindo também a estudar na London School of Economics, onde sofreu a influência das ideias de *Popper e do pensamento liberal. Diplomata de carreira, chegou a embaixador no México e junto à Unesco, em Paris. Adotando um estilo irônico e polêmico, Merquior, inicialmente influenciado pela escola de *Frankfurt, foi um defensor intransigente do liberalismo e crítico ferrenho do estruturalismo e do marxismo. Principais obras, algumas publicadas originalmente em língua estrangeira: *Formalismo e tradição moderna* (1974), *L'esthéthique de Lévi-Strauss* (1977), *Rousseau and Weber: two studies in the theory of legitimacy* (1980), *As ideias e as formas* (1981), *O argumento liberal* (1983), *Michel Foucault ou le nihilisme de la chaire* (1986), *From Prague to Paris: structuralism and post-structuralist itineraries* (1986), *Liberalism, old and new* (1991).

Mersenne, Marin (1588-1648) Enorme foi a importância do padre Mersenne (pertencia à Ordem dos Mínimos) para a filosofia na primeira metade do séc. XVII. Na França, onde nasceu, tornou-se uma espécie de "caixa de ressonância" dos saberes filosófico, científico e teológico. Na cela de seu convento, reuniam-se os grandes sábios da época. Correspondente e confidente privilegiado de Descartes, contribuiu decisivamente para a difusão das ideias cartesianas, sobretudo ao reunir as "Objeções" às *Meditações metafísicas* de Descartes. Além de combater incessantemente o ceticismo pirronista e a impiedade dos deístas, ateus e libertinos, Mersenne foi um dos fundadores e impulsionadores da filosofia mecanicista. Para ele, o *mecanicismo, filosofia da nova ciência, não se opõe à verdadeira religião. Pelo contrário, vem apoiá-la. Porque o conhecimento da grande máquina do mundo constitui o conhecimento mesmo da ordem instituída por Deus mediante leis. Suas obras principais são: *A impiedade dos deístas, dos ateus e dos mais sutis libertinos*, 2 vols. (1624), *A verdade das ciências contra os céticos e os pirronistas* (1625), *Harmonia universal* (1836).

messianismo (do aramaico *meschîkha*: ungido ou escolhido) **1.** Na religião judaica, crença no Messias, o enviado de Deus, que teria como missão a libertação do povo judeu do domínio estrangeiro, sua condução à Terra Prometida e à vida em paz. Para os judeus, o Messias ainda não chegou; para os cristãos, já esteve entre nós na pessoa de Jesus e voltará novamente no fim dos tempos.
2. Em um sentido genérico, crença em um líder carismático que seria capaz de "salvar" seu povo e conduzi-lo à felicidade e à glória. Em nossos dias, o messianismo designa a tendência coletiva de esperar "tudo" da atividade de um único homem dotado de poderes carismáticos e considerado como capaz de trazer a "salvação" ou de mudar os rumos da história.

"mestre e possuidor da natureza" Expressão utilizada por *Descartes para fixar o objetivo da nova ciência (dominar a natureza) e simbolizar as novas relações que se instauram entre o homem e o mundo, anunciando, em germe, o que se tornaria nossa atual civilização tecnocientífico-industrial.

metafísica 1. O termo "metafísica" origina-se do título dado por *Andronico de Rodes, principal organizador da obra de Aristóteles, por volta do ano 50 a.C., a um conjunto de textos aristotélicos — *ta metà ta physiká* — que se seguiam ao tratado da *física*, significando literalmente "após a física", e passando a significar depois, devido a sua temática, "aquilo que está além da física, que a transcende".
2. Na tradição clássica e escolástica, a metafísica é a parte mais central da filosofia, a ontologia geral, o tratado do ser enquanto ser. A metafísica define-se assim como *filosofia primeira*, como ponto de partida do sistema filosófico, tratando daquilo que é pressuposto por todas as outras partes do sistema, na medida em que examina os prin-

cípios e causas primeiras, e que se constitui como doutrina do ser em geral, e não de suas determinações particulares; inclui ainda a doutrina do Ser Divino ou do Ser Supremo.

3. Na tradição escolástica, especificamente, temos uma distinção entre a *metafísica geral*, a ontologia propriamente dita, que examina o conceito geral de ser e a realidade em seu sentido transcendente; e a *metafísica especial*, que trata de domínios específicos do real e que se subdivide, por sua vez, em *cosmologia*, ou filosofia natural — o tratado do mundo e da essência da realidade material; *psicologia racional*, ou tratado da alma, de sua natureza e propriedades; e *teologia racional* ou *natural*, que trata do conhecimento de Deus e das provas de sua existência através da razão humana (e não apenas pelo apelo à fé). *Ver* teodiceia.

4. No pensamento moderno, a metafísica perde, em grande parte, seu lugar central no sistema filosófico, uma vez que as questões sobre o conhecimento passam a ser tratadas como logicamente anteriores à questão do ser, ao problema ontológico. A problemática da consciência e da subjetividade torna-se assim mais fundamental. No desenvolvimento desse pensamento, sobretudo com Kant, a filosofia crítica irá impor limites às pretensões de conhecimento da metafísica, considerando que devemos distinguir o domínio da razão, que produz conhecimento, que possui objetos da experiência, que constitui a ciência, portanto, do domínio da razão especulativa, em que esta se põe questões que, em última análise, não pode solucionar, embora essas questões sejam inevitáveis. Teríamos portanto a metafísica. Kant vê solução para as pretensões da metafísica apenas no campo da razão prática, isto é, não do conhecimento, mas da ação, da moral. "A metafísica, conhecimento especulativo da razão isolada e que se eleva completamente para além dos ensinamentos da experiência através de simples conceitos ..." (Kant). "Por metafísica entendo toda pretensão a conhecimento que busque ultrapassar o campo da experiência possível, e por conseguinte a natureza, ou a aparência das coisas tal como nos é dada, para nos fornecer aberturas àquilo pelo qual esta é condicionada; ou para falar de forma mais popular, sobre aquilo que se oculta por trás da natureza, e a torna possível ... A diferença (entre a física e a metafísica) repousa, *grosso modo*, sobre a distinção kantiana entre fenômeno e coisa-em-si" (Schopenhauer).

Metafísica Obra de *Aristóteles, na verdade reunião de 12 tratados editados por *Andrônico de Rodes, que lhes atribui este título e acabou por denominar uma das áreas mais centrais da filosofia. Nestes tratados, Aristóteles discute o problema do *conhecimento e a noção de filosofia, introduzindo e conceituando algumas das noções mais centrais da filosofia como *substância, *essência e *acidente, *necessidade e *contingência, *verdade etc. Teve grande influência no desenvolvimento da tradição filosófica, sobretudo a partir do séc. XIII, quando a obra de Aristóteles é reintroduzida no Ocidente. Foram inúmeros os comentários a esta obra, tanto na tradição do helenismo quanto entre os árabes e os escolásticos medievais.

metáfora (lat. e gr. *metaphora*: transposição) Figura de retórica pela qual se faz uma comparação, utilizando-se uma palavra que denota uma coisa para representar uma qualidade definidora de outra. Segundo a definição de Aristóteles, a metáfora é uma "palavra usada com um sentido alterado", Ex.: uma raposa política; uma flor de pessoa; um mar de lama no palácio.

metalinguagem O prefixo grego *meta*, significando "além", "após", "acima de", e também "sobre", é utilizado na formação de vários termos que designam a passagem para um nível mais elevado ou mais abstrato de análise, ou ainda uma investigação acerca de algo. Isto seria representado, em um sentido genérico, pelos termos "metateórico" e "metateoria", isto é, "a teoria das teorias", ou seja, a análise do estatuto teórico de uma teoria específica. A *metalinguagem*, por sua vez, seria precisamente uma linguagem utilizada para se falar de outra linguagem — a chamada "linguagem objeto" — ou para analisá-la. O discurso teórico ou científico sobre a linguagem seria assim tipicamente um discurso metalinguístico, na medida em que nele a linguagem é usada não para falar das coisas, mas para falar de si própria. Em um sentido análogo, temos os termos "metamatemática" e "metalógica", que significam um estudo das propriedades teóricas da própria matemática e da própria lógica, respectivamente.

metempsicose (do lat. tardio e do gr. *metempsychosis*) Termo de origem grega significando literalmente "passagem da alma de um corpo para outro". Doutrina religiosa oriental, encontrada sobretudo no hinduísmo e no budismo, que sustenta o princípio da transmigração da alma, segundo o qual esta poderia passar sucessivamente por várias encarnações, não só em corpos humanos, mas até mesmo em animais e vegetais. Só a purificação da alma poderá libertá-la desse ciclo, fazendo com que volte ao Nirvana, ou ao Todo. Essa doutrina foi aparentemente introduzida ao pensamento grego por Pitágoras, e encontra-se uma versão dela em Platão (*República*, X).

método (lat. tardio *methodus*, do gr. *methodos*, de *meta*: por, através de; e *hodos*: caminho) **1.** Conjunto de procedimentos racionais, baseados em regras, que visam atingir um objetivo determinado. P. ex., na ciência, o estabelecimento e a demonstração de uma verdade científica. "Por método, entendo as regras certas e fáceis, graças às quais todos os que as observam exatamente jamais tomarão como verdadeiro aquilo que é falso e chegarão, sem se cansar com esforços inúteis, ao conhecimento verdadeiro do que pretendem alcançar" (Descartes).
2. *Método axiomático*: o que emprega a formalização e utiliza os recursos da lógica formal para derivar a verdade que pretende estabelecer a partir de uma relação de termos primitivos (indefiníveis) e de um conjunto de axiomas que servem de ponto de partida para a demonstração. Exemplo clássico: a geometria de Euclides. *Ver* axioma.
3. *Método hipotético-dedutivo*: método científico através do qual se constrói uma teoria que formula hipóteses a partir das quais resultados obtidos podem ser deduzidos, e com base nas quais se podem fazer previsões que, por sua vez, podem ser confirmadas ou refutadas. É discutível até que ponto as teorias científicas realmente se constituem e se desenvolvem segundo o método hipotético-dedutivo, uma vez que nem sempre há uma correspondência perfeita entre experimentos e observações, por um lado, e deduções, por outro. Autores como Popper questionam a relação tradicionalmente estabelecida entre hipóteses e previsões. *Ver* hipótese; dedução; ciência.
4. *Método indutivo*: aqueles segundo o qual uma lei geral é estabelecida a partir da observação e repetição de regularidades em casos particulares. Embora o método indutivo não permita o estabelecimento da verdade da conclusão em caráter definitivo, fornece, no entanto, razões para a sua aceitação, que se tornam mais seguras quanto maior o número de observações realizadas. A indução é assim essencialmente probabilística. Este método se torna importante na ciência experimental, sobretudo a partir de sua defesa por Francis Bacon, sendo posteriormente sistematizado por J. Stuart Mill.
5. *Método dialético*: na concepção clássica, sobretudo na interpretação platônica da filosofia socrática, o método dialético é aquele que procede pela refutação das opiniões do senso comum, levando-as à contradição, para chegar então à verdade, fruto da razão. *Ver* dialética; maiêutica.
6. *Método de análise-síntese*: o que toma como ponto de partida o que se busca, procurando então estabelecer sua verdade, no que consiste e quais suas características. A análise é a decomposição do todo em suas partes constitutivas para examiná-las. Procede-se, assim, do complexo para o simples. A síntese é a reunião dessas partes para formar o todo, tendo-se esclarecido seu modo de constituição.
7. *Método experimental*: aquele que tem por base a realização de experimentos para o estabelecimento de teorias científicas, procedendo através da observação, da formulação de hipóteses e da verificação ou confirmação das hipóteses a partir de experimentos. É valorizado sobretudo nas concepções empiristas.
8. *Método hermenêutico*: *Ver* hermenêutica.
9. Na epistemologia contemporânea, alguns autores como Paul Feyerabend (*Contra o método*) questionam o papel tradicionalmente atribuído ao método na formação de teorias científicas, considerando que elementos como a intuição dos cientistas e o acaso têm um papel preponderante no surgimento dessas teorias e que somente *a posteriori* recorre-se ao método para a sistematização e a fundamentação da teoria.

metodologia Literalmente, ciência ou estudo dos *métodos. Investigação sobre os métodos empregados nas diferentes ciências, seus fundamentos e validade, e sua relação com as teorias científicas.

Meyerson, Emile (1859-1933) Filósofo judeu francês (nascido em Lublin, Polônia) radicado em Paris a partir de 1882, onde desenvolveu intensa atividade no domínio da epistemologia das ciências naturais, especialmente da química. Veemente crítico das filosofias positivistas do conhecimento, Emile Meyerson defendia a tese de que o papel fundamental dos cientistas é buscar uma verdadeira causa dos fenômenos, pois as teorias científicas não constituem hipóteses indiferentes, mas tentativas de encontrar as verdadeiras causas. Filósofo da identidade, Meyerson acreditava que o pensar científico possui a mesma exigência da razão, ou seja, uma tendência natural à identidade.

Para ele, a racionalidade da ciência exige a racionalidade do real. Portanto, o papel do cientista é o de adaptar suas identificações à experiência, pois a razão possui, por natureza, uma tendência unificadora. A ambição de Meyerson era contribuir para a construção da metafísica futura. Esse projeto se encontra em seus livros: *Identité et réalité* (1908), *De l'explication dans les sciences* (1921), *Du cheminement de la pensée*, 3 vols. (1931), *Essais* (1936).

Michel, Henry (1922-) Profundo conhecedor de Hegel, de Husserl e de Heidegger, Henry Michel (nascido na França) tornou-se bastante conhecido com sua obra sobre *Marx*, em dois volumes: I. *Une philosophie de la réalité*; II. *Une philosophie de l'economie* (1976). Procurando a significação profunda do marxismo, fez a distinção entre *Marx e o *marxismo. Para ele, Marx é compreendido a partir de uma ontologia do social ou do "ser social" prévia a todo "sociologismo". Por isso, seu pensamento não é nem positivista nem materialista. Pelo contrário, aparece como uma "ontologia da realidade", a noção de *praxis sendo considerada como o poder original de ser e de agir do homem. Escreveu ainda: *Philosophie et phénoménologie du corps* (1965), *L'essence de la manifestation*, 2 vols. (1963), *L'amour les yeux fermés* (1976), *Généalogie de la psychanalyse* (1985), *La barbarie* (1987).

microcosmo *Ver* macrocosmo/microcosmo.

milagre (lat. *miraculum*: prodígio, maravilha; de *mirari*: admirar-se) 1. Fato extraordinário, inesperado e inexplicável pelas leis naturais. Fenômeno excepcional que ocorre por força da ação direta de Deus e, por esse motivo, possui um significado religioso especial. "As coisas feitas por Deus, fora das causas por nós conhecidas, são chamadas milagres" (Tomás de Aquino).
2. Tradicionalmente, a discussão filosófica acerca da ocorrência de milagres envolve dois problemas inter-relacionados: a) Deus continua a intervir diretamente no mundo após a sua criação; b) se o caráter necessário das leis naturais se aplica também a Deus, ou se Este pode alterá-las. Segundo Hume, é impossível justificar racionalmente os milagres, uma vez que a crença em sua ocorrência depende exclusivamente da fé.

milenarismo (do lat. tardio *millenarius*) 1. Doutrina inspirada na crença medieval do místico italiano Joaquim de Fiore (1145-1202) que anunciava o advento do milênio, período de mil anos, durante o qual, segundo o *Apocalipse* (XX, 1-3), o *mal seria vencido.
2. Por extensão, toda doutrina que anuncia ou promete o advento de um período de perfeição e bem-estar geral. *Ver* utopia.

Mill, John Stuart (1806-1873) O filósofo e economista inglês (nascido em Londres) John Stuart Mill sempre esteve preocupado com a reforma e a melhoria das condições de vida dos homens. Toda a sua vida foi pautada por uma intensa atividade: fundou revistas, círculos de estudos e foi membro do Parlamento. Seus livros principais são: *System of Logic* (Sistema de lógica, 1843), *Essays on Some Unsettled Questions on Political Economy* (Ensaios sobre algumas questões não resolvidas de economia política, 1844), *Principles of Political Economy* (Princípios de economia política, 1848), *Utilitarianism* (Utilitarismo, 1863). É considerado um dos primeiros a elaborar as chamadas leis da prova ou da pesquisa científica: expôs as quatro regras fundamentais do método experimental, já anunciadas por Francis *Bacon: concordância, diferença, resíduos e variações concomitantes. Retomou de *Bentham o princípio segundo o qual o interesse e o prazer constituem as molas da conduta humana, para elaborar uma *moral utilitarista*: do ponto de vista da moral, a utilidade é o principal critério da atividade humana; não há em nós uma consciência moral capaz de designar o bem e portadora de princípios de ação; o bem e o mal são uma questão de experiência; a reflexão moral se funda no fato de que os homens são seres sociais; os sentimentos morais fundamentais são a simpatia e a fraternidade.

Mind/body problem (ing. problema da mente e do corpo) Expressão utilizada na filosofia anglo-saxônica para designar o problema posto pela filosofia do espírito (*philosophy of mind*) sobre a articulação entre cérebro e mente, entre matéria e ideias: podemos reduzir os estados mentais a processos físicos? Várias posições possíveis: *dualismo, *mentalismo, *materialismo ou *funcionalismo.

Minerva, a coruja de Ao dizer que "a coruja de Minerva só levanta voo ao entardecer", *Hegel toma essa imagem para reconhecer que a filosofia não pode antecipar-se aos acontecimentos nem prever ou predizer o futuro: como sabedoria, seu papel é o de compreender, embora chegando sempre tarde, talvez tarde demais.

Mirandola, Giovanni Pico della Ver Pico della Mirandola, Giovanni.

misantropo (do gr. *misos*: ódio, e *anthropos*: homem) Aquele que sente uma grande antipatia ou ódio em relação aos homens, ou seja, ao gênero humano.

misoginia (do gr. *mysos*: ódio, aversão, e *gyné*: mulher) Atitude ou comportamento de antipatia, aversão ou ódio em relação às mulheres.

misologia (do gr. *misos*: ódio, aversão, e *logos*: razão, ciência) Atitude ou comportamento de hostilidade ou ódio à razão ou aos argumentos lógicos.

mistério (do lat. tardio *mysterium*, *misterium*, alteração de *ministerium*: trabalho, ocupação) **1.** Tudo aquilo que não pode ser compreendido, que é inacessível à razão humana. Realidade oculta. Em um sentido teológico, trata-se de uma verdade revelada, incompreensível à razão natural sem a fé. Ex.: o mistério da Santíssima Trindade.
2. Na Antiguidade, especialmente no Oriente, na Grécia e em Roma, encontramos várias religiões de mistério, cultos secretos que se destinavam a um grupo restrito de iniciados, tais como a religião dos ministérios de Elêusis, o *orfismo, o *pitagorismo. Algumas dessas religiões, especialmente o pitagorismo, confundem-se com a filosofia em sua tentativa de explicar a *Natureza e nas especulações que realizam sobre o sentido da realidade e da vida.

mística (lat. *mysticus*, do gr. *mystikós*: relativo aos mistérios) Em um sentido genérico, aquilo que diz respeito ao misticismo, ou que tem um caráter místico. Em um sentido pejorativo, caráter mágico ou misterioso de algo, que exerce fascínio. Ex.: a mística do poder, a mística do artista. A mística é um conjunto de crenças mais ou menos *"transcendentes" ao nível da consciência e das práticas, frequentemente centrado numa representação privilegiada e comandando a ação de um indivíduo ou de um grupo de um modo não racional. Os místicos são pessoas de profunda vivência religiosa, que adotam a mística como modo privilegiado de se relacionarem com o *sobrenatural e com *Deus. No cristianismo, são João da Cruz (1545-1591) é um grande místico.

misticismo Crença na existência de uma realidade sobrenatural e misteriosa, acessível apenas a uma experiência privilegiada — o êxtase místico — uma intuição ou sentimento de união com o divino, o sobrenatural, o misterioso. Em certas doutrinas filosóficas, como o neoplatonismo de Plotino, a experiência mística possui um papel central como forma de acesso à realidade de natureza divina. Essas doutrinas são consideradas, por esse motivo, como irracionalistas. *Oposto a* intelectualismo, racionalismo.

mito (gr. *mythos*: narrativa, lenda) **1.** Narrativa lendária, pertencente à tradição cultural de um povo, que explica através do apelo ao sobrenatural, ao divino e ao misterioso, a origem do universo, o funcionamento da natureza e a origem e os valores básicos do próprio povo. Ex.: o mito de Ísis e Osíris, o mito de Prometeu etc. O surgimento do pensamento filosófico-científico na Grécia antiga (séc. VI a.C.) é visto como uma ruptura com o pensamento mítico, já que a realidade passa a ser explicada a partir da consideração da natureza pela própria, a qual pode ser conhecida racionalmente pelo homem, podendo essa explicação ser objeto de crítica e reformulação; daí a oposição tradicional entre *mito* e **logos*.
2. Por extensão, crença não justificada, comumente aceita e que, no entanto, pode e deve ser questionada do ponto de vista filosófico. Ex.: o mito da neutralidade científica, o mito do bom selvagem, o mito da superioridade da raça branca etc. A crítica ao mito, nesse sentido, produziria uma desmistificação dessas crenças.
3. Discurso alegórico que visa transmitir uma doutrina através de uma representação simbólica. Ex.: o mito ou alegoria da caverna e o mito do Sol, na *República* de Platão. Ver caverna, alegoria da.

mitologia (lat. tardio e gr. *mytologia*) **1.** Conjunto de mitos característicos de uma determinada cultura ou tradição. Ex.: mitologia grega, mitologia egípcia, mitologia nagô.
2. Estudo ou interpretação dos mitos, de sua origem e de seu sentido, do ponto de vista filosófico, antropológico e cultural. Ex.: a *filosofia da mitologia*, de Schelling.

mitomania (do gr. *mythos*: relato, fábula, e *mania*: loucura) Tendência consciente, frequentemente constitucional, que um indivíduo possui de mentir, fabular ou simular de um modo mais ou menos vaidoso, maligno ou perverso: "A mitomania é o resultado da persistência, no adulto, da atividade mítica infantil" (Dupré).

mobilismo (do lat. *mobilis*: aquilo que se move, se altera) Doutrina segundo a qual a realidade está em contínua mudança, em que nada é fixo, determinado. O real é por natureza dinâmico, e sua essência é o movimento. Heráclito é o principal representante do mobilismo no pensamento antigo, sendo ilustrativo a esse respeito seu célebre fragmento 91: "Não nos banhamos duas vezes no mesmo rio, porque o rio não é o mesmo...".

modalidade (do lat. medieval *modalis*) **1.** Na lógica clássica, a modalidade é a característica de certas proposições ou juízos que determina o modo pelo qual se atribui um predicado a um sujeito. Segundo a tradição aristotélica e medieval, são quatro as modalidades: 1) *possibilidade*: "É possível que S seja P"; 2) *impossibilidade*: "É impossível que S seja P"; 3) *contingência*: "É contingente que S seja P"; 4) *necessidade*: "É necessário que S seja P". A proposição necessária é sempre verdadeira; em qualquer circunstância, a possível pode ser verdadeira ou falsa, a impossível é sempre falsa. Há, no entanto, inúmeras controvérsias acerca dessas noções. A distinção entre possibilidade e contingência, p. ex., não é considerada clara. Por outro lado, a proposição necessariamente falsa parece confundir-se com a impossível. A modalidade envolve, assim, inúmeros problemas lógicos, metafísicos e epistemológicos, relacionados à própria definição dos conceitos de necessidade e possibilidade. *Ver* oposição.
2. Kant, na dedução transcendental (*Crítica da razão pura*), distingue três tipos de juízo quanto à modalidade: 1) *problemáticos*: envolvendo possibilidade; 2) *assertóricos* ou *de realidade*, que são simplesmente atributivos; 3) *apodíticos*, ou *necessários*. A distinção kantiana difere da lógica clássica, já que considera os juízos assertóricos como tendo modalidade. *Ver* juízo.
3. No séc. XX, a questão da modalidade foi retomada pela lógica simbólica, recebendo então um novo tratamento. Foram construídos sistemas formais e formuladas regras de inferência, tomando por base o cálculo proposicional, para sentenças do tipo: "é necessário que p", "é impossível que p", "é possível que p". Assim, temos o cálculo modal de C.I. Lewis (1918, 1932) e desenvolvimentos propostos principalmente por Carnap (1947) e pelo filósofo e lógico finlandês (nascido em 1916) George Henrik von Wright (1951). Em 1963, o lógico norte-americano Saul Kripke elaborou uma semântica para a lógica modal inspirando-se na noção de Leibniz de "mundos possíveis".

modelo (it. *modèllo*, do lat. vulgar *modellus*, do lat. *modulus*, diminutivo de *modus*: medida) **1.** Paradigma, forma ideal. Objeto que serve de parâmetro para a construção ou criação de outros. Qualquer coisa ou pessoa que se toma como inspiração ou ideal a ser imitado ou copiado. Ex.: Sócrates é o modelo do filósofo; Fulano é um modelo de virtude.
2. *Modelo teórico*: modo de explicação, construção teórica, idealizada, hipotética, que serve para a análise ou avaliação de uma realidade concreta. Ex.: o modelo copernicano de universo, o modelo newtoniano de física.
3. *Teoria dos modelos*: na lógica matemática, teoria que estuda a relação entre um sistema formal e sua interpretação, geralmente com base na teoria dos conjuntos. Um modelo é uma interpretação da linguagem que atribui um valor de verdade às sentenças da linguagem. O ponto de partida da teoria dos modelos foi a definição semântica da *verdade de Alfred *Tarski (1935).

modernidade 1. Característica daquilo que é moderno. Em um sentido geral, a modernidade se opõe ao classicismo, ao apego aos valores tradicionais, identificando-se com o racionalismo, especialmente quanto ao espírito crítico, e com as ideias de progresso e renovação, pregando a libertação do indivíduo do obscurantismo e da ignorância através da difusão da ciência e da cultura em geral. *Ver* tradição.
2. Nova forma de pensamento e de visão de mundo inaugurada pelo Renascimento e que se contrapõe à escolástica e ao espírito medieval, desenvolvendo-se nos sécs. XVI e XVII com Francis Bacon, Galileu e Descartes, dentre outros, até o Iluminismo do séc. XVII, do qual é a principal expressão.
3. A questão da modernidade caracteriza uma controvérsia contemporânea, envolvendo questões filosóficas de interpretação da sociedade, da arte e da cultura. É representada, por um lado, pelo filósofo francês *Lyotard e, por outro, pelo filósofo alemão *Habermas. Lyotard introduz a ideia da "condição pós-moderna" como uma necessidade de superação da modernidade, sobretudo da crença na ciência e na razão emancipadora, considerando que estas são, ao contrário, responsáveis pela continuação da subjugação do indivíduo. De acordo com Lyotard, seguindo uma inspiração do movimento romântico, a emancipação deve ser alcançada através da valorização do sentimento e da arte, daquilo que o homem possui de mais criativo e, portanto, de mais livre. Habermas, por sua

vez, defende o que chama de "projeto da modernidade", considerando que esse projeto não está acabado, mas precisa ser levado adiante, e só através dele, pela valorização da razão crítica, será possível obter a emancipação do homem da ideologia e da dominação político-econômica.

modernismo 1. Doutrina que defende a renovação do pensamento, a ideia de progresso e a ruptura com a *tradição.
2. Doutrina do início do séc. XX (Blondel, Laberthonière) que defende a renovação da interpretação tradicional do cristianismo através de métodos exegéticos modernos e da consideração de uma problemática voltada para o mundo atual. Foi condenada em 1907 pela encíclica *Pascendi* do Papa Pio X.
3. No pensamento brasileiro, movimento representado pela Semana de Arte Moderna de 1922, realizada em São Paulo, que pretendeu romper com o tradicionalismo na produção cultural brasileira, buscando a renovação na literatura e nas artes plásticas através da discussão das inovações artísticas que vinham ocorrendo no contexto europeu (surrealismo, dadaísmo, futurismo etc.) e, ao mesmo tempo, procurando formular uma estética nacional que expressasse os valores da "brasilidade". Seus principais representantes foram Oswald de Andrade e Mário de Andrade, na literatura, e Tarsila do Amaral, nas artes plásticas.

moderno (lat. tardio *modernus*, do lat. *modo*: recentemente, agora mesmo) 1. Termo que se opõe a clássico, tradicional. Considera-se que, do ponto de vista histórico, a filosofia moderna inicia-se com Descartes e Francis Bacon, caracterizando-se por sua ruptura com o pensamento medieval, sobretudo com a escolástica. O pensamento moderno valoriza o indivíduo, a consciência, a subjetividade, a experiência e a atividade crítica, em oposição às instituições, à hierarquia, ao sistema e à aceitação dos dogmas e verdades estabelecidas, que caracterizam a ordem social medieval e o pensamento escolástico.
2. Historicamente, o desenvolvimento da economia mercantilista, o descobrimento do Novo Mundo e as grandes navegações, a reforma protestante, as novas teorias científicas no campo da física e da astronomia (Galileu e Copérnico), fatos que ocorrem em torno dos sécs. XV a XVII, marcam uma nova visão de mundo que se contrapõe à visão medieval, caracterizando assim o surgimento do mundo moderno. "Moderno" identifica-se, neste sentido, à ideia de progresso e de ruptura com o passado.

modo (lat. *modus*: medida, maneira) 1. Na lógica aristotélica, o modo é a forma que um silogismo pode ter nas quatro figuras possíveis, levando-se em conta a quantidade (universal, particular) e a qualidade (afirmativa, negativa) das premissas que o compõem. Segundo as regras lógicas de inferência são 19 os modos válidos do silogismo.
2. Na metafísica, o modo é uma determinação de algo, podendo ser tomado como sinônimo de atributo ou qualidade. Ex.: modo de uma substância. "Quando digo (...) maneira ou modo, entendo por isso o mesmo que alhures denominei atributo ou qualidade" (Descartes).

molinismo Doutrina teológica pregada pelo jesuíta espanhol Luis de Molina (1535-1600), segundo a qual as ações e comportamentos humanos encontram-se submetidos a uma predestinação, mas conforme os méritos pessoais de cada indivíduo, já conhecidos por Deus antecipadamente. Sem negar o caráter sobrenatural da graça e da onipotência divina, o molinismo insiste na necessidade do esforço humano. Os molinistas foram adversários do *jansenismo na querela sobre a graça e o *livre-arbítrio.

momento Em seu sentido filosófico, o momento (lat. *momentum*, contradição de *movimentum*) significa cada uma das fases que podemos distinguir num desenvolvimento qualquer. Ao falar do "momento dialético", Hegel diz que "todas as coisas são contraditórias em si". O momento dialético consiste neste movimento, que é a passagem de uma coisa ao mesmo tempo ultrapassada e conservada a seu contrário. *Ver* dialética.

mônada (do lat. tardio, *monas*, do gr. *monás*: unidade) 1. Termo de origem provavelmente pitagórica, usado na filosofia antiga para designar os elementos simples de que o universo é composto. Platão aplica o termo mônada às ideias ou formas.
2. Este conceito é retomado ao início do pensamento moderno (*Nicolau de Cusa, Giordano *Bruno), vindo a ter um papel central na metafísica de *Leibniz. Para Leibniz, "a mônada é uma substância simples que faz parte das compostas; simples quer dizer sem partes (...) ora, onde não há partes, não há extensão, nem figura, nem divisibilidade possível. E as mônadas são os verdadeiros átomos da natureza, em uma palavra, os elementos de todas as coisas."

monadologia ou **monadismo** Teoria das mônadas, ou teoria que adota o conceito de mônada como conceito central. Erdmann adota esse termo como título da obra de Leibniz escrita em 1714, e por ele publicada em 1840. O termo era, entretanto, empregado já desde o séc. XVIII para designar a teoria das mônadas de Leibniz.

Mondolfo, Rodolfo (1877-1976) Filósofo italiano (nascido em Senigallia), mas radicado na Argentina a partir de 1938, Mondolfo, preocupado não com a "sistematicidade" da filosofia, mas com sua "problematicidade", tornou-se muito conhecido pelas relações que estabeleceu entre a filosofia e a história e, sobretudo, por sua volumosa obra de história da filosofia, notadamente do período da Antiguidade grega e do período moderno. Obras principais: *O problema do conhecimento desde os pré-socráticos até Aristóteles* (1940), *Problemas e métodos da investigação em história da filosofia* (1949), *O infinito no pensamento da antiguidade clássica* (1952), *Arte, religião e filosofia dos gregos* (1957), *Guia bibliográfico da filosofia antiga* (1960).

monismo (do grego *monos*: único) Diz-se de toda doutrina que considera o mundo sendo regido por um princípio fundamental único. Em outras palavras, doutrina segundo a qual o *ser, que só apresenta uma multiplicidade aparente, procede de um único *princípio e se reduz a uma única realidade constitutiva: a *matéria ou o *espírito. Por exemplo, há o monismo mecanicista dos materialistas (séc. XVIII), o monismo espiritualista e dialético de Hegel e o panteísmo de Espinoza. Quando se trata de Deus, criador do mundo a partir do nada (*ex nihilo*), a doutrina é um *teísmo. Ao se referir a um princípio espiritual tido pela essência da realidade, temos um *espiritualismo. Se é a *matéria (ou *natureza) a realidade essencial e suprema de tudo o que existe, temos o *materialismo ou *naturalismo. *Oposto* a *dualismo (dois princípios) e a *pluralismo.

monoteísmo (do gr. *monos*: único, e *theos*: Deus) Toda doutrina religiosa ou filosófica afirmando (por oposição a *politeísmo) a existência de um único Deus pessoal e distinto do mundo (por oposição a *panteísmo). Ex.: judaísmo, cristianismo e islamismo: "Aquele que admite apenas uma teologia transcendental (concebendo seu objeto pela razão pura) é denominado deísta; e o que também aceita uma teologia natural (por meio de um conceito derivado da natureza de nossa alma) é chamado de teísta" (Kant). *Ver* deísmo, teísmo, panteísmo, politeísmo.

Montaigne, Michel Eyquem de (1533-1592) O pensador francês Michel de Montaigne é conhecido por ter tomado, em relação às certezas e aos valores da Idade Média, uma posição nitidamente *cética*. Em seus *Essais* (*Ensaios*), não somente modernizou e enriqueceu a argumentação do ceticismo, mas mostrou a influência que os fatores pessoais, sociais e culturais exercem sobre as ideias. Com bastante argúcia e ironia, procura demolir as superstições, os erros e o fanatismo das opiniões que queriam impor-se como verdades. Constrói uma filosofia que, partindo do estoicismo, chega ao *ceticismo e, em seguida, a uma forma de epicurismo. E conclui que *só existem opiniões*. Seu ceticismo é simbolizado pela questão: "*O que sei?*" Não podemos nem mesmo saber se nosso estado de vigília não é um estado de sonho. Toda a ciência, construída sobre nossas ilusões sensíveis, não tem maior valor do que essas ilusões. Toda verdade é *relativa*. Fica reduzida a zero a pretensão da criatura humana de atingi-la. Em pleno período das guerras de religião, Montaigne procura desacreditar a intolerância da razão e de seus juízos para dar maior lugar à fé, caminho que nos conduziria à ideia de tolerância e de uma sabedoria pacifista. Prega uma moral da eficácia tranquila, pois as paixões são fontes de violências e de fanatismos, isto é, de ruína e de intemperança. Sua moral não é a da indiferença, mas a do domínio de si na paz da alma e no desejo de ser útil.

Montesquieu (1689-1755) O moralista, pensador e filósofo francês Charles de Secondat, barão de La Brède Montesquieu, é conhecido sobretudo por sua obra *L'esprit des lois* (*O espírito das leis*, 1748), na qual expõe sua concepção política e histórica e estuda a lógica interna do sistema das leis e das instituições em suas relações com as condições reais de sua existência histórica. As leis não são deduzidas de idealistas *a priori* nem tampouco são devidas à arbitrariedade dos homens: elas "constituem as relações necessárias que derivam da natureza das coisas". Ao demonstrar a ineficácia do absolutismo, propõe um sistema de governo em que o máximo de liberdade seja produzido quando os poderes públicos se controlam mutuamente graças à sua independência respectiva: o poder *legislativo*, o poder *executivo* e o poder *judiciário* devem ser *independentes* uns dos outros, mas equilibrados entre si. Escapando a todos os messianismos, ele considera o "progresso" como a invenção da "mecânica político-administrativa" que funciona melhor no contexto humano concreto. Com isso, já anuncia certa sociologia científica integrando o conhecimento histórico, a geografia humana, a geografia econômica, a demografia, a psicologia etc. Embora *O espírito das leis* não tivesse um objetivo de ação prática, contribuiu bastante para a transformação da sociedade francesa entre 1750 e 1800. Há uma diferença entre a natureza de um governo e seu princípio, diz ele: a natureza de um governo é aquilo que o faz ser tal, ao passo que seu princípio é aquilo que o faz agir. Antes da obra mencionada acima, Montesquieu já publicara *Lettres persanes* (Cartas persas), anonimamente (1721), e *Considérations sur les causes de la grandeur des romains et de leur décadence* (Considerações sobre as causas da grandeza dos romanos e de sua decadência), também anonimamente (1734).

Moore, George Edward (1873-1958) Juntamente com Bertrand Russell e Ludwig Wittgenstein, Moore é um dos fundadores da *filosofia analítica na tradição anglo-saxônica, defendendo uma postura realista contra o idealismo hegeliano e o empirismo então dominantes na Grã-Bretanha. Propõe uma ética baseada na análise do conceito de "bem", e um realismo do "senso comum" contra as consequências céticas do empirismo. Professor na Universidade de Cambridge, exerceu grande influência sobre toda uma geração de artistas, intelectuais e políticos ingleses, dentre os quais se inclui o famoso "grupo de Bloomsbury", do qual fizeram parte desde a escritora Virginia Woolf até o economista John Maynard Keynes. Sua principal obra é *Principia ethica* (1903), tendo escrito também inúmeros artigos sobre filosofia da linguagem, lógica, ética e teoria do conhecimento, depois reunidos em *Philosophical Studies* (1922) e *Philosophical Papers* (1959). Foi também por muitos anos (1921-1947) diretor da influente revista filosófica *Mind*.

moral (lat. *moralis*, de *mor-*, *mos*: costume) **1.** Em um sentido amplo, sinônimo de *ética como teoria dos valores que regem a ação ou conduta humana, tendo um caráter normativo ou prescritivo. Em um sentido mais estrito, a moral diz respeito aos costumes, valores e normas de conduta específicos de uma sociedade ou cultura, enquanto que ética considera a ação humana do seu ponto de vista valorativo e normativo, em um sentido mais genérico e abstrato.

2. Pode-se distinguir entre uma *moral do bem*, que visa estabelecer o que é o bem para o homem — a sua felicidade, realização, prazer etc., e como se pode atingi-lo — e uma *moral do dever*, que representa a lei moral como um imperativo categórico, necessária, objetiva e universalmente válida: "O dever é uma necessidade de se realizar uma ação por respeito à lei" (Kant). Segundo Kant, a moral é a esfera da razão prática que responde à pergunta: "O que devemos fazer?".

moralidade (lat. *moralitas*) **1.** Qualidade de um indivíduo ou ato considerado quanto a sua relação com princípios e valores morais. Ex.: a moralidade de um determinado ato ou atitude. *Oposto a* imoralidade.
2. Conjunto de valores e princípios morais de uma sociedade. Ex.: defesa da moralidade, guardiães da moralidade.

moralismo 1. Concepção que atribui um papel central no sistema filosófico à moral, em termos da qual se define tudo o mais. Fichte, p. ex., chama sua doutrina de "moralismo puro".
2. Em um sentido pejorativo, supervalorização de uma moral tradicional, ou da letra dos princípios morais, em detrimento de seu espírito. Observância exterior aos princípios morais. "A verdadeira moral zomba da moral, que é sem regras" (Pascal). *Oposto a* imoralismo.

moralista (fr. *moraliste*) **1.** Em um sentido genérico e, por vezes, pejorativo, indivíduo que defende a observância estrita de princípios da moral estabelecida.
2. São conhecidos como "moralistas" alguns autores franceses do séc. XVII como La Rochefoucauld, La Fontaine, La Bruyère, que, em seus escritos sob a forma de aforismos ou de fábulas, analisam os costumes e práticas da sociedade, avaliando-os do ponto de vista moral e extraindo disso uma lição ou "moral".

More, Henry (1614-1687) Filósofo inglês da escola (platônica) de *Cambridge. Obras principais: *Psychozoia platonica*, em verso (1642), *Philosophical poems* (1647) e *Divine dialogues* (1668), na qual expõe seus pontos de vista religiosos e filosóficos.

Morin, Edgar (1921-) Sociólogo e filósofo francês (nasceu na Argélia) cujo projeto tem sido o de construir um método de pensamento transdisciplinar permitindo-nos enfrentar os grandes desafios da *complexidade do real: pluralidade das lógicas que se interpenetram, indeterminismo, auto-organização, interação entre sujeito e objeto etc. Uma de suas teses fundamentais consiste em mostrar a necessidade de construirmos uma ciência com consciência e tomarmos consciência da complexidade de toda realidade (física, biológica, humana, social, política). Para compreendermos a realidade da complexidade, não bastam uma ciência privada de reflexão e uma filosofia apenas especulativa. Obras principais: *La méthode* (4 vols., 1977-1993), *L'Unité de l'homme* (1974), *Science avec conscience* (1982), *Introduction à la pensée complexe* (1990), *Arguments autour d'une méthode* (1990).

morte (lat. *mors*) **1.** Em seu sentido filosófico, a morte sempre foi entendida como o desaparecimento ou cessação da existência humana, mas levando a se pensar o sentido da vida. Para Platão, "filosofar é aprender a morrer"; e a imortalidade da alma é "um belo risco a ser corrido". Para Epicuro, a morte é uma certeza, mas não constitui um mal nem deve ser temida, pois é a dissolução do ser total (alma e corpo). Pascal reconhece que estamos "todos condenados à morte", pois somos seres frágeis; mas somos os únicos seres a saber que morremos: nossa dignidade consiste em pensarmos a morte e a salvação. Kant faz da imortalidade da alma um dos postulados indemonstráveis da razão prática (os dois outros são a existência de Deus e a liberdade: *número).
2. Na filosofia existencial de Heidegger, a morte é o sinal da *finitude e da individualidade humana que o homem precisa assumir para escapar da alienação de si e da banalidade do cotidiano: "A morte se desvela como a possibilidade absolutamente própria, incondicional e intransponível". Contudo, "a limitação de nossa existência pela morte é sempre decisiva para nossa compreensão e nossa apreciação da vida". Assim, "este fim que designamos pela morte não significa, para a realidade humana (*Dasein), um 'ser-terminado', mas um ser para o fim, que é o ser desse existente".
3. Conceitos: "Temer a morte, atenienses, não é outra coisa senão acreditar-se sábio, sem sê-lo, pois é crer que sabemos o que não sabemos" (Platão). "A crença na necessidade interna da morte não passa de uma das numerosas ilusões que criamos para nos tornar suportável o fardo da existência ... no fundo, ninguém acredita em sua própria morte ou, o que dá no mesmo, em seu inconsciente cada um está persuadido de sua própria imortalidade" (Freud). "A morte não é um acontecimento da vida. A morte não pode ser vivida" (Wittgenstein).

Morus, Tomás (1478-1535) O nome de Tomás Morus — Thomas More, em inglês —, chanceler da Inglaterra, decapitado por ordem de Henrique VIII (1535) por contrariar seus desígnios, está associado à *Utopia*, título de sua principal obra política (1516). *Utopia* quer dizer, literalmente, o "lugar nenhum", o "não lugar". É uma *cidade ideal*. Nessa obra, Tomás Morus criticou as instituições inglesas, seus costumes e injustiças. Atacou a monarquia e o sistema econômico-político que levavam ao empobrecimento do povo por causa da organização feudal do trabalho e da propriedade privada. Enquanto o direito de propriedade for o fundamento do edifício social, disse Morus, os pobres viverão no tormento e no desespero. Por isso, na cidade ideal, não haveria dinheiro nem propriedade privada. O interesse particular seria subordinado ao interesse geral. A igualdade seria total e o comunismo (comunidade dos bens) a regra. Mas "quem não trabalha não come", e Morus descreve minuciosamente os princípios de uma construção legislativa e social dessa cidade ideal. Tudo aí é repartido com tal equidade que ninguém é pobre. Ninguém possui nada em seu próprio nome. Mas todo mundo é rico. Assim, Tomás Morus foi o primeiro a conceber uma produção organizada no contexto de um Estado nacional. No mundo utópico que ele imaginou, a ciência seria posta a serviço da produção.

motor, primeiro *Ver* primeiro motor.

Mounier, Emmanuel (1905-1950) O filósofo francês (nascido em Grenoble) Emmanuel Mounier foi um apóstolo do *"personalismo". Fundou em 1932 a revista *Esprit* como arma de combate de suas ideias. Em sua militância incansável, escreveu *Manifesto a serviço do personalismo* (1936), *Revolução personalista e comunitária* (1936), *Liberdade sob condições* (1946), *O personalismo* (1949), *A esperança dos desesperados*, póstumo (1953). Para ele, o personalismo não é um sistema, mas uma atitude e uma filosofia da existência. É um humanismo novo que acredita numa atividade vivida e inesgotável de autocriação, de comunicação e de realização no homem. Centrada na *"pessoa", essa filosofia constitui uma negação do individualismo, uma recusa do niilismo e uma rejeição do espírito de partido, convocando os homens a que "refaçam o Renascimento", que se engajem na realização de uma humanidade e de uma ordem social onde desabrochem os valores da pessoa. "O humanismo burguês é essencialmente fundado no divórcio entre o espírito e a matéria, entre o pensamento e a ação"; ele é dominado pela mística do indivíduo. O capitalismo, dominado pelo espírito do dinheiro, isola os homens e instaura um regime político-econômico injusto. O totalitarismo, fundado na centralização excessiva, substitui a mística do indivíduo pela mística da massa, negando a liberdade e a pessoa. A saída consiste em duas tomadas de consciência: o "despertar pessoal" e o "despertar comunitário".

movimento (do lat. *movere*: mover) **1.** Na filosofia clássica, o movimento é um dos problemas mais tradicionais da *cosmologia, desde os pré-socráticos, na medida em que envolve a questão da mudança na realidade. Assim, o *mobilismo de Heráclito considera a realidade como sempre em fluxo. A escola eleática por sua vez, principalmente através dos *paradoxos de Zenão, afirma ser o movimento ilusório, sendo a verdadeira realidade imutável. **2.** Aristóteles define o movimento como passagem de *potência a *ato, distinguindo: o movimento como deslocamento no *espaço; como mudança ou alteração de uma natureza; como crescimento e diminuição; e como *geração e corrupção (destruição). **3.** Os filósofos definem o movimento do mesmo modo que os físicos, associando sempre *tempo e espaço, e não como simples sinônimo de deslocamento: toda *modificação*, tudo aquilo que faz com que as coisas mudem, com que o mundo esteja em permanente devir. **4.** No universo descrito pela física da relatividade, o movimento nada mais é do que a variação de posição de um corpo relativamente a um ponto chamado "referencial".

mundaneidade Termo que, no *existencialismo, especialmente em Heidegger, caracteriza o próprio modo de ser do mundo; assim, a condição do homem é a de um ser "lançado" em um mundo já previamente constituído, a partir do qual sua experiência adquire sentido, e em relação ao qual deve estabelecer sua identidade.

mundo (lat. *mundus*) **1.** Na concepção clássica, o mundo é o sistema harmônico composto pela Terra e os astros, podendo esta noção ser generalizada para outros sistemas análogos que se suponham existentes. Em uma acepção geográfica, mais restrita, o mundo é a Terra, incluindo suas diferentes partes, o "velho mundo", o "novo mundo"; ou também pode caracterizar um período histórico, o "mundo antigo". Em um sentido mais amplo, o mundo é tudo aquilo que existe, o próprio universo; ou ainda, a Criação, o mundo como criado por Deus. Por extensão, o termo pode ser aplicado a um domínio específico do real. Ex.: o mundo físico, o mundo humano etc. *Ver* cosmo.
2. *Mundo sensível*: realidade material, constituída pelos objetos da percepção sensorial; mundo da experiência. Especialmente em Platão, o mundo sensível opõe-se ao mundo inteligível, do qual é cópia. *Ver* dualismo.
3. *Mundo inteligível*: mundo das ideias ou formas, em Platão entendido como tendo uma realidade autônoma, tanto em relação ao mundo sensível, do qual constitui o modelo perfeito, quanto ao pensamento humano, que no entanto o atinge pela dialética.
4. *Mundo interior*: no pensamento moderno, principalmente no racionalismo cartesiano, a *consciência, a *subjetividade, o *pensamento, a *mente, com suas *ideias e *representações, aquilo que pertence ao sujeito pensante, em oposição ao mundo exterior.
5. *Mundo exterior*, ou *externo*: a realidade material, objeto da percepção sensorial, considerada em oposição ao mundo interior.
6. Tanto em Platão quanto em Descartes, a doutrina da existência do mundo sensível em oposição ao mundo inteligível, ou do mundo interior em oposição ao mundo exterior, consiste em uma concepção dualista, que supõe a realidade como constituída por duas naturezas distintas radicalmente, opostas e irredutíveis. A principal dificuldade dessas doutrinas será explicar a relação entre essas duas naturezas.
7. *Mundo da vida* (*Lebenswelt*): termo utilizado por Husserl e pela fenomenologia para designar o mundo da experiência humana, considerado, no entanto, anteriormente a qualquer tematização conceitual. O "mundo da vida" é, assim, aquilo que se aceita, que se toma como dado, como pressuposto, constituindo nossa experiência cotidiana. Trata-se do real em seu sentido pré-teórico, pré-reflexivo.

Mundo como vontade e representação, O (*Die Welt als Wille und Vorstellung*) Obra mais importante de Schopenhauer, publicada em 1819, na qual expõe sua filosofia da *vontade como fundamento da *representação. Toda nossa vida é comandada pelo princípio metafísico do "querer-viver" (tendência, desejo, vontade) situado na origem de todas as formas de existência e concebido como a essência do universo. Por isso, o mundo não é somente "representado" na aparência, mas existe como "vontade". E como "vontade" é um poder cego, trabalhando sem objetivo, o mundo é absurdo.

N

nacionalismo Doutrina política que atribui à nação um valor absoluto, considerando uma determinada nação como superior às outras, valorizando tudo o que é nacional em detrimento do que é estrangeiro. Xenofobia.

nada (do lat. (*res*) *nata*: coisa nenhuma) **1.** Em um sentido genérico, o não-ser, aquilo que não é, não existir, a ausência do ser.
   2. Para o existencialismo, limitação do ser, origem da negação. "O nada não é o oposto indeterminado do existente, mas se revela como componente do ser do existente" (Heidegger, *Ser e tempo*). Segundo Sartre, "o ser não tem necessidade do nada para se conceber ... mas, ao contrário, o nada que não é só poderia ter uma existência emprestada: é do ser que toma o seu ser ... o desaparecimento total do ser não seria o advento do reino do não-ser, ao contrário, seria o desaparecimento concomitante do nada: só há não-ser na superfície do ser" (*O ser e o nada*).

nadificar (tradução do fr. *néantiser*) Termo criado por Sartre (*néantiser*) para designar, em uma perspectiva fenomenológica, o ato pelo qual a *consciência elimina ou deixa de lado tudo aquilo que não é objeto de sua *intenção imediata, tudo aquilo que não é "visado" por ela diretamente. Essa noção é utilizada na explicação da *imaginação: "a imagem deve conter em sua estrutura uma tese 'nadificadora'. Ela se constitui como imagem colocando seu objeto como existindo em outro lugar, ou mesmo não existindo". *Ver* fenomenologia; intencionalidade; visada.

Nagel, Ernest (1901-1985) O filósofo Ernest Nagel nasceu na Tcheco-Eslováquia. Radicado desde cedo nos Estados Unidos, aí desenvolveu, sob a influência do positivismo lógico, suas pesquisas de filosofia da ciência, dando destaque aos estudos da natureza e das formas da explicação científica. Seu pensamento, de cunho naturalista, privilegia o poder da razão, pois a razão é "soberana", não apenas especulativa, mas também crítica. Considerando a filosofia como um "comentário crítico sobre a existência", Nagel elabora seu pensamento de modo rigoroso, mas sempre situando os problemas em seu contexto filosófico mais amplo. Obras principais: *An Introduction to Logic and Scientific Method* (1934), *The Structure of Science: Problems in the Logic of Scientific Explanation* (1961), *Teleology Revisited and Other Essays in the Philosophy and History of Science* (1979).

não violência Atitude ou comportamento de resistência a toda forma de *violência (opressão, colonização, poder etc.) apoiando-se num controle de si aberto ao amor da humanidade e no desejo de uma paz fundada no direito e na justiça. *Ver* Gandhi, o Mahatma.

narcisismo Amor (fixação afetiva) a si mesmo semelhante ao de Narciso (o belo jovem do mito que, fascinado por sua imagem refletida na água, quis abraçá-la e morreu afogado). Fase normal da sexualidade quando a criança toma seu corpo por objeto de amor e se fixa em si mesma, é considerada regressão no adulto: "No narcisismo, a pessoa se comporta como se estivesse amorosa de si mesma" (Freud).

Natorp, Paul (1854-1924) Filósofo alemão (nascido em Dusseldorf); neokantista da escola de Marburgo, sua preocupação fundamental era com a pedagogia social. Obras principais: *A teoria cartesiana do conhecimento* (1882), *A doutrina das ideias de Platão* (1903), *Pedagogia social* (1915). *Ver* neokantismo.

natural (lat. *naturalis*) **1.** Em um sentido genérico, relativo à natureza, que procede da natureza, que está de acordo com as leis da natureza. Ex.: alimento natural, talento natural. *Oposto a* adquirido, artificial, sobrenatural.
   2. *Direito natural*: que se origina da natureza humana, em contraste com o *direito positivo*, que resulta das decisões dos legisladores.
   3. *Número natural*: o número inteiro (da série 0, 1, 2, 3, ...) em oposição aos números racionais (frações), irracionais (ex.: 2) etc.
   4. *Ciências naturais:* designação tradicional das ciências da natureza, as ciências físicas e biológicas. *Oposto a* ciências formais, ciências humanas e sociais.

naturalismo Concepção filosófica que não admite a existência de nada que seja exterior à *natureza, reduzindo a realidade ao mundo natural e a nossa experiência deste. O naturalismo recusa, portanto, qualquer elemento sobrenatural ou princípio transcendente. Mesmo a moral deveria basear-se nos princípios que regem a natureza, tomados como fundamentos das regras e preceitos de conduta, tal como, p. ex., no *epicurismo e no *estoicismo.

natureza (lat. *natura*, de *natus*, particípio passado de *nasci*: nascer) **1.** O mundo físico, como conjunto dos reinos mineral, vegetal e animal, considerado como um todo submetido a leis, as "leis naturais" (em oposição a leis morais e a leis políticas). As forças que produzem os fenômenos naturais. Em um sentido teológico, o mundo criado por Deus. Opõe-se a *cultura*, no sentido daquilo que é criado pelo homem, que é produto de uma obra humana. Opõe-se também a *sobrenatural*, aquilo que transcende o mundo físico, que lhe é externo.
2. *Natureza de um ser*: sinônimo de *essência; conjunto de propriedades que definem uma coisa. Ex.: "Sou uma substância cuja essência ou natureza é pensar" (Descartes).
3. Tudo aquilo que é próprio do indivíduo, aquilo que em um ser é inato e espontâneo. Ex.: a inteligência como um dom da natureza ou um dom natural.
4. *Estado de natureza*: hipoteticamente, o estado em que viviam os seres humanos, sem leis, antes de se organizarem em sociedade. Segundo Hobbes, seria o domínio da anarquia e do conflito, "a guerra de todos contra todos". Segundo Rousseau, o estado do "bom selvagem", a pureza originária do homem. "O homem nasce bom, a sociedade o corrompe."
5. Nas éticas estoica e epicurista, a natureza é o fundamento dos princípios morais. O ser humano faz parte do mundo natural, sendo que os preceitos morais em que se deve basear a conduta humana consistem em reproduzir a harmonia do próprio cosmo, atingindo assim o homem o equilíbrio que haveria na natureza.
6. *Filosofia da natureza*: classicamente, a cosmologia. Estudo dos princípios e leis que governam o mundo natural, p. ex., a causalidade. Em Kant, a filosofia teórica, o conhecimento racional da realidade baseado em conceitos, em oposição à *filosofia prática*, o domínio da moral e dos valores.

naturismo Teoria segundo a qual a religião teria por origem a personificação e a adoração das grandes forças da natureza ou de seus mais temíveis fenômenos: sol, astros, fogo, tempestade etc.

necessário (lat. *necessarius*) Diz-se daquilo que não pode ser de outra maneira, que possui uma *necessidade que não se pode conceber como não existindo. Ex.: Deus é o ser necessário. "Sinto que poderia não ter existido ... não sou portanto um ser necessário" (Pascal, *Pensamentos*).

necessidade (lat. *necessitas*) Característica daquilo que é *necessário, admitindo as seguintes acepções:
1. *Necessidade física*: determinação de um encadeamento causal, relação em que uma mesma causa determina sempre um mesmo efeito. Trata-se da necessidade tal qual existe no mundo físico, material. Ver causalidade; determinismo.
2. *Necessidade lógica:* é necessária a *proposição cuja contraditória implica a *contradição, seja em termos absolutos, seja dependendo de certos pressupostos do universo de discurso. "É necessário que todo objeto seja igual a si mesmo" (lei da identidade). *Ver* modalidade; verdade.
3. *Necessidade metafísica*: o *ser necessário é aquele que não depende de nenhuma outra causa ou condição para existir. P. ex., Deus, segundo Descartes; a *substância, segundo Espinoza. *Oposto a* contingência.
4. *Necessidade ética*: obrigação expressa por um *imperativo categórico. Dever que resulta da *lei moral.
5. Em Kant, a necessidade é uma das três categorias da modalidade, resultando da união da possibilidade com a existência (*Crítica da razão pura*).
6. Hume, e em geral os céticos, argumentam que a necessidade é apenas resultado de nossa forma habitual de perceber o real, projetando-se sobre este, sendo portanto de natureza meramente psicológica.

Nédoncelle, Maurice (1905-1975) Filósofo francês vinculado à tradição espiritualista e personalista, elaborou um pensamento conferindo um estatuto metafísico ao *personalismo. Preocupado essencialmente com o estudo da natureza humana, defendeu a tese segundo a qual a consciência pessoal se constitui num movimento de reciprocidade de consciências: é na relação direta de duas consciências que se experimenta a verdadeira reciprocidade, porque, "para além da amizade, começa a multidão". O eu e o tu formam um *nós* que os une distinguindo-os: a comunicação total das consciências é possível. Mas o eu e o tu se fundem em Deus, pois Ele é o criador e o animador de cada consciência. A filosofia cristã de Nédoncelle pode ser caracterizada como um "idealismo voluntarista e personalista" aberto à comunicação intersubjetiva com os outros e com Deus. Obras principais: *La reciprocité des consciences: Essai sur la nature de la personne* (1942), *Vers une philosophie de l'amour et de la personne* (1946), *Conscience et logos: Horizons et méthode d'une philosophie personnaliste* (1961), *Intersubjetivité et ontologie: Le défi personnaliste* (1974).

Needham, Joseph (1900-1995) Bioquímico e embriologista inglês, a partir de 1942 tornou-se um dos maiores historiadores da cultura chinesa, preocupando-se sobretudo com a história da civilização chinesa e de sua ciência. Comparou a ciência chinesa com a ocidental, concluindo que a China não produziu a revolução científica moderna porque, socialmente, as condições não eram favoráveis, enumerando uma série de fatores: ausência da ideia de um Deus criador, inexistência de uma concepção de *lei da natureza, predomínio de um sistema feudal e de uma burocracia administrativa, incipiência da classe de comerciantes. Estes fatores explicam por que seu pensamento cultural e filosófico era pouco apto para suscitar um pensamento mecanicista como o que se encontra na origem da ciência moderna. Principais obras: *A ciência chinesa e o Ocidente* (1969), vários volumes.

negação (lat. *negatio*) **1.** Ato de negar uma *proposição. Segundo a lógica tradicional, cada proposição tem apenas uma negação, portanto uma proposição afirmativa e sua negação são contraditórias. Como só se admitem dois valores de verdade (o verdadeiro e o falso), se uma proposição afirmativa é verdadeira, sua negação será falsa, se uma proposição negativa é verdadeira, a afirmação correspondente será falsa. Ver oposição.
2. Distinguem-se geralmente em lógica dois tipos de negação. A negação *externa* é aquela em que a totalidade da proposição é negada: Nenhum homem é imortal. A negação *interna* é aquela em que se nega apenas o predicado: Algumas rosas não são vermelhas, ou Há rosas não vermelhas.
3. O princípio lógico da *dupla negação* estabelece que qualquer proposição implica ou é implicada pela negação de sua negação; ou seja, a dupla negação (– – p) equivale à afirmação (p).
4. No *existencialismo de Sartre, a negação é a "recusa da existência". "Toda negação é determinação. Isto quer dizer que o ser é anterior ao nada e o funda" (Sartre, *O ser e o nada*).

negatividade Na filosofia hegeliana, trata-se de um momento da dialética, o contrário da identidade absoluta; a contradição vista como princípio do movimento de diferenciação pelo qual o espírito manifesta a verdade.

negativismo 1. Atitude de espírito ou comportamento de oposição ao *outro, geralmente se traduzindo pela recusa ou atitude não construtiva.
2. Por extensão, comportamento patológico caracterizado por gestos e atitudes contrários aos socialmente esperados: recusa de alimentos, retenção urinária, não execução de uma ordem etc.

Negri, Antonio (1933-) Pensador, filósofo e ativista político italiano, nascido em Pádua, em cuja universidade foi professor de ciência política. Militante de esquerda e líder do movimento Poder Operário, foi preso em 1979 acusado de envolvimento no assassinato do ex-primeiro ministro Aldo Moro. Condenado, exilou-se na França, tendo retornado à Itália (1997) onde vive em prisão domiciliar. Em 2000 publicou, junto com o norte-americano Michael Hardt, o polêmico *Império*, uma crítica aos efeitos da globalização política e econômica e ao papel dos Estados Unidos neste processo. Em 2004, lançaram *Multitude*, uma sequência do *Império*.

neocriticismo Doutrina renovada do criticismo de Kant formulada pelo filósofo francês Charles *Renouvier e seus seguidores. Rejeita os númenos de Kant, restringindo o conhecimento aos fenômenos constituídos pelas categorias *a priori*.

neokantismo (al. *Neukantianismus*) Movimento de retomada da filosofia kantiana no pensamento alemão do séc. XIX, iniciado por Otto Liebmann (1865), que propôs uma "volta a Kant", opondo-se à filosofia romântica e aos grandes sistemas metafísicos então predominantes, e interpretando a filosofia sobretudo como tarefa *crítica*. São duas suas principais ramificações: 1) a *escola de Marburgo* (Hermann Cohen, Paul Natorp, Ernst Cassirer), que enfatiza sobretudo a teoria da ciência e a problemática do conhecimento; e 2) a *escola de Baden* (Wilhelm Windelband, Heinrich Rickert), que privilegia a filosofia prática e a questão dos valores. Ernst Cassirer foi um dos principais representantes do neokantismo na filosofia do séc. XX. Embora inicialmente ligado à escola de Marburgo, notabilizou-se por seu interesse pela filosofia da cultura e pela antropologia filosófica, considerando o homem como um "animal simbólico". O neokantismo teve também grande influência na França (O. Hamelin, C. Renouvier) e na Espanha (Ortega y Gasset, Manuel García Morente). *Ver* kantismo.

neoplatonismo Corrente filosófica do séc. III da era cristã, fundada por Amônio Sacas e divulgada por Plotino e seus seguidores Porfírio, Iâmblico e Proclo (séc. V). O neoplatonismo se caracteriza por uma interpretação espiritualista e mística das doutrinas de Platão, com influência do estoicismo e do pitagorismo. Segundo o neoplatonismo, o real é constituído por três hipóstases — o Uno, a Inteligência (Nous) e a Alma, sendo que as duas últimas procederiam da primeira por *emanação*. É considerado um sistema um tanto obscuro, embora tenha tido grande influência no início da formação do pensamento cristão, sobretudo devido a seu espiritualismo.

neopositivismo Movimento filosófico contemporâneo, também conhecido como fisicalismo, empirismo lógico e positivismo lógico, e característico do *Círculo de Viena. *Ver* fisicalismo.

neotomismo Doutrina filosófica que toma por base o pensamento de Tomás de Aquino, adaptando-o, quando necessário, para levar em conta as descobertas científicas e os problemas específicos do mundo moderno. Mais contemporaneamente, inspirou-se na Encíclica *Aeterni Patris* (1879) do papa Leão XIII, que inaugurou o neotomismo oficial. Seu principal representante no séc. XX foi o filósofo francês Jacques Maritain (1882-1973).

nepotismo (do lat. *nepos, nepotis:* descendente) **1.** Historicamente, comportamento dos papas favorecendo seus sobrinhos, especialmente os membros de sua família.
2. Por extensão, prática consistindo em favorecer parentes próximos, facilitando-lhes a ascensão política e social em detrimento de pessoas melhor qualificadas ou mais aptas.

Neurath, Otto (1882-1945) Filósofo austríaco (nascido em Viena), um dos fundadores do *Círculo de Viena, Neurath tornou-se um dos mais ardorosos defensores e propagadores dos ideais do *positivismo lógico ou fisicalismo, tentando aplicar os ideais do positivismo lógico aos problemas sociais. Foi o mais ativo organizador do chamado "movimento para a ciência unificada" e o principal promotor dos Congressos para a Unidade da Ciência (1929-1939) e da *International Encyclopaedia of Unified Science*. Obras principais: *O desenvolvimento do Círculo de Viena e o futuro do empirismo lógico* (1935), *Ciência unificada como integração enciclopédica* (1938) e *Fundamentos da ciência social* (1944).

neurociências Conjunto de disciplinas científicas (neurofisiologia, neuropsiquiatria, neurobiologia, neuroendocrinologia) tomando por objeto de estudo o sistema nervoso central, sua anatomia, sua fisiologia e seu funcionamento em estreita relação com as atividades mentais da linguagem, da memória e da visão. Seu objetivo último: associar a uma determinada função psíquica uma estrutura cerebral específica.

neutralidade (do lat. medieval *neutralitas*) **1.** Em um sentido geral, isenção, imparcialidade, recusa a tomar partido em relação a posições opostas ou em conflito.
2. Em um sentido mais específico, as concepções que defendem a neutralidade das teorias científicas defendem a ideia de que essas teorias devem ser neutras quanto à constituição da realidade em si mesma, ou seja, não devem partir de nenhum pressuposto ontológico.
3. Em *epistemologia, discute-se contemporaneamente a pretensa neutralidade do conhecimento científico. A *ciência seria neutra na medida em que é fatual, descritiva, isto é, preocupa-se com a descrição e a explicação dos fenômenos, sem emitir juízos de *valor, sem fazer prescrições. Porém, deve-se reconhecer que o conhecimento científico, situado em um contexto histórico-social, corresponde a interesses, valores, preconceitos, dos próprios indivíduos e grupos que produzem esse conhecimento e da sociedade que os aplica e utiliza. A ciência não estaria assim imune a elementos ideológicos, não poderia ser neutra.
4. O princípio da *neutralidade científica* é o princípio segundo o qual os cientistas estariam isentos e imunes, em nome de sua *racionalidade objetiva, de formular todo e qualquer juízo de valor, de manifestar toda e qualquer preferência pessoal e, consequentemente, de ser responsáveis pelas decisões políticas relativas ao uso de suas descobertas.

Newton, Isaac (1642-1727) Matemático e físico inglês, professor na Universidade de Cambridge,

Newton pode ser considerado o criador da física moderna, devido à formalização que efetuou da mecânica de *Galileu, à formulação da lei da gravidade, e a suas pesquisas em ótica e sobre a natureza da luz. A contribuição de Newton à física levou ao amadurecimento da concepção de ciência moderna inaugurada por Francis Bacon, Galileu e Descartes. Sua mecânica é a primeira formulação elaborada de uma teoria geral unificada do movimento, aplicando-se não só ao movimento de um corpo na superfície da Terra como ao movimento dos corpos celestes, tendo como princípio básico a lei da gravitação universal. Newton empregou com sucesso o formalismo matemático na construção de sua teoria física, ao mesmo tempo defendeu a necessidade e a importância do método experimental. Foi grande a influência de Newton no desenvolvimento da ciência, podendo-se considerar que sua física fornece um *paradigma de ciência que irá vigorar praticamente até o período contemporâneo, tendo também grande influência na filosofia. As implicações da mecânica de Newton tiveram grande impacto na filosofia dos empiristas ingleses, sobretudo em Locke, que pretende explicar o conhecimento humano do mundo natural levando em conta a nova descrição desse mundo formulada por Newton. Kant considerava a física de Newton um modelo de ciência desenvolvida e acabada, devendo servir de inspiração à filosofia e às demais ciências. Foi célebre sua controvérsia com Leibniz sobre quem teria sido o inventor do cálculo infinitesimal, podendo-se supor, no entanto, que o trabalho de ambos foi simultâneo e independente. Sua obra mais famosa, em que expõe seu sistema, intitula-se *Principia Mathematica* (1687). Além de suas notáveis contribuições à física, Newton teve também grande interesse por questões as mais diversas, incluindo a alquimia e a teologia.

Nicolau de Cusa (1401-1464) Filósofo e teólogo cuja obra teve grande influência no Renascimento e no surgimento do pensamento moderno. Nasceu na Alemanha, tendo exercido importantes funções na Igreja e chegado a bispo e cardeal. Sua obra mais conhecida, *De docta ignorantia* (1440), de inspiração neoplatônica, formula uma "teologia negativa", segundo a qual o conhecimento de Deus é, em última análise, impossível, e todo o conhecimento é conjectural, sendo apenas uma "douta ignorância", devendo assim dar lugar à intuição e à especulação. Em sua cosmologia atacou o geocentrismo ptolomaico, defendendo um espaço infinito ou indefinido e abrindo caminho para a astronomia copernicana e para a *ciência nova* do período moderno.

Nicole, Pierre (1625-1695) Moralista francês (nascido em Chartres) e jansenista, Pierre Nicole envolveu-se em controvérsias teológicas fervorosas. Escreveu *Essais de morale* (1671-1678) e duas obras em colaboração com Antoine *Arnauld: *Logique de Port-Royal*, ou *Art de Penser* (1662) e *La perpétuité de la foi* (1669-1679). Ver jansenismo.

Nietzsche, Friedrich (1844-1900) Filósofo alemão (nascido na Prússia), Nietzsche é um dos pensadores mais originais do séc. XIX e um dos que mais influenciou o pensamento contemporâneo, sobretudo na Alemanha e na França. Estudou nas Universidades de Bonn e Leipzig, tornando-se em 1868 professor de filologia grega na Universidade de Basileia (Suíça). Em 1879, sentindo-se doente, abandonou a vida acadêmica, empreendendo uma série de viagens pela Suíça, Itália e sul da França. Em 1889, sofreu uma crise de loucura da qual não se recuperou até a morte. Nietzsche iniciou sua obra através de uma reflexão sobre a cultura grega e sua influência no desenvolvimento do pensamento ocidental. Identificou aí dois elementos fundamentais: o espírito *apolíneo, representando a ordem, a harmonia e a razão; e o espírito dionisíaco, representando o sentimento, a ação, a emoção; em nossa tradição cultural o espírito apolíneo teria triunfado sufocando tudo que é, na expressão de Nietzsche, "afirmativo da vida". Sua filosofia possui um caráter assistemático e fragmentário, correspondendo à sua maneira de conceber a própria atividade filosófica: seu pensamento desenvolveu-se em um sentido mais poético e crítico do que teórico e doutrinário. Formula uma crítica profundamente cáustica e radical aos valores tradicionais da cultura ocidental, que considera decadentes, ao conservadorismo e à visão de mundo burguesa, ao cristianismo, enfim, a toda uma forma de vida que considera contrária à criatividade e à espontaneidade da natureza humana. A tarefa da filosofia deveria ser assim a de libertar o homem dessa tradição, anunciando uma nova era, uma nova forma de pensar e agir, através da "transmutação de todos os valores". Nietzsche enfatiza o apelo aos mitos primitivos dos povos, ao heroísmo e à vontade humana, bem como às manifestações artísticas que expressam esses valores. Sua exaltação inicial da música de Wagner, com quem se envolveu posteriormente em polêmica, e dos mitos originários do povo alemão permitiu que a ideologia nazista, mais tarde, tentasse se apropriar de seu pensamento. Foi profunda a influência de Nietzsche no pensamento contemporâneo, na filosofia e na literatura, na discussão da decadência e da crise da cultura ocidental em nossa época, bem como na obra de filósofos como *Heidegger e, mais tarde, *Foucault e *Deleuze. Suas principais obras são: *O nascimento da tragédia* (1872), *A filosofia na época da tragédia grega* (1873), *A gaia ciência* (1882), *Assim falou Zaratustra* (1883-1885), *Além do bem e do mal* (1886), *A genealogia da moral* (1887), *O caso Wagner* (1888), *O crepúsculo dos ídolos* (1889), *A vontade de poder*, póstuma (1911).

niilismo (do lat. *nihil*: nada) **1.** Doutrina filosófica que nega a existência do *absoluto, quer como verdade, quer como valor ético.
2. Termo empregado por Nietzsche para designar o que considerou como o resultado da decadência europeia, a ruína dos valores tradicionais consagrados na civilização ocidental do séc. XIX. Caracteriza-se pela descrença em um futuro ou destino glorioso da civilização, opondo-se portanto à ideia de progresso; e pela afirmação da "morte de Deus", negando a crença em um absoluto, fundamento metafísico de todos os valores éticos, estéticos e sociais da tradição. O niilismo nietzschiano deve, no entanto, levar a novos valores que sejam "afirmativos da vida", da vontade humana, superando os princípios metafísicos tradicionais e a "moral do rebanho" do cristianismo e situando-se "para além do bem e do mal".
3. O escritor russo Ivan Turgueniev usou a palavra "niilismo" em seu romance *Pais e filhos*, dando-lhe o novo significado de "ação revolucionária de iniciativa e cooperação de intelectuais", em reação à autocracia russa, e recomendando a utilização do terrorismo para modificar o regime econômico, social e político da Rússia.

nirvana (palavra sânscrita: evasão da dor) Noção budista designando o estado de libertação espiritual, o estado supremo do espírito, de total renúncia ao querer-viver, de aniquilamento da existência pessoal, pelo qual o eu individual se funde na existência universal e se torna, virtualmente, um Buda. Trata-se de um estado de ausência, não de um puro nada. Por extensão, o nirvana designa, na filosofia de *Schopenhauer, a renúncia ao *querer-viver e a serenidade que daí resulta: a vida é apenas *ilusão e vaidade. *Ver* budismo.

noema/noese (do gr. *noein*: pensar) Na fenomenologia husserliana, que analisa o vivido da consciência, o *noema* é esse algo de que a consciência tem consciência; e a *noese* se identifica com a própria *visada da consciência. Assim, a noese é o ato mesmo de pensar, e o noema é o objeto desse pensamento. Na operação do pensamento, não há noese sem noema. Portanto, ninguém pensa sobre o nada.

nominalismo (lat. *nominalis*, de *nomem*: nome) **1.** Corrente filosófica que se origina na filosofia medieval, interpretando as ideias gerais ou *universais como não tendo nenhuma existência real, seja na mente humana (enquanto conceitos), seja enquanto formas substanciais (*realismo), mas sendo apenas signos linguísticos, palavras, ou seja, *nomes*.
2. Há várias formas de nominalismo na história da filosofia. *Roscelino de Compiègne (séc. XI) é considerado o autor da célebre fórmula segundo a qual os universais seriam apenas *flatus vocis*, sons vocais, sem nenhuma realidade além desta, e tido como o fundador do nominalismo. Ao final do período medieval, *Guilherme de Ockham foi o principal defensor do nominalismo. O *empirismo inglês, sobretudo com *Hobbes, defende igualmente o nominalismo, no sentido de que os termos gerais designam apenas generalizações de propriedades comuns aos objetos particulares, não havendo nenhuma realidade específica que corresponda a essas generalizações. *Condillac também apoia o nominalismo, afirmando que "uma ideia geral e abstrata em nosso espírito é apenas um nome". Essa posição tem consequências importantes para a filosofia da ciência; o próprio Condillac considera que "a ciência é apenas uma linguagem benfeita", antecipando uma tese adotada depois pelo *neopositivismo. O *convencionalismo em teoria da ciência pode ser considerado uma forma de nominalismo.
3. Para o *nominalismo científico*, ponto de vista epistemológico datando da segunda metade do séc. XIX, a ciência não descreve o mundo tal como ele é, pois apenas constrói um discurso coerente e puramente convencional sobre o mundo.

norma (lat. *norma*: esquadro) Regra em relação à qual pode-se emitir um juízo de valor, servindo portanto para estabelecer um padrão e prescrever uma determinada ação ou conduta, o que permite distinguir entre o certo e o errado, e, no plano ético, entre o bom e o mau, o justo e o injusto.

normativo O adjetivo "normativo" refere-se não ao que é conforme a uma prescrição, mas ao que constitui uma norma ou tem relação com ela. Assim, "roubar é um mal" é um julgamento normativo, pois constitui o enunciado, não de uma constatação, mas de uma norma. A lógica, a moral e a estética são chamadas de "ciências normativas" pelo fato de constituírem conjuntos de prescrições relativamente aos quais podemos decidir se algo é verdadeiro ou falso, bom ou mau, belo ou feio.

nous 1. Termo grego que pode ser traduzido por "mente", "espírito" ou "inteligência", e do qual se derivam os termos *"noese" e *"noema". Em Platão (*República*, V), designa a parte racional da alma, e em Aristóteles (*Tratado da alma*, III, 6; *Ética a Nicômaco*, VI, 6) refere-se à razão intuitiva, capaz de captar de modo direto os primeiros princípios. Sobretudo no *neoplatonismo, esta noção adquire um papel central no desenvolvimento de uma filosofia espiritualista. Em Plotino, o *Nous* ou Intelecto é a segunda *emanação (hipóstase), originária do Uno, que dá origem à Alma do Mundo (*Enéades*, V).
2. Opõe-se geralmente ao conceito de *nous*, razão intuitiva, capacidade de acesso direto, imediato, ao real, o de *dianoia*, razão discursiva, que procede por meio de definições e demonstrações.

Nova Academia Escola de filosofia da Grécia antiga, representando a fase cética do pensamento da *Academia fundada por Platão (388 a.C.). A Nova Academia foi fundada por Arcesilau (316-321 a.C.) e foi adiante com Carnéades (c.215-129 a.C.) O seu sistema filosófico inspira-se no lema socrático "Só sei que nada sei", para atacar o dogmatismo dos estoicos e defender uma concepção segundo a qual a certeza é impossível; portanto, devemos suspender nosso juízo sobre as coisas, podendo apenas nos aproximar progressivamente da verdade. *Ver* platonismo; ceticismo.

Novo espírito científico, O (*Le nouveau esprit scientifique*) Obra de Gaston Bachelard (1934), na qual funda seu "novo racionalismo", instaurando uma ruptura entre o conhecimento comum e o conhecimento científico: "Ao candidatar-se à cultura científica, o espírito nunca é jovem. É até mesmo bastante velho, pois tem a idade de seus preconceitos. Ter acesso à ciência é rejuvenescer-se espiritualmente, é aceitar uma mutação brusca que deve contradizer um passado... Para um espírito científico, todo conhecimento é uma resposta a uma questão. Se não houver questão, não pode haver conhecimento científico. Nada é óbvio, nada é dado. Tudo é construído." É nesta obra, que terá grande influência no desenvolvimento da epistemologia e de estudos de história da ciência no pensamento contemporâneo, que Bachelard introduz o conceito de *corte epistemológico.

Novos ensaios sobre o entendimento humano (*Nouveaux essais sur l'entendement humain*) Obra de *Leibniz, publicada postumamente em 1750, e escrita nos primeiros anos do séc. XVIII, que consiste em um comentário detalhado sobre os *Ensaios sobre o entendimento humano* de John *Locke. Trata-se de um diálogo entre Filaleto, que representa Locke, e Teófilo, que representa o próprio Leibniz, contrapondo-se assim o empirismo e o racionalismo. Em sua crítica ao empirismo, Leibniz ataca sobretudo a concepção de Locke da mente como tábula rasa e da origem das ideias na experiência sensível. Enviou sua obra a Locke que se recusou a polemizar com ele e, após a morte de Locke em 1704, Leibniz desistiu de publicar o diálogo.

"novos filósofos" Nome dado em 1977, em Paris, pela revista *Les Nouvelles Littéraires*, a uma corrente de pensamento filosófico-política, liderada por Bernard-Henri Lévy, que suscitou através da imprensa, do rádio e da televisão, a polêmica questão de uma nova figura da "verdade", que seria a expressão (conforme os meios de comunicação) de uma "nova filosofia". Esse grupo de pensadores, tendo em comum a juventude, o mesmo itinerário intelectual e político (assistiram aos cursos de Althusser e de Lacan, participaram das lutas de maio de 68), decepcionado com uma "revolução" frustrada, cansado das ideologias marxistas e de suas certezas, desenvolveu um conjunto de ideias que sacudiu o pensamento filosófico e político francês durante certo tempo. Os principais representantes desse movimento são: Jean-Paul Dollé (nascido em 1939), tendo publicado *Le désir de révolution* (1972), *Voies d'accès au plaisir* (1974), *La haine de la pensée* (1976); André Glucksman (nascido em 1937): *La cuisinière et le mangeur d'hommes* (1975), *Les Maîtres penseurs* (1977); Bernard-Henri Lévy (nascido em 1949): *La barbarie à visage humain* (1977); Jean-Marie Benoist (nascido em 1942): *Tyrannie du Logos* (1975). Uma das principais preocupações desses filósofos consistiu em questionar certos chavões do marxismo muito em voga: "luta de classes", "ditadura do proletariado", "perspectiva do comunismo", "revolução cultural" etc. Além de criticarem o dogmatismo dos socialistas, apresentaram uma visão pessimista da política: consideraram a política como ilusão e o saber da revolução como desejo de poder. Tomaram consciência de que, por detrás do marxismo, encontrava-se o "Gulag". Demonstraram uma atitude de desconfiança em relação à ciência e afirmaram uma cumplicidade profunda entre Saber e Poder. A verdadeira questão a ser discutida seria a da *autoridade do Poder* pelo fato de sua pretensão ao Saber. Enfim, para esses filósofos, não somente Deus está morto, mas a política está morta, a ilusão da sociedade reconciliada está morta, a história é apenas um falso sentido e devemos ter a sensibilidade de pensar os escombros que somos de nossa sociedade. Ao questionarem Marx, a partir do Gulag, e ao demonstrarem certa complacência pelo liberalismo, pregaram um retorno a um certo "espiritualismo" conservador e, para muitos, reacionário.

Novum organum Obra de Francis *Bacon (1627), cujo título já representa seus objetivos, fundamentação de um novo *método científico e defesa da *lógica indutiva, uma vez que se contrapõe ao *Órganon*, o conjunto de tratados de lógica e método científico de *Aristóteles. Bacon procura mostrar que a *verdade, na *ciência, surge da união da *experiência e da *razão, segundo um processo que constitui o ponto de partida do método experimental. Precisamos antes de tudo libertar-nos de nossos preconceitos ou *ídolos.

Estes elementos perturbadores do conhecimento serão eliminados graças ao método indutivo. O interesse da ciência não é somente especulativo ou contemplativo. Importa, antes de tudo, estender o poder do homem sobre a natureza através da aplicação do saber científico na *técnica. Para tanto, o homem precisa conhecer as leis que regem o universo, pois "só vencemos a natureza obedecendo-lhe". Esta obra teve grande influência no desenvolvimento da concepção empirista de ciência experimental e foi um dos pontos de partida de discussão do problema do método científico no pensamento moderno.

númeno (al. *noumenon*, do gr. *nooumenon*: o que é apreendido pelo pensamento) Na filosofia de Kant, termo que designa a realidade considerada em si mesma — a coisa-em-si (*Ding-an-sich*), independentemente da relação de conhecimento, podendo apenas ser pensada, sem ser conhecida. Opõe-se a *fenômeno, que designa o objeto sensível precisamente como objeto da experiência. O númeno é assim a causa externa da possibilidade do conhecimento, embora seja, enquanto tal, por definição, incognoscível. "Se admitimos a existência de coisas que são simplesmente objetos do entendimento, e que portanto podem dar-se como tais a uma intuição, sem que esta possa ser uma intuição sensível, deveríamos chamar essas coisas de númenos" (Kant, *Crítica da razão pura*).

objeção de consciência Atitude pacifista adotada por um indivíduo de recusa a pegar em armas e tornar-se soldado (mesmo em tempos de paz) para seguir o imperativo absoluto de sua consciência: jamais tem o direito de matar seu semelhante. Donde sua recusa radical a todo e qualquer tipo de guerra.

objetivação Ato de tomar como *objeto real uma *imagem, como em uma alucinação. Segundo as concepções do empirismo associacionista na psicologia, a objetivação é a operação pela qual a *consciência exterioriza suas sensações e as imagens que forma, tomando-as como objetos e situando-as espacialmente.

objetividade 1. Característica daquilo que existe independentemente do *pensamento. *Opõe-se a* subjetividade.
2. Na filosofia kantiana, característica do conhecimento *objetivo, ou seja, aquilo que o *entendimento, com base nos dados da sensibilidade, constitui como *objeto da *experiência.
3. Em um sentido epistemológico, tentativa de constituir uma *ciência que se afaste da sensibilidade e da subjetividade, baseando suas conclusões em observações controladas, em verificações, medidas e experimentos, cuja validade seja garantida pela possibilidade de reproduzi-los e testá-los. Essa objetividade, entretanto, é sempre relativa às condições de realização desses experimentos e verificações, sem ter pretensão a um conhecimento absoluto ou definitivo. *Ver* neutralidade.

objetivismo 1. Em teoria do conhecimento e filosofia da ciência, concepção característica sobretudo do *positivismo, que valoriza na relação de conhecimento o lado do *objeto, em detrimento do *sujeito. *Oposto a* subjetivismo.
2. Doutrina que supõe que a mente pode obter um acesso direto, pela percepção, à realidade tal qual ela é.
3. A teoria kantiana do conhecimento pode ser considerada objetivista na medida em que mantém o valor objetivo das representações.
4. Do ponto de vista epistemológico, o objetivismo é a atitude daqueles que acreditam que a marca registrada da objetividade científica consiste em reconhecer que, se algo fracassa, é porque há algum erro em algum lugar, uma vez que o fracasso significa erro, a verdade sendo apenas o rótulo provisório de um discurso que não fracassa.

objetivo (lat. medieval *objectivus*) **1.** Em sentido genérico: imparcial, neutro, de acordo com os fatos. Ex.: relato objetivo, avaliação objetiva.
2. Que existe independentemente do *pensamento, que possui uma realidade autônoma no mundo externo. *Oposto a* subjetivo.
3. Em um sentido próprio à *escolástica (a partir de *Duns Scotus) e à filosofia cartesiana, diz-se do que é objeto do pensamento, do que existe como *ideia ou *representação. "A ideia do sol é o sol mesmo existindo no entendimento, não verdadeiramente em um sentido formal, como está no céu, mas objetivamente, isto é, da maneira pela qual os objetos costumam existir no entendimento" (Descartes, *Respostas às objeções*).

objeto (lat. *objectus*, de *objicere*: lançar, jogar para frente) **1.** Em um sentido genérico, uma coisa, a realidade material, externa, aquilo que se apreende pela percepção ou pelo pensamento.
2. A noção de objeto se caracteriza por oposição ao *sujeito, ou seja, designa tudo aquilo que constitui a base de uma experiência efetiva ou possível, tudo aquilo que pode ser pensado ou representado distintamente do próprio ato de pensar. Nesse sentido, o objeto se constitui sempre em uma relação com o sujeito, sendo um conceito tipicamente epistemológico. *Ver* conhecimento; ideia; representação.

obscurantismo (do lat. *obscurus*) Termo de sentido pejorativo, utilizado sobretudo a partir do séc. XVIII, para designar doutrinas ou posições filosóficas, políticas, ideológicas ou artísticas que se opunham ao progresso das ciências e à difusão do saber, defendidos principalmente pelo *Iluminismo. A ideia de obscuridade, de escuridão, opõe-se assim à "luz" do Iluminismo. Em um sentido mais amplo, qualquer posição de tendência conservadora, retrógrada, tradicionalista.

obstáculo epistemológico Retardos ou perturbações que se incrustam no próprio ato de conhecer, apresentando-se como um instinto de conservação do pensamento, como uma preferência dada mais às respostas do que às perguntas e impondo-se como causas de inércia. Os principais obstáculos, detectados por Bachelard, são: a *experiência primeira do senso comum, o conhecimento geral e o *substancialismo.

ocasionalismo (fr. *occasionalisme*) Também conhecido como *doutrina das causas ocasionais*, o ocasionalismo é uma concepção defendida sobretudo por *Malebranche, segundo a qual toda mudança teria por causa direta e eficiente, em última análise, a vontade divina. As causas dos fenômenos que ocorrem no mundo natural seriam portanto causas ocasionais e não suas verdadeiras causas eficientes. O ocasionalismo resolveria assim o problema cartesiano da interação entre o corpo e a alma, já que, de acordo com Malebranche, "somos a causa natural do movimento de nosso braço, mas as causas naturais não são as verdadeiras causas, são apenas causas ocasionais que agem através do poder e da eficácia da vontade de Deus". *Ver* causalidade; dualismo.

Ockham ou **Occam, Guilherme de** (1300-1349) Franciscano inglês, principal representante do *nominalismo no final da Idade Média. Estudou e lecionou na Universidade de Oxford; depois de convocado a Avignon, então sede do papado, e acusado de heresia, fugiu para a Alemanha, onde aliou-se ao Imperador contra o papa João XXII. Escreveu comentários às principais obras de Aristóteles, sobretudo aos tratados de lógica, e foi também autor de uma influente *Summa logicae* e de obras de filosofia política sobre a questão da autoridade temporal em relação à autoridade religiosa. Ockham defendeu, quanto à famosa querela dos *universais, a posição de que universais são conceitos, entidades mentais portanto, interpretando-os posteriormente como operações do intelecto e não como existentes em si mesmos. A ele se atribui a famosa "navalha de Ockham", princípio de economia que diz: "*entia non sunt: multiplicanda praeter necessitatem*" (não se deve multiplicar os entes existentes além do necessário).

ocultismo (do lat. *occultus*) Doutrina que se baseia na crença da existência de forças ocultas sobrenaturais governando o real, e que procura conhecê-las e controlá-las através de rituais mágicos. Designa, por extensão, diversas correntes de pensamento que admitem a existência de entidades suprassensíveis e extrarracionais que intervêm na vida humana. As chamadas "ciências ocultas" constituem um agrupamento de atividades bastante heterodoxas: alquimia, astrologia e certas doutrinas secretas. *Ver* cabala; hermetismo; magia; misticismo; teosofia.

onirismo (do gr. *oneiros*: sonho) Estado de consciência comparável ao sonho: estado onírico, visões oníricas, ambiente onírico etc. (Ex.: o pensamento onírico de um poeta, a visão onírica de um pintor). Tanto pode designar certas formas de devaneios (eventualmente alucinatórios) quanto alguns aspectos da criação artística.

ôntico (do gr. *on, ontos*: o ser, aquilo que é) Palavra criada por Heidegger para designar o ser-aí (*Dasein*), em sua existência concreta, distinguindo-se do ontológico, que diz respeito ao ser em geral. "A compreensão do ser é ela mesma uma determinação do ser do ser-aí. O caráter ôntico próprio do ser-aí deriva-se de que o ser do ser-aí é ontológico" (Heidegger, *Ser e tempo*).

ontogênese (do gr. *on, ontos*: ser e *genesis*: geração) Princípio formulado pelo médico inglês Harvey em 1628, dizendo respeito ao desenvolvimento do organismo individual a partir do ovo até o estado adulto. Opõe-se à filogênese, que diz respeito à evolução do *phylun*, ou espécie. Segundo a teoria do biólogo evolucionista alemão Ernst Heinrich Haeckel (1834-1919), a ontogênese reproduz a filogênese, ou seja, o indivíduo ao longo de seu desenvolvimento passa por diferentes estágios de evolução que são os de sua espécie.

ontologia (gr. *to on*: o ser, *logos*: teoria) Termo introduzido pelo filósofo alemão Rudolph Goclenius, professor na Universidade de Marburg, em seu *Lexicon Philosophicum* (1613), designando o estudo da questão mais geral da *metafísica, a do "ser enquanto ser"; isto é, do *ser considerado independentemente de suas determinações particulares e naquilo que constitui sua inteligibilidade própria. Teoria do ser em geral, da essência do real. O termo "ontologia" aparece no vocabulário filosófico por vezes como sinônimo de metafísica: "Os seres, tanto espirituais quanto materiais, têm propriedades gerais como a existência, a possibilidade, a duração; o exame dessas propriedades forma esse ramo da filosofia que chamamos de ontologia, ou ciência do ser ou metafísica geral" (D'Alembert, *Enciclopédia*). Assim, p. ex., C. *Wolff denomina seu tratado de metafísica de *Philosophia prima sive ontologia* (1726). Distingue-se, ainda, *ontológico*, que se refere ao ser em geral, de *ôntico*, que se refere ao ser em particular.

ontológico, argumento Também conhecido como "prova ontológica da existência de Deus", é a expressão pela qual Kant designa na *Crítica da razão pura* ("Dialética transcendental", seção intitulada "Da impossibilidade de uma prova ontológica da existência de Deus"), as tentativas de se provar a existência de Deus a partir de sua definição como ser perfeito encontradas inicialmente em sto. Anselmo (*Proslogion*) e retomadas por Descartes (*Meditações*, V). De acordo com o argumento ontológico, a verdade da afirmação da existência de Deus, por este tratar-se de um ser necessário, decorre de sua própria definição essencial. Se Deus existisse apenas como pensamento, isto é, se existisse apenas a ideia de Deus, Deus não seria um ser perfeito, pois na verdade um ser existente na realidade, e não apenas como ideia, seria mais perfeito do que Deus, o que é absurdo. O argumento ontológico pretende, assim, passar do plano lógico, ou seja, do plano das definições, para o plano ontológico, defendendo a existência do ser definido como necessário (perfeito) como uma consequência dessa definição. Kant combate esse argumento, afirmando que a existência não é um predicado, e sim um pressuposto da própria predicação. Assim, não é porque um ser é perfeito que devemos afirmar que existe, mas, ao contrário, só podemos afirmar que é perfeito, se existir. Na lógica contemporânea são feitas, entretanto, algumas tentativas de recuperar o argumento ontológico contra as objeções de Kant. Embora a existência não seja, de fato, um predicado, a *existência necessária* é um predicado, e portanto seria efetivamente contraditório negar a existência do ser necessário. A discussão remete-se, assim, agora, para o conceito de *necessidade. Isso mostra que estão longe de se encontrarem esgotadas e resolvidas todas as implicações dos aspectos lógicos e ontológicos desse argumento.

onus probandi Expressão jurídica latina que serve para designar, nas discussões filosóficas, que compete àquele que levanta uma objeção, ou que formula uma hipótese, a responsabilidade de prová-la.

operacionalismo (ingl. *operationalism*) Em filosofia da ciência, teoria que considera as entidades físicas e suas propriedades, bem como os processos físicos, como definíveis a partir das operações e experimentos através dos quais são apreendidos. Segundo essa teoria, o significado dos conceitos científicos deve ser estabelecido rigorosamente de acordo com a prática científica. *Ver* instrumentalismo; pragmatismo.

opinião (lat. *opinio*) **1.** Juízo baseado numa crença acerca da verdade de algo, entretanto sem justificativa teórica ou exame crítico. A opinião é, portanto, sempre relativa a quem a sustenta e às circunstâncias em que é emitida. "A opinião é o fato de considerar-se algo como verdadeiro, tendo-se, no entanto, consciência de uma insuficiência subjetiva ou objetiva desse juízo." (Kant, *Crítica da razão pura*.) No sentido genérico do termo, nem sempre a consciência dessa incerteza é pressuposta.
2. Na filosofia clássica, sobretudo em Platão e Aristóteles, a opinião (*doxa*) opõe-se à ciência (*episteme*) e ao pensamento racional (*dianoia*, *noesis*), sendo originária dos sentidos e portanto sujeita à variação, à ilusão e, assim, ao erro; ao contrário da ciência, que se funda na razão. "A ciência e seu objeto diferem da opinião e seu objeto, na medida em que a ciência é universal e procede através de proposições necessárias, sendo que o necessário não pode ser de outra forma... a opinião se aplica ao que, sendo verdadeiro, poderia ser falso e vice-versa" (Aristóteles, *Segundos analíticos*).
3. No sentido epistemológico, a opinião é o conhecimento imediato (baseado nas experiências vividas) que se apresenta como um conjunto falsamente sistemático de juízos, de representações esquemáticas e sumárias, elaborado pela prática e para a prática, visando traduzir as necessidades em conhecimentos e a designar os objetos por sua utilidade.

oposição (lat. *oppositio*) Em lógica, relação entre duas proposições que, tendo o mesmo sujeito e o mesmo predicado, diferem em quantidade ou em qualidade, ou em ambas as coisas. Modo de dedução imediata pelo qual se pode obter de uma proposição a sua oposta, através de alterações na qualidade e na quantidade do sujeito e do predicado. São quatro os tipos básicos de oposição entre proposições: contraditória, contrária, subcontrária e subalterna. A relação de oposição é sistematizada no esquema abaixo, de origem medieval, conhecido como *quadrado de oposições*.

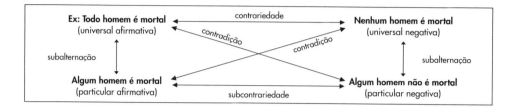

ordem (lat. *ordo*) **1.** Princípio de estruturação da realidade. Ordenação. Elemento fundamental da própria razão humana que organiza e estrutura o pensamento. *Oposto a* caos, desordem. *Ver* cosmo. **2.** Encadeamento racional de ideias em um raciocínio ou argumento, de acordo com certos princípios. Segundo Descartes, "a ordem consiste apenas em que as coisas propostas em primeiro lugar devem ser conhecidas sem auxílio das que vêm depois" (*Segunda resposta às objeções*).

orfismo 1. Tradição filosófico-religiosa originária do séc.VII a.C., na Grécia antiga, inspirada na figura mítica de Orfeu, famoso por seus poemas e canções. A seita dos iniciados nos Mistérios de Elêusis foi a principal representante do orfismo, tendo seus ensinamentos sobre a criação do mundo, a reencarnação e a natureza da alma influenciado filósofos como Pitágoras e Platão.
2. O orfismo ensina a divindade da alma e a impureza do corpo. A morte é uma libertação. O centro de suas preocupações é a vida futura.

Órganon 1. Termo aplicado tradicionalmente ao conjunto de obras lógicas de Aristóteles, reunidas por *Andronico de Rodes (séc. I a.C.). O *Órganon* contém a teoria aristotélica do *método*, ou seja, da estrutura do raciocínio válido e da argumentação que encontramos aplicados em toda ciência. Temos assim, nas obras que o compõem, uma teoria do termo e da predicação, e das categorias mais gerais de substância, relação, tempo etc. (*Categorias*); uma teoria da proposição, na medida em que esta é composta de termos, e da afirmação e negação (*Da interpretação*); uma teoria do silogismo, que é constituído de proposições, e da dedução válida (*Primeiros analíticos*); uma teoria do silogismo demonstrativo que constitui o discurso científico (*Segundos analíticos*); uma teoria dos argumentos dialéticos (*Tópicos*); e uma exposição das falácias e sofismas (*Refutações sofísticas*).
2. Francis Bacon publicou em 1620 uma obra intitulada *Novum organum*, em que pretendia criticar e superar a concepção aristotélica da ciência, propondo um novo método que valorize sobretudo a experimentação.

Origem das espécies, A (*The Origin of Species by means of Natural Selection*) Principal obra do naturalista inglês Charles Darwin (1809-1882), através da qual apresenta e defende sua *teoria da evolução das espécies pela seleção natural*, base do *evolucionismo que revolucionou a biologia da época, opondo-se ao *criacionismo e às teorias de *Lamarck. Suas ideias desenvolveram-se a partir de pesquisas iniciadas na viagem ao redor do mundo que empreendeu a bordo do navio *Beagle* entre 1831-1836, sendo sua obra publicada apenas em 1859, quando já se considerava convencido de suas teses inovadoras, causando grande impacto nos meios científicos e religiosos.

Orígenes (c.185-c.254) Teólogo cristão e filósofo grego (nascido em Alexandria) neoplatônico; foi discípulo de Amônio Sacas. Escreveu inúmeros tratados ascéticos, dogmáticos e sobretudo obras de exegese. Foi o primeiro a propor um sistema completo do cristianismo, integrando as teorias neoplatônicas. Sua doutrina foi condenada pela Igreja. É autor também de uma defesa do cristianismo (*Contra Celsum*).

originário (lat. medieval *originarius*) **1.** Relativo às origens de algo, fundamental, básico, primordial. Ex.: sentido originário de um conceito.
2. Na filosofia kantiana, considera-se originária a unidade sintética da apercepção, o "Eu penso" que estabelece o elo de toda diversidade conceitual ou sensível, "sem o qual minhas representações não seriam nada para mim e que constitui o ponto de vista mais elevado da filosofia transcendental" (*Crítica da razão pura*, "Analítica transcendental").
3. Na teoria psicanalítica de Freud, *originário* não se identifica com a "origem", com um começo, pois é a busca do fundamento ou da essência, aquilo pelo qual o objeto se torna inteligível, nada tendo a ver com um acontecimento passado. O *originário* fornece o *sempre já-aí* de toda história, não dependendo de uma investigação histórica, mas de uma *enquête* atual. Assim, em *Totem e tabu*, aquilo que é atingido é o Édipo como originário, um Édipo que encarna a ordem do simbólico.

Ortega y Gasset, José (1883-1955) Filósofo espanhol, foi professor na Universidade de Madri de 1911 a 1936. Tendo estudado na Universidade de Marburgo, na Alemanha, com Hermann Cohen, um dos principais representantes do *neokantismo, sofreu a influência deste pensamento, bem como do pensamento alemão do final do séc. XIX de modo geral, em suas várias correntes. Ortega y Gasset destacou-se não só como filósofo, mas como jornalista, ensaísta e crítico literário, preocupado com a análise e a interpretação da cultura de sua época, sobretudo na Espanha, onde teve importante atuação política, acadêmica e cultural, tendo fundado e dirigido a *Revista de Occidente*. Sua doutrina mais conhecida é a do chamado *perspectivismo*, que sustenta, em teoria do conhecimento, que o mundo pode ser interpretado de diferentes maneiras por esquemas conceituais alternativos que podem ser todos verdadeiros. Em consequência, a realidade reduz-se, em última análise, à vida do indivíduo, o que pode ser exemplificado por sua famosa frase: "Eu sou: eu e minha circunstância." As principais obras de Ortega y Gasset, que tiveram grande importância no desenvolvimento do pensamento contemporâneo na Espanha e na América Latina, são: *España invertebrada* (1923), *El tema de nuestro tiempo* (1923), *La rebelión de las masas* (1930). Todo o pensamento de Ortega y Gasset gira em torno da noção de "razão vital", porque todo conhecimento, mesmo sendo racional, encontra-se enraizado na vida, e toda razão é razão vital. A vida se apoia nas crenças. Por isso, viver na crença constitui o mais fundamental segmento de nossa existência.

ortodoxia (do lat. tardio *orthodoxus*, do gr. *orthodoxos*) Conformidade ou obediência de um ensinamento, de uma concepção ou de uma prática a uma doutrina religiosa oficial, à doutrina de uma escola de pensamento ou à doutrina de um partido político.

ostracismo (gr. *ostrakismos:* forma de banimento) **1.** Na Antiguidade grega, banimento por dez anos de um cidadão considerado perigoso ou de um político caído em desgraça.
2. Por extensão, atitude de indiferença ou desprezo tomada pelos membros de um grupo em relação a quem é considerado refratário aos comportamentos sociais estabelecidos.

otimismo/pessimismo (do lat. *optimus*: o melhor; do lat. *pessimus*: o pior) **1.** O otimismo representa a concepção segundo a qual a realidade é intrinsecamente boa, sendo que, em última análise, o bem sempre prevalece sobre o mal. Dentre os que tradicionalmente defendem esta posição, temos a escola estoica, além de Espinoza e Leibniz. Este último, sobretudo, é considerado um dos principais representantes do otimismo filosófico, devido à sua ideia de que este mundo é "o melhor dos mundos possíveis". O mundo criado por Deus seria o melhor dentre todas as outras alternativas possíveis: "entre uma infinidade de mundos possíveis, há o melhor de todos, caso contrário Deus não teria chegado a criá-lo" (Leibniz, *Teodiceia*). Voltaire, em seu *Cândido* ou *O otimismo*, ironiza a visão de Leibniz, considerando-a ingênua.
2. O pessimismo opõe-se ao otimismo e designa uma atitude ou visão negativa das coisas, esperando sempre que o pior aconteça, ou considerando a realidade adversa, sendo impossível mudar as coisas para melhor. Embora não designe uma escola filosófica propriamente, alguns filósofos como Schopenhauer tiveram sua doutrina considerada como pessimista. O pensador alemão Oswald *Spengler (1880-1936), em *A decadência do Ocidente* (1918-1922), expressa uma visão pessimista em relação à sociedade europeia do início do séc. XX e a seu futuro, resultado de sua análise histórica do desenvolvimento de nossa civilização. A visão de Spengler é bastante representativa da atitude de diversos pensadores de sua época.

outro (lat. *alter*) **1.** Em Platão, o outro é, por oposição ao mesmo, o diverso, o múltiplo.
2. Enquanto oposto ao eu e ao nós, o outro constitui um conceito fundamental e primeiro do pensamento: "Para obter uma verdade qualquer sobre mim, devo passar pelo outro. O outro é indispensável à minha existência, tanto quanto à consciência que tenho de mim" (Sartre). Nesse sentido, o outro é uma espécie de *alter ego* que, de certa forma, construímos intelectualmente, não sendo compreendido como outro, em sua diferença; segundo a fórmula de Sartre, "nós encontramos o outro, não o constituímos".
3. Na teoria hegeliana da intersubjetividade, o problema do outro opõe-se à filosofia cartesiana do *cogito*. A intersubjetividade é a mediação necessária ao advento da consciência de si. É o que mostra a "dialética do senhor e do escravo": ela descreve a passagem da consciência mergulhada na vida orgânica imediata ao estado de uma consciência que "se realizou" como consciência de si, porque seu desejo se tornou desejo de outro desejo. Desejo de um outro desejo, quer dizer, para a consciência, desejo de ser reconhecida como tal por uma outra consciência.
4. Esse pensamento hegeliano da intersubjetividade é o ponto de partida da reflexão fenomenológica. A partir de Husserl, os fenomenólogos exploram o campo da "descoberta do outro enquanto outro" e tentam mostrar o que há de irredutível na experiência do outro: seu estatuto não é o de um objeto, mesmo "habitado" por uma consciência.
5. Na mesma linha hegeliana, a psicanálise lacaniana afirma que "o desejo do homem é o desejo do outro". Essa fórmula, que retoma a dialética do senhor e do escravo, mostra que o inconsciente não é nem individual, nem coletivo, nem transindividual.

P

Paci, Enzo (1911-1976) Filósofo italiano (nascido em Ancona) e professor na Universidade de Pavia (desde 1951), Enzo Paci, marcado pela *fenomenologia, pelo *existencialismo e pelo *marxismo, defendeu uma tese segundo a qual a *existência é contingência e liberdade, suscetível de realizar o pensar, o ser e o valer, pois possui um caráter basicamente histórico e temporal. É a existência que opera a dialética entre o temporal e o intemporal. Ela é possibilidade e liberdade. Em suas investigações sobre os valores, o tempo e a história, Paci descobre sempre a ideia da realidade como um "processo" ao mesmo tempo imprevisível e irreversível. Obras principais: *Studi di filosofia antica e moderna* (1950), *Esistenzialismo e storicismo* (1950), *La filosofia contemporanea* (1957), *Tempo e verità nella fenomenologia di Husserl* (1961), *Funzione delle scienze e significato dell'uomo* (1963), *La formazione del pensiero di Husserl e il problema della constituzione della natura materiale e della natura animale* (1967).

pacto social (lat. *pactum*: pacto, convenção) Convenção imaginada por certos filósofos (Hobbes, Rousseau, Kant) constituindo o fundamento ideal da organização para a vida social ou uma sociedade política: "O pacto social se reduz aos termos seguintes: cada um de nós põe em comum sua pessoa e todo o seu poder sob a suprema direção da vontade geral, e recebemos em corpo cada membro como parte indivisível do todo" (Rousseau). *Ver* contrato social.

paixão (lat. *passio*) **1.** Em Aristóteles, a paixão (*pathos*) é uma das dez *categorias, a qual designa uma ação que se sofre, transmitindo a ideia de passividade, por exemplo, ser cortado, ser queimado (Cat. 4). *Oposto a* ação.
2. Segundo Descartes, as paixões são os estados afetivos, "excitados na alma sem nenhum auxílio da vontade e, por conseguinte, sem nenhuma ação que provém dela, apenas pelas impressões que estão no cérebro, já que tudo que não é ação é paixão" (Carta a Elisabeth, 6 out. 1645).

3. A partir do romantismo, a noção de paixão adquire um sentido de *desejo, de exaltação, que impele o indivíduo a um objetivo desejado. A paixão opõe-se assim à razão e à reflexão, enquanto impulso, sentimento, emoção, que faz com que o indivíduo aja visando à satisfação de um desejo. Ex.: paixão pela música.
4. Em nossos dias, o termo paixão designa uma "tendência de certa duração, bastante poderosa para dominar a vida do espírito" (Lalande). Seu valor fica muito ligado ao objeto: o jogo e o álcool são paixões lamentáveis; o amor da verdade e o patriotismo são paixões nobres. No primeiro caso, a paixão anula a razão e a vontade; no segundo, as reforça. É no primeiro caso que se diz de alguém que "está cego pela paixão": diante dos tribunais, os chamados "crimes passionais" frequentemente se beneficiam de circunstâncias atenuantes, não porque a paixão seja boa, mas porque priva o indivíduo de parte de sua vontade, consequentemente de parte de sua responsabilidade.

palingenésia (do gr. *palin*: de novo e *genesis*: geração) **1.** Etimologicamente, significa renascimento, regeneração, ressurgimento.
2. Na doutrina estoica (*Marco Aurélio), designa a *eternidade cíclica no decorrer da qual reaparecem periodicamente os mesmos acontecimentos.
3. Modernamente, este termo designa, seja a regeneração cíclica dos seres vivos, seja o ritmo cíclico que caracteriza o devir histórico das civilizações (*Spengler).

Panécio (c.180-110 a.C.) Filósofo grego (nascido em Rodes) estoico; foi mestre de Posidônio; ensinou em Atenas e em Roma; pertenceu à segunda fase da escola estoica chamada estoicismo médio.

panlogismo (al. *Panlogismus*) Doutrina segundo a qual o real é totalmente inteligível. O sistema de Hegel foi qualificado de panlogismo: "tudo o que é racional é real, tudo o que é real é racional".

Panofsky, Erwin (1892-1968) Filósofo da arte alemão, nascido em Hanover e radicado nos Estados Unidos. Seus ensinamentos marcaram profundamente os rumos da história da arte, entendida como uma disciplina humanista capaz de definir os níveis de significação de uma obra, consistindo em uma história dos estilos, dos tipos e dos símbolos. Estudou particularmente o Renascimento, sua obra de arte e suas significações. Obras principais: *Significação nas artes visuais* (1957), *Renascimento e renascimentos* (1959), *Ensaios de iconologia* (1967).

panpsiquismo (do gr. *pan*: tudo, e *psiché*: alma) Doutrina metafísica segundo a qual não somente toda matéria constitui um ser vivo (*hilozoísmo), mas possui uma natureza psíquica análoga à natureza do espírito humano.

pansexualismo (do gr. *pan*: tudo e do lat. *sexus*: sexo) Concepção elaborada por Freud segundo a qual toda a vida psíquica do indivíduo, desde suas manifestações mais elementares até as formas mais elevadas da atividade intelectual ou espiritual deriva, direta ou indiretamente, de suas pulsões sexuais. *Ver* sexualidade.

panteísmo Concepção segundo a qual tudo o que existe deve sua existência a Deus, e em última análise se identifica com Deus. Deus é assim um ser imanente ao mundo, à natureza, e não um ser exterior e transcendente. Na filosofia clássica, os estoicos defenderam uma posição na qual Deus se confundia com a Alma do Mundo. No pensamento moderno, Espinoza é o principal representante do panteísmo, afirmando que Deus é a única substância infinita e eterna, da qual todas as coisas existentes são apenas modos. *Ver* teísmo; ateísmo.

Paracelso (c.1493-1541) Paracelso é o mais importante pensador místico-alquimista de língua alemã do séc. XVI (nasceu em Einsiedeln, Suíça). Depois de ter levado uma vida errante de médico, de charlatão, de grande "empírico", mas também de grande especulador, morreu em Salzburgo. Autêntico representante do Renascimento, inspirou amplamente o personagem Fausto, de Goethe. Foi ao mesmo tempo mago, "phantasus", naturalista, "empírico" e "cosmósofo". Transpôs os conceitos da mística cristã de mestre Eckhart e de outros para o domínio da natureza. Profundo respeitador da ciência popular, estudou também os efeitos dos metais sobre o homem. Levou a sério as tradições populares médicas e as antigas lendas suscetíveis de esclarecer fenômenos da natureza. Foi importante sua contribuição para a história da medicina e para a história da filosofia. Escreveu seus livros em alemão (uma novidade).

Muitos se perderam. Foram conservados, em sua versão latina: *Opus paragranum, Opus paramirum* e um grande tratado microcósmico/macrocósmico intitulado *De natura rerum*. Nesses livros, defendia a ideia de que existem sempre correspondências entre o mundo interior e o mundo exterior, o interior não pode conhecer a natureza; o homem deve restabelecer sua própria saúde conformando-se com seu conhecimento da natureza, e deve coroar seu conhecimento da natureza restituindo-lhe sua saúde. O bom filósofo é sempre um bom médico: tem uma missão de cura. Deve combater toda perturbação na natureza, que se compõe do microcosmo e do macrocosmo. A natureza não é um sistema de leis ou de corpos regidos por leis, mas uma força vital e mágica que tudo pode, porque ela é tudo o que se cria no mundo.

paradigma (gr. *paradeigma*) **1.** Segundo Platão, as *formas ou *ideias são paradigmas, ou seja, arquétipos, modelos perfeitos, eternos imutáveis dos objetos existentes no mundo natural que são cópias desses modelos, e que de algum modo participam deles. As noções de paradigma e de participação, ou seja, da relação entre o modelo e a cópia, levam, no entanto, a vários impasses que são discutidos por Platão sobretudo no diálogo *Parmênides* (128-134).
2. O filósofo da ciência Thomas Kuhn utiliza o termo em sua análise do processo de formação e transformação das teorias científicas — da "revolução" na ciência — considerando que "alguns exemplos aceitos na prática científica real — exemplos que incluem, ao mesmo tempo, lei, teoria, aplicação e instrumentação — proporcionam modelos dos quais surgem as tradições coerentes e específicas da pesquisa científica" (*A estrutura das revoluções científicas*). Esses modelos são os paradigmas, p. ex. a astronomia copernicana, a mecânica de Galileu, a mecânica quântica etc. Assim, "um paradigma é aquilo que os membros de uma comunidade partilham e, inversamente, uma comunidade científica consiste em indivíduos que partilham um paradigma" (*id.*).

paradoxo (lat. *paradoxum*, do gr. *paradoxon*) Pensamento ou argumento que, apesar de aparentemente correto, apresenta uma conclusão ou consequência contraditória, ou em oposição a determinadas verdades aceitas. Há vários tipos de paradoxos, podendo-se destacar os paradoxos de autorreferência como o de Epimênides, o Cretense. Afirma Epimênides: "Todos os cretenses são mentirosos."

Se Epimênides está mentindo, a afirmação é verdadeira, já que Epimênides é cretense, porém deveria ser falsa, uma vez que está mentindo. Se Epimênides está dizendo a verdade, a afirmação é falsa; porém dado o seu conteúdo, deveria ser verdadeira. A solução de paradoxos de autorreferência geralmente se dá através do recurso à noção de *metalinguagem e à distinção entre o uso de um termo ou expressão na linguagem e a menção ao termo ou expressão como tal. Igualmente famosos são os paradoxos de Zenão de Eleia, cujo objetivo era a refutação, por redução ao absurdo, do *pluralismo e do *mobilismo, procurando mostrar os paradoxos envolvidos na ideia de *movimento. O mais famoso desses paradoxos é o de Aquiles e a tartaruga. Ver Aquiles, paradoxo de.

paralogismo (lat. tardio *paralogismus*, do gr. *paralogismós*) **1.** Raciocínio falso quanto à sua forma lógica, porém sem a intenção de enganar, no que difere do *sofisma.
2. Kant utiliza o termo, na "Dialética transcendental" da *Crítica da razão pura*, para designar certos argumentos, que considera falsos, da psicologia racional de tradição cartesiana, pretendendo estabelecer a substancialidade da alma, ou seja, inferindo do "eu penso" a existência de uma alma substancial, simples e pessoal, que se relaciona de forma ideal com os fenômenos externos. São, portanto, quatro os paralogismos, segundo Kant: da substancialidade, da simplicidade, da personalidade e da idealidade.

parênese (lat. tardio *paraenesis*, do gr. *parainesis*) O termo "parênese" designa a parte da moral que, diferentemente da ética, preocupa-se em dar conselhos práticos visando a prática do bem. São *parenéticos* os textos ou discursos preocupados em levar o público à prática do bem.

parenética (gr. *parenetikos*, de *parenein*: exortar) Moral estoica preocupada não com os princípios éticos ou com as teorias morais, mas em fornecer regras práticas, conselhos de vida e preceitos particulares suscetíveis de regular o comportamento dos indivíduos.

Parmênides (c.544-450 a.C.) Filósofo grego da escola eleata (nascido em Eleia), Parmênides representa, face a Heráclito, o outro polo do pensamento humano. Para ele, é a mudança e o movimento que são ilusões. O *devir não passa de uma aparência. São nossos sentidos que nos levam a crer no fluxo incessante dos fenômenos. O que é real é o *Ser único, imóvel, imutável, eterno e oculto sob o véu das aparências múltiplas. "O Ser é, o não-ser não é", quer dizer: o ser eterno, substância permanente das coisas, por conseguinte, imutável e imóvel, é o único que existe. O "não-ser" é a mudança, pois mudar é justamente não mais ser aquilo que era e tornar-se aquilo que não é ainda. Foi para defender essa tese que o discípulo de Parmênides, Zenão de Eleia, criou uma série de argumentos chamados "paradoxos de Zenão". O mais conhecido é o de Aquiles e a tartaruga. Ver eleatas; paradoxo.

participação (lat. *participatio*) **1.** Ato de tomar parte em algo, de participar.
2. Na teoria das ideias, Platão trata da relação entre as ideias ou formas puras e os objetos no mundo sensível, ou seja, da relação entre o *indivíduo e o *universal, sendo o indivíduo entendido como parte do universal. A noção de participação visa, assim, explicar de forma dinâmica, ao contrário da relação de *mímesis* ou cópia, como o objetivo no mundo sensível pode relacionar-se com a ideia no mundo inteligível, embora não se encontre uma definição satisfatória dessa relação, já que, em se tratando de naturezas radicalmente distintas, não se pode justificar como uma pode participar de outra, nem como o universal pode ter "partes". É esse o teor das objeções de Parmênides a Sócrates no diálogo platônico *Parmênides*.

particular (lat. *particularis*) **1.** Em um sentimento genérico, diz-se do que pertence a alguns indivíduos de uma espécie, ou até mesmo a um só indivíduo. Privado, pessoal. Ex.: assunto particular.
2. Na *lógica* tradicional, designa as proposições nas quais o predicado é afirmado ou negado de apenas uma parte indeterminada da extensão do sujeito. Podem ser *particulares afirmativas*: "algum A é B" ("alguns cavalos são brancos"), e *particulares negativas*: "algum A não é B" ("alguns cavalos não são brancos"). *Oposto a* universal.

Pascal, aposta de (fr. *le pari de Pascal*) Argumento através do qual *Pascal (*Pensamentos*, frag. 451), utilizando a linguagem própria do descrente, convida-o a apostar na existência de Deus: na ausência de provas racionais da existência de Deus, cabe-nos escolher entre as duas hipóteses contraditórias em função das consequências que essa escolha implica no plano da salvação eterna: "se você ganhar, ganha tudo; se perder, não perde nada".

Pascal, Blaise (1623-1662) A notoriedade do filósofo e cientista francês Blaise Pascal (nascido em Clermont-Ferrand) é devida, sobretudo, ao fato de ter inventado, aos 20 anos, a "máquina de calcular" e de, juntamente com Leibniz, ter criado o *cálculo das probabilidades*. Aos 23 anos, demonstrou a existência do vazio na natureza. Após um período de vida "mundana", na qual frequentou os "libertinos", tornou-se um defensor ardoroso do cristianismo, sobretudo o defendido pelo jansenismo. Com prodigiosa eloquência, tornou-se o defensor dos jansenistas contra os ataques dos jesuítas. São famosas suas *Cartas provinciais* (1657). Escreveu vários opúsculos filosóficos, científicos e matemáticos. Rejeitou a autoridade em matéria de ciência. Mas confiou mais na experiência do que na razão. Preferiu os "espíritos de *finesse*" aos "espíritos *geométricos*". Para ele, "o coração tem razões que a razão desconhece". Gravemente enfermo, escreveu o projeto de uma apologia da religião, inacabado e publicado após sua morte com o nome de *Pensamentos*. Para "provar" a verdade do cristianismo, Pascal usou, uns contra os outros, os argumentos do orgulho estoico ou dogmático e os argumentos do ceticismo. Assim, para sua apologia do cristianismo, utilizou a razão, a única arma que reconhecem os ateus para ridicularizar a religião. Aproveitou os argumentos do cético Montaigne para destruir a orgulhosa confiança do homem em suas possibilidades humanas. E colocou seus adversários diante de uma *aposta* (*pari*), ou seja, diante de um argumento pelo qual tentou provar a um cético que ele teria todo interesse em crer "numa outra vida": se as chances são iguais, o homem apenas troca uma vida transitória por uma salvação eterna, nada perdendo se essa vida não existisse. *Ver* jansenismo.

paternalismo Termo de sentido quase sempre pejorativo, designando atitude paternal, ou seja, condescendente, de um superior em relação a um inferior ou subordinado, no exercício da autoridade, de forma a mantê-lo submisso, porém negando-lhe maior responsabilidade.

patológico (do gr. *pathos*: o que a gente sente, afecção, e *logos:*ciência) **1.** No sentido médico, o que corresponde a um estado de doença ou morbidez: "Patológico é o contrário vital de sadio, não o contraditório de normal" (Canguilhem).
2. Filosoficamente, o que provém das inclinações sensíveis ou depende de nossa sensibilidade: "Uma vontade simplesmente animal é a que só pode ser determinada por estímulos sensíveis, quer dizer, patologicamente" (Kant).
3. Psicanaliticamente, o que exprime distúrbios mentais.

patriarcado (do gr. *patriarchés*: chefe de família, de *patér*: pai e *arché:* governo) Regime político, social e jurídico caracterizado pela descendência em linha exclusivamente paterna e pela autoridade doméstica do pai, todo poder sendo exercido unicamente pelos homens, que teriam um estatuto de superioridade sobre as mulheres. *Ver* matriarcado.

patrística Termo que designa, de forma genérica, a filosofia cristã nos primeiros séculos logo após o seu surgimento, ou seja, a filosofia dos *Padres da Igreja*, da qual se originará, mais tarde, a *escolástica. A patrística surge quando o cristianismo se difunde e consolida como religião de importância social e política, e a Igreja se firma como instituição, formulando-se então a base filosófica da doutrina cristã, especialmente na medida em que esta se opõe ao paganismo e às heresias que ameaçam sua própria unidade interna. Predominam assim os textos apologéticos, em defesa do cristianismo. A patrística representa a síntese da filosofia grega clássica com a religião cristã, tendo seu início com a escola de *Alexandria, que revela um pensamento influenciado pelo espiritualismo neoplatônico e pela doutrina ética do estoicismo. Destacam-se: são Justino Mártir (c.105-c.165), Clemente de Alexandria (c.150-c.215) e Orígenes (c.185-254). A escola de Capadócia desenvolveu-se no Império Romano do Oriente (Constantinopla), com são Basílio (330-389), são Gregório Nazianzeno (c.329-c.390) e são Gregório de Nissa (c.335-c.395). Temos ainda, na tradição grega do Oriente, o Pseudo-Dionísio, o Areopagita (séc. VI), são Máximo, o Confessor (580-662) e são João Damasceno (c.674-c.749), todos de influência neoplatônica. O principal filósofo de tradição patrística, pelo grau de elaboração de sua obra, por sua originalidade e influência durante o desenvolvimento da filosofia cristã no período medieval, foi sto. Agostinho, sendo seu tratado *Sobre a doutrina cristã* um dos mais representativos dessa tradição. A principal fonte para o conhecimento de textos de patrística é a *Patrologia grega e latina*, editada por J.P. Migne no séc. XIX, publicada em Viena.

Paulsen, Friedrich (1846-1908) Filósofo alemão neokantiano, foi professor em Berlim. Obras principais: *Sistema de ética* (1889), *Kant* (1898),

Schopenhauer, Hamlet, Mefistófeles. Três ensaios sobre a história natural do pessimismo (1900). *Ver* neokantismo.

Pavlov, Ivan Petrovitch (1849-1936) Fisiologista russo, mundialmente conhecido por ter elaborado as chamadas "leis do reflexo condicionado" ou adquirido. Após trabalhar com animais, generalizou suas teses para o domínio da psicologia humana. Suas investigações tiveram grande influência no desenvolvimento do *behaviorismo. Obra principal: *O reflexo condicionado* (1935).

paz (lat. *pax*) Longe de constituir uma simples ausência de guerra ou de conflitos, o resultado de uma submissão geral ou da apatia, a paz designa a concórdia entre os homens pela harmonia dos corações e das mentes como resultado da prática da justiça.

pecado (lat. *peccatum*) Para o cristianismo, desobediência ou transgressão voluntária à lei de Deus. O pecado é considerado uma falta de moral que denigre o indivíduo espiritualmente, e não apenas como simples não cumprimento de uma regra de conduta. "O mal moral consiste no pecado" (Leibniz, *Teodiceia*).

pedologia (do gr. *paidos:* criança, e *logos:* estudo) Ciência que estuda a criança não como um homem em miniatura, mas como um ser cujo universo difere qualitativamente do mundo do adulto. Criada por Preyer (séc. XIX), foi desenvolvida por *Piaget, Claparède e Henri Wallon. Seu princípio básico consiste em estudar o desenvolvimento da criança como um processo de socialização: todas as suas reações e condutas só adquirem sentido relativamente ao grupo social e humano ao qual pertence.

Peirce, Charles Sanders (1839-1914) Filósofo norte-americano, de formação científica (físico e químico), criador do *pragmatismo, escreveu inúmeros trabalhos de lógica, metafísica, teoria do conhecimento e filosofia da ciência, publicados principalmente em periódicos e reunidos postumamente nos *Collected Papers* (1931-1958). Estudou na Universidade de Harvard, onde foi professor por um curto período (1869-1870), tendo depois ensinado na Universidade Johns Hopkins (1879-1884). Sua produção teórica, muito dispersa, ocorreu, entretanto, essencialmente à margem de sua atividade acadêmica. Peirce concebe o pragmatismo como um método para estabelecer o significado dos conceitos a partir dos efeitos práticos de seu uso concreto. Desenvolveu, nessa linha, uma *teoria consensual de verdade*, que seria o acordo a que chegariam os cientistas após o exame de suas hipóteses. Contribuiu decisivamente para o desenvolvimento da lógica matemática contemporânea e para a discussão da importância da probabilidade e do método indutivo na ciência. É também de grande importância sua *teoria dos signos*, que propõe distinções entre *ícones*, signos que guardam uma semelhança com o objeto representado; *índices*, que indicam o objeto representado; e *símbolos*, que são convencionais e supõem uma regra de uso para sua aplicação. Esta teoria constitui uma das bases da *semiótica contemporânea.

pelagianismo Doutrina do monge inglês Pelagio (c.360-c.420), condenado como herege pelo Concílio de Éfeso (431) por defender o *livre-arbítrio, negando o pecado original e considerando o homem capaz de obedecer à lei de Deus sem depender da graça. Foi combatida por sto. Agostinho, que defendia a necessidade da graça para a salvação.

pensamento (do lat. *pensare*: pensar, refletir) **1.** Atividade da mente através da qual esta tematiza objetos ou toma decisões sobre a realização de uma ação. Atividade intelectual, raciocínio. Consciência. **2.** Segundo Descartes, os processos mentais, em um sentido amplo. "Sou uma coisa que pensa, isto é, que duvida, que afirma, que nega, que conhece poucas coisas, que ignora muitas, que ama, que odeia, que deseja, que não deseja, que imagina também e que sente" (*Terceira meditação*). **3.** Atividade intelectual através da qual o espírito humano forma conceitos e formula juízos. Faculdade de julgar. "Pensar é conhecer através de conceitos" (Kant, *Crítica da razão pura*); e "pensar é unir as representações na consciência... a união das representações em uma consciência é o prejuízo. Pensar, portanto, é julgar" (Kant, *Prolegômenos*). **4.** Diferentemente do conhecimento, que visa apropriar-se dos dados empíricos ou conceituais, o pensamento constitui uma atividade intelectual visando à produção de um saber novo pela mediação da reflexão. Em outras palavras, o pensamento é o "trabalho" efetuado pela reflexão do sujeito sobre um objeto, num movimento pelo qual a matéria-prima que é a experiência é transformada, de algo não sabido, num saber produzido e compreendido.

Pensamentos (*Les pensées*) Obra fragmentária de *Pascal, editada em 1670, após a sua morte, por alguns de seus amigos da Abadia de Port Royal, como *Arnauld e *Nicole. Dirigida aos "libertinos", tentando mostrar-lhes a miséria do homem sem *Deus. Para tanto, lança mão dos meios de persuasão (espírito de finura, *esprit de finesse*) e da demonstração (espírito geométrico, *esprit géometrique*). O homem vive entre dois *infinitos: o infinitamente grande e o infinitamente pequeno. Os obstáculos à sua verdadeira reflexão são o amor-próprio, os preconceitos e a figura diante da miséria de sua condição. No entanto, deve aspirar à grandeza e à sede do *absoluto. O caminho da salvação do homem passa pelas verdades do cristianismo. *Ver* Pascal, aposta de.

percepção (lat. *perceptio*) Ato de perceber, ação de formar mentalmente representações sobre objetos externos a partir dos dados sensoriais. A *sensação seria assim a matéria da percepção. Para os empiristas, a percepção é a fonte de todo o conhecimento. "Todas as percepções da mente humana se incluem em dois tipos distintos que chamarei de *impressões* e *ideias*. A diferença entre uma e outra consiste nos graus de força e vivacidade segundo os quais atingem a mente chegando até o pensamento e a consciência. Aquelas percepções que penetram com mais força ... podemos chamar de *impressões* ... compreendendo todas as nossas sensações, paixões e emoções ... Por *ideias* considero as imagens pálidas dessas no pensamento e no raciocínio" (Hume, *Tratado da natureza humana*). Nesta perspectiva, portanto, o conhecimento é mais certo quanto mais próximo está da percepção que o originou. Os racionalistas, entretanto, consideram que a percepção, por depender de elementos sensíveis, não é confiável, sendo sujeita à ilusão, quando uma imagem percebida não corresponde a um objeto real. Embora se possa considerar, em última análise, o objeto como causa da percepção, segundo o *fenomenalismo na verdade nada sabemos sobre o objeto além dos dados sensoriais que recebemos pela percepção.

Perelman, Chaïm (1912-1984). Filósofo de origem polonesa, radicado na Bélgica, estudou na Universidade de Bruxelas, na qual tornou-se professor. Dedicou-se a pesquisas no campo da lógica e da linguagem em uma perspectiva original em relação aos desenvolvimentos atuais das teorias lógicas. Sua concepção de lógica enfatiza a importância da argumentação e da retórica. Perelman procura sistematizar a retórica como uma teoria da argumentação, para além do formalismo lógico, aplicando seu modelo teórico aos campos da moral e do direito. Dentre suas obras destacam-se: *Retórica e filosofia: por uma teoria da argumentação na filosofia* (1952), *Tratado da argumentação: a nova retórica* (1958), ambas em colaboração com L. Olbrechts-Tyteca, *O campo da argumentação* (1970) e *Lógica jurídica: nova retórica* (1976).

perene, filosofia Este termo se origina da obra do pensador italiano Agostinho Steuco de Gubbio (1497-1548), intitulada *De perenni philosophia* (1540), em que procurava conciliar a filosofia escolástica tradicional com as inovações do pensamento renascentista, formulando uma "filosofia eterna". Em um sentido genérico, designa a pretensão à verdade e à certeza definitiva que todo sistema filosófico tradicional teria. Porém, na prática, o conflito entre os diferentes sistemas e a falta de consenso entre os filósofos mostram que se trata de uma pretensão não concretizada, e talvez de um ideal inatingível.

perfeição (lat. *perfectio*) Qualidade daquilo que é perfeito, que está completo, acabado, possuindo todos os *predicados correspondentes à sua *natureza. Realidade plena. Plenitude. O "ser perfeito", em um sentido absoluto, total, é *Deus, aquele que possui efetivamente "todas as perfeições", sem nenhum defeito ou limitação. "Uma natureza ... que tem em si todas as perfeições de que eu possa ter ideia, isto é, em uma palavra, Deus" (Descartes, *Discurso do método*).

peripatetismo (do lat. *peripateticus*, do gr. *peripatetikós*, de *peripatein*: passear, caminhar) Termo que designa a filosofia de Aristóteles e de sua escola; é proveniente da tradição segundo a qual Aristóteles lecionava dando passeios a pé nos jardins do Liceu, local onde fundou sua escola em Atenas (335 a.C.)

permanência, princípio de 1. *Kant denomina "princípio de permanência da *substância" a primeira analogia da experiência, segundo a qual "todos os fenômenos contêm o permanente (a substância) como sendo o próprio objeto, e o variável como simples determinação deste objeto".
2. Em epistemologia, designa as grandezas invariáveis através das transformações observáveis: princípios da massa, energia etc.

personalidade (do lat. *persona*: máscara dos atores) **1.** Em seu sentido filosófico, caráter do indivíduo que se autodetermina ou se afirma como uma pessoa moral ou jurídica.

2. Em seu sentido psicológico, função pela qual um indivíduo toma consciência de si como de um "eu" ao mesmo tempo uno (como sujeito reunindo em sua consciência a diversidade de sua vida mental) e idêntico (enquanto permanece o mesmo através de sua evolução). Neste sentido, os "testes de personalidade" de um indivíduo são aqueles que visam detectar seus aspectos afetivos e ativos (pulsões e volições).

3. Em seu sentido genérico, personalidade é o conjunto das características próprias e das modalidades de comportamento de um indivíduo tomadas de modo integrado.

personalismo (fr. *personnalisme*) Corrente filosófica contemporânea, desenvolveu-se principalmente na França, destacando-se sobretudo E. *Mounier e um grupo de colaboradores da revista *Esprit* (fundada em 1932), principal veículo das ideias do movimento. Caracteriza-se essencialmente como pensamento social e moral, opondo-se ao individualismo e ao materialismo. Segundo Mounier, "chamamos personalismo toda doutrina ... que afirma o primado da pessoa humana sobre as necessidades materiais". "A primeira preocupação do individualismo é centrar o indivíduo em si mesmo, a primeira preocupação do personalismo é descentrá-lo para estabelecê-lo nas perspectivas abertas da pessoa" (*Manifesto a serviço do personalismo*).

Personalismo, O Obra de *Mounier (1949) onde ele, ao opor-se ao egoísmo capitalista e burguês vigente em sua época, tenta mostrar a possibilidade de uma filosofia engajada em conciliar cristianismo e preocupações sociais: o existencialismo cristão.

perspectivismo (do lat. *perscipere*: olhar através) Na filosofia de *Nietzsche, o perspectivismo designa uma concepção crítica denunciando os valores reinantes na sociedade, "certas perspectivas de utilidade bem definidas, projetadas erroneamente na essência das coisas", e que representam, não a verdade, mas a ingenuidade do homem que "se toma pelo sentido e pela medida das coisas".

pessimismo *Ver* otimismo.

pessoa (lat. *persona*: originariamente, máscara teatral, por extensão o próprio ator, e daí seu papel, as características de um indivíduo, a personalidade) **1.** Na tradição *escolástica, a pessoa é uma *substância individual de natureza racional, existindo como um todo indivisível (um *indivíduo) dotado de *razão.

2. Em um sentido jurídico, originário do direito romano, cidadão, o indivíduo na medida em que possui uma existência civil e portanto *direitos, em contraste, p. ex., com os escravos, que não possuíam direitos.

3. Na moral kantiana, o ser humano como fim em si mesmo, como *valor absoluto, opondo-se à coisa que é apenas um meio e possui valor relativo. Daí a noção de dignidade da pessoa, derivada de sua autonomia, do fato de que tem como lei que a determina sua própria razão. *Ver* liberdade.

4. No pensamento marcado pelo cristianismo, a pessoa é o ser humano racional e livre, definido por sua dimensão de sujeito moral e espiritual, plenamente consciente do bem e do mal, livre e responsável. Retomado pelo personalismo de E. Mounier, este conceito de pessoa constitui o centro de uma nova filosofia de engajamento. A pessoa não é uma realidade definível, uma vez que não pode ser apreendida do exterior pelo olhar objetivante das ciências: "a pessoa se apreende e se conhece em seu ato, como movimento de personalização", sua experiência fundamental sendo a da comunicação.

"Philosophia ancilla theologiae" Concepção *escolástica segundo a qual "a filosofia é a serva da teologia": o modo de proceder da razão (filosofia) estaria submetido à lógica e às verdades da fé (teologia).

phronesis Termo grego que pode ser traduzido por "senso prático", "senso comum", ou até mesmo "prudência". Na *Ética a Nicômaco* (VI, 5), Aristóteles define *phronesis* como sabedoria prática, uma das virtudes intelectuais, aquilo que faz com que o homem seja capaz de deliberar corretamente sobre o que é bom ou mau para si.

Piaget, Jean (1896-1980) Criador da *epistemologia genética, Piaget nasceu em Neuchâtel, Suíça, tendo sido inicialmente biólogo, dedicando-se depois à lógica, à psicologia e à filosofia. Lecionou nas Universidades de Genebra, Lausanne e Paris, e dirigiu o Instituto de Ciências da Educação em Genebra. Notabilizou-se sobretudo por seus estudos de psicologia cognitiva e por sua teoria sobre o processo de construção do conhecimento no indivíduo desde a infância, baseada em meticulosas pesquisas empíricas. Essa teoria teve grande influência nos métodos educacionais empregados pela pedagogia contemporânea. Examinou detidamente o desenvolvimento da inteligência na criança, em relação ao mundo que a cerca, distinguindo suas várias etapas desde o que chamou de fase sensoriomotriz, inicial, até a fase lógica e discursiva, já no começo da adolescência. Piaget considerava que "a natureza de uma realidade viva é revelada não só por suas etapas iniciais nem por suas etapas terminais, mas pelo processo mesmo de sua transformação". Segundo ele, a epistemologia genética fornece as bases para a compreensão das diferentes formas do pensamento científico, bem como os fundamentos para a reflexão filosófica. Sua influência na psicologia e na pedagogia, bem como na filosofia, sobretudo no campo da teoria do conhecimento, foi considerável. Suas principais obras são: *A linguagem e o pensamento na criança* (1925), *O nascimento da inteligência na criança* (1936), *A psicologia da inteligência* (1947), *Tratado de lógica* (1949), *Introdução à epistemologia genética*, 3 vols. (1950), *O estruturalismo* (1968), *A epistemologia genética* (1970), *A epistemologia das ciências do homem* (1970), *Psicologia e epistemologia* (1970).

Pico della Mirandola, Giovanni (1463-1494) Humanista e filósofo italiano (nascido em Ferrara). Em Florença, conheceu Marsilio Ficino e descobriu Platão, o neoplatonismo e os livros herméticos. Sua obra *Conclusiones philosophicae* (1486) e ele próprio foram acusados de heréticos, e Pico della Mirandola refugiou-se na França. Retornando a Florença, ficou sob a proteção de Lourenço de Medici, governante local e protetor das letras e das artes. Tendo se destacado pela precocidade e pela amplidão de seus conhecimentos, bem como pela audácia de suas teses filosóficas e teológicas, escreveu também *Heptalus*, narrativa mística da criação, *In astrologicum libri XII*, ataque à astrologia, *De ente, et uno*, resumo das ideias de Platão e Aristóteles.

piedade (lat. *pietas:* piedosa afeição) Simpatia que brota do espetáculo do sofrimento do *outro: "A piedade é uma espécie de dor a propósito do mal que parece se abater sobre alguém não o merecendo" (Aristóteles); "Piedade é uma espécie de amor ou boa vontade para com aqueles que vemos sofrer algum mal que julgamos imerecido" (Descartes); "A piedade é um sentimento natural que nos leva, sem reflexão, a socorrer os que vemos sofrer" (Rousseau).

Pirro (c.365-275 a.C.) O filósofo grego Pirro de Élida foi o fundador do *ceticismo propriamente dito. Sua doutrina, eminentemente prática, pode se resumir nas seguintes proposições: a) sobre todas as coisas, devemos suspender nosso juízo, nada devemos afirmar ou negar (é a dúvida universal dos sofistas); b) tudo o que se apresenta como verdade não passa de hábito e convenção; c) precisamos distinguir entre os fenômenos e as causas incognoscíveis: é indiscutível que sinto o gosto do mel, mas não posso apreender a relação entre minha sensação e a natureza do mel; d) consequência prática: *a indiferença absoluta em relação a tudo*, uma vez que nada é bom ou mau em si, não há lugar para preferir uma coisa à outra; tudo é indiferente, eis o segredo da felicidade.

pirronismo Termo derivado de *Pirro de Élida, fundador da escola cética, designando uma forma de *ceticismo radical, que defende não só a suspensão (*epoché*) da crença em algo, por ser impossível a certeza, mas também a suspensão do próprio juízo, já que tudo o que pode ser afirmado pode ser negado com igual razão. Só assim seria possível atingir-se a paz de espírito, a *ataraxia, ou imperturbabilidade. *Ver* Pirro.

Pitágoras (séc. VI a.C.) O filósofo e matemático grego Pitágoras (nascido em Samos) foi quem inventou a palavra *filosofia. Deixou duas doutrinas célebres: a divindade do número e a crença na metempsicose (migração das almas de corpo em corpo). Percorreu o mundo conhecido, pregando sua doutrina, uma espécie de seita, um orfismo renovado, fundada numa mística comportando uma regra de vida por iniciação secreta, por ritos para o êxtase onde a alma seria desligada do corpo (prisão da alma). Após a morte, a alma retorna em outro corpo, onde encontra um destino em conformidade com suas virtudes e vícios anteriores. Por outro lado, os números constituem a essência de todas as coisas. São o princípio de tudo: por detrás das qualidades sensíveis, há somente diferenças de número e de qualidade. A natureza do som que ouvimos depende da longitude da corda vibrante. O número é a verdade eterna. O número perfeito é o 10 (triângulo místico). Os astros são harmônicos. Nessa harmonia, que só os iniciados ouvem, cada astro, tendo um número por essência, fornece uma relação musical. Pitágoras é um dos primeiros filósofos a elaborar uma "cosmogonia", isto é, um vasto sistema que pretende explicar o universo. *Ver* pitagorismo.

pitagorismo 1. Doutrina da escola fundada por *Pitágoras na colônia grega de Crotona, no sul da

Itália, tendo grande influência em toda a Antiguidade. O pitagorismo divide-se em duas tendências: uma semirreligiosa de caráter mais místico e espiritualista, desenvolvendo uma concepção de reencarnação da alma, provavelmente de influência oriental; outra, caracterizando-se por considerar o número como representando toda a realidade, que seria, em essência, matemática.

2. Por extensão, denomina-se "pitagorismo" toda concepção que atribui papel central à matemática no conhecimento do mundo natural e do universo em geral. P. ex., neste sentido, diz-se o "pitagorismo de Galileu", que afirmava: "o livro da natureza é escrito em linguagem matemática" (*Diálogos*). Ver Pitágoras.

Platão (c.427-348 ou 347 a.C.) Filósofo grego, discípulo de Sócrates, Platão deixou Atenas depois da condenação e morte de seu mestre (399 a.C.) Peregrinou doze anos. Conheceu, entre outros, os pitagóricos. Retornou a Atenas em 387 a.C. com 40 anos, procurando reabilitar Sócrates, de quem guardava a memória e o ensinamento. Retomou a teoria de seu mestre sobre a *"ideia", e deu-lhe um sentido novo: a ideia é mais do que um conhecimento verdadeiro: ela é o ser mesmo, a realidade verdadeira, absoluta e eterna, existindo fora e além de nós, cujos objetos visíveis são apenas reflexos. A doutrina central de Platão é a distinção de dois mundos: o mundo visível, sensível ou mundo dos reflexos, e o mundo invisível, inteligível ou mundo das ideias. A essa concepção dos dois mundos se ligam as outras partes de seu sistema: a) o método é a *dialética, consistindo em que o espírito se eleve do mundo sensível ao mundo verdadeiro, o mundo inteligível, o mundo das ideias; ele se eleva por etapas, passando das simples aparências aos objetos, em seguida dos objetos às ideias abstratas e, enfim, dessas ideias às ideias verdadeiras que são seres reais que existem fora de nosso espírito; b) a teoria da *reminiscência: vivemos no mundo das ideias antes de nossa * encarnação" em nosso corpo atual e contemplamos face a face as ideias em sua pureza; dessa visão, guardamos uma mudança confusa; nós a reencontramos, pelo trabalho da inteligência, a partir dos dados sensíveis, por "reminiscência"; c) a doutrina da imortalidade da alma, demonstrada no *Fédon*. Das obras de Platão, as mais importantes são: *Apologia de Sócrates* (trata-se do discurso que Sócrates poderia ter pronunciado diante de seus juízes; descreve seu itinerário, seu método e sua ação); *Hippias Maior* (o que é o belo?); *Eutifron* (o que é a piedade?); *Menon* (o que é a virtude? Pode ser ensinada? São os diálogos constituindo o exemplo perfeito da maiêutica; são aporéticos: a questão colocada não é resolvida, o leitor é convidado a prosseguir a pesquisa após ter purificado seu falso saber); *Teeteto* (o que é a ciência? Expõe e faz a crítica da tese que faz derivar a ciência da sensação e que afirma ser o homem a medida de todas as coisas); *Fédon* (sobre a imortalidade da alma; diálogo que relata os últimos dias de Sócrates e trata da atitude do filósofo diante da morte); *Crátilo* (quais as relações entre as coisas e os nomes que lhes são dados? Há denominações naturais ou elas dependem todas da convenção?); *O banquete* (do amor das belas coisas ao amor do belo em si. Papel pedagógico do amor); *Górgias* (sobre a retórica; estuda a forma particular de violência que pode ser exercida pelo domínio da retórica e opõe a sofística à filosofia); *A república* (da justiça; definição do homem justo a partir do estudo da cidade justa; a cidade ideal, papel da educação, lugar do filósofo na cidade; como o regime ideal é levado a degenerar-se). Na *República*, no *Político* e nas *Leis*, Platão enuncia as condições da cidade harmoniosa, governada pelo filósofo-rei, personalidade que governa com autoridade mas com abnegação de si, com os olhos fixos na ideia do bem. A virtude suprema consiste no "desapego" do mundo sensível e dos bens exteriores a fim de orientar-se para a contemplação das ideias, notadamente da ideia do bem, e realizar esse ideal de perfeição que é o bem. Abaixo dessa virtude quase divina situa-se a virtude propriamente humana: a justiça, que consiste na harmonia interior da alma. — Outros livros ou diálogos: *Críton*, *Fedro*, *Parmênides*, *Timeu* e *Filebo*. Toda a doutrina de Platão pode ser interpretada como uma crítica em relação ao dado sensível, social ou político, e como uma exortação a transformá-lo se inspirando nas ideias, cuja ação (cognitiva, moral e política) deve reproduzir, o mais fielmente possível, a ordem perfeita no mundo do futuro. Para realizar seu "projeto" filosófico, Platão funda a *Academia, assim chamada por situar-se nos jardins do herói ateniense *Academos*. Ver platonismo; neoplatonismo.

platonismo 1. Denominação da filosofia de Platão e de seus seguidores, ou de qualquer pensamento filosófico influenciado por Platão. Foi imensa a influência de Platão na formação da tradição filosófica ocidental, sendo que *Whitehead chegou mesmo a afirmar que toda a filosofia ocidental não passa de um conjunto de notas de pé de página à obra de Platão.

2. Historicamente, o platonismo desenvolveu-se juntamente com a Academia fundada por Platão em 338 a.C., existindo até o ano 529 da era cristã, quando o imperador romano Justiniano, em Constantinopla, ordenou o fechamento das escolas filosóficas pagãs. O pensamento da Academia, entretanto, passa por períodos distintos, não se limitando a uma simples preservação, comentário e difusão do pensamento de Platão, mas interpretando-o de diferentes maneiras, incluindo uma fase cética (ver Nova Academia). O platonismo não se restringe, contudo, apenas à doutrina transmitida pela Academia. Sua importância durante o helenismo é muito grande, dando origem ao *neoplatonismo. Também o desenvolvimento da filosofia cristã com a escola de *Alexandria, a escola de Capadócia e o pensamento de sto. Agostinho são diretamente influenciados pelo platonismo (ver patrística). Durante todo o período medieval, até praticamente o séc. XII, quando a obra de Aristóteles torna-se mais conhecida no Ocidente, o platonismo foi a filosofia predominante, devido basicamente à influência do pensamento de sto. Agostinho, e da obra do Pseudo-Dionísio, também conhecido como Dionísio, o Areopagita, através de João Escoto Erígena (ver patrística; escolástica). Por sua vez, o fechamento da Academia em 529 acarretou a emigração dos filósofos platônicos para o Oriente, sobretudo para a Pérsia, fazendo com que o platonismo tivesse também posteriormente grande importância na formação do pensamento árabe. Embora perca, em parte, sua influência a partir do séc. XIII, devido à ascensão do aristotelismo, o platonismo ressurge durante o Renascimento. Mesmo no pensamento moderno e contemporâneo, muitas das questões tratadas nos diálogos de Platão continuam a ser discutidas, e esses diálogos continuam a ser estudados e comentados.

3. O platonismo, no entanto, não está ligado apenas à obra e ao pensamento de Platão, mas, em linhas gerais, caracteriza-se pelo dualismo entre corpo e alma, matéria e espírito, inteligência e sensação; pela crença em um mundo de formas ou objetos abstratos, autônomo de nosso conhecimento; pelo espiritualismo e a crença em uma doutrina da reminiscência; pelo recurso à dialética como forma de elevação do espírito para além do mundo sensível; por uma visão política que defende uma aristocracia do espírito nos moldes da República. Em muitos dos filósofos que podem ser considerados representantes do platonismo podemos encontrar, frequentemente, uma ou algumas dessas características, embora não necessariamente todas. É nesse sentido, por exemplo, que podemos falar contemporaneamente em filosofia da matemática, no platonismo de *Frege, na medida em que este considera os objetos matemáticos (tais como os números) existentes independentemente de nosso pensamento e de nosso conhecimento sobre eles.

Plotino (205-270) Filósofo neoplatônico, oriundo de família romana. Plotino nasceu no Egito. Descobriu o *neoplatonismo em Alexandria, onde permaneceu 11 anos antes de fixar-se em Roma. Abriu aí sua própria escola na qual acolheu adeptos entusiastas, entre os quais vários filósofos de profissão, senadores e até o imperador Galieno. O objetivo dessa escola era a renovação do platonismo. Somente em 255, por insistência de seus discípulos, resolveu ditar e escrever seu pensamento. Esse trabalho foi realizado pelo fervoroso discípulo Porfírio. São 54 tratados reagrupados em seis Enéades, isto é, "grupos de nove". A filosofia de Plotino é a mais célebre do conjunto do neoplatonismo. No fundo, trata-se de um puro misticismo, calcado na doutrina das ideias de Platão, mas acrescentando-lhe uma teoria do Uno. Hipóstase suprema, o Uno é o Todo, a fonte do universo, a unidade do universo, seu ser último e primeiro, superior mesmo ao bem. O caminho para se atingir esse princípio abstrato, que é o Uno, não é o da dialética de Platão, porque o conhecimento do Uno implica um êxtase religioso, o que conduz ao misticismo. Boa parte de sua obra é dedicada à luta contra os cristãos e os *gnósticos, embora sua interpretação espiritualista do platonismo venha a influenciar fortemente o desenvolvimento do pensamento cristão medieval, sendo, por vezes, as três hipóstases aproximadas da Santíssima Trindade.

pluralismo (do lat. pluralis) **1.** Doutrina que afirma a existência de uma pluralidade ou multiplicidade de seres, individuais e autônomos, e que considera o real como múltiplo, irredutível a uma substância ou princípio único, ou mesmo a dois princípios apenas como no dualismo. Neste sentido, William James é identificado como pluralista, sobretudo devido a sua obra A Pluralistic Universe (1909). Ver monismo; dualismo.
2. Em um sentido ideológico ou político, corresponde à atitude de aceitação de uma pluralidade de opiniões, atitudes ou posições diferentes e até mesmo divergentes, que no entanto se respeitam mutuamente. Ex.: pluralismo democrático.

plutocracia (gr. plutokracia: governo dos ricos) Regime em que o poder é exercido pelos ricos:

"Denomino plutocracia um estado de sociedade em que a riqueza é o nervo principal das coisas, em que nada podemos fazer sem ser rico, em que o objeto principal da ambição é o de tornar-se rico, em que a capacidade e a moralidade geralmente são julgadas pela fortuna" (Renan).

poder (lat. vulgar *potere*) **1.** Capacidade, faculdade, possibilidade de realizar algo, derivada de um elemento físico ou natural, ou conferida por uma autoridade institucional. Ex.: poder criador, poder do fogo de derreter a cera, poder de nomear e demitir etc.
2. Em um sentido político, examina-se o fundamento do poder, do exercício do domínio político, seja na força: poder ditatorial, poder militar, seja em uma autoridade legitimamente constituída: poder constitucional.
3. *Montesquieu formulou *a doutrina dos três poderes*, que estabelece o princípio do equilíbrio e da independência dos poderes executivo, legislativo e judiciário em um Estado, que devem agir autônomos e livremente para que se preserve a harmonia política.
4. Michel *Foucault, sobretudo a partir de sua obra *Vigiar e punir*, se propôs realizar uma *genealogia do poder*, um exame das relações entre saber e poder, ciência e dominação, controle, na formação da sociedade contemporânea. Essa "genealogia" parte da constatação de que o poder é exercido na sociedade não apenas através do Estado e das autoridades formalmente constituídas, mas de maneiras as mais diversas, em uma multiplicidade de sentidos, em níveis distintos e variados, muitas vezes sem nos darmos conta disso. Essa ideia é desenvolvida principalmente em sua obra *Microfísica do poder*.

poético-noemático Expressão que designa a especificidade dos textos pré-socráticos onde se encontram unidos o pensamento e a forma poética.

Polanyi, Michael (1891-1976) Filósofo húngaro (nascido em Bucareste) e emigrado na Inglaterra por razões políticas (1933). Polanyi foi um cientista famoso que se interessou pela filosofia, pelas ciências sociais e pelos aspectos humanos na produção científica. Opondo-se tanto ao objetivismo positivista quanto ao subjetivismo cético e arbitrário, elaborou toda uma filosofia da ciência e uma filosofia social centradas na pessoa humana a fim de encontrar o significado do homem no universo e de fundar uma "objetividade" que não subestimasse a ação do homem e do cientista no mundo.

Porque o cientista é um homem "comprometido" e segue uma "lógica do compromisso": "a verdade é algo que só pode ser pensado crendo-se nela". Com isso, o conhecimento se integra à ação. Obras principais: *The Logic of Liberty* (1951), *Personal Knowledge: Towards a Critical Philosophy* (1958), *Beyond Nihilism* (1960), *The Tacit Dimension* (1966), *Scientific Thought and Social Reality* (1974).

Polémon (c.340-273 a.C.) Filósofo grego (nascido em Atenas). Amigo e discípulo de Xenócrates, a quem sucedeu como diretor da Academia, em 314 a.C. Nada resta de suas obras.

polis A cidade-estado grega da qual Atenas foi o principal exemplo no período que vai das reformas de Clístenes (séc. VI a.C.) até a conquista da Grécia por Felipe da Macedônia. A *polis* se constituía como uma unidade política e territorial, sobretudo através do vínculo que seus cidadãos mantinham com ela por lealdade, identidade cultural e origem. É na *polis* que se dá a experiência da *democracia, caracterizada pela igualdade dos cidadãos perante a lei e pela participação destes na decisão política. *Aristóteles, na *Constituição de Atenas*, examina essa forma de organização política, que teve grande influência na tradição ocidental, sendo retomada depois como modelo pelas cidades-Estado italianas no período do Renascimento (séc. XV).

politeísmo (do gr. *polus:* numerosos, e *theos:* Deus) Toda doutrina filosófica ou religiosa admitindo a existência de vários deuses, como o paganismo grego ou romano. *Ver* monoteísmo, panteísmo.

política (lat. *politicus*, do gr. *politikós*) Tudo aquilo que diz respeito aos cidadãos e ao governo da cidade, aos negócios públicos. A filosofia política é assim a análise filosófica da relação entre os cidadãos e a sociedade, as formas de poder e as condições em que este se exerce, os sistemas de governo, e a natureza, a validade e a justificação das decisões políticas. Segundo Aristóteles, o homem é um animal político, que se define por sua vida na sociedade organizada politicamente. Em sua concepção, e na tradição clássica em geral, a política como ciência pertence ao domínio do conhecimento prático e é de natureza normativa, estabelecendo os critérios da justiça e do bom governo, e examinando as condições sob as quais o homem pode atingir a felicidade (o bem-estar) na sociedade, em sua existência coletiva. A *República* de Platão e a *Política* de Aristóteles estão entre as obras mais famosas da tradição filosófica sobre política, podendo-se incluir ainda *O príncipe* (1512-1513) de Maquiavel, *O leviatã* (1651) de Hobbes, o *Segundo tratado do governo* (1690) de Locke, *O contrato social* (1762) de Rousseau, a *Filosofia do direito* (1821) de Hegel, *O capital* (1867) de Marx e Engels, e o tratado *Sobre a liberdade* (1859) de Stuart Mill, todos considerados obras clássicas na formação da teoria política.

Politzer, Georges (1903-1942) Filósofo marxista francês de origem húngara, combateu a filosofia espiritualista de *Bergson e a psicologia idealista de sua época. Criticou a psicologia experimental e a introspeccionista, bem como o caráter "abstrato" do conceito freudiano de *inconsciente. Defendeu a instauração de uma psicologia "concreta" capaz de estudar o homem, não somente em relação com o meio físico, mas sobretudo com o meio social. Principais obras: *O Bergsonismo, uma mistificação filosófica* (1926); *Crítica dos fundamentos da psicologia* (1930).

Pomponazzi, Pietro (1462-1525) A grande preocupação do filósofo renascentista italiano Pomponazzi (nasceu em Mântua) foi a de renovar o pensamento aristotélico, mediante um "nascimento do original", no sentido da interpretação que dele dera Alexandre de Afrodísias. E isto, contra a interpretação dos averroístas. O centro de sua discórdia com os averroístas dizia respeito ao problema da natureza da *alma e de seu destino depois da morte do indivíduo. Pomponazzi ia contra o conceito de imortalidade da alma. Para ele, após a morte do indivíduo, desaparece a alma. Com isso, nega o destino eterno do homem, o inferno, o purgatório e o céu. Acusado de herético, defendeu-se com a sua teoria da dupla verdade: algo pode ser verdadeiro em filosofia e falso em teologia, e vice-versa. Seu livro mais importante, *De immortalitate animae* (1516), além de "demonstrar" que a alma racional, vinculada à alma sensitiva, é tão mortal quanto esta última, defendeu a tese segundo a qual o homem, ao morrer, é dissolvido na matéria universal, origem de todos os fenômenos do mundo.

Popper, Karl (1902-1994) Um dos mais influentes filósofos da ciência contemporânea, Karl Popper nasceu e estudou em Viena, exilando-se, após a ascensão do nazismo, na Nova Zelândia, de onde transferiu-se para a Inglaterra onde passou a viver. Foi professor na London School of Economics da Universidade de Londres (1949), onde criou um importante centro de investigações em filosofia da ciência. Inicialmente influenciado pela filosofia do Círculo de Viena, Popper desenvolveu, no entanto, uma concepção própria da lógica e da metodologia da ciência. Sua principal contribuição consiste na formulação da noção de falsificabilidade como critério fundamental para a caracterização das teorias científicas, tentando assim superar o problema da impossibilidade da verificação definitiva de uma hipótese através do método indutivo encontrado na ciência. Assim, para Popper, é a possibilidade de falsificar uma hipótese científica que permite a correção e o desenvolvimento das teorias científicas, e em última análise o progresso da ciência, embora nenhuma teoria possa jamais ser fundamentada de forma conclusiva. O conhecimento é portanto essencialmente conjetural, sendo impossível a certeza definitiva. É necessário por isso defender a liberdade de crítica e de experimentação. Na política e nas ciências sociais, Popper defende o liberalismo e o individualismo, criticando o historicismo. Suas principais obras são: *A lógica da pesquisa científica* (1935), *A sociedade aberta e seus inimigos* (1945), *A pobreza do historicismo* (1957), *Conjeturas e refutações* (1963), *Conhecimento objetivo* (1972), *Autobiografia intelectual* (1976) e *O eu e seu cérebro* (1977), em colaboração com J. Eccles.

Porfírio (c.232-c.305) Filósofo grego (nascido em Tiro) neoplatônico, tendo sido discípulo de Plotino, de quem publicou as *Enéades*. Porfírio teve uma grande influência para os filósofos medievais, pois foi ele quem sistematizou, sob a forma de uma árvore, os *universais* ou *ideias gerais* (o gênero, a espécie, a diferença, o próprio e o acidente) com os quais Aristóteles definia um ser. Além de comentários às obras de Aristóteles, de Platão e Homero, Porfírio escreveu: *Vida de Pitágoras*, *Vida de Plotino* e *Isagogé*. Defendeu o paganismo e combateu o cristianismo. Ver árvore de Porfírio.

por si Expressão que traduz as expressões latinas *a se* e *per se*, significando a existência de algo em razão de sua própria essência, em virtude de sua própria natureza, sem causa externa.

Pórtico (lat. *porticus*) Colunata em Atenas sob a qual *Zenão de Cício, o fundador do estoicismo ou escola estoica, dava aulas a seus discípulos.

Usa-se a palavra "Pórtico" com o sentido figurado de "escola estoica".

Posidônio (135-51 a.C.) Filósofo grego (nascido na Síria) estoico; foi discípulo de Panécio e pertenceu à segunda fase da escola estoica, chamada *estoicismo médio*; ensinou em Rodes e fez viagens a Roma, à África do Norte, à Espanha e à Gália. Escreveu muitos livros sobre história geral e filosofia, ensaios sobre os deuses etc., mas nada resta dessas obras.

positivismo (fr. *positivisme*) **1.** Sistema filosófico formulado por Augusto *Comte, tendo como núcleo sua teoria dos três *estados, segundo a qual o espírito humano, ou seja, a sociedade, a cultura, passa por três etapas: a teológica, a metafísica e a positiva. As chamadas ciências positivas surgem apenas quando a humanidade atinge a terceira etapa, sua maioridade, rompendo com as anteriores. Para Comte, as ciências se ordenaram hierarquicamente da seguinte forma: matemática, astronomia, física, química, biologia, sociologia; cada uma tomando por base a anterior e atingindo um nível mais elevado de complexidade. A finalidade última do sistema é política: organizar a sociedade cientificamente com base nos princípios estabelecidos pelas ciências positivas.
2. Em um sentido mais amplo, um tanto vago, o termo "positivismo" designa várias doutrinas filosóficas do séc. XIX, como as de Stuart *Mill, *Spencer, *Mach e outros, que se caracterizam pela valorização de um método empirista e quantitativo, pela defesa da experiência sensível como fonte principal do conhecimento, pela hostilidade em relação ao *idealismo, e pela consideração das ciências empírico-formais como paradigmas de cientificidade e modelos para as demais ciências. Contemporaneamente muitas doutrinas filosóficas e científicas são consideradas "positivistas" por possuírem algumas dessas características, tendo este termo adquirido uma conotação negativa nesta aplicação.
3. *Positivismo lógico*: o mesmo que *fisicalismo.

positivo (lat. *positivus*) **1.** Que existe, que é real, palpável, concreto, fatual.
2. Segundo *Comte, "todas as línguas ocidentais estão de acordo em conceder ao termo positivo e a seus derivados os dois atributos de realidade e de utilidade, cuja combinação por si só é suficiente para definir o verdadeiro espírito filosófico, que no fundo é apenas o bom senso generalizado e sistematizado" (*Discurso sobre o conjunto do positivismo*).
3. Existente de fato, estabelecido, instituído. Ex.: direito positivo, religião positiva. Oposto a natural.

pós-moderno Ver modernidade.

possível/possibilidade (lat. *possibilis*; lat. *possibilitas*) **1.** Aquilo que não é, mas poderia ser, que é realizável, que satisfaz as condições gerais da existência. Pode-se distinguir a possibilidade *física*, ou seja, aquilo que é de fato realizável, que não vai contra as leis da natureza, da possibilidade *lógica*, que indica aquilo que é em princípio realizável, já que não envolve nenhuma contradição. Oposto a impossível, impossibilidade. Ver necessidade; probabilidade.
2. Do ponto de vista da *modalidade, o juízo possível é aquele que envolve *contingência, que afirma algo que pode ou não ocorrer.
3. *Mundo possível*: segundo Leibniz, o mundo existente é o melhor dos mundos possíveis, já que é o mundo efetivamente criado por Deus, "dentre as infinitas combinações de possíveis e de séries de possíveis, existe apenas uma na qual a maior quantidade de essência ou de possibilidade é trazida à existência" (*Teodiceia*).

postulado (lat. *postulatum*) **1.** *Pressuposto. Proposição cuja verdade se pressupõe para a demonstração de outras proposições e para a construção de um *sistema hipotético-dedutivo. Proposição que não é evidente nem demonstrável e que no entanto deve ser admitida como válida por servir de ponto de partida de um sistema teórico. Reconhece-se assim que nenhum sistema pode conter em si apenas verdades demonstradas, ou seja, pode partir de uma certeza absoluta. O próprio princípio da demonstração seria indemonstrável. Ex.: o postulado das paralelas na geometria de Euclides. Ver axioma.
2. *Kant denomina *postulados da razão prática* os três enunciados indemonstráveis, mas necessários para garantir o sentido da lei e da existência morais: o que afirma a existência de *Deus, o que afirma a imortalidade da *alma e o que afirma a *liberdade do homem.

potência (lat. *potentia*) **1.** Em um sentido genérico, possibilidade, faculdade.
2. Na filosofia aristotélica e na escolástica, a noção de potência opõe-se à de *ato*, caracterizando o estado virtual do ser. "O ato é o fato de

uma coisa existir na realidade, e não do modo como dizemos que existe uma potência, quando dizemos, por exemplo, que Hermes está em potência na madeira" (Aristóteles, *Metafísica*, IX, 1048). Há várias formas de se dizer que algo está em potência. Um fruto está em potência na semente, já que na natureza da semente há a possibilidade de esta gerar o fruto, ou seja como um desenvolvimento natural. A estátua de Hermes está em potência no bloco de madeira, já que este contém a possibilidade de ser transformada em uma estátua. *Ver* potencialidade.

potencialidade (do lat. medieval *potentialitas*) Característica daquilo que está em potência, que contém a possibilidade de vir a ser algo. Qualidade a ser desenvolvida por alguém. Ex.: a educação deve desenvolver as potencialidades do indivíduo. *Ver* potência.

povo (lat. *populus*: povo, na Roma antiga conjunto de todos os cidadãos, constituindo com o Senado os órgãos essenciais do Estado) 1. Em um sentido amplo, conjunto de indivíduos que habitam um mesmo território ou região, que possuem certas características comuns e que têm uma relativa consciência de sua identidade como tal. Ex.: o povo brasileiro, o povo judeu. Trata-se de termo bastante ambíguo, por vezes confundindo-se com população, como habitantes de uma região. Por outro lado, um povo pode estar disperso geograficamente, ex., o povo judeu, o povo palestino, parecendo então confundir-se com raça ou origem étnica.
2. Em um sentido político mais específico, os cidadãos de uma determinada nação. Ex.: o presidente foi eleito pelo povo.
3. Classe social inferior. Ex.: homem do povo.

Prado Jr., Caio (1907-1990) Filósofo e historiador brasileiro. Nasceu em S. Paulo onde formou-se em Direito. Foi um dos pioneiros do pensamento marxista no Brasil, militando no Partido Comunista Brasileiro. Preso diversas vezes, exilou-se na Europa entre 1937 e 1939. Escreveu o clássico *Formação do Brasil contemporâneo* (1942), obra pioneira na interpretação do período colonial e na análise das origens do subdesenvolvimento. Fundou a *Revista Brasiliense*, de grande influência sobretudo na década de 50 e início da de 60. Suas principais obras foram: *Evolução política do Brasil* (1933), *História econômica do Brasil* (1945), *Dialética do conhecimento* (1952),

História e desenvolvimento (1978), *O que é filosofia* (1981).

pragmática (do gr. *pragma*: ação, de *prattein*: agir) 1. O estudo da linguagem de um ponto de vista filosófico divide-se tradicionalmente em sintaxe, semântica e pragmática, sendo que a pragmática considera os signos do ponto de vista de seus usuários em contextos determinados. Este termo é empregado nesta acepção pelo filósofo americano Charles Morris, que desenvolve uma teoria dos signos sob a inspiração de *Peirce.
2. Por extensão, corrente de pensamento que estuda a linguagem sob o ângulo de seu uso concreto e de seus efeitos no contexto da comunicação.

pragmatismo (ingl. *pragmatism*) Concepção filosófica, mantida em diferentes versões por, dentre outros, Charles Sanders Peirce, William James e John Dewey, defendendo o empirismo no campo da teoria do conhecimento e o utilitarismo no campo da moral. O pragmatismo valoriza a prática mais do que a teoria e considera que devemos dar mais importância às consequências e efeitos da ação do que a seus princípios e pressupostos. A teoria pragmática da verdade mantém que o critério de verdade deve ser encontrado nos efeitos e consequências de uma ideia, em sua eficácia, em seu sucesso. A validade de uma ideia está na concretização dos resultados que se propõe obter. *Ver* pragmática.

prática/prático (gr. *praktikós*, de *prattein*: agir, realizar, fazer) 1. Que diz respeito à ação. Ação que o homem exerce sobre as coisas, aplicação de um conhecimento em uma ação concreta, efetiva. Ex.: "saber prático". Conhecimento empírico, saber fazer algo. Ex.: "prática pedagógica", "prática médica". *Oposto a* teórico, especulativo.
2. *Razão prática*. Segundo Kant, respondemos à questão teórica "o que podemos saber?" pelo exame das condições *a priori* do conhecimento; enquanto que respondemos à questão prática, "o que devemos fazer?", pelo estabelecimento das leis da ação moral. "Tudo na natureza age de acordo com leis. Há apenas um ser racional que tem a faculdade de agir a partir da *representação das leis*, isto é, a partir dos princípios, em outras palavras, que tem vontade. Uma vez que para derivar as ações das leis a razão é necessária, a vontade não é senão a *razão prática*" (Kant, *Metafísica dos costumes*).

praxeologia (ingl. *praxeology*, alteração de *praxiology*) Teoria ou ciência da ação que procura estabelecer as leis que governam a ação humana, levando a conclusões e resultados operacionais.

praxis Na filosofia marxista, a palavra grega *praxis* é usada para designar uma relação dialética entre o homem e a natureza, na qual o homem, ao transformar a natureza com seu trabalho, transforma a si mesmo. A filosofia da *praxis* se caracteriza por considerar como problemas centrais para o homem os problemas práticos de sua existência concreta: "Toda vida social é essencialmente prática. Todos os mistérios que dirigem a teoria para o misticismo encontram sua solução na *praxis* humana e na compreensão dessa *praxis*" (Marx, *Oitava tese sobre Feuerbach*).

prazer (do lat. *placere*: agradar, satisfazer) Uma das dimensões básicas da vida afetiva, o prazer opõe-se à dor e ao sofrimento, caracterizando-se pela consciência a satisfação de uma tendência ou desejo. Podem-se distinguir os *prazeres físicos*, derivados dos sentimentos, dos *prazeres intelectuais*, em que o elemento intelectual, como na apreciação de uma obra de arte, se sobrepõe ao sensorial. *Ver* hedonismo.

preconceito Opinião ou crença admitida sem ser discutida ou examinada, internalizada pelos indivíduos sem se darem conta disso, e influenciando seu modo de agir e de considerar as coisas. O preconceito é constituído assim por uma visão de mundo ingênua que se transmite culturalmente e reflete crenças, valores e interesses de uma sociedade ou grupo social. O termo possui um sentido eminentemente pejorativo, designando o caráter irrefletido e frequentemente dogmático dessas crenças, que se revestem de uma certeza injustificada. Ex.: "o preconceito racial". Entretanto, é preciso admitir que nosso pensamento inevitavelmente inclui sempre preconceitos, originários de sua própria formação, sendo tarefa da reflexão crítica precisamente desmascarar os preconceitos e revelar sua falsidade.

predestinação (lat. *praedestinatio*) Doutrina segundo a qual o futuro de cada indivíduo está previamente determinado: cada um já se encontra destinado por Deus, desde toda a eternidade, a ser salvo ou condenado. Essa concepção teológica ganhou muita importância na tradição agostiniana de *Lutero e *Calvino, que defendiam o princípio da graça divina contra a ação dos méritos morais dos indivíduos: "A predestinação parece encerrar em si uma destinação absoluta e anterior à consideração das boas ou das más ações" (Leibniz).

predicado (lat. tardio *praedicatum*) Em lógica, qualidade de algo. Aquilo que se afirma ou nega de um sujeito. Ex.: Na proposição "A rosa é vermelha", a cor vermelha é predicada, ou atribuída, à rosa. *Ver* relação.

pré-lógico Termo criado pelo etnólogo Lévy-Bruhl (1857-1939) para designar um tipo de pensamento caracterizando a mentalidade "primitiva", independente dos princípios racionais e ignorando o princípio de *não contradição.

premissa (lat. *praemissa*) **1.** Em um sentido mais geral, as premissas são os pressupostos ou pontos de partida de um raciocínio ou argumento.
2. No *silogismo, as premissas — *maior*, que contém o termo de maior extensão, e *menor*, que contém o termo de menor extensão — são as duas proposições que antecedem a conclusão e com base nas quais se deduz a conclusão, que é, portanto, uma consequência das premissas. *Ver* dedução; inferência; lógica.

prenoção (lat. *praenotio*: conhecimento antecipado) **1.** Em um sentido amplo, noções gerais, de natureza implícita e de sentido pouco preciso, que se originam da experiência dos indivíduos, sem elaboração teórica ou conceitual e sem serem tematizadas diretamente.
2. Na filosofia clássica, sobretudo no *estoicismo e no *epicurismo, a *prolepse*, termo que se pode traduzir por prenoção, era uma forma de "conhecimento pré-teórico", natural e espontâneo, inato ou oriundo da experiência prática dos indivíduos e anterior a qualquer elaboração ou reflexão. A prolepse, por sua vez, explica o próprio desenvolvimento do conhecimento conceitual, ao qual serve como ponto de partida, sendo assim uma espécie de *pressuposto do conhecimento.

pré-socráticos Termo que designa, na história da filosofia, os primeiros filósofos gregos anteriores a Sócrates (sécs. VI-V a.C.), também denominados fisiólogos por se ocuparem com o conhecimento do mundo natural (*physis*). Tales de Mileto (640-c.548 a.C.) é considerado, já por Aristóteles, como o "primeiro filósofo", devido à sua busca de um primeiro princípio natural que explicasse a origem de todas as coisas. Tales é tido como fundador da escola *jônica, que inclui seu discípulo Anaximandro. As principais escolas filosóficas pré-socráticas, além da escola jônica, são: a *atomista*, incluindo Leucipo (450-420 a.C.) e Demócrito (c.460-c.370 a.C.); a *pitagórica*, fundada por Pitágoras de Samos (séc. VI a.C.); a *eleata*, de Xenófanes (séc. VI a.C.) e Parmênides (c.510 a.C.) e seu discípulo Zenão; a *mobilista*, de Heráclito (c.480 a.C.). Com Sócrates e os sofistas, a filosofia grega toma novo rumo, sendo que a preocupação cosmológica deixa de ser predominante, dando lugar a uma preocupação maior com a experiência humana, o domínio dos valores e o problema do conhecimento. *Ver* jônica, escola; atomismo; pitagorismo; eleatas; mobilismo; sofista.

pressuposto (do lat. medieval *praesuppositio*) **1.** Algo que se toma como previamente estabelecido, como base ou ponto de partida para um raciocínio ou argumento. Um pressuposto pode ser *explícito*, como as premissas de um silogismo, que servem de base para a conclusão. Pode ser também *implícito*, no sentido de crenças, interesses, valores, que influenciam nossas ações e decisões sem que tenhamos consciência disso.
2. Em um sentido mais específico, a filosofia crítica pretende que uma ciência não deve ter pressupostos, isto é, que deve fundamentar-se em uma certeza absoluta, em um ponto de partida radical, em que procura examinar e justificar todos os fundamentos. A hermenêutica e certas concepções filosóficas antifundacionalistas, contemporâneas, consideram entretanto que isso é impossível, que toda teoria, toda pretensão a conhecimento, tem inevitavelmente pressupostos, e que esses pressupostos não podem ser examinados nem explicitados em sua totalidade. Isso não significa, entretanto, que a filosofia ou o conhecimento não devam ser críticos, isto é, não devam examinar seus pressupostos, mas simplesmente que esse exame jamais poderá esgotar todos os pressupostos de um sistema teórico. Sempre ao se examinar algo se pressupõe algo não examinado, ainda que seja a própria razão que examina.

primado (lat. *primatus*) **1.** Termo utilizado por Kant para designar a predominância da razão pura prática sobre a razão pura especulativa no plano do conhecimento, pois, em última instância, "todo interesse é prático", vale dizer, orientado para uma ação voluntária e moral.
2. Marx emprega o termo para designar a predominância da *matéria ou mundo exterior sobre o *pensamento ou mundo das ideias.

primeiro (lat. *primus*) **1.** Em um sentido geral, aquilo que não é precedido por nada.
2. Na lógica matemática, aquilo que se encontra na origem de uma relação de princípio a consequência e que a determina. Ex.: os *axiomas.
3. Na teoria do conhecimento, são ditos "primeiros" as noções ou verdades que se encontram na base de todo conhecimento, que constituem seus pressupostos ou pontos de partida. Ex.: os primeiros princípios da razão na metafísica tradicional, o *cogito para Descartes.
4. Na ordem ontológica, é primeiro aquilo que possui em si mesmo sua razão de ser, ou a *causa para além da qual não podemos remontar; que é originário, do qual tudo o mais provém. Ex.: a causa primeira.
5. No campo da moral, aquilo que é fundamental ou que possui o máximo valor: "O primeiro de todos os bens é a liberdade" (Rousseau).

primeiro motor Expressão utilizada por Aristóteles e retomada por Tomás de Aquino para designar o motor imóvel, ou seja, Deus enquanto Ato puro, causa de toda mudança no mundo mas absolutamente não passível de toda mudança.

Príncipe, O (*Il Principe*) Principal e mais influente obra de *Maquiavel, escrita em 1513, na qual constata a incapacidade das repúblicas italianas de realizarem sua unidade, por falta de um monarca que lhes dê coesão territorial e política. Elaborou uma política positiva, pretendendo separar a *política da *moral, fundando-a na razão de Estado, tal como este se encarna em figuras históricas da época como César Borgia e Lorenzo de Médici. Para muitos, o pensamento político de Maquiavel reflete o cinismo da fórmula: "os fins justificam os meios". Contudo, sua doutrina política não coincide com o chamado *maquiavelismo, técnica da duplicidade que se compraz em desprezar os valores morais.

princípio (lat. *principium*) **1.** Lei geral que explica o funcionamento da natureza, e da qual leis mais específicas podem ser consideradas casos particulares. Ex.: princípio da conservação da energia.
2. Leis universais do pensamento, que constituem os fundamentos da própria racionalidade, e que permitem a estruturação do raciocínio lógico. Ex.: princípio da *identidade, princípio do *terceiro excluído, princípio da não contradição. *Ver* lógica.
3. Causas primeiras, fundamentos do conhecimento; segundo Descartes, "é preciso começar pela busca dessas causas primeiras, isto é, dos princípios; e estes princípios devem ter duas con-

dições; uma, que sejam tão claros e evidentes que o espírito humano não possa duvidar de sua validade...; a outra, que seja deles que dependa o conhecimento das outras coisas, de sorte que possam ser conhecidos sem elas, mas não reciprocamente elas sem eles" (*Princípios da filosofia*, prefácio).
4. Preceito moral, norma de ação que determina a conduta humana e à qual um indivíduo deve obedecer quaisquer que sejam as circunstâncias. Ex.: homem de princípios.

princípio, petição de (lat. *petitio principii*) Falha de raciocínio, analisada por Aristóteles em sua lógica (*Órganon*), consistindo em tomar como ponto de partida de uma demonstração aquilo mesmo que se trata de provar. *Ver* círculo vicioso; dialeto.

princípio de omni Princípio lógico segundo o qual aquilo que é verdadeiro acerca de todos os indivíduos é verdadeiro acerca de cada um.

Princípios da matemática, Os (*Principia mathematica*) Obra de Bertrand *Russell, escrita em colaboração com A.N. *Whitehead e publicada entre 1910-1913; nela, pretendem demonstrar que a *lógica constitui os fundamentos da matemática, seguindo a inspiração de *Leibniz e formulando uma linguagem formal que será uma das bases da lógica-matemática contemporânea, conhecida como "notação dos *Principia*". Trata-se de uma das obras mais importantes do assim chamado *logicismo na lógica e fundamentos da matemática, procurando mostrar a possibilidade de reconstrução da matemática a partir de alguns conceitos e princípios lógicos básicos, e defendendo a ideia de que os objetos lógico-matemáticos são independentes tanto do mundo empírico quanto do espírito humano.

Princípios matemáticos da filosofia natural (*Principia mathematica philosophiae naturalis*) Principal obra de Newton, publicada em 1687 (2ª edição revista, 1713), em que expõe sua nova concepção da física através de um método matemático, estabelecendo assim os princípios básicos do que conhecemos como "física de Newton", a mecânica clássica. Esta ciência tornar-se-á, no dizer do próprio *Kant (*Crítica da razão pura*), um dos mais importantes paradigmas do conhecimento e do método científico, influenciando fortemente o desenvolvimento das ciências naturais até o início do séc. XX, quando começou a ser questionada pela teoria da *relatividade de *Einstein.

privação (lat. *privatio*: ausência de algo, supressão) Falta de alguma coisa ou de um bem que deveriam ser possuídos: "Privação se diz, num sentido, quando um ser não possui um dos atributos que lhe é natural; em outro, quando está ausente uma qualidade que deveria naturalmente nele encontrar-se" (Aristóteles).

probabilidade (lat. *probabilitas*) Determinação da expectativa racional da ocorrência de um fato. Cálculo através do qual se procura estabelecer a ocorrência ou não de um fato a partir de sua frequência. A probabilidade pode ser determinada em vários graus, podendo ser maior ou menor, dependendo do grau de certeza que se tem. A teoria clássica da probabilidade procura estabelecer as chances de ocorrência de um evento em relação a outras alternativas possíveis. Ex.: dois dados podem ser jogados em trinta e seis combinações possíveis, onze dentre estas incluem o número seis, logo a probabilidade de obtermos um seis é de 11/36. *Ver* indução.

probabilismo Concepção segundo a qual as leis científicas têm um valor meramente probabilístico, ou seja, estatístico, indicando a probabilidade maior ou menor de um fato ocorrer. Considera-se que o probabilismo originou-se do ceticismo da *Nova Academia, para o qual a verdade absoluta e a certeza definitiva seriam impossíveis, o conhecimento reduzindo-se apenas a um conjunto de opiniões prováveis.

problema (lat. e gr. *problema*) **1.** Em um sentido genérico, dificuldade, tarefa prática ou teórica de difícil solução. No sentido originário da matemática, trata-se de uma questão envolvendo relações entre elementos matemáticos com números, figuras etc. Ex.: traçar um círculo passando por três pontos que não estão em linha reta.
2. Em um sentido mais amplo, filosófico e, em geral, teórico, toda questão crítica, de natureza especulativa ou prática, examinando o fundamento, a justificativa e o valor de um determinado tipo de conhecimento em forma de ação. Ex.: o problema da indução, o problema do livre-arbítrio etc.

problemático/problemática (do lat. vulgar *problematicus*) É problemático tudo aquilo que é duvidoso, que não tem prova conclusiva, cuja aceitação é discutível.

1. Em um sentido lógico, característica do *juízo ou *proposição que expressa uma simples *possibilidade, podendo ser verdadeiro, porém sem que se tenha certeza disso. Para Kant, trata-se de uma das *modalidades do juízo, sendo o juízo problemático precisamente aquele cuja afirmação ou negação é admitida como possível.
2. Em um sentido epistemológico, uma problemática é um conjunto de *problemas elaborados por uma teoria científica determinada que delimita assim seu campo específico. Trata-se, portanto, de um conjunto de problemas mais gerais que definem as preocupações básicas e o procedimento investigativo de uma corrente teórica. A problemática se constitui a partir do *estado atual* de uma questão ou questões teóricas em um momento histórico determinado e está relacionada a práticas teóricas e científicas de uma época, bem como ao contexto social em que se insere.

processo (lat. *processus*: ação de avançar) **1.** Atividade reflexiva que tem por objetivo alcançar o conhecimento de algo: "Seria preciso um processo infinito para se inventariar o conteúdo total de uma coisa" (Sartre). Ex.: O processo do trabalho.
2. Série de fenômenos sucessivos formando um todo e culminando em determinado resultado. Ex.: o processo de uma crise.
3. Processo *ad infinitum*: progresso indefinido ou sucessão sem término previsível. *Oposto a* regressão *ad infinitum*.

Proclo (c.410-485) Filósofo grego (nascido em Constantinopla) neoplatônico; é considerado como o último grande mestre do neoplatonismo. Ensinou em Atenas por volta de 450. Defendia ardorosamente o paganismo e combatia o cristianismo. Escreveu comentários sobre os diálogos de Platão, um compêndio sobre obras de Aristóteles, ensaios místico-filosóficos e tratados sobre matemática e astronomia.

progresso (lat. *progressus*: avanço) **1.** Genericamente, desenvolvimento, crescimento, aumento qualitativo ou quantitativo. Pode ser tomado em um sentido valorativamente neutro, ex.: progresso da doença.
2. Em um sentido mais específico, mudança para melhor que se obtém de forma gradual, tanto do ponto de vista do conhecimento, ex.: progresso da ciência; quanto do ponto de vista moral, social e político, ex.: progresso social.
3. Certas concepções relativistas contemporâneas questionam a ideia de progresso na medida em que não haveria a possibilidade de se estabelecerem critérios objetivos que permitissem considerar uma teoria científica, p. ex., como melhor do que outra. Desse modo tudo o que se poderia dizer é que há diferentes formas ou modelos científicos. *Ver* Kuhn; paradigma; relativismo.
4. A ideologia do progresso é típica do séc. XVIII. Segundo ela, a filosofia das Luzes teria descoberto na noção de uma marcha contínua para a verdade a figura na qual melhor se exprimia seu otimismo histórico.

projeto (lat. *projectus*) **1.** Na filosofia de *Heidegger, característica do *Dasein* (ser-aí), de estar sempre lançado para além de si mesmo pela preocupação (*Sorge*).
2. No *existencialismo de Sartre, o projeto é a resposta que cada indivíduo dá à *situação em que se encontra no mundo, aquilo que dá sentido à sua existência, as escolhas que faz e que constituem sua *liberdade: "o para-si, com efeito, é um ser cujo ser está em questão sob forma de projeto de ser".

Projeto de paz perpétua Obra de *Kant (1795) mostrando que a política deve se submeter à reflexão e às exigências da moral. Em suas relações mútuas, os Estados se encontram numa situação semelhante à dos indivíduos no estado de natureza. Assim, para estabelecer uma paz real, não só pondo fim a todas as guerras, mas à sua possibilidade, precisaríamos construir, para além e acima dos Estados particulares, uma verdadeira federação dirigida por uma autoridade suscetível de encarnar a vontade do universal, tal como já opera na vida moral. Deveríamos conferir-lhe um poder na vida política, porque somente ela teria condições de ultrapassar os egoísmos próprios a cada Estado. Neste sentido, as relações internacionais dependeriam não do plano simplesmente político, mas do ético. Donde impor-se a conclusão: o ideal e a realização da paz universal dependem da razão prática.

prolegômenos (do gr. *prolegomena*) Apresentação preliminar de princípios gerais que serve de introdução ao desenvolvimento integral de uma teoria ou de uma ciência. Ex.: a obra de Kant (1783) *Prolegômenos a toda metafísica futura que possa vir a ser considerada como ciência*.

prolepse *Ver* prenoção.

prometéico Adjetivo derivado de Prometeu, personagem da *mitologia grega que, tendo roubado o fogo dos deuses para entregá-lo aos homens, foi acorrentado como castigo no monte Cáucaso. Diz-se, em geral, das pretensões humanas que, de alguma forma, buscam superar os limites da condição humana e igualar-se aos deuses; e também, das tentativas do homem de superar a si mesmo através da ciência e da técnica para dominar a natureza.

propedêutica (do gr. *propaideuein*) Estudo introdutório ou preparatório que serve de iniciação a uma ciência. Ciência cujo estudo serve de preparação ou introdução a outra. Ex.: a lógica como propedêutica à teoria do conhecimento: "a lógica como propedêutica constitui um tipo de vestíbulo para as ciências" (Kant, *Crítica da razão pura*). Tratado científico de caráter introdutório e geral. Ex.: a *Propedêutica filosófica de Hegel* (1809-1816).

proposição (lat. *propositio*) 1. Formulação linguística de um *juízo, podendo ser verdadeira ou falsa. Tradicionalmente considera-se o juízo como um ato mental e a proposição como sua expressão linguística. Alguns filósofos da linguagem contemporâneos distinguem, por vezes, a proposição como uma *estrutura lógica formal, pertencendo à *linguagem portanto, e a sentença como a expressão de uma proposição em uma língua particular. Há, no entanto, inúmeras controvérsias quanto a essa distinção, envolvendo, p. ex., a natureza mental ou linguística da proposição, a relação entre a proposição em um sentido abstrato, genérico e sua instanciação em uma língua concreta, a atribuição de verdade e falsidade a proposições ou a sentenças etc.
2. *Cálculo proposicional*: Na *lógica matemática, uma linguagem formal cujos símbolos são variáveis representando proposições e conectivos que representam proposições complexas construídas a partir de proposições simples. O cálculo estuda as relações dedutivas entre as proposições, estabelecendo suas condições formais de verdade.

propriedade (lat. *proprietas*) 1. Em um sentido ontológico, a propriedade é uma característica definidora de um objeto, ou de uma classe de objetos: "As qualidades que são de tal maneira próprias a uma coisa que não poderiam convir a outras se denominam *propriedades*: ser limitado por três lados é uma propriedade do triângulo" (Condillac).
2. Juridicamente, a propriedade é o direito à posse de algo, garantido pela lei, opondo-se à simples posse, que é o fato de se possuir algo efetivamente. Neste sentido legal, a propriedade significa o direito de dispor de algo, mas não necessariamente de usar um objeto indiscriminadamente, p. ex., no caso de uma arma. Segundo alguns pensadores, como *Locke, a propriedade privada é um direito natural do homem. Já pensadores socialistas defendem a coletivização da propriedade, a ser usada para benefício de todos, chegando mesmo a afirmar, como *Proudhon, que "a propriedade é um roubo".

prospectiva (do lat. *proscipere*: olhar longe adiante) Neologismo criado pelo filósofo francês contemporâneo Gaston Berger para designar a ciência humana tendo por objetivo organizar o presente em função do futuro. Distinta da previsão, que determina previamente os acontecimentos do futuro a partir de uma análise do passado ("saber a fim de prever para poder", segundo A. Comte), a prospectiva é uma ciência humana aplicada, que consiste em julgar o que somos hoje a partir do futuro, tendo grande importância para economistas e planejadores.

Protágoras (séc. V a.C.) O grego Protágoras (nascido em Abdera) é um dos filósofos *sofistas* preocupado não com as cosmogonias e os sistemas, mas com a introdução de certo "humanismo" na filosofia. Ele prega uma espécie de relativismo ou de subjetivismo. De sua obra, ficou apenas uma frase: "O homem é a medida de todas as coisas, do ser daquilo que é, do não-ser daquilo que não é". Quer dizer: todo conhecimento depende do indivíduo que conhece; o vento só é frio para mim e no momento em que sinto frio; as qualidades do mundo variam com os indivíduos e no mesmo indivíduo; o aspecto do mundo não é sempre o mesmo; não há verdade nem erro; valem apenas as representações que são proveitosas e salutares. Temos aí uma espécie de "pragmatismo" humanista.

Proudhon, Pierre Joseph (1809-1865) O socialista francês Pierre Joseph Proudhon (nascido em Besançon) foi um dos primeiros pensadores a propor uma ciência da sociedade. Em seu livro *O que é a propriedade?* (1840), estuda o fenômeno da propriedade sob todos os seus ângulos: histórico, jurídico, moral, filosófico, econômico etc. e mostra seus malefícios sobre a estrutura social. "A propriedade é um roubo", diz ele. Entregou-se à militância política com ardor: "A igualdade ou a morte", "Não queremos vossa caridade, queremos a justiça". O que eu quero, declara, "é a destruição do feudalismo e a organização da cidade econômica". Escreveu a *Filosofia da miséria* (1846), contra a qual Marx antepôs a *Miséria da filosofia*.

Em seu último livro, *Da capacidade política das classes operárias*, publicado postumamente, sustentou que o proletariado só pode ser considerado como força política sob três condições: a) ter consciência de sua dignidade, de seu papel e de seu lugar na sociedade; b) poder analisar e expor esse papel; c) poder deduzir dessa análise um programa de ação política. Marx o critica em função de Proudhon acreditar que a organização da sociedade será o equilíbrio, graças à sociologia, entre a ordem da natureza e a ordem política; porque acredita também numa evolução espontânea da sociedade; porque, enfim, acredita que "a república deve ser uma anarquia positiva", não havendo mais Estado, só contratos sociais. As suas obras principais são: *Qu'est-ce la propriété?* (1840), *La philosophie de la misère* (*Système des contradictions économiques*, 1846), *Du principe fédératif et de la nécessité de reconstituer le parti de la révolution* (1863), *De la capacité politique de la classe ouvrière*, póstuma.

prova (lat. tardio *proba*, do lat. *probare*, provar) **1.** Argumentação que nos leva a reconhecer ou a aceitar a verdade de uma proposição. Ex.: a prova ontológica da existência de Deus segundo Descartes.
2. Em um sentido lógico, demonstração da validade de uma proposição, de acordo com determinados princípios lógicos e regras dedutivas. Ex.: "a prova de um teorema". Em um sentido experimental, verificação da verdade de uma hipótese em relação aos fatos a que se refere.
3. *Teoria da prova*: na lógica matemática, o estudo sintático dos sistemas formais, examinando-se a estrutura das provas que podem ser realizadas nesses sistemas. *Ver* modelo.

providência (lat. *providentia*: previsão) Ação que *Deus exerce sobre o mundo, não somente através de intervenções particulares, como nos *milagres, mas também através das leis estáveis que determinam o *devir da humanidade em geral e de cada indivíduo em particular, segundo um plano e em vista de um fim concebido pela sabedoria divina.

providencialismo Doutrina que pretende explicar tudo o que ocorre como resultado da providência divina, considerando portanto que Deus intervém continuamente nos fenômenos naturais e nos acontecimentos humanos. Ex.: a teoria providencialista de *Bossuet, exposta em seu *Discurso sobre a história universal* (1701), segundo a qual "tudo depende das ordens secretas da Divina Providência".

Pseudo-Dionísio (o Areopagita) Autor desconhecido, do séc. VI da era cristã, provavelmente grego, a quem se atribuem algumas obras de teologia mística e especulativa, verdadeiras sínteses cristãs de inspiração neoplatônica: *Hierarquia celeste*, *Nomes divinos*, *Hierarquia eclesiástica*, *Teologia mística*. Sua obra teve grande influência no desenvolvimento do *platonismo no período medieval, sobretudo em *Escoto Erígena.

psicanálise (al. *Psychoanalyse*) Em *Psicanálise e teoria da libido*, Freud declara que "Psicanálise é o nome: 1) de um procedimento para a investigação dos processos mentais mais ou menos inacessíveis de outra forma; 2) de um método fundado nessa investigação para o tratamento de desordens neuróticas; 3) de uma série de concepções psicológicas adquiridas por esse meio e que crescem juntas para formar progressivamente uma nova disciplina científica". Por conseguinte, a psicanálise é, antes de tudo, uma investigação dos processos inconscientes. Correlativamente, constitui um tipo de *terapêutica* centrada nas neuroses. Finalmente, constitui um tipo de saber reivindicando o estatuto de uma teoria científica da psique, uma "psicologia das profundezas" ou uma "doutrina do inconsciente psíquico" indispensável a todas as ciências que tratam da gênese da civilização humana e de suas grandes instituições, tais como a arte, a religião e a ordem social.

psicologia (lat. científico *psychologia*, do gr. *psyché*: sopro, alma, e *logos*: estudo) Pode-se considerar o *Tratado da alma* de Aristóteles, estudo dedicado à natureza do ser vivo, sensível e inteligente, a primeira obra sistemática em psicologia. Em um sentido tradicional, a *psicologia racional* é a parte da filosofia que trata da natureza da alma como tal, como origem dos fenômenos psíquicos, que seriam objeto de uma ciência experimental específica. Sobretudo a partir do período moderno, com as teorias do conhecimento desenvolvidas por empiristas e racionalistas, a psicologia da consciência adquiriu grande importância. Temos então uma investigação da contribuição para o conhecimento dos processos psicológicos, através da análise da natureza e da estrutura da *consciência, da origem das *ideias nas *sensações, do processo de *abstração etc. Assim, na medida em que a noção de consciência assumiu um papel central na investigação filosófica, a psicologia passou a ter uma importância maior para a filosofia. A *fenomenologia é uma das principais correntes contemporâneas que desenvolve uma análise sistemática da consciência, sobretudo de seu caráter *internacional, tendo assim uma grande interação com a psicologia. A noção de *inconsciente, formulada por Freud, abala em grande parte essa concepção de psicologia da consciência, bem como seu papel central na investigação filosófica.

psicológico, sujeito *Ver* epistêmico, sujeito.

psicologismo Concepção filosófica que atribui à psicologia um lugar central, colocando-a como base de todas as ciências, já que estas se constituem através de processos cognitivos que são em última análise explicáveis pela psicologia. O psicologismo é um *reducionismo na medida em que busca explicar todos os elementos da experiência humana a partir da dimensão psicológica dessa experiência. Assim, a própria lógica, ou a metafísica ou a experiência estética, poderiam ser reduzidas a formas do pensamento humano, a modos de operar da mente. *Ver* empirismo.

psicose Doença mental que afeta gravemente a personalidade global, nela provocando um estado de alienação, e se caracteriza por uma perda do contato com a realidade: "Tentamos definir as doenças mentais conforme a amplitude das perturbações da personalidade. As psicoses são perturbações da personalidade global. Ao contrário, as neuroses afetam apenas um setor da personalidade" (*Foucault).

psique/psiquismo (gr. *psyché*: sopro, alma, vida) 1. Na simbologia grega, por oposição ao corpo material ou soma, personificação do princípio da vida ou alma.
2. No sentido psicanalítico, por oposição aos processos puramente orgânicos, é "o conjunto de todos os processos psíquicos conscientes e inconscientes" (Jung).
3. O *psiquismo* é o conjunto dos fenômenos psíquicos constituindo a vida mental inconsciente ou consciente de um indivíduo.

pulsão (do al. *Trieb*) 1. Designa, em *Freud, os instintos fundamentais do indivíduo naquilo que possuem de menos determinado conscientemente e mais genérico quanto ao comportamento deles resultante. A *pulsão de vida* compreende os instintos sexuais e de autoconservação que dependem do princípio do prazer; a *pulsão de morte* representa o esforço do indivíduo para subtrair-se das tensões e retornar ao estado inorgânico, dependendo do princípio de realidade. *Ver* psicanálise.
2. Por extensão, toda força inconsciente de origem biológica (fome, sede) dotada de poderosa carga energética e orientando o indivíduo para um objeto capaz de dar-lhe satisfação e "reduzir" a tensão nele provocada.

puro (lat. *purus*) 1. Que não contém nenhum elemento estranho, que é sem mistura, que se caracteriza pela ausência de conteúdo, sendo apenas forma.
2. Em Kant, o termo se aplica a "todas as representações nas quais não se encontra nada que pertença à experiência sensível" (*Crítica da razão pura*).

Putnam, Hilary (1926-) Filósofo norte-americano, professor na Universidade de Harvard. Putnam, dentro da corrente de pensamento filosófico-analítica desenvolvida nos Estados Unidos, adota pontos de vista que, sem serem ortodoxos ou heterodoxos, caracterizam-se por serem moderados ou "intermediários", sem compromisso com os preconceitos. Adotando posturas ou atitudes apoiadas em estudos de estruturas conceituais suscetíveis de revisões, ele sustenta, em sua filosofia das ciências, a tese da autonomia da prática e do conhecimento prático. Contesta a tendência de se conceber, em todos os casos, o problema do conhecimento prático como sendo o da "aplicação" de um conhecimento de natureza teórica aos fatos da prática. Sustenta ainda que a tradicional dicotomia entre o fato e o valor, hoje uma "verdadeira instituição cultural", é indefensável de um ponto de vista racional, porque todo conhecimento pressupõe, pelo menos implicitamente, certos valores. Não somente demonstra que o conhecimento prático é mais fundamental do que o conhecimento teórico, mas que ele é, verdadeiramente, um *conhecimento*, sem que a *ética* se converta numa ciência. Obras principais: *Philosophical Papers*, 2 vols. (1975), *Significado e as ciências morais* (1978), *Razão, verdade e história* (1981).

Q

quadrivium Ver *trivium.*

qualidade (lat. *qualitas,* de *qualis*: qual, de que espécie) **1.** Em um sentido genérico, característica ou propriedade de algo.
2. Em Aristóteles, a qualidade é uma das dez *categorias, "chamo qualidade aquilo em virtude de que se diz que algo é de uma determinada maneira" (*Categorias*, 8). Distingue ele, entretanto, várias acepções do termo, segundo as quais se pode caracterizar um objeto como quente ou frio, doente ou são, branco ou preto etc. A qualidade se opõe à *quantidade por não ser mensurável, variando apenas de intensidade, e à *relação por ser um *acidente que modifica a *substância de forma intrínseca.
3. Na distinção clássica de Locke (*Ensaio sobre o entendimento humano*), *qualidades primárias* são aquelas que um objeto de fato possui, que são inseparáveis dele, p. ex. a solidez, a extensão, a figura etc.; enquanto que as *qualidades secundárias* são aquelas que podem ser separadas, que resultam na realidade de nossa reação às primárias, p. ex. a cor, o cheiro etc.
4. A lógica tradicional caracteriza a qualidade de um juízo ou proposição como a propriedade segundo a qual estes são *afirmativos* ou *negativos*.

quantidade (lat. *quantitas*, de *quantus*: quanto) **1.** Em um sentido geral, o termo "quantidade" designa uma grandeza considerada mensurável apenas, abstraindo-se da qualidade.
2. Segundo Aristóteles, a quantidade é uma das dez *categorias, caracterizada pela possibilidade de se medir ou contar algo. "Diz-se quantidade daquilo que é divisível em um ou mais elementos integrantes, sendo que cada um é por natureza uma coisa una e indivisível. Uma multiplicidade é uma quantidade se é enumerável, uma grandeza, se é mensurável" (*Metafísica*, IV, 13).
3. Em Kant, a quantidade é uma das categorias ou conceitos puros do entendimento, subdividindo-se em unidade, pluralidade e totalidade, e tendo como correlatos os juízos universais, particulares e singulares.

4. Na lógica tradicional, uma proposição pode ser, no que diz respeito à sua quantidade: *universal*, se o sujeito é considerado em toda a sua extensão, p. ex.: todos os homens são mortais; ou *particular*, quando o sujeito é considerado apenas em parte de sua extensão, p. ex.: alguns homens são sábios.

querer-viver 1. Conjunto dos "desejos cegos e irreversíveis" (*Schopenhauer) que se encontra na origem de todas as formas da existência, da reprodução dos indivíduos e da continuidade da espécie e apresentando-se ao homem como única "coisa em si" (númeno).
2. Por extensão, força cega e inelutável comandada por nossos desejos mais profundos (notadamente sexuais), constituindo verdadeiras "astúcias da espécie" e visando sua perpetuação, não a "felicidade" dos indivíduos. *Ver* vontade de poder.

questão (lat. *quaestio*, de *quaerere*: procurar, pesquisar) O que é posto em discussão ou em interrogação, implicando uma dificuldade teórica ou prática. Se a filosofia é "filha do espanto" (*Aristóteles), "uma questão é uma investigação que se esforça por conhecer o ente segundo sua existência e sua essência" (*Heidegger).

quididade (lat. *quidditas*, de *quid*: aquilo que) Termo da *escolástica, significando literalmente "aquilo que alguma coisa é", empregado para designar a *essência ou natureza real de algo. "O que situa uma realidade dentro de seu gênero ou espécie correspondente é o que se expressa na definição do que é a coisa (*quid est*); por este motivo os filósofos trocaram o termo essência por quididade" (Tomás de Aquino, *De ente et essentia*).

quietismo (do lat. *quies*: repouso, tranquilidade) **1.** No sentido moral, toda doutrina ou atitude tendo como ideal a pura contemplação e a inação.
2. Do ponto de vista histórico, doutrina cristã mística pregando que um estado de "amor puro" e de união da alma com Deus representa o ideal a ser atingido. Foi criticada e condenada pela Igreja (1687) por levar os indivíduos a uma total passividade, eximindo-os de sua responsabilidade.

Quine, Willard van Orman (1908-2000) Filósofo norte-americano, professor na Universidade de Harvard, distinguiu-se por seus trabalhos em lógica, filosofia da linguagem e filosofia da ciência. Sua obra foi fortemente influenciada por Carnap, sendo Quine um importante defensor do empirismo na filosofia contemporânea. Nesta perspectiva, desenvolveu um argumento contra a distinção entre *analítico e *sintético, mostrando a fragilidade dos critérios em que se baseia esta distinção. Formulou uma concepção holística, segundo a qual uma teoria científica é como uma rede interligada, sendo que cada uma de suas partes pode ser passível de revisão a partir da experiência, cada revisão de uma parte, por sua vez, acarretando a revisão das demais. De acordo com sua teoria convencionalista do significado, sentenças particulares não têm um significado determinado, podendo significar diferentes coisas, dependendo do esquema conceitual a que pertencem. Na década de 40, Quine residiu por algum tempo em São Paulo, onde foi professor de lógica na Escola de Sociologia e Política, tendo inclusive seu livro *O sentido da nova lógica* (1944) sido publicado originariamente em português. Dentre suas obras, destacam-se: *Lógica matemática* (1940), *Métodos da lógica* (1952), *De um ponto de vista lógico* (1953), *Palavra e objeto* (1960), *Relatividade ontológica e outros ensaios* (1969), *Raízes da referência* (1973), *Teorias e coisas* (1981), *Pursuit of Truth* (1990), *From Stimulus to Science* (1995).

quinta-essência (lat. *quinta essentia*) **1.** Em um sentido genérico, a *essência mais pura, mais fundamental de algo. Extrato que sintetiza os caracteres mais essenciais de algo, resumo concentrado expressando estes caracteres: a quinta-essência da sabedoria.

2. Segundo a física aristotélica, quinta-essência é o éter, *elemento do qual o céu e os corpos celestes são constituídos e que se acrescenta aos quatro elementos do Empédocles — terra, água, ar e fogo —, porém possuindo uma natureza mais pura, mais elevada do que estes. Na alquimia do final do período medieval e do início do Renascimento, sobretudo em Paracelso, a quinta-essência é o elemento mais puro da matéria, contendo suas qualidades essenciais e cuja obtenção é um dos objetivos mais elevados dos alquimistas.

R

Rabelais, François (1494-1553) O francês Rabelais (nascido em Chinon) é mais conhecido por suas ideias pedagógicas. Inimigo da educação tradicional, pede aos pedagogos que se façam amar pelos alunos, que desenvolvam a reflexão e a inteligência prática, ao invés da memória e do "saber". Em seu livro *Gargantua* (1534), ele ridiculariza a inútil educação de "encher" ou abarrotar as cabeças dos alunos e prega uma composição entre as aulas e as leituras, entre as observações científicas realistas e os exercícios físicos. Em seu *Pantagruel* (publicado anteriormente em 1532), fornece seu programa de ensino: trata-se de uma *educação moral* e de uma intensificação do programa científico com base nas ciências naturais. É conhecida sua expressão: *"Ciência sem consciência não passa de uma ruína da alma"*. Defende novos métodos de educação: lição das coisas, observações, aulas-passeio, busca pessoal etc. Seu lema: "Faça o que deseja".

raciocínio (lat. *ratiocinatio*) Atividade do *pensamento pela qual se procede a um encadeamento de juízos visando estabelecer a verdade ou a falsidade de algo. Procedimento racional de argumentação ou de justificação de uma hipótese. O *raciocínio dedutivo* estrutura-se logicamente sob a forma do *silogismo. O *raciocínio indutivo* é aquele que procede a uma generalização a partir da constatação de regularidades na observação de fatos particulares e do estabelecimento de relações entre estes. *Ver* dedução; indução; inferência; lógica; razão.

racional/racionalidade (lat. *rationalis*) **1.** "Racional" caracteriza tudo aquilo que pertence à razão ou é derivado dela, que se baseia na razão. A racionalidade é a característica daquilo que é racional, que está de acordo com a razão Ex.: princípios racionais, decisão racional. *Oposto a* irracional.
2. Do ponto de vista epistemológico e antropológico, questiona-se a universalidade do conceito de racionalidade e os critérios segundo os quais se caracteriza um procedimento ou uma decisão como racionais. Esses critérios seriam sempre, em última análise, culturais, variáveis e relativos portanto, ou pertenceriam à própria natureza da razão humana como tal? Seriam inatos, próprios do homem apenas, ou corresponderiam a princípios e leis que pertencem à própria realidade, de caráter ontológico portanto?
3. Max *Weber (*A ética protestante e o espírito do capitalismo*, 1904) distingue a ação racional valorativa (*Wertrational*) da ação racional instrumental (*Zweckrational*). A primeira caracteriza uma ação que se realiza de acordo com certos valores e que se autojustifica, como p. ex., os rituais em certas culturas. A segunda caracteriza como racional uma ação ou procedimento que visa fins ou objetivos específicos, procurando realizá-los através do cálculo e da adequação dos meios a estes fins; dessa forma, os fins justificariam os meios mais eficazes para sua obtenção. Weber identifica a razão instrumental com o capitalismo e o desenvolvimento da técnica e da sociedade industrial. Em síntese "a racionalidade é o estabelecimento de uma adequação entre uma coerência lógica (descritiva, explicativa) e uma realidade empírica" (E. Morin, *Science avec conscience*).

racionalismo 1. Doutrina que privilegia a *razão dentre todas as faculdades humanas, considerando-a como fundamento de todo *conhecimento possível. O racionalismo considera que o *real é em última análise racional e que a razão é portanto capaz de conhecer o real e de chegar à verdade sobre a natureza das coisas. Segundo Hegel: "Aquilo que é racional é real, e o que é real é racional" (*Filosofia do direito*, Prefácio). *Oposto a* ceticismo, misticismo. *Ver* empirismo.
2. *Racionalismo crítico*: doutrina kantiana dos limites internos da razão em sua aplicação no conhecimento do real. *Ver* crítica; transcendental.
3. Contrariamente ao *empirismo (valorizando a *experiência) e ao *fideísmo (valorizando a *revelação religiosa), o racionalismo designa doutrinas bastante variadas suscetíveis de submeter à razão todas as formas de conhecimento. Em seu sentido filosófico, ele tanto pode ser uma visão do mundo que afirma o perfeito acordo entre o racional e a realidade do universo quanto uma ética que afirma que as ações e as sociedades humanas são racionais em seu princípio, em sua conduta e em sua finalidade.

4. O racionalismo muda de figura segundo se opõe a outras filosofias. Ele se opõe ao pensamento arcaico por seu estilo argumentativo e crítico. Opõe-se ao empirismo fazendo-se metódico, recorrendo à lógica e à matemática (p. ex., em Leibniz). Opõe-se ao fideísmo, fazendo-se sistemático; ao misticismo, fazendo-se positivo e crítico. Pode ainda limitar-se a um domínio ou aspecto da experiência humana: racionalismo moral, racionalismo religioso (Feuerbach), racionalismo político (Montesquieu) etc.

racionalização 1. Em um sentido genérico, método que defende o papel central da razão na ordenação de toda atividade humana. Ex.: racionalização do trabalho.
2. Na *teoria psicanalítica*, a racionalização é um mecanismo de defesa, através do qual se pretende justificar e explicar racionalmente atitudes e ações cujos reais motivos estão em conflitos e desejos inconscientes reprimidos e não admitidos.
3. Segundo a *teoria crítica* da escola de *Frankfurt, a racionalização é a justificação de certas práticas de dominação como necessárias ao progresso e ao desenvolvimento social, ocultando, entretanto, os verdadeiros interesses da classe dominante. *Ver* ideologia; racionalidade.
4. A racionalização pode ser considerada ainda como a construção de uma visão coerente e globalizadora do mundo, mas a partir de dados parciais ou de um princípio único. Assim, a visão de um único aspecto das coisas (o rendimento, p. ex.), a explicação em função de um único fator (o econômico, p. ex.), ou a crença segundo a qual os males da humanidade são devidos a uma única causa, constituem racionalizações. Nesse sentido, "a racionalização pode, a partir de uma proposição inicial totalmente absurda ou fantasmática, edificar uma construção lógica e dela deduzir todas as consequências práticas" (E. Morin, *Science avec conscience*).

racismo Doutrina ou crença preconceituosa admitindo e afirmando a desigualdade das raças humanas (consideradas independentemente dos cruzamentos, pois as identifica com etnia ou comunidade de cultura) e que, na prática, não só defende a existência de raças superiores "puras", mas se manifesta por atitudes ou comportamentos estereotipados de xenofobia individual e coletiva. Ao pregar a inferioridade racial, constitui uma perversidade moral. No séc. XIX, as ideias racistas buscaram uma fundamentação científica (Gobineau). Encontraram um terreno favorável sob o regime nazista. Longe de exprimirem uma verdade científica, apoiam-se em ilusórias diferenças biológicas. *Ver* apartheid.

radical (do lat. tardio *radicalis*) Que diz respeito à raiz das coisas, à sua natureza mais profunda, sem admitir restrição ou limite. Ex.: mudança radical, dúvida radical, atitude radical.

radicalismo (ingl. *radicalism*) **1.** Em um sentido genérico, atitude doutrinária política que propõe uma transformação profunda na ordem social e uma mudança de valores de forma radical, isto é, direta, imediata e sem meios-termos.
2. *Radicalismo filosófico*: movimento filosófico e político na Inglaterra no séc. XIX, de grande influência nos meios intelectuais e políticos, liderado por J. *Bentham, e incluindo, dentre outros, o economista David Ricardo e o filósofo J. Stuart *Mill. Defendiam o *liberalismo econômico e o *reformismo social.

Rawls, John (1921-2002) Filósofo do direito norte-americano, nascido em Baltimore, professor na Universidade de Harvard. Formulou, em seu *A Theory of Justice* (1971), uma teoria da justiça de forte conotação social, com ênfase na noção de justiça distributiva, bastante influente no contexto anglo-saxônico contemporâneo, opondo-se ao *utilitarismo e ao individualismo, e reelaborando a teoria do contrato social. Principais obras: *Political Liberalism* (1993), *Justice as Fairness* (2000).

razão (lat. *ratio*) **1.** Faculdade de julgar que caracteriza o ser humano. "A capacidade de bem julgar e distinguir o verdadeiro do falso, que é o que propriamente se denomina o bom senso ou razão, é naturalmente igual em todos os homens" (Descartes, *Discurso do método*, I). *Ver* bom senso.
2. Em um sentido mais específico, a razão é a capacidade de, partindo de certos princípios *a priori*, isto é, estabelecidos independentemente da *experiência, estabelecer determinadas relações constantes entre as coisas, permitindo assim chegar à verdade, ou demonstrar, justificar, uma hipótese ou uma afirmação qualquer. Nesse sentido, a razão é discursiva, ou seja, articula conceitos e proposições para deles extrair conclusões de acordo com princípios lógicos. *Ver* lógica; raciocínio.
3. A razão identifica-se ainda com a *luz natural, ou o conhecimento de que o homem é capaz naturalmente, por oposição à fé e à revelação. "A razão é o encadeamento de verdades; mais particularmente, ao ser comparada com a fé, das verdades que podem ser atingidas pelo espírito humano

naturalmente sem o auxílio das luzes da fé" (Leibniz, *Teodiceia*).

4. *Razão suficiente*: em Leibniz, o princípio da razão suficiente estabelece que para todo fato que ocorre há uma razão pela qual esse fato ocorre, e ocorre de determinada maneira e não de outra. *Ver* determinismo.

5. *Razão teórica* ou *especulativa*: em Kant, trata-se da faculdade dos princípios *a priori*, que em sua função crítica tem o papel de estabelecer as condições de possibilidade do conhecimento. "Distinguimos a razão do entendimento, definindo-a como a faculdade dos princípios ... Se o entendimento pode ser definido como a faculdade de dar aos fenômenos unidade por meio de regras, a razão é a faculdade de dar unidade às regras do entendimento sob forma de princípios" (*Crítica da razão pura*).

6. *Razão prática*: a razão tal qual aplicada no campo da ação humana, permitindo que o homem tome suas decisões ao agir baseado em princípios. Para Kant, é a razão prática que responde à pergunta "que devo fazer?", estabelecendo os princípios morais que regem a ação humana. *Ver* imperativo; prática.

razão, astúcia da Expressão utilizada por Hegel para significar que os homens e os acontecimentos constituem frequentemente os instrumentos "inconscientes" da razão encarnada na história. Daí a famosa expressão "O Estado é uma astúcia da razão". Assim, a razão conduz o curso da história com a ajuda de astúcias permitindo aos homens agirem, aparentemente, para atingir seus fins particulares, na realidade para realizar o fim da história.

real (lat. medieval *realis*, de *res*: coisa) **1.** Que existe, que diz respeito às coisas, aos fatos. *Oposto a* fictício, ilusório, aparente. Ex.: poder real, ameaça real. Que pode ser objeto de nossa experiência, de nosso conhecimento. *Oposto a* imaginário.

2. Em um sentido metafísico, distingue-se o real, aquilo que existe por si mesmo, autonomamente, da *ideia ou da *representação que formamos dessa *realidade. Distingue-se ainda o real, existente, do real possível, ou seja, aquilo que existe em um momento determinado daquilo que contém a *possibilidade de existir.

Reale, Miguel (1911-2006) Considerado um dos mais importantes teóricos e filósofos do Direito no Brasil, o paulista Miguel Reale, durante muito tempo professor de direito na Universidade de São Paulo e diretor da *Revista Brasileira de Filosofia*, produziu uma vasta obra nos domínios da filosofia do direito e da filosofia do Estado, além de vários livros e ensaios sobre a história das ideias, principalmente das ideias ou do pensamento brasileiro, em suas condições histórico-culturais. Sua doutrina mais conhecida é a da "tridimensionalidade dinâmica", ou seja, a doutrina segundo a qual, na união do caráter normativo da filosofia do direito e do Estado com seu caráter sócio-histórico, são íntimas as relações de implicação entre as dimensões ético-axiológicas da "norma", do "valor" e do "fato". Obras principais: *O Estado moderno* (1934), *Os fundamentos do direito* (tese: 1940), *Teoria do direito e do Estado* (1940), *A doutrina de Kant no Brasil* (1949), *Filosofia do direito*, 2 vols. (1953), *Momentos decisivos do pensamento nacional* (1958), *Pluralismo e liberdade* (1963), *O direito como experiência: introdução à epistemologia jurídica* (1968), *Experiência e cultura. Para a fundação de uma teoria geral da experiência* (1977). *Ver* filosofia no Brasil.

realidade (lat. medieval *realitas*) **1.** Tudo aquilo que existe, que é *real. Conjunto de todas as coisas existentes.

2. Característica ou qualidade daquilo que existe, ex.: a realidade do mundo exterior. *Oposto a* aparência.

3. Quando certos filósofos idealistas se perguntam sobre a *realidade* do mundo exterior, estão se perguntando se o mundo possui uma existência efetiva exterior a nosso pensamento ou se não passa de um conjunto de representações de nosso pensamento. Quer reconheçamos, quer não, ao mundo exterior uma realidade assim entendida, todos os filósofos estão de acordo em considerar os objetos do pensamento como realidades: a ideia de causa, de igualdade etc. É claro que os objetos matemáticos, p. ex., não possuem existência fora do pensamento; não obstante, existe uma realidade do círculo, do ângulo, do número etc. *Ver* realismo; real.

4. O princípio de realidade, enunciado por Freud, é aquele cuja ação modifica, no funcionamento do psiquismo, a ação do princípio do prazer, regulando a busca das satisfações em conformidade com as exigências do meio social.

realismo (al. *realismus*) **1.** Em um sentido genérico, a ideia de que, de um ponto de vista prático, deve-se reconhecer a existência dos fatos e agir em conformidade a estes. Ex.: encarar a situação com realismo.

2. Concepção filosófica segundo a qual existe uma realidade exterior, determinada, autônoma, independente do conhecimento que se pode ter sobre ela. O conhecimento verdadeiro, na perspectiva realista, seria então a coincidência ou correspondência entre nossos juízos e essa realidade. As principais dificuldades relacionadas ao realismo dizem respeito precisamente à possibilidade de acesso a essa realidade autônoma e predeterminada e à justificação dessa correspondência entre mente e real. *Ver* universal; verdade; idealismo; psicologismo; subjetivismo.

3. *Realismo empírico*: para Kant, trata-se da doutrina correlata ao *idealismo transcendental*, que afirma a realidade empírica dos objetos no espaço e no tempo como condição de possibilidade para o conhecimento desses objetos.

4. Em *estética*, o realismo é a concepção segundo a qual as obras de arte devem reproduzir a realidade do modo mais fiel possível. Ex.: realismo social.

5. No plano da crítica do conhecimento, o realismo designa toda a filosofia para a qual há um dado, um conjunto de "coisas" distintas do espírito e explicando o conhecimento. Assim, Kant alia um "realismo empírico" a um "idealismo transcendental". O realismo pode situar-se em diferentes níveis: o realismo empírico do sensível (o do conhecimento espontâneo), o realismo da Ideia (Platão) ou de uma verdade hipostasiada.

recorrência (do lat. *recurrens*, de *recurrere*) Conceito elaborado por Bachelard com o objetivo de saber como uma epistemologia da ruptura, uma teoria do efeito de novidade da ciência contemporânea, uma filosofia da ciência em ato, pode pensar sua relação com a história das ciências: o ponto de vista atual determina uma nova perspectiva sobre a história das ciências. O progresso da ciência não é linear, não se faz por conservação, mas por uma dialética de liquidação do passado. Recorrendo-se ao passado de uma ciência, constata-se que o material do relato histórico constitui um conjunto de juízos que pretendem dizer a verdade. A história constituirá seu objeto julgando a pretensão desses juízos a partir da atualidade científica, pois é um tecido de juízos sobre o valor dos pensamentos e das descobertas científicas.

redução (lat. *reductio*) **1.** Em um sentido genérico, a redução é uma tentativa de explicar uma realidade mais complexa em termos de uma mais simples, que lhe serve de modelo.

2. Na *fenomenologia de Husserl, a redução é um dos procedimentos centrais do método fenomenológico, significando que deve se concentrar a atenção nas coisas mesmas e não nas teorias. A *redução eidética* é o passo seguinte nesse procedimento, fazendo com que se visem as *essências e não os objetos concretos. Por fim, a *redução transcendental* se dá quando a *consciência engloba as essências e os objetos considerando-os como fenômenos. *Ver epoché*.

3. *Redução ao absurdo* (*reductio ad absurdum*): forma de argumentação que visa refutar uma tese contrária mostrando que é possível derivarem-se dela consequências absurdas do ponto de vista lógico. Ex.: os *paradoxos de Zenão. *Ver* absurdo.

reducionismo Termo que designa toda atitude teórica que, para explicar um fenômeno complexo, procura reduzi-lo aos elementos simples que o constituem, ou àquilo que é mais imediatamente observável. Ex.: a redução da mente aos processos neurofisiológicos, do comportamento do indivíduo a leis sociológicas, da realidade ao mundo material.

reflexão (lat. tardio *reflexivo*) **1.** Em um sentido amplo, tomada de consciência, exame, análise dos fundamentos ou das razões de algo.

2. Ação de introspecção pela qual o pensamento volta-se sobre si mesmo, investiga a si mesmo, examinando a natureza de sua própria atividade e estabelecendo os princípios que a fundamentam. Caracteriza assim a consciência crítica, isto é, a consciência na medida em que examina sua própria constituição, seus próprios pressupostos. "A consciência reflexiva torna a consciência refletida como seu objeto" (Sartre). O argumento cartesiano do *cogito* é o exemplo clássico de reflexão filosófica.

reflexo condicionado É o resultado de um *condicionamento. Por exemplo, na célebre experiência do cão, realizada por *Pavlov, a apresentação de alimento desencadeia no animal um reflexo natural de salivação. Associando-se sistematicamente a apresentação do alimento ao barulho de uma campainha, no final de certo tempo, apenas o som da campainha é capaz de desencadear o reflexo condicionado de salivação.

refutabilidade Capacidade de ser refutado. *Ver* cientificidade; refutação.

refutação (lat. *refutatio*) **1.** Argumento que pretende invalidar ou destruir outro a que se opõe, procurando demonstrar sua falsidade, sua incoerência, ou reduzi-lo ao *absurdo.

2. Segundo *Popper, a possibilidade de refutação ou de falsificação das hipóteses científicas constitui o critério mesmo pelo qual se pode distinguir a *ciência, cujas teorias seriam em princípio falsificáveis e portanto corrigíveis, da não ciência, cujas teorias seriam dogmáticas, sem possibilidade de falsificação e portanto de correção. Esta seria, p. ex., a diferença fundamental entre a *astronomia*, como ciência, e a *astrologia*, uma não ciência. Popper propõe esse critério em substituição ao critério de *verificação do *positivismo lógico.

regra (lat. *regula*: regra, régua; do verbo *regere*: dirigir, guiar) **1.** Prescrição, *norma, fórmula que estabelece um determinado caminho a ser seguido para se obter um certo resultado ou alcançar um fim desejado. Princípio que orienta uma certa prática e a justifica. Ex.: regra moral, regra monástica. Convenção que determina como se deve agir em determinado campo teórico ou prático. Ex.: regra de trânsito, regra do jogo. *Ver* método.
2. *Regras operatórias*: em uma teoria dedutiva, estruturas lógicas que tornam possível a derivação de teoremas a partir de uma série de axiomas. Essas regras possuem um caráter sintático, estabelecendo as operações possíveis dentro do *sistema. Ex.: regras de cálculo. *Ver* dedução; inferência.

regulativo Segundo Kant, as ideias são regulativas na medida em que estabelecem as diretrizes e os marcos segundo os quais a razão deve proceder. Assim, não constituem o conhecimento, mas o regulam através dos marcos que estabelecem. *Ver* constitutivo.

Reich, Wilhelm (1857-1957) Pensador e psicanalista alemão, Reich é o mais importante representante da corrente freudomarxista. Militando nas organizações culturais de seu país, percebe que, além da alienação socioeconômica, o indivíduo está também sujeito à alienação sexual. Excluído do movimento psicanalítico por causa de seu engajamento político e do partido comunista por causa de suas posições libertárias em matéria de sexualidade, instalou-se nos Estados Unidos, onde elaborou sua famosa teoria do orgônio, ou da energia biológica capaz de curar toda doença. Condenado pelo exercício ilegal da medicina a dois anos de cadeia, Reich desenvolveu intuições sobre possíveis ligações entre a situação econômica e o inconsciente. Suas obras fazem um apelo constante a uma nova moral, garantindo ao indivíduo uma grande liberdade e uma sexualidade mais harmoniosa. Contestou a ortodoxia freudiana, sobretudo o complexo de Édipo, aplicando a psicanálise à política e lutando contra o fascismo. Principais obras: *A irrupção da moral sexual*, *Psicologia de massa e fascismo*, *A sexualidade no combate cultural*.

Reichenbach, Hans (1891-1953) Filósofo e lógico alemão (nascido em Hamburgo), Reichenbach é considerado um dos mais importantes representantes do empirismo lógico oriundo do *Círculo de Viena. Adota, com *Carnap, uma atitude antimetafísica não porque as proposições metafísicas sejam falsas, mas porque são desprovidas de sentido e contrárias às regras da sintaxe lógica. Ao separar completamente a análise lógica das ciências de sua análise histórica, declara: "O ato de descoberta escapa à análise lógica; não há regras lógicas que poderiam ser aplicadas à construção de uma máquina de descobrir. Não é tarefa do lógico explicar as descobertas científicas; tudo o que ele pode fazer é analisar a relação entre fatos dados e uma teoria que lhe é apresentada para ser explicada." Suas obras mais importantes são: *Axiomática dos objetivos e métodos da física contemporânea da natureza* (1931), *Lógica da probabilidade* (1932), *Teoria da probabilidade* (1935) e *Predição* (1938).

Reid, Thomas (1710-1796) Filósofo escocês, ministro da Igreja presbiteriana, foi professor nas Universidades de Aberdeen e Glasgow. Fundador do movimento da "filosofia do senso comum", defende uma visão realista segundo a qual a mente humana é capaz de ter contato direto com a realidade externa, extramental. Dessa forma, os objetos de nosso conhecimento são os objetos do mundo externo eles próprios, e não as ideias ou representações que produzimos sobre estes, como na doutrina empirista, bem como em todo *idealismo em geral. Sua filosofia do senso comum opõe-se assim ao idealismo e, principalmente, às consequências céticas do *empirismo de *Hume. Sua principal obra é: *Enquiry into the Human Mind on the Principles of Common Sense* (1974). *Ver* Hamilton, sir William; Stewart, Dugald.

reificação (do lat. *res*: coisa) **1.** Termo que possui sentido geralmente negativo, designando a transformação de uma *representação mental em uma "coisa", atribuindo-lhe assim uma realidade autônoma, objetiva. Isso se dá, segundo a teoria psicanalítica, como efeito de neuroses e em certos estados alucinatórios, projetando-se para o real objetivo elementos da realidade psíquica.

2. Segundo a teoria marxista, a reificação é o último estágio da *alienação do trabalhador, no sentido de que sua força de trabalho se transforma em valor de troca, escapando a seu próprio controle e tornando-se uma "coisa autônoma".

Reinhold, Karl Leonhard (1758-1823) Filósofo alemão (nascido em Viena); jesuíta convertido ao protestantismo, foi professor de filosofia em Iena (1787) e em Kiel (a partir de 1794). A princípio kantiano, opôs-se posteriormente ao kantismo. Sua obra mais conhecida é o *Ensaio sobre a nova teoria das faculdades representativas* (1789).

reino Termo de origem teológica utilizado por Leibniz e por Kant, no plano moral (por analogia aos "reinos da natureza": mineral, vegetal e animal), para designar a oposição entre o *reino dos fins* e o conjunto da natureza considerado como o *reino das determinações físicas*.

reino dos fins Segundo Kant, esta expressão designa o mundo ético, o mundo onde cada um reconhece o outro como pessoa, não devendo ser tratado como meio, mas respeitado como um fim em si: "Ligação sistemática entre diversos seres racionais por leis comuns segundo as quais cada um jamais deve tratar-se e tratar os outros simplesmente como meios, mas sempre como fins em si" (Kant).

relação (lat. *relatio*) **1.** Ação de estabelecer um elo ou ligação entre alguma coisa e outra. Ex.: relação de semelhança, relação de parentesco, relação de causalidade.

2. A relação é uma das noções mais centrais do pensamento filosófico. Aristóteles a inclui entre as dez *categorias, caracterizando-a como aquilo que faz com que algo se refira a outra coisa, e dando como exemplo "o dobro, metade, maior" (*Categorias*, 4). Para Kant, a relação é uma das funções do pensamento, através da qual se dá unidade às diversas representações em um juízo, dando lugar aos juízos categóricos, hipotéticos e disjuntivos (*Crítica da razão pura*).

3. Em lógica, os predicados relacionais são aqueles que se aplicam a mais de um objeto, definindo sempre uma relação entre objetos. Ex.: "A é maior do que B", "X está acima de Y", em que "maior do que" e "acima de" expressam relações entre A e B, e X e Y, respectivamente. *Ver* predicado.

relatividade, teoria da Formulada por *Einstein em 1905 ("relatividade restrita") e ampliada em 1913 ("relatividade generalizada"), essa teoria afirma que não existe um sistema fixo e universal em relação ao qual podemos medir um *movimento. O movimento é sempre relativo a um ponto de referência. Neste sentido, "a totalidade dos fenômenos físicos é de tal caráter, que não oferece base para se introduzir o conceito de movimento absoluto" (Einstein).

relativismo 1. Doutrina que considera todo conhecimento relativo como dependente de fatores contextuais, e que varia de acordo com as circunstâncias, sendo impossível estabelecer-se um conhecimento absoluto e uma certeza definitiva.

2. Em um sentido ético, concepção que considera todos os valores morais como relativos a uma determinada cultura e a uma determinada época, podendo portanto variar no espaço e no tempo, não possuindo fundamentos absolutos, nem caráter universal. Ex.: "O fogo arde na Hélade e na Pérsia, mas as ideias que os homens têm de certo e de errado variam de lugar para lugar" (Aristóteles, *Ética a Nicômaco*, V, 7). *Ver* relativo.

3. O *relativismo moral* designa a posição daquele que recusa toda moral teórica, propondo regras e prescrições universalmente válidas.

4. O *relativismo científico* é a atitude daquele que considera que, nas ciências, não existe verdade definitiva, pois deve constituir uma apropriação progressiva, uma construção inteligível do mundo sempre aproximativa.

relativo (lat. tardio *relativus*) **1.** Que tem *relação com algo, que depende de uma relação. Ex.: "O movimento e o tempo são relativos um ao outro" (Pascal). *Oposto a* absoluto.

2. Condicionado, limitado. Ex.: os valores são sempre relativos a uma determinada cultura e a um momento histórico.

3. Na linguagem das instituições políticas, encontramos a oposição *absoluto/relativo*. Fala-se da maioria absoluta quando um candidato obteve mais da metade dos votos; a maioria é relativa quando nenhum candidato obteve a metade dos votos, sendo eleito o que tiver o maior número de votos.

4. A doutrina de Kant é chamada de "racionalismo relativo": a razão é a condição necessária mas não suficiente do conhecimento; sem a razão, a experiência não seria organizável em conhecimento, mas é da experiência que tiramos nossos conhecimentos. *Oposto a* racionalismo absoluto:

a razão é a condição necessária e suficiente do conhecimento; a experiência serve apenas para dar um conteúdo particular às ideias inatas da razão; é a doutrina de Hegel; o racionalismo absoluto unifica o mundo e o pensamento, pois "tudo o que é racional é real, e o que é real é racional". Ver relativismo.

religião (lat. *religio*) Em seu sentido geral e sociocultural, a religião é um conjunto cultural suscetível de articular todo um sistema de crenças em Deus ou num sobrenatural e um código de gestos, de práticas e de celebrações rituais; admite uma dissociação entre a "ordem natural" e a "ordem sacral" ou sobrenatural. Toda religião acredita possuir a verdade sobre as questões fundamentais do homem, mas apoiando-se sempre numa fé ou crença. Sendo assim, ela se distingue da filosofia, pois esta pretende fundar suas "verdades" ou tudo o que diz nas demonstrações racionais. Aquilo que a religião aceita como verdade de fé, a filosofia pretende demonstrar racionalmente. Ex.: as provas da existência de Deus dadas pela *escolástica, por Descartes, por Kant etc. Hoje em dia, há toda uma corrente filosófica que, em nome das luzes da razão, considera isso um fenômeno que deve ser analisado pelas ciências sociais (análise das ideologias) ou pela psicanálise (análise das ilusões).

reminiscência (lat. tardio *reminiscentia*) Em um sentido genérico, lembrança ou recordação de algo. Em Platão (*Ménon, Fédon*), doutrina segundo a qual a *alma, antes de sua encarnação no corpo, teria tido contato direto com as *formas que constituem o *mundo inteligível, e delas se recordaria posteriormente quando já encarnada. A recuperação desse contato estaria na base da possibilidade do conhecimento e constituiria seu ponto de partida. Isso explicaria a possibilidade de termos um conhecimento prévio à experiência e independente dela, sendo portanto uma forma de *inatismo ou apriorismo. Ver metempsicose; maiêutica; anamnese.

remorso (lat. *remordere*: morder por sua vez) Sentimento moral de dor experimentado por alguém tendo consciência de ter cometido uma falta grave e frequentemente irreparável: "O remorso de consciência é uma espécie de tristeza que provém da dúvida que temos de não ser boa uma coisa que fizemos" (Descartes). Difere do arrependimento, sentimento moral em que a consciência culpada expia e repara o mal feito a alguém.

Renan, Ernest (1823-1892) Tendo perdido toda a confiança na metafísica, por esta apresentar um pensamento abstrato e não contribuir para resolver os problemas da humanidade, Renan (nascido em Tréguier, França) chegou à conclusão de que "a ciência positiva constitui a única fonte de verdade". Para ele, a razão deve reformar a sociedade pela ciência racional, pois é a ciência que fornece ao homem as verdades vitais de que ele precisa para "organizar cientificamente a humanidade". E ao fazer de sua fé um substituto da religião, chega mesmo a dizer que "a ciência é o grande agente da consciência divina" na gestação de uma humanidade nova. Principais obras filosóficas: *L'avenir de la science* (1848), *Essais de morale et de critique* (1859), *Dialogues et fragments philosophiques* (1876).

Renascimento (fr. e ingl. *Renaissance*) Foi Giorgio Vasari, na *Vida dos mais excelentes pintores, escultores e arquitetos* (1550), quem primeiro usou a palavra *Rinascità* para designar a retomada do estilo clássico de inspiração greco-romana pelo pintor Giotto (séc. XIV), que rompe com a arte predominantemente religiosa do período medieval. O traço mais característico do Renascimento é o *humanismo, sendo que os renascentistas retomam o lema do filósofo grego *Protágoras, "o homem é a medida de todas as coisas". Considera-se que o Renascimento vai de meados do séc. XV, com seu início sobretudo nas cidades-Estado italianas como Florença, a meados do séc. XVII, sendo um dos fatores que representa o surgimento da *modernidade.

Renouvier, Charles (1815-1903) Filósofo francês (nascido em Montpellier); foi o iniciador do retorno ao criticismo kantiano (a que deu o nome de *neocriticismo*) na França; formulou um relativismo idealista e fez da liberdade o fundamento da vida intelectual e moral da pessoa, ideia central de seu sistema que também tem ligação com a monadologia de Leibniz. Obras principais: *Manuel de philosophie moderne* (1842), *Manuel de philosophie ancienne* (1844), *Essais de critique générale* (1851-1864), *La science de la morale* (1869), *Les dilemmes de la métaphisique* (1900), *Le personnalisme* (1902). Ver neokantismo.

representação (lat. *repraesentatio*) Operação pela qual a *mente tem presente em si mesma uma *imagem mental, uma *ideia ou um *conceito correspondendo a um *objeto externo. A função de representação é exatamente a de tornar presente à *consciência a realidade externa, tornando-a um objeto da consciência, e estabelecendo assim a relação entre a consciência e o real. A noção de representação geralmente define-se por analogia com a visão e com o ato de formar uma imagem de algo, tratando-se no caso de uma "imagem não sensível, não visual". Esta noção tem um papel central no pensamento moderno, sobretudo no *racionalismo cartesiano e na filosofia da consciência. Sob vários aspectos, entretanto, a relação de representação parece problemática, sendo por vezes entendida como uma relação causal entre o objeto externo e a consciência, por vezes como uma relação de correspondência ou semelhança. A principal dificuldade parece ser o pressuposto de que a consciência seria incapaz de apreender diretamente o objeto externo.

República, A (*Politeia*) Um dos mais importantes e influentes diálogos de Platão, composto entre 389 e 369 a.C., consagrado à filosofia política e tendo como tema central a *justiça. Podendo ser considerado uma reflexão sobre a decadência da democracia ateniense, propõe um modelo de cidade-estado (a *polis* grega) ideal. A estrutura deste Estado e o equilíbrio social são comparados ao equilíbrio individual. Assim como a sabedoria do indivíduo resulta de um equilíbrio entre os três elementos que o compõem (os desejos físicos, os sentimentos e a atividade intelectual), da mesma forma o equilíbrio de uma sociedade resulta de uma harmonia hierarquizada dos elementos que a compõem: a economia, a serviço dos desejos; o exército, elemento sentimental da nação; a direção política, semelhante à função racional. O Estado justo é aquele no qual reina uma harmonia que constitui a expressão de uma ordem hierárquica e de uma separação entre os filósofos dirigentes, os soldados e os artesãos. À frente do Estado devem ser colocados os melhores, aqueles que constituem a aristocracia do saber, o que explica a necessidade de serem educados no conhecimento filosófico. Platão retoma esta mesma temática em seu último diálogo, *As Leis*. Ver caverna, alegoria da.

responsabilidade (do lat. *responsus*, de *respondere*: responder) **1.** Em *ética*, a noção de que um indivíduo deve assumir seus atos, reconhecendo-se como autor destes e aceitando suas consequências, sejam estas positivas ou negativas, estando portanto o indivíduo sujeito ao elogio ou à censura. A noção de responsabilidade está estritamente ligada à noção de *liberdade, já que um indivíduo só pode ser responsável por seus atos se é livre, isto é, se realmente teve a *intenção de realizá-los, e se tem plena consciência de os ter praticado. Há, no entanto, casos em que excepcionalmente o indivíduo pode ser considerado culpado mesmo de atos não intencionais, p. ex., quando algo ocorre por descuido, ou ainda em casos de consequências não intencionais de seus atos.
2. A responsabilidade *legal* ou *jurídica* é aquela definida pela lei em um determinado sistema jurídico. Nesse sentido, distingue-se a responsabilidade *civil*, segundo a qual o indivíduo deve reparar os danos cometidos a outrem; e a responsabilidade *penal*, nos casos em que o indivíduo é culpado de um delito ou ato criminoso e deve pagar segundo as penas da lei.

ressentimento (do lat. *sentire* e de "re": movimento para trás) **1.** No sentido genérico, sentimento pelo qual nos lembramos, com animosidade e rancor, daquilo que sofremos.
2. Segundo Nietzsche, sentimento de rancor e inveja dos incapazes de criar e praticar valores morais nobres: "O ressentimento é um autoenvenenamento psicológico. É uma disposição psicológica que, por um recalque sistemático, tende a provocar uma deformação mais ou menos permanente do sentido dos valores" (M. Scheler).

retórica (gr. *retoriké*: arte da oratória, de *retor*: orador) Arte de utilizar a linguagem em um discurso persuasivo, por meio do qual visa-se convencer uma audiência da verdade de algo. Técnica argumentativa, baseada não na lógica, nem no conhecimento, mas na habilidade em empregar a linguagem e impressionar favoravelmente os ouvintes. Considera-se que a retórica foi sistematizada e desenvolvida pelos *sofistas, que a utilizavam em seu método. Aristóteles dedicou um tratado à retórica, sobretudo distinguindo-a do uso lógico da linguagem sistematizado na teoria do *silogismo. Contemporaneamente, Chaim *Perelman procurou revalorizar a retórica, buscando construir uma teoria que sistematizasse os traços fundamentais do uso retórico da linguagem, mostrando que mesmo o discurso científico não estava isento de elementos retóricos e de recursos persuasivos.

revelação (lat. *revelatio*) Em um sentido teológico, ato pelo qual Deus manifesta sua vontade, ou um conjunto de verdades ou leis, ao homem, seja de forma direta (ex.: a revelação das tábuas da lei a Moisés), seja através da iluminação da inteligência humana (ex.: revelação do Mistério da Santíssima Trindade no Cristianismo). As verdades contidas nos livros sagrados de uma religião (ex.: o Velho e o Novo Testamento) são consideradas reveladas, isto é, resultantes da inspiração divina.

revolução (lat. tardio *revolution*) O termo "revolução" é empregado inicialmente na astronomia, indicando o movimento circular dos corpos celestes que voltam assim a seu ponto de partida, p. ex., a revolução dos planetas em torno do sol. *Copérnico intitula sua obra mais importante de *Sobre a revolução dos orbes celestes*. O termo é aplicado posteriormente no contexto político significando uma reviravolta, uma alteração radical e profunda de uma sociedade em sua estrutura política, econômica, social etc., geralmente por meios violentos e de forma súbita, representando um confronto entre uma ordem anterior e um novo projeto político-social. Ex.: a Revolução Francesa de 1789, a Revolução Russa de 1917. O termo é empregado também para designar uma mudança radical, ou o surgimento de um fato novo, ou uma nova forma de agir que altera a situação anterior. Ex.: a revolução industrial nos sécs.XVIII e XIX, a revolução dos costumes. *Ver* tradição.

Revolução dos orbes celestes, A (*De revolutionibus orbium coelestium*) Obra fundamental de Nicolau *Copérnico em que defendeu seu *modelo Heliocêntrico* de *cosmo refazendo os cálculos de Cláudio Ptolomeu (c.100-c.178), válidos desde a Antiguidade, mostrando serem seus cálculos mais corretos como explicação dos fenômenos astronômicos. Referiu-se a concepções de um sistema solar, já conhecidas dos gregos desde *Aristarco de Samos, contrapondo-se ao *modelo geocêntrico* tradicionalmente aceito. Sua obra revolucionou assim a moderna física e a astronomia, abrindo caminho para o desenvolvimento das teorias de *Galileu e *Newton, e causando um profundo impacto na forma de o homem moderno conceber o universo e seu lugar nele. Receoso das repercussões de sua obra, divulgou primeiro uma versão inicial sintetizada, o *Commentariolus* de 1512, posteriormente publicou uma nova versão, a *Narratio prima* (1540), sendo seu tratado publicado apenas postumamente em 1543.

Rickert, Heinrich (1863-1936) Filósofo alemão (nascido em Dantzig); aluno de Windelband, foi um dos principais representantes da escola de Baden (ramificação do neokantismo). Seu sistema filosófico consiste em estudar as relações entre o reino dos valores (absoluto e ideal) e a realidade, isto é, em elucidar o sentido dos objetos e dos acontecimentos em função de um valor determinado. Obras principais: *O objeto do conhecimento* (1892), *Ciência da cultura e ciência da natureza* (1899). *Ver* neokantismo.

Ricoeur, Paul (1913-2005) O francês (nascido em Valence) Paul Ricoeur, decano honorário da Universidade de Paris X (Nanterre) e presidente do Instituto Internacional de Filosofia, é um dos mais fecundos filósofos de nossa época. Preocupado em atingir e formular uma teoria da *interpretação do ser, toma como seu problema próprio o da *hermenêutica, vale dizer, o da extração e da interpretação do sentido. Convencido de que todo o pensamento moderno tornou-se interpretação, elabora uma grande simbólica da consciência, que se encontra na raiz mesma de todas as determinações históricas e espirituais do homem. Ao revisar a problemática hermenêutica, passa a entendê-la como a teoria das operações de compreensão em sua relação com a interpretação dos textos. Para ele, é o símbolo que exprime nossa experiência fundamental e nossa situação no ser. É ele que nos reintroduz no estado nascente da linguagem. Por isso, elabora uma filosofia da linguagem capaz de elucidar as múltiplas funções do significado humano. Porque o símbolo nos leva a pensar. E como a hermenêutica visa uma decifração dos comportamentos simbólicos do homem, a um "trabalho de pensamento que consiste em decifrar o sentido oculto no sentido aparente", o pensamento antropológico de Ricoeur leva em conta a contribuição corrosiva da psicanálise freudiana. Ele concebe a filosofia como uma *atividade*, uma tarefa ao mesmo tempo concreta, temporal e pessoal, muito embora com pretensões à universalidade. Fenomenólogo de formação, Ricoeur traduz para o francês as *Ideias diretrizes para uma fenomenologia de Husserl* (1952). Em seguida, publica *Histoire et vérité* (1955). Mas o eixo de sua obra é constituído pela *Philosophie de la volonté*, cujos dois volumes *Le volontaire et l'involontaire* (1950) e *Finitude et culpabilité* (1960) constituem a suma de seu pensamento. Em seguida, publica *De l'interprétation* (1965), trabalho sobre a psicanálise; *Le conflit des interprétations* (1969), conjunto de ensaios hermenêuticos levando a reflexão filosófica a enfrentar os grandes desafios lançados pelas correntes de pensamento contemporâneas; *La métaphore vive* (1975), *Temps et récits* (1983), *Soi même comme un autre* (1990).

rigorismo (do lat. *rigor*) **1.** Em ética, a observância estrita e rigorosa da lei moral e do cumprimento do dever, sem admitir exceções. Em um sentido genérico e depreciativo, atitude inflexível e excessivamente rígida na aplicação de alguma norma de conduta. *Oposto a* laxismo.
2. A moral de *Kant é rigorista, na medida em que, segundo ela, o homem deve agir unicamente com base no *dever moral, tomando como nula toda consideração exterior à moral. O rigorismo se opõe ao *pragmatismo e ao *utilitarismo, para os quais o valor de uma ação se mede por seu êxito, por seu resultado. *Ver Crítica da razão prática.*

rito (lat. *ritus*) Celebração de um culto ou realização de cerimônia feita de acordo com certas regras baseadas na tradição religiosa ou sociocultural de um povo ou grupo social. Ex.: rito de iniciação, em que alguém é admitido em uma seita ou ordem; rito de passagem, que marca em certas sociedades primitivas a entrada do indivíduo na vida adulta.

robinsonada Concepção enganadora (elaborada segundo a imagem de Robinson Crusoé) ironizada por *Marx pelo fato de expor a possibilidade de o homem poder viver absolutamente isolado, ignorando seu caráter eminentemente social e político.

Rogers, Carl (1902-1987) Psicossociólogo norte-americano, nascido em Chicago. Tornou-se conhecido, sobretudo, por defender ardorosamente os métodos não diretivos nas terapias e por interessar-se, não pelas relações interpessoais, mas pelos problemas sociais e políticos. Anunciou a chegada de uma *revolução tranquila* dos costumes, suscetível de provocar comportamentos insólitos de reação ao poder, à hierarquia, à ortodoxia, à autoridade etc., e de adesão a tudo o que se revela autêntico e contribui para a realização pessoal. "Se levássemos realmente a sério a ideia de que cada indivíduo deve ter um papel na tomada de decisões, isso mudaria completamente os conceitos de educação, de negócios e de governo". Obras principais: *Tornar-se pessoa, Um jeito de ser, Liberdade de aprender em nossa década, A pessoa como centro, Em busca da vida.*

romantismo Doutrina filosófica, distinta do movimento artístico-literário, que, do final do séc. XVIII até a metade do séc. XIX, em reação contra o racionalismo da filosofia das Luzes, põe-se a depreciar os valores racionais e a enaltecer a imaginação, a intuição, a espontaneidade e a paixão. O homem é concebido como "um reflexo de Deus ou da alma do mundo". Assim, ao privilegiar o sentimento da natureza, como em Rousseau, e certa forma de religiosidade, o romantismo filosófico, representado sobretudo, na Alemanha, por Fichte, Schlegel e Schelling, passou a ser considerado como um recurso nos momentos de crise do racionalismo.

Romero, Sílvio (1851-1914) Nascido em Lagarto (Sergipe), destacou-se sobretudo por sua obra inovadora no campo da crítica e da historiografia literária no Brasil de sua época. Nesse domínio, suas obras mais importantes são: *Estudos de literatura contemporânea* (1885), *História da literatura brasileira*, 2 vols. (1888), *Evolução do lirismo brasileiro* (1905), *Minhas contradições* (1914). Além de historiador da literatura brasileira, Sílvio Romero se interessou pelos estudos sociológicos e de filosofia do direito. Escreveu, em 1895, *Ensaios de filosofia do direito*. Mas a importância desse membro fundador da Academia Brasileira de Letras para a filosofia reside não somente no fato de ter lecionado filosofia durante longos anos no Colégio Pedro II do Rio de Janeiro, mas de ter escrito a primeira grande historiografia das ideias filosóficas no Brasil. Em seu livro, já clássico, *A filosofia no Brasil* (1878), faz uma crítica apaixonada da produção teórica dos filósofos ou filosofantes brasileiros, desenraizada de nossa realidade e atrelada aos modismos filosóficos europeus. No dizer do professor Antônio Rezende (*Curso de filosofia*, Zahar, 1986), "sua crítica, sempre apaixonada, parcial e zombeteira, não poupa os seus adversários, sobretudo os adeptos do espiritualismo eclético, que representavam, na época, o pensamento oficial hegemônico, suporte ideológico do governo monárquico de D. Pedro II". *Ver* filosofia no Brasil.

Rorty, Richard (1931-2007) filósofo norte-americano, professor na Universidade de Virgínia desde 1982, estudou em Chicago e Yale, dentro da tradição da filosofia *analítica, para a qual contribuiu com a antologia *The Linguistic Turn* (1967). Em seguida, adotou uma postura mais crítica em relação a esta tradição, levando em conta questões relacionadas ao *estruturalismo, à *fenomenologia e à *hermenêutica. Em 1979 publicou *A filosofia e o espelho da natureza*, obra que teve grande impacto no panorama filosófico americano, e em que examina a formação da filosofia moderna, questionando seus pressupostos como o subjetivismo e o predomínio da problemática epistemológica. A partir daí desenvolveu um pensamento influenciado por *Heidegger, *Dewey e *Wittgenstein, engajando-se na discussão entre *Derrida e os filósofos analíticos e entre *Habermas e *Lyotard acerca do sentido da *modernidade, defendendo um pensamento marcado pelo pragmatismo e pelo relativismo cultural, sobretudo em suas obras *Consequences of Pragmatism* (1982) e *Contingency, Irony and Solidarity* (1989), e adotando uma postura liberal. Publicou recentemente *Essays on Heidegger and others* (1991).

Roscelino (séc. XI) Roscelino, ou Roscelino de Compiègne, filósofo francês escolástico, foi mestre de Aberlado e de Guilherme de Champeaux. Considerado como o fundador do *nominalismo, foi obrigado a abjurar sua doutrina sobre a Trindade, no concílio de Soissons, em 1092.

Rousseau, Jean-Jacques (1712-1778) Jean-Jacques Rousseau nasceu em Genebra, Suíça, de uma família de origem francesa. Em 1742, instalou-se em Paris e vinculou-se ao movimento enciclopedista, especialmente a Diderot, tendo uma vida mundana. Manteve uma longa ligação com Thérèse Le Vasseur, de quem teve cinco filhos que entregou à assistência pública. Em 1750, publicou o *Discurso sobre as ciências e as artes*, rompendo com o otimismo do Século das Luzes. Em 1755, publicou o *Discurso sobre a origem da desigualdade*, que lhe deu celebridade e lhe causou problemas: polemizou com Voltaire e outros. Em 1762, publicou o *Contrato social*, livro que o levou a exilar-se na Suíça, depois na Inglaterra. Finalmente, retorna à França, onde morre. Dos temas por ele abordados, destaquemos: a) o homem é, por natureza, bom; é a sociedade que o corrompe; quer dizer: a sociedade não é, por essência, corruptora, mas somente certo tipo de sociedade, isto é, aquela que repousa na afirmação da desigualdade natural dos homens, oprimindo a maioria em proveito de uma minoria privilegiada; b) o estado de natureza é um estado primordial onde o homem vive feliz, em harmonia com o mundo e na inocência, não havendo necessidade de sociedade: o social não tem sua norma na natureza, mas no homem; a passagem da natureza à sociedade é puramente contingente, é uma causalidade puramente externa que o induz a isso; c) o homem difere essencialmente dos outros seres naturais e animais por sua perfectibilidade; o problema, para ele, consiste em encontrar uma forma de sociedade na qual possa preservar sua liberdade natural e garantir sua segurança; d) para solucionar esse problema, Rousseau propõe o *contrato social*. O soberano é o conjunto dos membros da sociedade. Cada homem é ao mesmo tempo legislador e sujeito. Ele obedece à lei que ele mesmo fez. Isso pressupõe uma *vontade geral* distinta da soma das vontades particulares. Cada homem possui, como indivíduo, uma vontade particular; mas também possui, como cidadão, uma vontade geral que o conduz a querer o bem do conjunto do qual é membro. Cabe à educação formar essa vontade geral. O regime social ideal é o democrático, mas Rousseau está consciente das dificuldades de tal regime: o governo, mesmo representativo, pode usurpar a soberania: "Um homem livre obedece, mas não serve; tem chefes, e não mestres; obedece às leis mas somente às leis; e é pela força das leis que não obedece aos homens."

Russell, Bertrand (1872-1970) O filósofo e matemático inglês Bertrand Russell, professor na Universidade de Cambridge, pertenceu a uma das mais importantes famílias da aristocracia inglesa, destacando-se não só por sua obra em lógica, filosofia da matemática e filosofia da linguagem, mas também por seu ativismo político em favor de causas liberais e por seus projetos educacionais. Recebeu em 1950 o Prêmio Nobel de Literatura. A obra de Russell é vasta, cobrindo vários campos e passando por diferentes fases ao longo de seu desenvolvimento, sendo frequente a visão e até mesmo o abandono de teses anteriormente defendidas. Seu pensamento representa inicialmente uma reação tanto ao idealismo de inspiração hegeliana, quanto ao empirismo derivado da filosofia de J. Stuart *Mill, então predominantes na filosofia inglesa. Russell propõe uma filosofia fortemente realista, sobretudo no domínio da matemática, supondo a necessidade da existência autônoma de objetos abstratos como números e relações matemáticas. Suas obras principais desse período são: *A Critical Exposition of the Philosophy of Leibniz* (Exposição crítica da filosofia de Leibniz, 1900), em que busca revalorizar este filósofo, e *The Principles of Mathematics* (Os princípios da matemática, 1903). Em seguida, vem a fase do logicismo, em que ele, juntamente com *Whitehead, procura elaborar uma teoria em que a matemática é representada como um desenvolvimento da lógica, no monumental *Principia Mathematica* (1910-1913), uma das obras mais influentes do séc. XX no campo da lógica e dos fundamentos da matemática. É de grande importância também a contribuição de Russell à filosofia da linguagem, tendo inclusive influenciado bastante a primeira fase do pensamento de *Wittgenstein que com ele estudara em Cambridge. Defendeu em sua filosofia do atomismo lógico (1918-1919) uma visão segundo a qual é necessário proceder-se a uma análise da linguagem que, revelando sua verdadeira estrutura lógica, subjacente à sua forma gramatical aparente, mostre a relação dessa estrutura com o real, com a estrutura dos fatos no mundo. Todas as sentenças complexas poderiam assim ser reduzidas, por *análise, a sentenças atômicas que representariam de forma mais imediata o conteúdo de nossa experiência. Russell influenciou várias gerações de filósofos e lógicos, principalmente na Inglaterra e nos Estados Unidos, sendo considerado um dos iniciadores da filosofia analítica. Sua teoria das descrições, que apresenta um método para o estabelecimento da estrutura lógica da linguagem comum, bem como sua filosofia do atomismo lógico, forneceram alguns dos principais modelos de análise da linguagem, adotados e discutidos pela tradição analítica. Russell destacou-se ainda por sua defesa de causas liberais, desde o voto feminino e o sufrágio universal no início do séc. XX, até o combate às armas nucleares e à guerra fria e à defesa das minorias já na década de 60. Por defender o ateísmo, foi proibido de lecionar em uma universidade de Nova York na década de 40. Apesar de seu ativismo político e de diversas obras escritas nesse campo, sua principal contribuição ao pensamento filosófico se deu nas primeiras décadas do séc. XX com suas obras de lógica, filosofia da matemática e filosofia da linguagem, sendo sua atividade política em grande parte desvinculada de uma reflexão teórica e filosófica mais profunda e elaborada. Dentre suas obras, além das já citadas, destacam-se ainda: *Introduction to Mathematical Philosophy* (1919), *The Analysis of Mind* (1921), *The Analysis of Matter* (1927), *Marriage and Morals* (1929), *Education and the Social Order* (1932), *Power: A New Social Analysis* (1938).

Ruyer, Raymond (1904-1987) Filósofo francês (nascido em Plainfaing). Em *Esquisse d'une philosophie de la structure* (1930), faz um estudo profundo dos seres vivos, de sua organização e desenvolvimento. Em *Eléments de psychobiologie* (1946), distingue entre a consciência primária, própria de todo organismo, e a consciência secundária, própria do homem. Analisa também o problema da finalidade, em *Le néo-finalisme* (1952); o dos valores, em *Le monde des valeurs* (1948) e em *La philosophie des valeurs* (1952); o da informática, em *La cybernétique et l'origine de l'information* (1954) e o da gnose, em *La gnose de Princeton* (1974).

Ryle, Gilbert (1900-1976) Filósofo inglês, um dos principais representantes da filosofia da linguagem ordinária. Estudou na Universidade de Oxford, da qual tornou-se professor. Defendeu a concepção segundo a qual os problemas filosóficos devem ser examinados e analisados através da linguagem. Sua obra mais famosa é *The Concept of Mind* (1949), em que ataca o *dualismo corpomente (extensão-pensamento) da filosofia de Descartes, caracterizando-o como o dogma do "fantasma na máquina". Propõe, ao contrário, uma forma de *behaviorismo analítico, mantendo a ideia de que noções psicológicas devem ser consideradas através do comportamento manifesto ou possível. Escreveu também artigos sobre diferentes temas filosóficos, na perspectiva analítica, reunidos em *Collected Papers*, 2 vols. (1971).

S

saber/sabedoria (do lat. *sapere*) Em um sentido genérico, sinônimo de conhecimento, ciência. Na tradição filosófica, a sabedoria significa não só o conhecimento científico, mas a virtude, o saber prático: "Por sabedoria (*sagesse*), entendo não apenas a prudência, mas um perfeito conhecimento de tudo o que os homens podem saber" (Descartes, *Princípios da filosofia*).

Sacas, Amônio Ver Amônio Sacas.

sadismo (derivado do nome do marquês de Sade) Perversão sexual pela qual um indivíduo só consegue satisfazer seus desejos e alcançar o orgasmo através de uma atividade de violência, agressão e humilhação do parceiro: "O sadismo consiste numa atividade de violência, numa manifestação de poder em relação a uma outra pessoa considerada como objeto" (Freud). Ver masoquismo.

sagrado (do lat. *sacrare*: sagrar) **1.** Que é de natureza divina, que possui um elemento divino, e por este motivo deve ser adorado e respeitado. Que é relativo à religião, que é objeto de culto e veneração, que inspira respeito religioso, que é digno de reverência.
2. Por extensão, que é precioso, inviolável, que deve ser respeitado por todos, ex.: o sagrado direito à liberdade.

Saint-Simon, conde de (1760-1825) O filósofo e economista francês (nascido em Paris) Claude Henri de Rouvry, Conde de Saint-Simon, ingressou cedo na carreira militar. Foi para a América do Norte, como voluntário, participar da revolta dos americanos contra a Inglaterra. Voltou à França como coronel. A partir de 1805, dedicou-se à vida intelectual. Seu secretário, a partir de 1818, foi Augusto Comte. Ganhou muito dinheiro em especulações imobiliárias e perdeu tudo depois, morrendo na miséria. O essencial de seu pensamento gira em torno da *organização da indústria*. Inventou o termo *industrial*. Constatou que a França se tornava industrial, fenômeno novo que fez parecerem caducas as teorias anteriores. A política se tornou a ciência da produção, da organização do trabalho. É um corpo de sábios que deve assegurar o funcionamento do Estado. A organização do trabalho e da produção conduz ao desaparecimento da pobreza e substitui a filantropia e o assistencialismo. Doravante, o fim da política é a justiça social. "A ciência das sociedades se torna, doravante, uma *ciência positiva*" (fórmula retomada por Comte). Em seu livro (escrito com Augustin Thierry, seu secretário antes de Comte, e que se tornou um grande historiador), *Da reorganização da sociedade europeia*, ele elabora um plano de Sociedade das Nações, de uma Europa com um parlamento europeu. Chega mesmo a redigir, em 1814, um programa legislativo desse parlamento.

saint-simonismo Doutrina de *Saint-Simon e de seus discípulos fundada na defesa da igualdade entre os homens e visando ordenar a sociedade segundo o princípio "A cada um segundo sua capacidade, a cada capacidade segundo suas obras". Esse princípio se apresenta sob a forma de um socialismo religioso condenando a propriedade privada que promove a exploração dos trabalhadores. Seu objetivo último: pôr um fim à exploração do homem pelo homem.

salvação (lat. tardio *salvatio*) Na teologia cristã, a salvação é a libertação do pecado e da condenação eterna pela graça divina, através da redenção trazida por Cristo, o Salvador, e pelo amor de Deus, permitindo que o homem tenha a vida eterna no Paraíso, que representa a própria união da alma com Deus. Na teologia, temos tradicionalmente o confronto entre duas doutrinas: a da *salvação pela graça*, em que o homem se salva por um dom de Deus, que como tal é gratuito; e a *salvação pelas obras*, em que o homem se salva pelo mérito de suas ações.

Sánchez Vásquez, Adolfo (1915-) Filósofo de origem espanhola, tendo emigrado para o México em 1939, Sánchez Vásquez, professor de filosofia contemporânea, de estética e de ética na Universidade Autônoma do México, tem se destacado por aplicar as categorias de um marxismo aberto, renovador e antidogmático às suas análises das questões éticas e estéticas. Para ele, a arte é uma

245

forma específica da *praxis* ou trabalho artístico, o fundamento da relação estética que consiste no trabalho humano. Por sua vez, a ética é uma teoria dos comportamentos morais dos homens em sociedade, não admitindo nenhum normativismo. Sánchez Vásquez defende um "marxismo vivo, antidogmático", tentando conjugar seus três aspectos essenciais de "crítica, de projeto de transformação do mundo e de conhecimento". Obras principais: *Las ideas estéticas de Marx* (1965), *Filosofía de la praxis* (1967), *Ética* (1969), *Estética y marxismo*, 2 vols. (1970).

Santayana, George (1863-1952) Filósofo norte-americano, de origem espanhola (nascido em Madri), estudou em Harvard, onde foi depois professor até 1912, quando passou a viver na Europa, primeiro em Londres, depois em Roma, onde veio a falecer. Destacou-se não só como filósofo, mas também como poeta, ensaísta e crítico literário. Em sua obra *A vida da razão, ou fases do progresso humano* (1905-1906), em parte inspirada na *Fenomenologia do espírito* de Hegel, apresenta uma filosofia naturalista, baseada na psicologia descritiva e na biologia evolucionista para interpretar o papel da razão nas múltiplas atividades do espírito humano. Sua obra *Ceticismo e fé animal* (1923) representa uma mudança de perspectiva em seu pensamento, tentando superar o ceticismo que considera característica da filosofia moderna desde Descartes. Posteriormente desenvolveu um sistema a um só tempo platônico e materialista, em uma obra em 4 volumes intitulada *Os domínios do ser*, compreendendo respectivamente *O domínio da essência* (1927), *O domínio da matéria* (1930), *O domínio da verdade* (1938) e *O domínio do espírito* (1940).

Sartre, Jean-Paul (1905-1980) Principal representante do chamado *existencialismo francês, Sartre foi um dos pensadores mais famosos do séc. XX, destacando-se não só como filósofo, mas como romancista, autor de peças teatrais de grande sucesso e militante político. Nasceu em Paris, onde estudou na Escola Normal Superior. Após um período de estudos de *fenomenologia e da obra de *Heidegger na Alemanha, foi professor de liceu em várias cidades do interior da França, militou na resistência francesa, tendo sido preso pelos alemães, e em 1945 fundou a influente revista *Les temps modernes*, passando a dedicar-se à atividade literária. Sartre foi um dos poucos filósofos importantes de nossa época a não pertencer ao mundo acadêmico. Inicialmente marcado pela fenomenologia de *Husserl, à qual dedicou algumas obras, como *L'imagination* (A imaginação, 1936), *Esquisse d'une théorie des émotions* (Esboço de uma teoria das emoções, 1939) e *L'imaginaire* (O imaginário, 1940), Sartre desenvolveu em seguida sua filosofia da existência, a partir de uma análise da condição humana, do homem como "um ser em que a existência precede a essência". Para Sartre, cujo pensamento é ateísta, a descoberta do absurdo da vida pelo homem que toma consciência de sua condição de ser finito, marcado pela morte, deve levar à busca de uma justificativa, de um sentido para a existência humana. O existencialismo é assim um *humanismo. A consciência é, portanto, o elemento central dessa busca de sentido, e é essa consciência que revela a existência do *outro, sem o qual ela não pode existir, já que a consciência só existe através daquilo de que é consciência. Sua principal obra desse período é *L'être et le néant* (O ser e o nada, 1943), que contém o núcleo da filosofia do existencialismo. Sartre defende a *liberdade como uma das características mais fundamentais da existência humana. Segundo ele, paradoxalmente, "o homem está condenado a ser livre", e precisa assumir essa liberdade vivendo autenticamente seu projeto de vida — seu engajamento — recusando os papéis sociais que lhe são impostos pelas normas convencionais da sociedade. É assim que "nós somos aquilo que fazemos do que fazem de nós". A partir da década de 60, Sartre aproximou-se da filosofia marxista, passando a considerar o marxismo como "a filosofia insuperável de nosso tempo", sobretudo como pensamento revolucionário comprometido com a transformação da sociedade. Questionou, porém, o *materialismo e o *determinismo marxistas, continuando a defender o papel central do homem no pensamento filosófico. Sua obra *Critique de la raison dialectique* (Crítica da razão dialética, 1960) inaugura a aproximação entre existencialismo e marxismo. Posteriormente, Sartre retomou os temas mais centrais de seu existencialismo inicial, em sua monumental biografia do romancista francês Flaubert, *L'idiot de la famille* (O idiota da família, 1972), recorrendo à psicanálise para interpretar, através da consideração de um caso concreto, o sentido da existência humana e de um projeto de vida. Dentre suas obras mais importantes destacam-se, além das já citadas: *L'existencialisme est un humanisme* (O existencialismo é um humanismo, 1946), *Baudelaire* (1947), a autobiografia *Les mots* (As palavras, 1963) e uma dezena de volumes intitulados *Situations* (Situações, 1947-1976) reunindo artigos e ensaios sobre temas diversos. Alguns consideram que a expressão mais significativa do existencialismo sartriano está em sua obra literária: nos romances *La nausée* (A náusea, 1937), *Le mur* (O muro, 1939), coletânea de contos, e *Les chemins de la liberté* (Os caminhos da liberdade, 1944-1949), em 3 volumes; e nas peças teatrais, algumas de grande sucesso, como *Les mouches* (As moscas), em que revive a tragédia clássica de Orestes, e *Huis clos* (Entre quatro paredes).

Savonarola, Jerônimo (1452-1498) Pensador religioso dominicano italiano que, diante da decadência da Igreja do papa Alexandre VI, passou a denunciar em seus sermões as injustiças e a corrupção, a defender uma organização democrática da Cidade e uma reforma da Igreja e de suas relações com o Estado – o que acabou levando-o à fogueira, por uma incrível maquinação urdida por burgueses exasperados e pelo papa.

Schaff, Adam (1913-) Filósofo marxista polonês, estudou em Lvov, sua cidade natal, Paris e Moscou. Após a Segunda Guerra Mundial, tornou-se professor na Universidade de Varsóvia, sendo mais tarde diretor do Instituto de Filosofia e Sociologia da Academia Polonesa de Ciências. Dirigiu o Centro Europeu para a Pesquisa Econômica e Social em Viena, embora continue a residir parte do tempo na Polônia. Seu pensamento representa uma renovação do *marxismo, tendo inicialmente se dirigido para questões de linguagem na perspectiva da filosofia *analítica, em parte por influência da tradição analítica polonesa, como mostram seus livros *Introdução à semântica* (1960) e *Linguagem e conhecimento* (1964). Sua interpretação humanista do marxismo enfatiza a importância de uma "filosofia do homem", como em suas obras *Marxismo e existencialismo* (1961), *A filosofia do homem* (1964), uma polêmica contra o *existencialismo, e o influente *O marxismo e o indivíduo* (1965). Desenvolveu uma análise do socialismo no mundo contemporâneo frente aos desafios da crise econômica e do progresso tecnológico, indicando a necessidade de renovação do projeto político e econômico do socialismo em seu *O movimento comunista na encruzilhada* (1981).

Scheler, Max (1874-1928) Filósofo alemão (nascido em Munique), conhecido sobretudo por ter adaptado o método fenomenológico de E. Husserl para aplicá-lo a questões de ética, teoria dos valores, filosofia social e da cultura e antropologia filosófica. Seu pensamento exerceu grande influência nessa área da filosofia na Alemanha e na Europa em geral. Na fase inicial de sua obra, foi um pensador católico, aproximando-se do personalismo. Sua concepção de ética opõe-se sobretudo ao formalismo da ética kantiana, que considera dever ser superado por uma apreensão vivida dos valores éticos, e também estéticos, inspirada na fenomenologia. Suas principais obras são: *Sobre a relação entre os princípios lógicos e os princípios morais* (1899), *O formalismo na ética*, 2 vols. (1913-1916), *Sobre o eterno no homem* (1921), *A situação do homem no mundo* (1928).

Schelling, Friedrich (1775-1854) Juntamente com Fichte, seu contemporâneo, Schelling é um dos principais representantes do *idealismo alemão pós-kantiano*. Nasceu em Leonberg, estudou teologia na Universidade de Tübingen, onde teve como colega Hegel, e foi depois professor na Universidade de Iena, tornando-se um filósofo nacionalmente consagrado. Schelling é considerado o filósofo do romantismo na Alemanha. Sua principal obra, *O sistema do idealismo transcendental* (1800), toma como ponto de partida os sistemas de Kant e de Fichte, sobretudo quanto à relação entre a subjetividade do indivíduo e o mundo objetivo. O único conhecimento possível é o que a consciência tem de si mesma. A filosofia de Schelling é uma *filosofia da identidade* entre a consciência e a natureza, identidade esta que se realiza plenamente no *absoluto, superando a oposição entre o sujeito e o objeto. A filosofia deveria, portanto, refletir a natureza em sua identidade, chegando mesmo a descobrir Deus através da natureza. Para Schelling, é sobretudo através da arte que a consciência pode vir a autoconhecer-se plenamente, e portanto toda filosofia deve apontar para esse caminho. Escreveu ainda *Ideias para uma filosofia da natureza* (1797); *Sobre a alma do mundo* (1798); *Bruno, ou sobre o princípio natural e divino das coisas* (1802); *Filosofia e religião* (1804); *As idades do mundo* (1811).

Schleiermacher, Friedrich Ernst Daniel (1768-1834) Filósofo e teólogo evangélico alemão, estudou na Universidade de Halle, onde também ensinou (1804-1810), tendo sido mais tarde professor na Universidade de Berlim de 1810 a 1834. Influenciado inicialmente pela filosofia de Kant, rompeu depois com esta, ligando-se aos círculos românticos da época. Inspirando-se em sto. Agostinho notabilizou-se sobretudo por sua filosofia da religião que valoriza o sentimento e a experiência religiosos, entendidos como vivência individual. Sua principal influência diz respeito à proposta de um método exegético do Novo Testamento, acentuando além dos aspectos filológicos e doutrinários a análise dos elementos históricos, considerando o texto bíblico como parte de uma tradição cultural. Influenciou fortemente o pensamento de Dilthey e é considerado um dos principais precursores da *hermenêutica. Principais obras: *Sobre a religião: discurso a seus detratores esclarecidos* (1799), *Sermões* (1801-1821), *A fé cristã segundo os princípios da Igreja Evangélica* (1821-1822), *Hermenêutica* (póstumo, 1838).

Schlick, Moritz (1882-1936) Filósofo alemão (nascido em Berlim) e radicado em Viena desde 1922, Schlick, opondo-se ao neokantismo e à fenomenologia de seu tempo, tornou-se, em contato com Ernst Mach e influenciado por Russell, Carnap e pelo *Tractatus* de Wittgenstein, o criador do fisicalismo, *positivismo lógico, neopositivismo ou empirismo lógico. Considerado o "fundador" do Círculo de Viena, foi um dos mais ardorosos defensores do critério estrito de verificação para distinguir os enunciados científicos de todos os demais enunciados desprovidos de sentido, metafísicos ou não. Em sua análise positivista da linguagem, tomou por guia supremo o critério da verificação empírica. Obras principais: *Espaço e tempo na física atual* (1917), *Teoria geral do conhecimento* (1925), *Problemas de ética* (1930), *Lei, causalidade e probabilidade*, póstumo (1938), *Filosofia da natureza*, póstumo (1949). *Ver* fisicalismo; Círculo de Viena.

Schopenhauer, Arthur (1788-1860) O filósofo alemão Schopenhauer (nascido em Dantzig), influenciado fortemente por Kant, desenvolveu uma filosofia pessoal, considerada pessimista e ascética. Combateu o hegelianismo, então dominante, e sua oposição ao meio acadêmico na Alemanha fez com que seu pensamento tivesse relativamente pouca repercussão, alcançando notoriedade apenas no final de sua vida. Partindo essencialmente de Kant, mas também sob a influência de Platão e até mesmo do budismo, Schopenhauer considera o mundo de nossa experiência como simples *representação. Ao procurar superar o nível da aparência, em direção à realidade verdadeira, o *absoluto, o sujeito descobre pela autointuição sua *vontade, chegando depois à *vontade única* como ser verdadeiro. Sua obra mais importante é *O mundo como vontade e representação* (1818), sendo também bastante populares em sua época seus aforismos publicados sob o título de *Parerga und paralipomena* (Acessórios e restos, 1851). Para Schopenhauer, a "vontade de viver" ou o *"querer-viver" designa uma força universal de todos os seres. É essa força que leva cada indivíduo a lutar, consciente ou inconscientemente, para preservar sua espécie: "A vontade é a substância íntima, o meio de toda coisa particular como do conjunto; ela se manifesta na força cega da natureza e encontra-se na conduta razoável do homem."

Schultz, Alfred (1899-1959) Schultz nasceu em Viena. Com a ocupação nazista da Áustria, em 1938, emigrou para Paris e, daí, foi para os Estados Unidos. Tornou-se, na América, o grande divulgador da *fenomenologia de E. Husserl, influenciado por Husserl e por Max Weber, mas, de modo independente deles, desenvolveu toda uma filosofia suscetível de revelar as bases fenomenológicas das ciências sociais. Preocupado com os aspectos sociais da consciência humana, isto é, com a estrutura da realidade social como realidade do "mundo da vida", construiu sua "sociologia fenomenológica" a fim de "explicar" a estrutura significativa do mundo social, ou seja, o conjunto dos significados subjetivos que constituem esse mundo. Para tanto, elaborou também uma teoria da ação humana ao mesmo tempo individual e social. Seu livro *A fenomenologia do mundo social* foi publicado em alemão, em 1932. Obras póstumas, publicadas nos Estados Unidos: *The Problem of Social Reality* (1962), *Studies in Social Theory* (1964), *Studies in Phenomenological Philosophy* (1966), *The Structures of Life-World* (1973).

Scotus, João Duns *Ver* Duns Scotus, João.

Searle, John Rogers (1932-) Filósofo norte-americano, doutorou-se na Universidade de Oxford, sendo atualmente professor na Universidade da Califórnia, em Berkeley, desde 1959. Filósofo da linguagem, desenvolveu a teoria dos atos de fala iniciada por *Austin, procurando sistematizar as regras e investigar as condições de possibilidade da comunicação humana. Searle enfatiza sobretudo o papel das intenções na constituição dos atos de fala, tendo desenvolvido a esse respeito uma teoria da *intencionalidade. A partir dessa perspectiva tem investigado mais recentemente a importância filosófica da ciência cognitiva e da inteligência artificial. Obras principais: *Atos de fala* (1969), *Expressão e significado* (1979), *Intencionalidade* (1983), *Mentes, cérebros e ciência* (1984), *Fundamentos de lógica ilocucionária* (1985), com Daniel Vanderveken.

sectarismo (do lat. *secare*: cortar, separar) Doutrina, religiosa ou antirreligiosa, que leva seus defensores ou praticantes a assumir atitudes de estreiteza, incompreensão, intolerância e, mesmo, fanatismo em relação a doutrinas diferentes da sua.

Século das Luzes *Ver* Iluminismo.

segregação (lat. *segregatio*: separado do rebanho, *grex*) Processo pelo qual os membros de uma comunidade estabelecem e impõem uma separação social pela raça, pelo sexo, pela posição social, pela religião etc., tendo por consequência a privação total ou parcial dos direitos políticos de uma parte da população. *Ver* apartheid.

seita (lat. *secta*: partido, seita, escola) **1.** No sentido histórico, grupo de indivíduos professando uma doutrina particular (formando uma escola) e diferente da ortodoxia majoritária. Ex.: a seita dos epicuristas.
2. Religiosamente, grupo de indivíduos que, afastando-se da observância comum e ortodoxa, rompe com a religião a que pertencia, passando a professar uma doutrina por ela julgada herética ou heterodoxa. A Igreja católica considerou seitas as diferentes formas do protestantismo. Por sua vez, os protestantes falam de Igrejas no plural: luterana, calvinista etc.

semântica (do gr. *semantikós*: que significa) **1.** Teoria do *significado. Na divisão tradicional das ciências da linguagem, a semântica diz respeito à relação entre os signos e o real, isto é, os objetos significados. Seus conceitos centrais são o próprio *significado*, a *referência*: a relação entre o signo e o objeto, e a *verdade*: a correspondência efetiva entre o signo e o objeto nessa relação. A relação de significação é interpretada de diferentes maneiras pelas várias correntes teóricas na linguística e na filosofia da linguagem, que procuram explicar como se dá a referência de um signo a um objeto e em que condições se pode definir essa relação como verdadeira. Assim, temos teorias semânticas convencionalistas, construtivistas, naturalistas, verificacionistas etc. Na realidade, para a maioria das teorias, a noção de verdade só se aplica à relação entre sentenças, isto é, estruturas complexas compostas de signos, e o real, e não entre termos individuais e objetos. *Ver* semiologia; pragmática; sintaxe.
2. A semântica *intensional* investiga o próprio significado, como a relação de significação é tornada possível pelo conteúdo do signo; enquanto que a semântica *extensional* diz respeito à relação entre o signo e o conjunto de objetos que este designa.

semelhança/similaridade (do lat. *similis*) Qualidade de duas ou mais coisas que possuem termos comuns que as aproximam ou identificam, sem contudo chegarem a ser iguais. *Ver* diferença.

semiologia/semiótica (fr. *sémiologie*; fr. *sémiotique*) Ciência geral de todos os sistemas de signos. Segundo o linguista suíço Ferdinand de Saussure (1857-1913), a semiologia estuda "a vida dos signos no seio da vida social". Na medicina clássica, a semiótica era a técnica do diagnóstico e da observação dos sintomas, isto é, dos sinais da doença, de sua manifestação. Locke utiliza o termo "semiótica" em seu *Ensaio sobre o entendimento humano* (1690) para designar o estudo da relação entre as palavras como signos das ideias, e das ideias como signos das coisas. Mais contemporaneamente, o filósofo norte-americano Charles Morris (1946) propôs a constituição de uma teoria geral dos signos, subdividindo-se em uma *sintaxe*, o estudo da relação dos signos entre si; uma **semântica*, o estudo da relação entre os signos e a realidade a que se referem; e uma **pragmática*, o estudo dos signos em relação a seu uso concreto. *Ver* Peirce.

Sêneca (4 a.C.-65 d.C.) O romano Sêneca (nascido em Córdoba, Espanha) é conhecido como filósofo estoico e pensador político. Em seus livros *De clementia*, *De beneficiis*, *De otio* etc. faz reflexões sobre a liberdade, a justiça, a tirania e a participação dos cidadãos na vida pública. Sua doutrina é coerente com a moral estoica: os homens são iguais (contra a escravidão), os males são devidos às paixões humanas (ambição, crueldade, sede de glória etc.) e o papel do soberano é o de encarnar a sabedoria realizando a ordem. Escreveu também tragédias e sátiras inspiradas no modelo grego, bem como uma vasta correspondência, destacando-se as *124 Epístolas morais a Lucílio*.

sensação (lat. medieval *sensatio*) **1.** Impressão subjetiva e interior advinda dos sentidos e causada por algum objeto que os excita ou estimula (ex.:

sensação de frio). Impressão vaga ou imprecisa que temos acerca de algo (ex.: sensação de medo).

2. Para o *empirismo, a sensação é fundamental para o processo de conhecimento, pois fornece sua matéria bruta através dos sentidos. Kant usa esse conceito (*Empfindung*) para designar as modificações na consciência subjetiva causadas pela presença de algum objeto. *Ver* impressão; percepção.

sensibilidade (lat. vulgar *sensibilitas*) **1.** Em um sentido genérico, capacidade de sentir, de ser afetado por algo, de receber através dos sentidos impressões caudadas por objetos externos (ex.: sensibilidade auditiva). Percepção aguçada (ex.: sensibilidade musical).

2. Kant usa esse termo (*Sinnlichkeit*) para designar a receptividade da consciência, a capacidade de formarmos *representações dos objetos graças à maneira pela qual estes nos afetam. A sensibilidade nos fornece assim a matéria dos *fenômenos. Kant considera o *espaço e o *tempo como formas puras da sensibilidade, ou seja, condições de possibilidade de termos impressões sensíveis. *Ver* intuição.

senso (lat. *sensus*) **1.** *Bom senso*: termo utilizado como sinônimo de *razão, capacidade natural de julgar, de discernir. "A capacidade de bem julgar e de distinguir o verdadeiro do falso, que é o que propriamente se denomina o bom senso ou razão, é naturalmente igual em todos os homens" (Descartes, *Discurso do método*). *Ver* bom senso.

2. *Senso comum* (*sensus communis*): na tradição escolástica e mesmo ainda na filosofia cartesiana, órgão central que unifica as impressões oriundas dos diferentes *sentidos, constituindo a unidade dos dados sensoriais e, portanto, do *objeto. Em uma acepção mais típica do pensamento moderno, o senso comum é um conjunto de opiniões e valores característicos daquilo que é correntemente aceito em um meio social determinado. "O senso comum consiste em uma série de crenças admitidas no seio de uma sociedade determinada e que seus membros presumem serem partilhadas por todo ser racional" (C. Perelman).

sensualismo (fr. *sensualisme*) Termo que designa sobretudo a doutrina da "sensação transformada" de *Condillac, segundo a qual a mente é uma *tabula rasa*, e "encontramos em nossas sensações a origem de todos os nossos conhecimentos e de todas as nossas faculdades". Em um sentido mais amplo, designa todo *empirismo radical que considera todas as ideias e representações, todos os juízos, todo o conhecimento, como derivados de nossa experiência sensorial por um processo de transformação, associação e abstração dos dados sensoriais. *Oposto a* inatismo, intelectualismo, racionalismo.

sentido (do lat. *sensus*) **1.** Na acepção fisiológica, os sentidos são órgãos receptores que nos trazem impressões sobre os objetos externos. Classicamente são cinco os sentidos que possuem uma certa unidade funcional: tato, olfato, paladar, visão, audição. Do ponto de vista psicológico, os sentidos são os responsáveis pelos diferentes tipos de sensação que percebemos.

2. *Sentido moral*: a consciência como capacidade intuitiva de julgar se alguma coisa é moralmente certa ou errada, boa ou má. "Consciência! Instinto divino ... juiz infalível do bem e do mal" (Rousseau).

3. O termo sentido pode ser utilizado também como sinônimo de significação (ex.: Não entendi o sentido do que ele disse). Alguns filósofos da linguagem, como *Frege, distinguem o sentido (*Sinn*) de uma palavra ou expressão, de sua referência (*Bedeutung*), isto é, do objeto designado. Para Frege, o sentido é o modo pelo qual se designa o objeto. Assim, p. ex., tanto "Vênus" quanto "Estrela da manhã" designam o mesmo objeto, o corpo celeste; têm portanto a mesma referência, porém possuem sentidos distintos. *Ver* linguagem.

sentimento (do lat. *sentire:* perceber pelos sentidos) **1.** No sentido genérico, tanto pode designar o estado afetivo de alguém tendo por objeto uma pessoa (ex.: sentimento de inveja) quanto a paixão ou emoção superior (ex. o sentimento estético).

2. Conhecimento imediato (sensação) que não pode ser justificado racionalmente.

3. No sentido moral, inclinação altruísta que leva alguém a cultivar suas disposições intuitivas de ver as pessoas privilegiando a generosidade, a solidariedade e as razões do coração.

ser (do lat. *sedere*) Podemos dizer que toda a metafísica constitui, num certo sentido, uma meditação sobre o sentido do verbo *ser*. "Ser, ser puro, nenhuma determinação. Em sua imediatez indeterminada, ele só é igual a si mesmo, sem ser desigual de outra coisa ... Ele é a indeterminação pura e o vazio puro. O ser, o imediato indeterminado é, na realidade, nada, nem mais nem menos que nada" (Hegel). Assim, o ser pode ser entendido de várias maneiras: a) como *substância*: "O ser toma múltiplos sentidos: num sentido, significa aquilo que é a coisa, a substância" (Aristóteles); b) afirma a existência, a realidade atual de uma coisa, o *fato* ou *ato de ser*: "Esta proposição: *Eu sou, eu existo*, é necessariamente verdadeira todas as vezes que a pronuncio ou que a concebo em meu espírito" (Descartes); c) como *essência*, ou seja, aquilo que a coisa é: "Sou apenas uma substância cuja essência ou natureza é apenas a de pensar" (Descartes); d) como *ser-em-si*, ou seja, como uma região particular do ser (Sartre); e) como *ser-no-mundo*: condição necessária da existência humana, do *Dasein* (ser-aí de Heidegger), ou como *ser-em-situação*: o fato de todo existente estar profundamente engajado numa historicidade. Num sentido que aparece já na filosofia grega, o *ser* se opõe ao *devir*. Toda coisa que é, é em virtude de duas forças: o ser e o devir. Uma coisa não cessa de mudar no tempo (crescimento, envelhecimento etc.). Só o ser é estável na coisa, pois sob a multiplicidade das formas que torna essa coisa no tempo, podemos continuar dizendo que ela é. É nesse sentido que, na filosofia grega, o devir é sempre identificado como o *não-ser*, o não-ser não é a ausência de ser, o nada, mas aquilo que não é o ser, aquilo que é mutável e diverso, enquanto que o ser é imutável e único. Fala-se ainda do *ser de razão*, quer dizer, do ser só existindo no pensamento. No singular, e com inicial maiúscula, e por vezes acompanhado de qualificativos como "perfeito", "supremo", "absoluto", o Ser é sinônimo de Deus: Ser em si, e para si, Ser absoluto. *Ver* metafísica; ontologia.

ser de razão (*sens rationis*) Expressão aplicada, desde a escolástica, primeiramente às essências particulares, em seguida às abstrações personificadas ou "reificadas", para contestar-lhes a existência fora do pensamento, fora da razão. São seres que só existem no pensamento ou somente na razão, não comportando nenhuma existência real.

Ser e o nada, O (*L'être et le néant*) Obra de Jean-Paul Sartre (1943), principal expressão teórica da filosofia existencialista, estuda os múltiplos aspectos da existência humana. O homem nada mais é do que "uma paixão inútil", pois é um "ser-para-si" cuja aventura termina com a morte. Eis sua condição: está situado entre o *nada, do qual se originou, e o *ser, ao qual aspira na *angústia. Nesta obra Sartre lança as bases metafísicas do *existencialismo: a "transfenomenalidade do ser" e a "liberdade absoluta" do homem. *Ver* absurdo.

Ser e tempo (*Sein und Zeit*) Obra de Martin Heidegger (1927) tendo por objetivo determinar o sentido do ser (ontologia) mediante a análise fenomenológica das diferentes modalidades de nossa presença no mundo (de nosso *Dasein*: "ser-aí", "existência", ou "presença"). O sentimento original da existência o homem o percebe na *angústia, pela qual se compreende como ser para a morte. Ao refletir sobre sua condição de *Dasein*, esbarra com a contingência de seu nascimento (passado) e com a inelutabilidade da morte (futuro). O resultado é o sentimento autêntico da finitude, real condição humana.

Serres, Michel (1930-) Professor de história das ciências na Universidade de Paris I, o francês Michel Serres é um filósofo de múltiplas facetas, interessando-se tanto pela ciência quanto pela pintura, tanto pela história quanto pela literatura. Diante da pergunta "Por que é um filósofo?", responde sem hesitar: "Por causa de Hiroxima". Sempre preocupado em explorar as regiões limítrofes dos grandes domínios do pensamento humano, ele sonha com a reconciliação dos saberes, com uma reconciliação distante dos dogmas e dos imperialismos teóricos. Mas sua interrogação mais constante é sobre o lugar da filosofia relativamente à política e à história. Obras principais: *Hermès I. La communication* (1969), *Hermès II. L'interférence* (1972), *Hermès III. La traduction* (1974), *Hermès IV. La distribution* (1977), *Hermès V. Le passage du Nord-Ouest* (1980), *Genèse* (1982), *Les cinq sens* (1985).

servidão (lat. *servitudo*: servidão, escravidão) **1.** No sentido corrente, estado de dependência ou submissão criado pela força ou violência.
2. Filosoficamente, incapacidade do homem submetido a seu modo de ser passivo e não dependendo de sua razão: "Denomino servidão a incapacidade do homem de governar e reduzir suas afeições, não dependendo mais de si mesmo, mas da fortuna" (Espinoza).
3. A servidão é dita *"voluntária"* (*La Boétie) quando o indivíduo aceita passivamente a dominação e a exploração política de uma autoridade tirânica.

Sexto Empírico (sécs. II-III) O filósofo, médico e astrônomo grego (nascido provavelmente em Mitilene) Sexto Empírico viveu em Alexandria e Atenas. Seguidor do pirronismo, é considerado o principal representante do *ceticismo antigo. Opondo-se aos "dogmáticos" (aristotélicos, epicuristas e estoicos) por acreditar na possibilidade da posse da verdade, e aos "acadêmicos", por acreditar em sua impossibilidade, Sexto Empírico opta pelo ceticismo, a doutrina dos que "continuam a investigar". Considerado um grande compilador, resume e apresenta as doutrinas e os argumentos dos pensadores antigos. São famosos seus argumentos contra o silogismo, pois sua conclusão representa um círculo vicioso. Critica também a noção de causa e a ideia da Providência. De seus livros, conservam-se os *Esboços pirrônicos* (3 livros), as obras *Contra os dogmáticos* (5 livros) e *Contra os professores* (6 livros). *Ver* ceticismo; Pirro.

sexualidade Segundo a concepção freudiana, conjunto dos fenômenos e atividades dizendo respeito ao exercício das funções sexuais, o "sexual" tendo, em sua característica de proporcionar prazer, um sentido mais amplo que o genital, pois abrange atividades que o "transcendem". *Ver* Eros, libido, pulsão.

Sigério (Suger) de Brabant (c.1235- 1284) Filósofo e teólogo nascido em Liège, na atual Bélgica, foi professor na então recém-fundada Universidade de Paris, onde estudou. Notabilizou-se por sua polêmica, em 1270, com sto. Tomás de Aquino. Suas ideias foram condenadas como heréticas (1270), sendo proibido de ensinar. Sigério foi um dos principais defensores do aristotelismo neste período, considerando o filósofo árabe *Averróis como o mais importante intérprete de Aristóteles. As principais doutrinas por ele defendidas são a da unidade do *intelecto agente e a da teoria da dupla verdade, uma fundada na Revelação, e outra nos ensinamentos de Aristóteles. Principais obras: *De anima intellectiva*, *Qaestiones in libros tres de anima*, *De intellectu* (fragmentos). *Ver* averroísmo.

significado (do lat. *significare*) 1. A teoria do significado, em filosofia da linguagem, examina os vários aspectos de nossa compreensão das palavras e expressões linguísticas e dos *signos em geral. Um desses aspectos centrais é a relação de *referência*, que é um dos elementos constitutivos do significado. A referência é precisamente a relação entre o signo linguístico e o real, o objeto designado pelo signo. Outro aspecto, indicado na distinção proposta por *Frege, é o *sentido*, ou seja, o modo pelo qual a referência é feita. Dois termos sinônimos, p. ex., "Brasília" e "a capital do Brasil", teriam a mesma referência, mas não o mesmo sentido. Outro aspecto da compreensão do significado diz respeito aos tipos de uso que uma expressão pode ter em contextos diferentes e para objetivos diferentes, o que determina uma diferença de significado. A concepção de que "o significado é o uso" é desenvolvida sobretudo a partir das teses de *Wittgenstein. Autores como *Quine indicam ainda a importância da consideração do significado não a partir de uma sentença ou expressão linguística tomada isoladamente em sua relação com o real, mas levando-se em conta a totalidade da linguagem, isto é, a rede de relações de significação na qual essa sentença ou expressão se inclui, seus pressupostos, suas implicações etc. *Ver* semântica.

2. O *estruturalismo linguístico*, a partir do linguista suíço Ferdinand de Saussure (1857-1913), estabelece uma distinção entre *significado* e *significante*. Segundo essa concepção o signo linguístico resulta da combinação de uma imagem acústica (o significante) e de um conceito (o significado), que formam na verdade uma unidade indissolúvel, dois aspectos da mesma realidade do signo. Essa distinção é retomada por *Lacan em um sentido próprio, dentro de sua concepção do *inconsciente como estruturado linguisticamente.

signo (lat. *signum*) Elemento que designa ou indica outro. Objeto que representa outro. Sinal. Discute-se, sobretudo na *semiótica, se existem signos naturais, p. ex., as manchas que são sinais do sarampo, a fumaça que indica o fogo, ou se todo signo é, de alguma maneira, convencional, como a palavra, ou seja, envolveria sempre a necessidade de uma *interpretação ou de uma *regra de aplicação para relacioná-lo ao objeto representado. *Ver* convenção; símbolo.

silêncio Para a filosofia, o silêncio não se confunde com a ausência de ruído, pois nada mais é do que a abolição da palavra ou da linguagem. O silêncio pode constituir a expressão paradoxal daquilo que há de não humano no homem: há o silêncio incomunicável, que caracteriza a alienação mental, e o silêncio da violência, caracterizando aqueles para os quais a linguagem e a comunicação não são mais possíveis. A experiência metafísica do silêncio gera uma angústia existencial: "O silêncio eterno dos espaços infinitos me apavora", diz Pascal. Como experiência mística interior, o silêncio, ligado à oração, à meditação, ao ascetismo e à solidão, constitui a condição para o encontro com uma presença oculta, o caminho para o encontro com *Deus ou com o *outro.

silogismo (lat. *syllogismus*, do gr. *syllogismós*) Método de dedução de uma conclusão a partir de duas premissas, por implicação lógica. Para Aristóteles, considerado o primeiro formulador da teoria do silogismo, "o silogismo é um argumento em que, estabelecidas certas coisas, resulta necessariamente delas, por serem o que são, outra coisa distinta do anteriormente estabelecido" (*Primeiros analíticos*, I, 24). Ex.: "Todos os homens são mortais, todos os gregos são homens, logo, todos os gregos são mortais". A conclusão se obtém assim por um processo de combinação dos elementos contidos nas premissas através do termo médio (no exemplo, "homens"), que permite relacionar os outros termos (no exemplo, "gregos" e "mortais") aí contidos, formando uma nova proposição. Segundo as regras do silogismo válido, não é possível que as premissas sejam verdadeiras e a conclusão seja falsa. Aristóteles classifica todos os tipos possíveis de silogismos válidos em três *figuras ou esquemas: Na 1ª figura, o termo médio é sujeito na premissa maior (a que contém o termo de menor extensão); na 2ª, o termo médio é predicado em ambas as premissas; na 3ª, o termo médio é sujeito em ambas as premissas. Atribui-se ao filósofo e médico Cláudio Galeno (c.130-c.200) uma 4ª figura, em que o termo médio é predicado na premissa maior e sujeito na menor. No exemplo acima, temos um silogismo categórico, em que as premissas são asserções, isto é, proposições que afirmam ou negam algo. Podemos ter também silogismos modais, cujas premissas são proposições que envolvem *modalidade, e silogismos hipotéticos, cujas premissas incluem proposições hipotéticas. A teoria do silogismo de Aristóteles sofreu uma série de modificações e desenvolvimentos na escola aristotélica e na *escolástica. No período moderno sua importância vai sendo progressivamente menor até dar lugar, no séc. XIX, à *lógica matemática e aos cálculos proposicional e dos predicados formulados inicialmente por *Frege. *Ver* figuras do silogismo.

simbolismo/símbolo (do lat. tardio *symbolum*, do gr. *symbolon*) **1.** O símbolo é um objeto que representa outro de forma analógica ou convencional, um sinal convencional através do qual se designa um objeto. A relação entre o símbolo e o objeto simbolizado é, assim, nesse sentido, convencional, exterior. Ex.: a bandeira é o símbolo da pátria. *Ver* signo.
   2. Na *teoria psicanalítica*, o simbolismo é "o conjunto de símbolos de significado constante que podem ser encontrados em diferentes produções do inconsciente" (Laplanche e Pontalis, *Vocabulário de psicanálise*). Ex.: um guarda-chuva é um símbolo masculino, uma caverna é um símbolo feminino.

Simmel, Georg (1858-1918) Filósofo e sociólogo alemão (nascido em Breslau); como representante do neokantismo, Simmel procura evitar a abstração, o formalismo *a priori* de Kant e a dispersão na diversidade dos fatos; admite, contudo, a objetividade das normas lógicas e das exigências morais. Obras principais: *Introdução à ciência da moral* (1892), *Problemas de filosofia da história* (1892), *Filosofia do dinheiro* (1900), *O conflito da cultura moderna* (1918). *Ver* neokantismo.

simpatia (gr. *sympatheia*: participação ativa no sofrimento do outro, compaixão, comunidade de sentimentos, de *pathos*: estado passivo, sofrimento, e *syn*: com, partilhado com) **1.** Num sentido amplo, afinidade ou comunhão de afetos ou ideias entre pessoas. Por oposição a antipatia, atração (ou apego) espontânea ou objetivamente fundada que uma pessoa sente por outra.
   2. Do ponto de vista fisiológico, espécie de contágio permitindo um ser vivo reproduzir, por imitação ou influência, os movimentos ou as atitudes de um outro.
   3. Filosoficamente, ato intencional de comunicação intersubjetiva através do qual alguém é levado a participar ativamente das alegrias ou dores de outrem, fazendo efetivamente delas suas alegrias e suas dores e tendo consciência de com esse outrem estabelecer um profundo modo de conhecimento ou uma verdadeira inteligência do sentimento, vale dizer, uma real compreensão de seu estado e de seu "segredo": "Toda simpatia implica a *intenção* de sentir a alegria ou o sofrimento que acompanha os fatos psíquicos do outro" (M. Scheller). É neste sentido que Aristóteles afirma que "todo amor nasce do conhecimento", desse conhecimento intuitivo "simpático".

simples (lat. *simplex*) Que é indivisível, que não pode ser decomposto, que não tem partes. Em Descartes, as naturezas simples são as *essências: "Chamamos simples aquelas naturezas cujo conhecimento é tão claro e distinto que o espírito não as pode dividir em outras mais numerosas cujo conhecimento seja mais distinto: tais são a figura, a extensão e o movimento" (Descartes, *Regras para a direção do espírito*). *Ver* análise; átomo.

simulacro (lat. *simulacrum*). Na filosofia de Epicuro e de Lucrécio, é somente pelas sensações que conhecemos as coisas, mas na medida em que essas sensações são produzidas por simulacros, ou seja, por espécies de finos invólucros suscetíveis de nos transmitir a "imagem" das coisas e de afetar nossos sentidos. É assim que nasce a *sensação, que nos fornece fielmente a imagem dos objetos originais, mas sem a sua força. As ilusões dos sentidos se explicam pelas modificações dos simulacros em seu trajeto até nós. A teoria do simulacro foi utilizada para explicar os erros dos sentidos.

sincategoremático (lat. escolástico *syncategorema*, do gr. *syn*, juntamente com, e *categoria*: aquilo que vai junto com as categorias) Termo da lógica que denomina aqueles termos que não possuem significado por si próprios, não designando nem objetos, nem propriedades de objetos, p. ex., preposições, conjunções etc., entrando apenas na composição de sentenças para permitir o elo ou a relação entre os termos significativos que compõem o sujeito e o predicado.

sincretismo (do lat. *syncretismus*, do gr. *synkretismos*: união dos cretenses) Na história da filosofia, o sincretismo designa a tendência dos filósofos neoplatônicos a uma certa unificação arbitrária das mais variadas doutrinas que os precederam. Contrariamente ao *ecletismo, o sincretismo constitui uma tendência para fundir todas as doutrinas anteriores. Hoje em dia, o termo adquire um sentido pejorativo, pois designa uma miscelânea das mais disparatadas ideias.

sincronia Ver diacronia.

singular (lat. *singularis*) Relativo ao indivíduo, que se aplica a um único indivíduo. Na lógica tradicional se distingue a proposição singular, que possui um único sujeito, ex.: "Sócrates é calvo", da proposição particular, que se aplica a alguns indivíduos, ex.: "Alguns homens são calvos". Os termos singulares são aqueles como os nomes próprios "Sócrates", e as expressões do tipo "este homem", que só podem ser sujeitos de uma proposição e nunca predicados, ao contrário dos termos gerais que podem ser ambas as coisas.

singularidade (lat. *singularitas*) Característica própria de um indivíduo, que o torna diferente dos demais. Propriedade daquilo que é único.

sintaxe (gr. *syntaxis*: ordem, organização, estrutura) Sistema de regras que estabelece a possibilidade de combinação dos termos de uma linguagem na construção de sentenças. Enquanto parte da *semiótica, a sintaxe é o estudo das relações entre os signos em um sentido puramente formal, isto é, independentemente de sua interpretação ou de seu uso concreto.

síntese (do gr. *synthesis*, de *syntithenal*: reunir, juntar) **1.** Ato de reunir ou combinar em um todo elementos dados separadamente. Composição, unificação. *Oposto a* análise.
2. Para Descartes, a síntese é uma das regras do método: "Conduzir pela ordem meus pensamentos começando pelos objetos mais simples e mais fáceis de conhecer, para alcançar pouco a pouco, em graus sucessivos, o conhecimento dos mais complexos" (*Discurso do método*, II).
3. Na filosofia de Kant, a síntese é um ato da *consciência pelo qual esta reúne em um todo a diversidade dos dados da *sensibilidade: "Entendo por síntese, no sentido mais geral, o ato de juntar diversas representações umas às outras e de conceber sua multiplicidade sob a forma de um conhecimento único" (Kant, *Crítica da razão pura*).
4. Na *dialética hegeliana, a síntese é o momento de fusão e de superação (*Aufhebung*) da oposição entre *tese e *antítese. A síntese por sua vez tornar-se-á uma nova tese que terá sua antítese e será superada por uma nova síntese até a síntese final, que é o saber absoluto.

sintético (do gr. *synthetikós*) **1.** Que diz respeito à síntese, que possui uma unidade resultante da síntese. *Oposto a* analítico.
2. *Juízo sintético*: aquele em que o *predicado não pertence ao *sujeito por definição, mas acrescenta algo à compreensão do sujeito, resulta de um ato de síntese. Kant distingue os *juízos sintéticos a priori* dos *sintéticos a posteriori*. Os sintéticos *a posteriori* são simplesmente aqueles que são derivados da experiência, constituindo portanto um conhecimento *empírico. Os sintéticos *a priori* são aqueles que, sem serem derivados da experiência, acrescentam algo à compreensão do sujeito, no sentido de que dizem respeito às condições de possibilidade do conhecimento, à sua forma, portanto, e não propriamente a seu conteúdo. "As condições de possibilidade da experiência em geral são também condições de possibilidade dos objetos da experiência e têm, por esse motivo, um valor objetivo em um juízo sintético *a priori*" (*Crítica da razão pura*). *Ver* transcendental.

Sísifo, mito de Sísifo foi um personagem da mitologia grega, rei de Corinto, segundo a *Odis-*

seia, condenado por Hades, deus dos mortos, a empurrar uma imensa pedra até o topo de uma montanha sem, no entanto, jamais conseguir concluir sua tarefa, uma vez que antes de atingir o cume a pedra sempre rola montanha abaixo e Sísifo deve recomeçar sua tarefa. Para Albert *Camus, que utilizou-o como imagem da condição humana em seu *Le mythe de Sysiphe* (1942), este mito ilustra o sentimento de *absurdo de uma existência que sempre requer nosso esforço, faz apelo à nossa vontade, embora nunca se realize plenamente.

sistema (do lat. tardio e do gr. *systema*, de *synistanai*: juntar) **1.** Em um sentido geral, conjunto de elementos relacionados entre si, ordenados de acordo com determinados princípios, formando um todo ou uma unidade. Ex.: sistema solar.
2. Conjunto de pensamentos, teses ou doutrinas, desenvolvidos articuladamente e formando uma unidade teórica: o sistema de Hegel. Por vezes com um sentido pejorativo, a palavra "sistema" é utilizada para designar um conjunto de ideias científicas ou filosóficas interligadas e formando um todo: o sistema de Newton, o sistema de Descartes. Sistema é um termo mais amplo que *teoria*: o sistema de um autor é o conjunto de suas teorias, na medida em que elas se ligam entre si e remetem uma à outra.
3. A *teoria geral dos sistemas* (*general system theory*), no dizer de seu criador, Ludwig von Bertalanffy, é "uma disciplina lógico-matemática, em si mesma puramente formal, mas aplicável às diversas ciências empíricas ... chamada a desempenhar um papel análogo ao que desempenhou a lógica aristotélica na ciência da Antiguidade". Trata-se de um programa ao mesmo tempo científico e filosófico que, sem abandonar o ideal de rigor caro às ciências clássicas, exige a criação ou o aperfeiçoamento de uma nova linguagem, de novos esquemas teóricos e, até mesmo, de uma nova "visão do mundo". Essa teoria se apresenta como um desafio ao futuro da física, da biologia, da sociologia e da psicologia.

sistemático (do lat. tardio *systematicus*, do gr. *systematikós*) Que possui um caráter de sistema, que se caracteriza pela organização e articulação, constituindo um todo coerente de acordo com certos princípios básicos. Diz-se do pensamento, doutrina ou princípio metódico e rigorosamente organizado. *Ver* sistema.

situação (do lat. medieval *situatio*) **1.** Em Aristóteles, a situação ou estado é uma das dez *categorias, designando a posição de um objeto, o modo como está, p. ex., deitado, sentado etc. (*Categorias*, 4).
2. No *existencialismo, a situação é um dos elementos mais centrais na constituição da condição humana, o fato de que em sua existência o homem se encontra sempre em um contexto preestabelecido, em um mundo que o antecede, que o constitui como homem e em relação ao qual forma sua liberdade e sua identidade.

Skinner, Burrhus Frederick (1904-1990) Psicólogo norte-americano nascido na Pensilvânia, professor na Universidade de Harvard, foi o principal teórico contemporâneo do *behaviorismo. Procurou desenvolver as teses formuladas pelo fundador do behaviorismo, o também americano J.B.Watson (1878-1958), como única teoria psicológica realmente científica. Para Skinner, o comportamento humano resulta de condicionamentos biológicos e ambientais, podendo ser analisado em termos de estímulos e respostas ao meio ambiente em que vive. Opõe-se assim a qualquer tipo de mentalismo ou de dualismo corpo-alma. Suas teorias permitiram desenvolver técnicas de controle e previsão do comportamento que influenciaram a psicofisiologia. Também no campo da educação teve influência nas técnicas de ensino programado, com seu *A tecnologia do ensino* (1968). A "caixa de Skinner" é um instrumento para se isolar um animal em laboratório para se estudar seu comportamento e realizar experimentos em condições consideradas ideais. Envolveu-se em diversas polêmicas, destacando-se a com *Chomsky acerca da natureza da linguagem. Principais obras: *The Behavior of Organisms, An Experimental Analysis* (1938), *Walden Two* (romance) (1948), *Science and Human Behavior* (1953), *Verbal Behavior* (1957), *About Behaviorism* (1974).

Sloterdijk, Peter (1947-) filósofo alemão de Karlsruhe, estudou em Munique e Hamburgo e ensinou em várias universidades da Europa e dos Estados Unidos. Atualmente, leciona na Universidade de Viena. Influenciado por *Nietzsche e *Heidegger, é um crítico da sociedade contemporânea e da cultura europeia. Notabilizou-se por sua polêmica com *Habermas a propósito do humanismo. Obras principais: *Crítica da razão cínica* (1987) e *Regras para um parque humano* (1999).

Smith, Adam (1723-1790) Filósofo e economista escocês, professor na Universidade de Glasgow, considerado o fundador da economia política liberal em razão de sua obra *Investigação sobre a natureza e as causas da riqueza das nações* (1776). Pensador otimista, acreditava que a verdadeira fonte da riqueza reside no trabalho, sendo que a quantidade de trabalho necessária à produção de uma mercadoria determina seu valor de troca. Para ele, a busca do interesse individual concorre para a felicidade comum da sociedade, porque o sistema econômico não depende da boa vontade, mas das vantagens que todo indivíduo deve esperar de seu trabalho. Contrariamente aos *fisiocratas, Smith afirmava que a divisão internacional do trabalho, a livre troca e a concorrência favorecem a produção. Acreditava em uma "mão invisível" que regularia o funcionamento do mercado econômico, fazendo com que a economia se autoajustasse. Teve grande influência em sua época, na prática política e econômica, bem como no desenvolvimento teórico do liberalismo através de pensadores como David Ricardo. Foi amigo de *Hume. *Marx criticou duramente seu sistema econômico, sobretudo sua tese concernente ao "valor do trabalho". Outra obra importante: *Teoria dos sentimentos morais* (1759), na qual faz da simpatia o fundamento da moral. *Ver* liberalismo; mais-valia.

soberano/soberania (do lat. *superanus:* acima de) **1.** *soberano* é um indivíduo ou pessoa coletiva (por exemplo uma assembleia) detendo, de direito, o poder político numa sociedade. Ex.: o poder soberano de Luís XIV: "O depositário da personalidade da Cidade é denominado soberano; possui o poder soberano; todo outro homem é seu súdito" (Hobbes).
2. *soberania* é o poder político que se autodetermina e detém a autoridade suprema numa sociedade, exercido por um homem ou por uma assembleia representativa da população: "A soberania nada mais é que o exercício da vontade geral" (Rousseau).

sobrenatural 1. Que não pertence ao mundo natural, que não está de acordo com as leis da natureza, que está fora do alcance da experiência humana. Realidade divina, misteriosa.
2. Os teólogos cristãos distinguem o *sobrenatural preternatural*, a ação de Deus intervindo miraculosamente no curso natural das coisas, e o *sobrenatural essencial* caracterizando a essência das coisas divinas (por exemplo, a *graça).

sociabilidade (do lat. *socialis:* feito para a sociedade) Caráter próprio do homem de viver naturalmente em sociedade: "O homem é um animal social" (*Aristóteles).

socialismo Termo que designa, sobretudo a partir do séc. XIX, diferentes doutrinas políticas tais como o socialismo de *Marx, de *Saint-Simon, de *Fourier, de *Proudhon etc. Todas essas doutrinas têm, entretanto, em comum, uma proposta de mudança da organização econômica e política da sociedade, visando o interesse geral, contra o interesse de uma ou mais classes privilegiadas, com base nas ideias de igualdade e justiça social. Distingue-se o *socialismo democrático*, que prega essas mudanças por via institucional, através de reformas defendidas e realizadas como parte do processo democrático, do *socialismo revolucionário*, que defende a necessidade de mudanças radicais através de um processo revolucionário de transformação da sociedade. *Ver* comunismo; marxismo; revolução.

sociedade (lat. *societas*) A sociedade não é um mero conjunto de indivíduos vivendo juntos, em um determinado lugar, mas define-se essencialmente pela existência de uma organização, de instituições e leis que regem a vida desses indivíduos e suas relações mútuas. Algumas teorias distinguem a sociedade, que se define pela existência de um *contrato social entre os indivíduos que dela fazem parte, e a comunidade que possui um caráter mais natural e espontâneo.

sociologismo Doutrina ou concepção teórica que pretende explicar todos os problemas de natureza filosófica, psicológica, religiosa, artística etc., através do recurso à sociologia; ou seja, reduzindo todos os fenômenos humanos à estrutura e às formas de organização social a que pertencem.

Sócrates (c.470-399 a.C.) A vida de Sócrates nos é contada por Xenofonte (em suas *Memorabilia*) e por Platão, que faz dele o personagem central de seus diálogos, sobretudo *Apologia de Sócrates* e *Fédon*. Ele nasceu em Atenas. Sua mãe era parteira, seu pai escultor. Recebeu uma educação tradicional: aprendizagem da leitura e da escrita a partir da obra de Homero. Conhecedor das doutrinas filosóficas anteriores e contemporâneas (Parmênides, Zenão, Heráclito), participou do movimento de renovação da cultura empreendido pelos sofistas, mas se revelou um inimigo destes. Consolidador da filosofia, nada deixou escrito. Participou ativamente da vida da cidade, dominada pela desordem intelectual e social, submetida à demagogia dos que sabiam falar bem. Convidado a fazer parte do Conselho dos 500, manifestou sua liberdade de espírito combatendo as medidas que julgava injustas. Permaneceu independente em relação às lutas travadas entre os partidários da democracia e da aristocracia. Acreditando obedecer a uma voz interior, realizou uma tarefa de educador público e gratuito. Colocou os homens em face da seguinte evidência oculta: as opiniões não são verdades, pois não resistem ao diálogo crítico. São contraditórias. Acreditamos saber, mas precisamos descobrir que não sabemos. A verdade, escondida em cada um de nós, só é visível aos olhos da razão. Acusado de introduzir novos deuses em Atenas e de corromper a juventude, foi condenado pela cidade. Irritou seus juízes com sua mordaz ironia. Morreu tomando cicuta. É conhecido seu famoso método, sua arte de interrogar, sua "maiêutica", que consiste em forçar o interlocutor a desenvolver seu pensamento sobre uma questão que ele pensa conhecer, para conduzi-lo, de consequência em consequência, a contradizer-se, e, portanto, a confessar que nada sabe. As etapas do saber são: a) ignorar sua ignorância; b) conhecer sua ignorância; c) ignorar seu saber; d) conhecer seu saber. Sua famosa expressão "conhece-te a ti mesmo" não é uma investigação psicológica, mas um método de se adquirir a ciência dos valores que o homem traz em si. "O homem mais justo de seu tempo", diz Platão, foi condenado à morte sob a acusação de impiedade e de corrupção da juventude. Seria sua morte o fracasso da filosofia diante da violência dos homens? Ou não indicaria ela que o filósofo é um servidor da razão, e não da violência, acreditando mais na força das ideias do que na força das armas?

Sócrates, demônio de Nos diálogos de Platão, Sócrates frequentemente faz alusão a seu demônio (*daimon*), a um deus ou gênio personificando seu destino e prevenindo-o contra esta ou aquela escolha ou atitude a ser tomada. Intervindo sempre para impedi-lo de cair no erro, esse demônio simboliza ao mesmo tempo a intuição, a presença do divino e a retidão do pensamento.

sofisma (lat. e gr. *sophisma*) Raciocínio que possui aparentemente a forma de um silogismo, sem que o seja, sendo usado assim de modo a produzir a ilusão de validade, e tendo como conclusão um paradoxo ou um impasse. Ex.: Este cão é meu, este cão é pai; logo, este cão é meu pai. Segundo Platão e Aristóteles, os sofistas usavam esse tipo de raciocínio para provocar a perplexidade em seus interlocutores ou para persuadi-los. Aristóteles, em seu tratado *Refutações sofísticas*, analisa os vários tipos de sofismas de modo a revelá-los como falaciosos.

sofista (lat. *sophista*, do gr. *sophistes*) Na Grécia clássica, os sofistas foram os mestres da retórica e oratória, professores itinerantes que ensinavam sua arte aos cidadãos interessados em dominar melhor a técnica do discurso, instrumento político fundamental para os debates e discussões públicas, já que na *pólis* grega as decisões políticas eram tomadas nas assembleias. Contemporâneos de *Sócrates, *Platão e *Aristóteles, foram combatidos por esses filósofos, que condenavam o *relativismo dos sofistas e sua defesa da ideia de que a verdade é resultado da persuasão e do consenso entre os homens. A *metafísica se constitui assim, nesse momento, em grande parte em oposição à *sofística. Devido a isso e ao triunfo da metafísica na tradição filosófica, ficou-nos uma imagem negativa dos sofistas como "produtores do falso" (segundo Platão em *O sofista*), manipuladores de opiniões, criadores de ilusões. Estudos mais recentes, entretanto, buscam revalorizar de forma mais isenta o pensamento dos sofistas, mostrando que seu relativismo baseava-se em uma doutrina da natureza humana e de sua relação com o real, bem como indicando a importância da contribuição dos sofistas para os estudos de gramática, retórica e oratória, para o conhecimento da língua grega e para o desenvolvimento de teorias do discurso. Não se pode falar contudo em uma doutrina única, comum a todos os sofistas, mas apenas em certos pontos de contato entre várias concepções bastante heterogêneas. Dentre os principais sofistas destacaram-se *Górgias, *Protágoras e *Hípias de Élida. Das principais obras dos sofistas só chegaram até nós fragmentos, muitas vezes citados através de seus adversários, como Platão.

sofística (do lat. *sophisticus*, do gr. *sophistike*) Denominação genérica do conjunto de doutrinas de filósofos contemporâneos de Sócrates e Platão, conhecidos como *sofistas. A sofística se caracteriza pela preocupação com questões práticas e concretas da vida da cidade, pelo relativismo em relação à moral e ao conhecimento, pelo antropocentrismo, pela valorização da retórica e da oratória como instrumentos da persuasão que caracterizava a função do sofista, e, em consequência, pelo conhecimento da linguagem e domínio do discurso, essenciais para o desenvolvimento da argumentação sofística. A sofística não chegou a constituir propriamente uma escola, porém o termo é utilizado, frequentemente com sentido negativo, sobretudo para designar o contraste entre o racionalismo teórico e especulativo da filosofia de Sócrates, Platão e Aristóteles, com a atitude pragmática e antimetafísica dos sofistas.

solidariedade (do lat. *solidus*: maciço) **1.** No sentido corrente, assistência mútua em circunstâncias difíceis.
2. No sentido biológico, dependência recíproca dos elementos de um todo, seja de um organismo vivo, seja de uma sociedade.
3. Do ponto de vista moral, designa um dever decorrente da tomada de consciência das obrigações recíprocas que ligam todo homem a seus semelhantes, pois cada um depende de todos. Quando a solidariedade deixa de ser mecânica para se tornar orgânica, traduzindo-se por trocas frutuosas entre os homens ou as nações, torna-se fator de liberdade.

solipsismo (do lat. *solus*: só, e *ipse*: ele mesmo) Termo de sentido negativo, e até mesmo pejorativo, designando o isolamento da consciência individual em si mesma, tanto em relação ao mundo externo quanto em relação a outras consciências; é considerado como consequência do idealismo radical. Pode-se dizer que a certeza do *cogito cartesiano leva ao solipsismo, que só é superado apelando-se para a existência de Deus. *Ver* subjetivismo; objetivismo.

sorte 1. No sentido vulgar, acaso favorável produzindo um acontecimento de fraca probabilidade: boa ou má sorte (azar).
2. Matematicamente, possibilidade de produção de acontecimentos aleatórios. Ex.: que um dado lançado caia num lado determinado.
3. Por extensão, espécie de privilégio oculto determinando a frequência de chances bem-sucedidas: "fulano é uma pessoa de sorte". Porém, como em um jogo não basta "ganhar" uma só vez, a noção de "sorte" está ligada à ideia de *série*.

Spencer, Herbert (1820-1903) O filósofo inglês Herbert Spencer é mais conhecido por sua *teoria da evolução*. Em *Hipótese e desenvolvimento* (1852), antes de Darwin, já exprimia a ideia do evolucionismo. Esse autodidata, vangloriando-se de jamais ter se instruído nos livros e de ter sido apenas um colecionador de fatos, elabora uma doutrina com três pontos essenciais: a) a teoria do incognoscível, tentando mostrar que a ciência e a religião podem reconciliar-se no reconhecimento do incognoscível; b) a teoria da evolução; c) a teoria do organicismo em sociologia. Defendeu sua teoria geral conhecida como "organicismo": a sociedade é um organismo que possui suas células e seus órgãos, que cresce e se torna complexo, suas partes se integrando e se diferenciando (é a lei de sua evolução). Quanto ao *evolucionismo*, a lei mais geral, definindo a estrutura mesma da evolução, é a seguinte: "A evolução é um duplo movimento de integração e de diferenciação progressivas". Integração progressiva, ou seja, a evolução é, nesse processo, a passagem de uma forma menos coerente a uma forma mais coerente. Diferenciação progressiva, ou seja, a evolução é, nesse processo, a passagem do simples ao complexo, do indeterminado ao diferenciado. A evolução marcha para um "estado de equilíbrio dinâmico": tudo, na natureza, parece procurar um estado de equilíbrio ativo ou de adaptação. Assim, sua teoria da evolução consiste numa teoria da transformação do universo orientando-se de uma homogeneidade incoerente, para uma diferenciação sempre maior. Seus dois primeiros livros, *Social Statics* (1851), e *Principles of Psychology* (1855), causaram grande impacto. Em 1860, anunciou o *System of Synthetic Philosophy* (Sistema de Filosofia Sintética), sobre o qual publicou as seguintes obras: *First Principles* (1862), *Principles of Biology*, 2 vols. (1864, 1867), *Principles of Sociology*, 3 vols. (1876, 1882, 1896), *Data of Ethics* (1879), *Principles of Ethics*, 2 vols. (1892, 1893). Escreveu ainda, entre outros: *Education* (1861), *The Man versus the State* (1884), e *Autobiography*, publicado no ano seguinte ao de sua morte (1904).

Spengler, Oswald (1880-1936) Filósofo alemão (nascido em Blankenburg); foi um dos principais teóricos do *historicismo, imprimindo-lhe um tom pessimista; Spengler opõe ao mito do progresso, criado e depois recusado pelo Ocidente, uma concepção cíclica da história, comparando cada cultura a um todo orgânico, segundo as leis do desenvolvimento biológico: crescimento, maturidade, decadência e morte. Dedicou-se especialmente ao estudo do destino e declínio do Ocidente, dando destaque ao papel político da Alemanha. Algumas de suas teses nacionalistas foram apropriadas pelos nazistas, durante o tempo que estiveram no poder na Alemanha. Obras principais: *O declínio do Ocidente* (1918-1922),

Prussianismo e socialismo (1920). Ver otimismo/pessimismo.

Spinoza, Baruch Ver Espinoza, Baruch.

Stein, Edith (1891-1942) Filósofa judia (nascida em Breslau, Alemanha) e colaboradora de Heidegger em Freiburg, Edith Stein se converteu ao catolicismo em 1922 e passou a lecionar em Munique. Em 1933, foi destituída, indo para a Holanda, onde se tornou carmelita. Em 1942, foi levada pela polícia secreta nazista para Auschwitz, onde morreu numa câmara de gás. Todo o esforço do pensamento de Edith Stein esteve voltado para harmonizar o pensamento fenomenológico e o pensamento tomista. Sua síntese da *fenomenologia e da *escolástica visava conciliar razão e experiência, temporalidade e eternidade, existência e essência, finitude e infinitude. Obras principais: *Contribuições à fundamentação filosófica da psicologia e das ciências do espírito* (1922), *Investigação sobre o Estado* (1925), *A fenomenologia de Husserl e a filosofia de sto. Tomás de Aquino* (1929), *O "ethos" da missão das mulheres* (1931). A partir de 1934, o pensamento de Edith Stein tornou-se predominantemente místico, marcado pelas "meditações" de são João da Cruz e de sta. Teresa de Ávila.

Steiner, Rudolf (1861-1925) Filósofo social e místico austríaco; depois de apreender, no decorrer de vários anos, os ensinamentos teosóficos de certas correntes ou sociedades espiritualísticas, ele criou a sua própria doutrina, a que deu o nome de *antroposofia. Em várias obras que escreveu, expôs ele os princípios fundamentais de sua doutrina: *Teosofia, introdução ao conhecimento do mundo suprassensível; Pensamento humano; Pensamento cósmico; O esoterismo cristão; Os mistérios bíblicos do Gênese; As bases espirituais da educação* etc.

Stewart, Dugald (1753-1828) Filósofo escocês, professor na Universidade de Edimburgo, discípulo de Thomas *Reid e um dos principais representantes da escola escocesa da *filosofia do *senso comum*. Stewart discorda, entretanto, da própria noção de "senso comum" empregada por Reid para designar a capacidade da mente de conhecer diretamente os objetos do mundo externo. Para Stewart, não se trata apenas de "senso comum", que seria o mesmo que "bom senso", mas das leis fundamentais da crença humana, pressupostas em todo conhecimento, tais como a identidade e permanência do Eu, a existência autônoma e objetiva do mundo externo etc. Sua obra foi reunida e publicada por sir William *Hamilton, sob o título de *Collected Works*, 11 vols. (1854-1860).

Stirner, Max (1806-1856) Nome pelo qual é mais conhecido o pensador alemão Johann Kaspar Schmidt, que estudou filosofia e teologia em Berlim, tendo frequentado os cursos de Hegel e vindo a fazer parte depois dos chamados "hegelianos de esquerda". Sua filosofia se desenvolve a partir do conceito de *único (der Einzige)*, tomado em um sentido absoluto, como uma forma de individualismo radical, que é, para ele, fundamento de toda liberdade. Seu pensamento, considerado um individualismo anarquista, foi severamente criticado por Marx e Engels em *A ideologia alemã*. Obras principais: *O único e sua propriedade* (1845) e *A história da reação* (1852).

Strawson, Peter Frederick (1919-2006) Filósofo inglês, estudou na Universidade de Oxford, da qual tornou-se mais tarde professor. É um dos principais representantes da filosofia da linguagem de tradição analítica. Critica a teoria das descrições de *Russell, enfatizando a necessidade de se levar em conta o contexto de uso na determinação do significado das sentenças proferidas. Considera que a linguagem lógica é incapaz de representar a complexidade da linguagem natural. Procura desenvolver, em termos analíticos, uma discussão de problemas metafísicos clássicos, adotando uma posição *nominalista quanto à questão dos universais em sua obra *Indivíduos: um ensaio de metafísica descritiva* (1959). Desenvolveu uma interpretação da *Crítica da razão pura* de Kant em seu livro *Os limites do sentido* (1966), em que procura aproximar alguns aspectos centrais da filosofia kantiana da filosofia analítica. Escreveu inúmeros artigos e ensaios reunidos em *Ensaios lógico-linguísticos* (1971), bem como uma *Introdução à teoria lógica* (1952), e mais recentemente *Ceticismo e naturalismo: algumas variedades* (1984).

Stuart Mill, John Ver Mill, John Stuart.

Suárez, Francisco (1548-1667) O jesuíta, teólogo e filósofo escolástico espanhol (nascido em Granada) Francisco Suárez foi professor de teologia e de direito nas universidades espanholas. Defendia Francisco Suárez a ideia segundo a qual a vida em sociedade organizada é a condição do desabrochamento completo do potencial moral dos homens. Em *De legibus* e em *Defensio fidei*, proclama que o Estado é um organismo moral regido por um consenso ou acordo entre suas partes. A autoridade do governo é seu poder legislativo, mas ela se origina do consenso do conjunto. Os reis nada mais são do que "ministros da República". Toda vida social exige o Estado. Os povos são livres para delegar o poder e para decidir sobre a constituição. O direito constitucional é o mais importante. O fim da instituição política é "a felicidade da comunidade". É injusta toda autoridade que governa contra o bem comum. Assim, o poder monárquico deve estar condicionado a três limites: a) à felicidade da comunidade; b) às leis da Igreja e aos imperativos da autoridade religiosa; c) ao direito internacional (fundado no *jus gentium*) necessário à organização pacífica da humanidade. Escreveu também *Disputationes metaphysicae*, 2 vols. (1597), *De virtute et statu religionis*, 4 vols. (1608-1625), *De divina gratia*, póstuma (1620).

subjetividade Característica do sujeito; aquilo que é pessoal, individual, que pertence ao sujeito e apenas a ele, sendo portanto, em última análise, inacessível a outrem e incomunicável. Interioridade. Vida interior. A filosofia chama de "subjetivas" as qualidades segundas (o quente, o frio, as cores), pois não constituem propriedades dos objetos, mas "afetações" dos sujeitos que as percebem. Nenhum objeto é quente ou frio, mas cada um possui apenas uma certa temperatura. Toda impressão é subjetiva. Por isso, Kant chama de subjetivos o espaço e o tempo, porque não são propriedades dos objetos, não nos são dados pela experiência, mas pertencem ao sujeito cognoscente: são "formas *a priori* da sensibilidade". Assim, a subjetividade caracteriza a teoria do conhecimento de Kant.

subjetivismo Tendência a considerar todas as coisas segundo um ponto de vista subjetivo e pessoal. Concepção filosófica que privilegia o sujeito, na relação de conhecimento em particular e na experiência em geral, em detrimento do objeto. O subjetivismo é uma forma de *idealismo e considera a realidade como reduzindo-se ao sujeito pensante e suas ideias e representações, ou a fenômenos sem nenhuma realidade substancial, sendo impossível à consciência alcançar a objetividade. *Oposto a* objetivismo. *Ver* fenomenismo; substancialismo.

subjetivo (lat. *subjectivus*) Que se refere ao *sujeito do conhecimento, à *consciência, à interioridade. Relativo ao indivíduo, à experiência individual. Ex.: ponto de vista subjetivo. *Ver* subjetividade.

sublime (lat. *sublimis*) Alto ou elevado na escala de valores morais, estéticos ou intelectuais, suscetível de elevar o espírito e de transportá-lo para fora de si. Distinto do *belo, pois não diz respeito à forma ou ao objeto enquanto limitado, o sublime é aquilo que nos afeta exatamente porque podemos percebê-lo como ilimitado, ultrapassando toda medida dos sentidos.

substância (lat. *substantia*) **1.** Aquilo que é em si mesmo, a *realidade de algo como suporte dos *atributos, *qualidades, *acidentes. Segundo Descartes, "Porque dentre as coisas criadas algumas são de tal natureza que não podem existir sem outras, nós as distinguimos daquelas que só têm necessidade do concurso ordinário de Deus, denominando estas de substâncias e aquelas de qualidades ou atributos dessas substâncias" (*Princípios da filosofia I*, 51). Para alguns filósofos como Espinoza, só Deus propriamente é uma substância, "Por substância, entendo aquilo que é em si e que é concebido por si, isto é, aquilo cujo conceito não necessita do conceito de outra coisa a partir do qual deve ser formado" (*Ética*, I). *Ver* essência; forma.
2. Para Aristóteles, a substância é a *categoria mais fundamental, sem a qual as outras não podem existir. P. ex., só pode existir a cor branca se existir uma coisa que seja branca. "É apenas a substância que é absolutamente primeira, tanto logicamente no plano do conhecimento, quanto temporalmente. Com efeito, por um lado, nenhuma das outras categorias existe separadamente, apenas a substância. Por outro lado, ela é também a primeira logicamente, pois na definição de cada ser está necessariamente contida a de sua substância" (*Metafísica*, Z, 1).
3. Aristóteles e os *escolásticos distinguem a *substância primeira* (*ousia proté*) da *substância segunda* (*ousia deutera*). A substância primeira é o *sujeito do qual se afirma ou nega algum *predicado e que não é, ele mesmo, como tal, predicado de nada. A substância segunda é uma abstração, o tipo geral, aquilo que caracteriza uma classe de objetos, p. ex., homem, cavalo, pedra. *Ver* universal.

substancialismo Doutrina que afirma a existência de uma substância ou realidade autônoma composta de substâncias, independente de nossa percepção ou conhecimento. *Oposto a* fenomenismo. *Ver* realismo; objetivismo.

substrato (lat. *substratum*) Aquilo que está por baixo de algo, que subjaz a algo. Termo de origem *escolástica designando, em um sentido metafísico, a *substância, como suporte dos *acidentes ou *atributos de algo.

subsumir (lat. *subsumere*: tomar sob) Pensar um indivíduo enquanto compreendido numa espécie ou uma espécie compreendida num gênero: "O *universal* subsume a si, quer dizer, contém o particular e o singular" (Hegel).

sujeito (lat. *subjectus*) **1.** Em um sentido lógico-linguístico, o sujeito de uma proposição representa aquilo de que se fala, a que se atribui um *predicado ou *propriedade. Ex.: Na proposição "Sócrates foi o mestre de Platão", "Sócrates" é o sujeito, "mestre de Platão", o predicado.
2. Na metafísica clássica, sobretudo em Aristóteles, sujeito é sinônimo da *substância, do ser real como suporte de atributos: "O sujeito é, portanto, aquilo de que tudo o mais se afirma, e que não é ele próprio afirmado de nada" (*Metafísica*).
3. Em teoria do conhecimento, principalmente a partir de Descartes e do pensamento moderno, o sujeito é o *espírito, a *mente, a *consciência, aquilo que conhece, opondo-se ao *objeto, como aquilo que é conhecido. Sujeito e objeto definem-se, portanto, mutuamente, como polos opostos da relação de conhecimento.
4. *Sujeito transcendental*. Opõe-se a sujeito epistêmico e a sujeito psicológico. *Ver* transcendental; epistêmico, sujeito.
5. *Filosofia do sujeito ou da consciência*: Na filosofia moderna, é a tradição racionalista que atribui ao sujeito um papel central como fundamento do conhecimento.
6. O *sujeito psicológico* ou individual, quer dizer, cada "eu" na medida em que tem *consciência de uma unidade, apesar da diversidade de seus pensamentos e percepções, não é o foco de interesse da filosofia. Só lhe interessa o *sujeito universal* ou *epistêmico*, o sujeito do conhecimento, vale dizer, para o *racionalismo, o conjunto de propriedades da *razão, universais e idênticas em todo *indivíduo. *Descartes o considera uma *substância que pensa, que duvida, que existe. *Kant o denomina "sujeito transcendental"; não é uma substância, nem uma consciência psicológica individual, mas uma função do espírito, fazendo com que todas as nossas representações (ideias, sentimentos, imagens), que são distintas de um indivíduo a outro, acompanhem-se sempre de um "eu penso" consciente de si, idêntico em toda consciência, e dotado da mesma estrutura composta das formas puras da *sensibilidade (espaço e tempo) e do *entendimento (as categorias). *Ver cogito*.

Suma teológica (*Summa Theologica*) Obra fundamental de sto. Tomás de Aquino e principal tratado filosófico-teológico da Idade Média (composto entre 1267 e 1274, permanecendo inacabado), toda ela centrada no problema das relações entre a *razão e a *fé cristã. Utilizando o quadro conceitual aristotélico, defende a autonomia e os poderes da razão no que diz respeito ao domínio da experiência e das demonstrações. Tornaram-se famosas as *cinco vias*, as provas racionais da existência de *Deus: 1) primeiro motor imóvel do universo em movimento; 2) causa eficiente deste universo; 3) ser necessário por oposição à contingência do mundo; 4) ser absoluto relativamente às coisas que apresentam apenas graus de perfeição; 5) ordenador e fim supremo do universo. Ao conferir sentido e finalidade ao universo, Deus é o Soberano Bem que orienta a atividade das criaturas, no contexto de uma natureza harmoniosa, conferindo ao homem uma inteligência que lhe permite chegar a um conhecimento explícito do bem e dos valores morais. *Ver* escolástica.

superestrutura Segundo a filosofia marxista, sempre em um dado momento histórico as formas ou modos de produção determinam as relações de produção que formam a base (ou *estrutura) econômica de toda sociedade. Essa estrutura econômica por sua vez gera novas estruturas que se sobrepõem a ela, constituindo a superestrutura. Para Marx e Engels, a política, o direito, a religião, a arte, a educação e a cultura de modo geral são fenômenos de superestrutura, determinados em última análise pela estrutura econômica. É através dessa determinação que a própria consciência individual do homem na condição de ser social é formada. Essa relação entre estrutura e superestrutura não deve ser vista de forma determinística mecânica, mas como uma interação dinâmica, já que a superestrutura pode gerar alterações na estrutura que, por sua vez, levam a modificações na superestrutura, e assim por diante. *Ver* infraestrutura.

super-homem (al. *Übermensch*) Segundo Nietzsche, o homem superior, "indivíduo soberano, indivíduo que não se parece senão consigo mesmo, indivíduo livre da moral dos costumes ... que possui em si mesmo ... a verdadeira consciência da liberdade e da potência, enfim o sentimento de ter chegado à perfeição do homem" (*Genealogia da moral*). O super-homem é, assim, o indivíduo autêntico, que cria seus próprios valores, "afirmativos da vida", que não é condicionado pelos hábitos e valores sociais de uma época, porque "o homem existe apenas para ser superado" (*Assim falou Zaratustra*). Ele evoca o passo à frente que a humanidade deve empreender a partir do momento em que ela se desembaraçar da ideia de Deus. Porque a crença em Deus, segundo Nietzsche, aprisionava a humanidade em falsos valores e limitava seu poder de conhecimento trazendo uma resposta apaziguadora às suas ignorâncias.

superstição (lat. *superstitio*: observação escrupulosa, medo religioso) **1.** No sentido genérico, estado de espírito exprimindo o medo de um poder invisível e permitindo-nos atribuir um poder mágico a certas práticas ou circunstâncias. Ex.: dá azar passar por baixo de uma escada.
2. Filosófica e teologicamente, culto religioso degenerado ou pervertido baseado numa religião feita de medo e contrária à razão: "A superstição é um culto de religião, falso, mal dirigido, repleto de vãos terrores, contrário à razão e às ideias sadias que podemos ter do ser supremo" (Diderot e d'Alembert).

Swedenborg, Emanuel (1688-1772) O cientista, filósofo e místico sueco (nascido em Estocolmo) Emanuel Swedenborg inventou máquinas, fez pesquisas científicas, publicou livros sobre questões científicas. Por volta de 1743, começou a ter visões e largou tudo, passando a dedicar-se à pesquisa psíquica e espiritual e à interpretação da Bíblia. Escreveu várias obras místicas, das quais a mais famosa intitula-se *Arcana coelestia* (1749-1756). Embora ele próprio jamais tivesse tentado pregar ou criar uma nova seita, seus seguidores, os swedenborgistas, formam atualmente uma entidade eclesiástica, denominada Igreja de Nova Jerusalém, com grande número de adeptos nos Estados Unidos e Inglaterra.

T

tabu (do polinésio *tapu*: posto de lado, separado, sagrado) **1.** No sentido etnológico, objeto (coisa ou pessoa) investido de um poder sagrado considerado perigoso e acarretando proibições rituais que o profano não pode tocar ou transgredir, sob pena de ficar sujeito a uma calamidade ou desgraça: cegueira, morte etc.
2. Por extensão, toda proibição imposta por uma moral ou um costume (notadamente os tabus sexuais, p. ex., o incesto) cuja transgressão, nas populações tradicionais, sempre foi severamente punida ou rigidamente regulamentada: "O tabu apresenta duas significações opostas: de um lado, a de sagrado, consagrado; de outro, a de inquietante, perigoso, proibido, impuro. Manifesta-se essencialmente por interdições e restrições. A expressão terror sagrado diz bem o que é o tabu" (Freud).

tabula rasa Expressão latina tornada célebre por Locke e Leibniz a propósito do debate em torno do *inato* e do *adquirido*. Para Locke, o espírito humano é, desde seu nascimento, como uma *tabula rasa*, adquirindo todos os seus conhecimentos pela experiência. Leibniz, ao contrário, acredita que há no espírito humano certos elementos inatos (como a ideia de causa, de comparação, de número etc.) e que não podem ser retirados da experiência. *Ver* adquirido/inato.

Taine, Hippolyte (1828-1893) Historiador e filósofo francês celebrizado por sua explicação dos fatos históricos e literários a partir dos fatores "raça", "meio" e "momento" e por sua concepção determinista fazendo da arte a testemunha da evolução espiritual das sociedades. Obras principais: *Philosophes français du XIXe siècle* (1857), *Philosophie de l'art* (1882).

talento (lat. *talentum*: dom, aptidão) Disposição natural ou adquirida, no domínio artístico ou intelectual, de realizar com habilidade os meios indispensáveis à obtenção de determinado objetivo: "Por talento (dom da natureza), entendemos esta superioridade da faculdade de conhecer que não depende da instrução, mas da disposição natural do sujeito: o espírito produtivo, a sagacidade e a originalidade no pensamento" (Kant).

Tales de Mileto (640-c.548 a.C.) No dizer de Diógenes Laércio, Tales, chamado de Mileto, mas de origem fenícia, foi "o primeiro a receber o nome de sábio". Legislador de Mileto, geômetra, matemático e físico, Tales é considerado o "pai da filosofia grega". No dizer de Aristóteles, ele foi "o fundador" da filosofia concebendo como princípios das coisas aqueles que procedem "da natureza da matéria". Foi o primeiro pensador a indagar por que as coisas são e pelo princípio de suas mudanças. E descobre na água o princípio de composição de todas as coisas. As coisas nada mais são do que alterações, condensações ou dilatações da água (ou do úmido). Eis o princípio de todas as coisas e de vitalidade de todos os viventes. Não deixou nada escrito. Tornou-se conhecido através de Diógenes Laércio, Heródoto e Aristóteles.

Tarski, Alfred (1901-1983) Matemático e lógico de origem polonesa (nascido em Varsóvia); professor na Universidade de Varsóvia de 1926 a 1939, radicou-se depois nos Estados Unidos onde foi professor na Universidade da Califórnia, em Berkeley (1942). Tarski notabilizou-se por sua contribuição a questões de fundamentos da matemática e de lógica, sendo particularmente importantes seus trabalhos em semântica formal e sua formulação do conceito de verdade para as linguagens formais. Obras principais: *O conceito de verdade nas linguagens formais* (1935), *Introdução à lógica matemática* (1936), *Lógica, semântica e metamatemática* (1956).

tautologia (gr. *tautologia*) **1.** Proposição na qual o predicado simplesmente repete aquilo que já está contido no sujeito: "todo solteiro é não casado". Nesse sentido, todos os juízos analíticos são tautológicos.
2. Em lógica, função sentencial que é sempre verdadeira, independente dos valores que atribuímos às suas variáveis. Verdade lógica. Ex.: "p >> p", isto é, "toda sentença implica a si mesma".

técnica (do lat. *technicus*, do gr. *technikós*) **1.** Conjunto de regras práticas ou procedimentos adotados em um ofício de modo a se obter os resultados visados. Habilidade prática. Recursos utilizados no desempenho de uma atividade prática. Ex.: a técnica de pesca com anzol, a técnica da preparação do solo para o plantio.
2. Em um sentido derivado sobretudo da ciência moderna, aplicação prática do conhecimento científico teórico a um campo específico da atividade humana. Ciência aplicada. Ex.: o desenvolvimento da física, sobretudo da mecânica, no período moderno, possibilita como aplicação desse conhecimento a técnica da construção da máquina a vapor e de uma série de outros mecanismos, motores etc. Na concepção clássica, na Grécia antiga, entretanto, não havia interação entre ciência e técnica. A ciência como teoria era considerada um conhecimento puro, contemplativo, da natureza do real, de sua essência, sem fins práticos. A técnica por sua vez era um conhecimento prático, aplicado, visando apenas a um objetivo específico, sem relação com a teoria.

Teilhard de Chardin, Pierre (1881-1955) A obra do jesuíta francês (nascido em Sarcenat) Teilhard de Chardin, famoso geólogo e paleontólogo (participou de várias expedições ao Extremo Oriente), embora não constitua uma filosofia das ciências, apresenta uma visão metafísico-teológica do mundo bastante original e polêmica. Suscitou muitos debates e só foi publicada postumamente (devido à censura da Igreja). A visão teilhardiana do mundo consiste, essencialmente, em reconhecer que, no real, existem duas correntes opostas: de um lado, a matéria se dissipa e se perde; do outro, ela se constrói em vida e em consciência na complexidade. A partir daí, a evolução esboça uma reviravolta anunciando uma socialização do homem, a biosfera se desabrochando em noosfera, vale dizer, em consciência humana universal total; e essa noosfera evoluindo para o ponto ômega onde ela se divinizará no Cristo Cósmico. Trata-se, essa visão do mundo, de uma concepção bastante pessoal que se faz Teilhard de Chardin da curva da evolução biológica, que ele prolonga numa evolução cósmica. Em todo caso, sua tentativa de responder à angústia humana pela síntese dos cultos do progresso e do homem com o cristianismo suscitou bastante as reflexões filosófica e teológica. Obras principais: *Le phénomène humain* (1955), *La vision du passé* (1957), *Le milieu divin* (1957), *L'avenir de l'homme* (1960), *L'activité de l'énergie* (1963), *La place de l'homme dans la nature* (1964), *Le groupe zoologique humain* (1964).

teísmo (do gr. *theos*, deus) Doutrina que afirma a existência de um *Deus único, onipotente, onipresente e onisciente, criador do universo, tal como na tradição judaico-cristã. Ver deísmo; ateísmo; panteísmo.

teleologia (do gr. *telos*: fim, finalidade, e *logos*: teoria, ciência) Termo empregado por Christian Wolff para designar a ciência que estuda os fins, a finalidade das coisas, constituindo, assim, seu sentido, em oposição à consideração de suas causas ou de sua origem. Concepção segundo a qual certos fenômenos ou certos tipos de comportamento não podem ser entendidos por apelo simplesmente a causas anteriores, mas são determinados pelos fins ou propósitos a que se destinam.

teleológico 1. Que se caracteriza por sua relação com a finalidade, que deriva seu sentido dos fins que o definem.
2. Kant denomina, na *Crítica do juízo*, de prova *teleológica* ou *físico-teleológica*, a prova da existência de Deus pelas causas finais. Segundo essa prova, a existência do próprio universo teria um propósito que só poderia lhe ser dado por Deus, como seu criador.

teleonomia (do gr. *telos*: fim, e *nomos*: lei) Concepção segundo a qual a finalidade ou propósito de algo pode ser explicado através de leis causais naturais, sem nenhuma referência a elementos metafísicos ou religiosos.

Telesio, Bernardino (1509-1588) Fundador da primeira sociedade de ciências naturais (denominada "Academia Telesiana"), cuja regra principal de pesquisa devia apoiar-se na experiência dos sentidos, Telesio (nascido em Cosenza, Itália), em nome do platonismo e do estoicismo, opôs-se ao aristotelismo e defendeu uma filosofia naturalista fundada num certo "empirismo" suscetível de fornecer os instrumentos de conhecimento e de dominação das forças da natureza. Em sua obra principal, *De natura rerum* (1565), tenta descobrir as causas naturais dos fenômenos. Para ele, um combate se trava no mundo entre o elemento seco e quente e o elemento úmido e frio. Tudo é comandado pelas forças do calor e do frio, da expansão e da contração, vale dizer, do movimento e do repouso. A força quente depende do Sol, a fria, da Terra. Da vitória do elemento solar sobre o elemento telúrico da Terra nasce a luz. Ao venerar a luz, Telesio já anuncia as "Luzes", o "Esclarecimento" (a *Aufklärung*).

temor Designa uma apreensão e uma inquietação surgindo da ideia de um mal futuro: "O temor é uma tristeza inconstante nascida da ideia de uma coisa futura ou passada de cuja realização temos certa dúvida" (Espinoza). *Ver* medo.

temperamento (do lat. *temperare*: combinar em justas proporções) Conjunto dos elementos considerados inatos e dos traços gerais fisiológicos caracterizando a constituição de um indivíduo. Na psicofisiologia, a teoria dos temperamentos encontra sua origem em Hipócrates (séc. IV a.C.), que admitia quatro formas (sanguíneo, fleugmático, bilioso e melancólico): "O temperamento designa o modo de ser global do indivíduo em reação a seu meio" (E. Mounier).

temperança (lat. *temperantia*: moderação, medida, de *temperare*: guardar o equilíbrio) Uma das quatro virtudes cardeais, caracterizada pelo domínio de si e pela moderação dos desejos: "A temperança é uma espécie de ordem e de controle sobre os prazeres e as paixões" (Platão).

tempo (lat. *tempus*) **1.** Em um sentido genérico, período delimitado por um evento considerado anterior e outro considerado posterior; época histórica; movimento constante e irreversível através do qual o presente se torna passado, e o futuro, presente. Medida da mudança ou a própria mudança como observada, ex.: o movimento da Terra em torno do Sol que marca um ano, o ciclo lunar que marca um mês etc.
2. Uma das categorias mais fundamentais do pensamento filosófico, o tempo, juntamente com o *espaço, é considerado um dos elementos constitutivos do real e de nossa forma de experimentá-lo. Segundo *Aristóteles, o tempo é uma das dez *categorias e se caracteriza como "um todo e uma quantidade contínua" (*Categorias*, 6). Para *Kant, o tempo é uma das formas puras da sensibilidade, sendo portanto dado *a priori*, e constituindo uma das condições de possibilidade de nossa experiência do real: "o tempo não é outra coisa que a forma do sentido interno, isto é, da intuição de nós mesmos e de nosso estado interior" (*Crítica da razão pura*).
3. Na *física e na *cosmologia, a principal oposição que temos é entre teorias que consideram o tempo (e o espaço) como absoluto ou como relativo. Para Newton, p. ex., o tempo é absoluto, independente dos eventos que ocorrem nele, constituindo uma ordem homogênea de natureza matemática. Para Leibniz, ao contrário, o tempo é relativo, só podendo ser determinado através de eventos que se relacionam de forma sucessiva.
4. *Bergson estabelece uma distinção fundamental entre tempo, uma realidade abstrata, homogênea, divisível em instantes e que faz parte da vida social e do pensamento científico, sendo que na verdade não é real, e a *duração (*durée*), dado imediato da consciência, apreendido pela consciência subjetiva e que dá sentido à nossa experiência.

temporal (lat. *temporalis*) Relativo ao tempo, situado no tempo, de duração limitada. Relativo à vida concreta, social, em seu sentido de terrestre e passageira, ex.: o poder temporal dos reis em oposição ao poder espiritual da Igreja.

temporalidade (do lat. medieval *temporalitas*) Na *fenomenologia existencial, em *Heidegger, e sobretudo por influência deste em *Sartre e em *Merleau-Ponty, trata-se de uma das categorias mais essenciais do *Dasein* (o ser-aí), na medida em que a própria autoconsciência só se dá através da experiência interna do tempo. Segundo Heidegger, "o futuro não é posterior ao passado e este não é anterior ao presente. A temporalidade se temporaliza como futuro-que-vai-ao-passado-vindo-ao-presente". *Ver* tempo.

tendência (do lat. *tendere*: dirigir-se a, visar, tender para) **1.** Do ponto de vista psicológico, toda força ou energia endógena e espontânea (aproxima-se do conceito de *pulsão) orientando o organismo para determinado objetivo.
2. Filosoficamente, movimento fundamental do ser humano capaz de fundar e orientar suas atividades. Ex.: a *vontade de poder de Nietzsche, o *querer-viver de Schopenhauer.

teocracia (do gr. *theos*: Deus, e *kratos*: poder, governo) **1.** Regime político em que o poder supremo é exercido por uma classe sacerdotal acumulando ao mesmo tempo o poder civil ou temporal e o poder religioso ou espiritual. Ex.: a teocracia dos hebreus.
2. Por extensão, toda concepção do Estado considerando que o poder político temporal precisa estar subordinado ao poder espiritual ou religioso.

teodiceia 1. Termo derivado do título dado por Leibniz à sua obra (*Ensaio de teodiceia*, 1710) de

justificação da existência de *Deus, a partir da discussão do problema da existência do *mal e de sua relação com a bondade de Deus.
2. Por extensão, a partir do séc. XIX, a parte da filosofia que se ocupa da natureza de Deus e das provas de sua existência.

Teofrasto (c.372-287 a.C.) Filósofo grego (nascido na ilha de Lesbos) peripatético; foi discípulo de Aristóteles e o sucedeu na direção do *Liceu. Distinguiu-se em botânica; escreveu uma *História das plantas*, uma *Botânica teórica*, *Opiniões dos físicos*, de que restam apenas fragmentos, e uma obra intitulada *Caracteres*, na qual se inspirou o escritor francês La Bruyère para escrever o seu famosíssimo livro *Les caractères ou moeurs de ce siècle* (1688). Escreveu também um pequeno tratado de metafísica em que retoma as teses aristotélicas.

teologia (do gr. *theos*: deus, e *logos*: discurso, ciência) **1.** A teologia, estudo ou ciência de Deus, investiga tudo o que diz respeito a Deus e à fé. Por isso, também se interessa pelo papel dos homens na história e pela moral. Distingue-se essencialmente em *teologia revelada*, apoiando-se naquilo que considera ser a palavra mesma de Deus, isto é, nos textos da Bíblia, e em *teologia natural*, apoiando-se na experiência e razão humanas.
2. *Teologia natural* ou *racional* é a ciência do ser divino ou do ser perfeito, a parte da *metafísica que trata da existência de Deus e de seus atributos, com base exclusivamente na razão humana.
3. *Teologia dogmática* ou *revelada* é, na tradição cristã, a exposição sistemática e argumentada dos dogmas da fé e das verdades reveladas, com base nos textos sagrados. *Ver* escolástica; patrística.
4. *Teologia negativa*, doutrina segundo a qual não podemos ter um conhecimento direto de Deus e de seus atributos, dados os limites da razão humana, porém podemos conhecê-lo através de seus efeitos na criação.

teorema (do lat. tardio e do gr. *theorema*) Em uma teoria axiomática (geometria, aritmética, lógica etc.) em geral, uma proposição que pode ser demonstrada tomando-se como base os axiomas, ou seja, que resulta de uma dedução válida cujas premissas são os axiomas da teoria. Uma vez demonstrado o teorema, este pode servir para a demonstração de novos teoremas. Ex.: teorema de Pitágoras (em um triângulo retângulo, o quadrado da hipotenusa é igual à soma dos quadrados dos catetos).

teorético (gr. *theoetikós:* que gosta de contemplar ou observar) Tudo o que diz respeito não à prática, mas à teoria, ao conhecimento e à especulação: "Na atitude teorética, o homem se desapega de todos os interesses práticos, torna-se um espectador desinteressado, um olhar lançado sobre o mundo, torna-se filósofo" (Husserl).

teoria (fr. *théorie*, do lat. e do gr. *theoria*) **1.** Na acepção clássica da filosofia grega, conhecimento especulativo, abstrato, puro, que se afasta do mundo da experiência concreta, sensível. Saber puro, sem preocupação *prática.
2. *Modelo explicativo de um fenômeno ou conjunto de fenômenos que pretende estabelecer a verdade sobre esses fenômenos, determinar sua natureza. Conjunto de hipóteses sistematicamente organizadas que pretende, através de sua verificação, confirmação, ou correção, explicar uma realidade determinada. Ex.: a teoria da relatividade de Einstein. *Ver* ciência; explicação; método.

teórico/teorético (do lat. tardio *theoricus*, do gr. *theorikós*; do lat. tardio *theoreticus*, do gr. *theoretikós*) **1.** Relativo à *teoria, restrito ao campo da teoria, sem preocupação ou aplicação *prática, empírica. O saber teórico é o saber puro, desinteressado, sem a preocupação de uma aplicação prática ou imediata. *Ver* especulativo.
2. Aristóteles classifica as ciências por referência às diferentes atividades humanas. Assim, à ação (*praxis*) ou à fabricação (*poiesis*), ele opõe a contemplação (*theoria*). Por isso, a vida do filósofo é julgada superior à dos que se ocupam dos negócios da cidade. Quanto às ciências, dividem-se em *práticas* (economia, política e moral: ação sobre os agentes), *poéticas* (intervenção organizada do homem sobre a natureza) e *teoréticas* (conhecimento não implicando transformação dos objetos, limitando-se à contemplação das ideias ou à reflexão ético-política).

teosofia (do gr. *theosophia*) Termo que se aplica a diferentes doutrinas de caráter místico e iniciático, sentido esotérico e inspiração oriental (hinduísmo, religiões do Egito antigo, orfismo etc.) A teosofia pretende, entretanto, combinar uma explicação racional do universo e do sentido da vida com um sentimento místico de união com o divino e uma inspiração ou iluminação de caráter privilegiado, dando ao iniciado poderes extraordinários e uma sabedoria superior. Dentre essas várias doutrinas, destacam-se a de Paracelso (c.1493-1541); a de Jakob Boehme (1575-1624) e a de Emanuel Swedenborg (1688-1772). Mais contemporaneamente, temos a Sociedade Teosófica, fundada em 1875, sendo seus mais conhecidos representantes a teosofista e viajante russa Elena Petrovna Blavatsky, geralmente denominada Madame Blavatsky (1831-1891), autora da obra *A doutrina secreta* (1888), e Rudolf Steiner (1881-1925), autor de uma *Teosofia* (1904), e que depois tornou-se dissidente, fundando sua própria Sociedade Antroposófica (1912).

terceiro excluído, princípio ou lei do Um dos princípios fundamentais da *lógica, segundo o qual se uma proposição é verdadeira sua negação é necessariamente falsa; se é falsa, sua negação é necessariamente verdadeira, ficando, portanto, excluída uma "terceira possibilidade".

terceiro homem, argumento do Argumento utilizado por Aristóteles para criticar a teoria platônica das ideias. Entre todos os homens, diz ele, há algo de comum: a ideia de homem. Por detrás de cada homem, há a ideia de homem; por detrás de Pedro, há o homem em si (o que faz dois homens); mas entre o homem em si e Pedro, também há algo de comum, um *terceiro homem*, que é a ideia comum a Pedro e ao homem em si. Ora, entre esse terceiro homem e, do outro lado, Pedro e o homem em si, há algo de comum (um quarto homem); e assim, ao infinito.

tese (do lat. e do gr. *thesis*) **1.** Em um sentido genérico, proposição que se defende como verdadeira, que se sustenta contra um adversário. Ex.: as teses que Lutero afixou na porta da igreja de Wittenberg em 1517; as teses de Marx sobre Feuerbach (1845). Daí o sentido de um trabalho ou monografia apresentado em uma universidade para obtenção de um título acadêmico.
2. Primeira asserção de uma antinomia, à qual se opõe uma antítese, p. ex., as antinomias da razão pura na "Dialética transcendental" (Kant, *Crítica da razão pura*), sendo a primeira tese: "o mundo tem um começo no tempo e é também limitado no espaço", e a antítese correspondente: "o mundo não tem começo no tempo nem limite no espaço, mas é infinito tanto no espaço quanto no tempo".
3. Na *dialética, a tese é o primeiro momento positivo, ao qual se contrapõe uma antítese, gerando um conflito a ser resolvido em uma *síntese.

Thuillier, Pierre (1932-2001) Filósofo francês contemporâneo, destacou-se por seus trabalhos em epistemologia e história das ciências, geralmente publicados na revista *La Recherche* da qual foi o fundador. Suas investigações dizem respeito às relações da ciência com a cultura e a sociedade. Segundo sua visão, "a ciência", intervindo em tudo, mediante "a técnica", encontra-se presente não somente no *temporal*, mas tornou-se também instância privilegiada no domínio do *espiritual*. Obras principais: *Sócrates funcionário* (1969), *O pequeno sábio ilustrado* (1980), *Os biólogos vão tomar o poder?* (1981), *A aventura industrial e seus mitos* (1982), *De Arquimedes a Einstein* (1988, publicado no Brasil pela Zahar, 1994).

Timeu Filósofo grego (nascido na Lócrida) que viveu no séc. V a.C.; pitagórico, Platão deu o nome de *Timeu* a um de seus diálogos no qual apresenta uma teoria do universo e que contém, casualmente, a história da lendária Atlântida.

tirania (gr. *tyrannis*: poder absoluto, de *tyrannos*: mestre absoluto, déspota) **1.** Na Grécia antiga, poder político despótico exercido arbitrariamente por alguém que dele se apoderava numa Cidade pela violência ou graças à sua eloquência.
2. Segundo a filosofia política, todo regime cujo poder, geralmente tomado pela força ou pela violência, passa a ser exercido por um indivíduo de modo arbitrário e despótico, repousando na violência: "Tirano é o usurpador da autoridade real" (Rousseau); "A tirania é o governo despótico exercido por um homem sobre um Estado" (Aristóteles). *Ver* despotismo.

Tocqueville, Charles Alexis Clérel de (1805-1859) Pensador político e historiador francês. Encarregado de elaborar uma pesquisa sobre o sistema penitenciário americano, publicou os resultados em *Da democracia na América* (1840), obra em que faz uma análise profética da cultura e do sistema político americanos. Preocupado com a igualdade entre os homens, admite que a democracia corre o risco de transformar-se na tirania de uma maioria medíocre; daí a necessidade de dois fatores fundamentais para garantir a liberdade real: a liberdade de imprensa e a independência do judiciário.

todo (lat. *totus*: todo, inteiro) Conjunto ao qual não falta nenhuma parte e contendo todas as partes enquanto formam uma unidade: "Um todo é o que contém as coisas contidas, de tal modo que formem uma unidade" (Aristóteles).

tolerância (lat. *tolerantia*: constância em suportar) **1.** Do ponto de vista histórico (o termo aparece no séc. XVI durante as guerras de religião),

designa a indiferença à verdade dos dogmas religiosos ou à ampla acolhida das "heresias".
2. Moralmente (por oposição a fanatismo), disposição de espírito, atitude ou regra de conduta consistindo em: a) permitir a cada um a liberdade de expressar suas opiniões com as quais não se partilha; b) jamais defender suas opiniões procurando impô-las aos outros pela força; c) pensar que ninguém possa considerar-se, em matéria religiosa, política, moral ou estética, o detentor absoluto da verdade.
3. A partir do séc. XVIII, com o avanço da luta contra o *fanatismo, atitude de espírito (individual ou coletiva) permitindo que todo indivíduo ou grupo tenha plena liberdade de expressar suas opiniões ou crenças e de viver com hábitos e costumes diferentes. O risco dessa concepção: adotar um *relativismo admitindo que todas as opiniões se equivalem e que não existem verdades, valores ou direitos "universais" dignos de serem defendidos.

tomada de consciência Ato pelo qual a consciência intelectual do sujeito se apodera de um dado da experiência ou de seu próprio conteúdo. Num sentido mais moral e político, consiste no ato pelo qual o indivíduo se dá conta ou compreende sua situação real e concreta, estando em condições de tirar dela as consequências e assumi-las. Fala-se mesmo de uma "tomada de consciência" coletiva.

Tomás de Aquino, sto. *Ver* Aquino, sto. Tomás.

Tomás Morus *Ver* Morus, Tomás.

tomismo Sistema filosófico de sto. Tomás de *Aquino e de seus seguidores, sobretudo sua proposta de conciliar os dogmas do cristianismo com a filosofia de Aristóteles. O tomismo foi uma das mais importantes correntes do pensamento *escolástico do final do período medieval. Embora inicialmente condenado (1277), teve inúmeros seguidores, sobretudo na Ordem dos Dominicanos a que pertencia sto. Tomás de Aquino, sendo de grande importância no combate ao protestantismo durante a Contrarreforma (séc. XVI). *Ver* neotomismo.

tópica Na psicanálise freudiana, o termo "tópica" designa a articulação do aparelho psíquico em vários sistemas dotados de funções distintas e considerados como "lugares psíquicos" possuindo uma figuração especial. A primeira tópica distingue: inconsciente, pré-consciente e consciente; a segunda, id, ego e superego.

Tópica (do gr. *topos*, lugar) A *Tópica* ou *Tratado dos tópicos* é um dos tratados que compõem o *Organon, a lógica aristotélica. Os oito livros do *Tratado dos tópicos* têm como tema a *dialética, considerada como as regras silogísticas que se aplicam a proposições prováveis, como as da opinião comum (*endoxa*), enquanto a analítica trataria de proposições determinadamente verdadeiras ou falsas, que constituem o silogismo demonstrativo encontrado nas teorias científicas.

totalidade 1. Em um sentido genérico, o conjunto de elementos que formam um todo, uma unidade.
2. Segundo Aristóteles, "uma totalidade é: 1) aquilo de que nenhuma das partes naturalmente constituintes está ausente; e 2) aquilo que contém de tal forma o que contém que forma uma unidade" (*Metafísica*, V. 26).
3. Na filosofia kantiana, uma das doze *categorias do entendimento e uma das categorias da quantidade, realizando a síntese da unidade e da pluralidade e tornando possíveis os juízos singulares; "a totalidade não é outra coisa senão a pluralidade considerada como unidade" (*Crítica da razão pura*).

totalitário Relativo à totalidade, que engloba todas as coisas. Diz respeito à pretensão de certas doutrinas de explicarem a totalidade do real. Em um sentido político, refere-se à submissão da vida dos cidadãos à autoridade absoluta do Estado; ex.: regime totalitário.

totem (termo dos índios ojiway, América do Norte) Ser mítico (animal ou vegetal) utilizado no séc. XIX para representar, nas sociedades arcaicas, o ancestral de um clã ao qual se presta culto; é objeto de *tabu, de interditos e de cultos: "O totem é, em primeiro lugar, o ancestral do grupo; em seguida, seu espírito protetor e seu benfeitor" (Freud).

totemismo 1. Termo utilizado pela etnologia para designar a organização arcaica ou tribal fundada no princípio do *totem.
2. Teoria de Durkheim e Freud segundo a qual o culto do *totem constituiria a forma primitiva da religião, enquanto as interdições de que é objeto constituiriam a forma primitiva da moral. *Lévi-Strauss questiona: o totemismo não é uma instituição autônoma, mas "a projeção, fora de nosso universo, por uma espécie de exorcismo, de atitudes mentais incompatíveis com a exigência de descontinuidade entre o homem e a natureza".

Touraine, Alain (1925-) Sociólogo francês, conhecido por sua obra dedicada à sociologia do trabalho e dos movimentos sociais. A mais recente constitui uma sociologia da ação estudada tanto no nível histórico quanto no filosófico. Temas fundamentais: os limites da razão instrumental, o apelo ao diálogo entre razão e sujeito, a igualdade e a liberdade, a economia e a cultura etc. Obras principais: *Sociologie de l'action* (1965), *La société postindustrielle* (1969), *L'Après-socialisme* (1980), *Critique de la modernité* (1992), *Quést-ce que la démocratie?* (1994); *Um nouveau paradigme: pour comprendre le monde d'aujourd'hui* (2005).

trabalho (lat. vulgar *tripalium*: instrumento de tortura de três paus) **1.** Em um sentido genérico, atividade através da qual o homem modifica o mundo, a natureza, de forma consciente e voluntária, para satisfazer suas necessidades básicas (alimentação, habitação, vestimenta etc.). É através do trabalho que o homem "põe em movimento as forças de que seu corpo é dotado ... a fim de assimilar a matéria, dando-lhe uma forma útil à vida" (Marx, *O capital*).
2. A partir das teorias econômicas do séc. XVIII, principalmente com Adam Smith (1723-1790), o trabalho torna-se a noção central da economia política, em substituição à concepção clássica de que a riqueza de uma nação consistia no ouro que esta possuía. Assim, na concepção de Marx, o trabalho "é a condição indispensável da existência do homem, uma necessidade eterna, o mediador da circulação material entre o homem e a natureza" (*O capital*). Ver *praxis;* reificação.
3. Na linguagem bíblica, a ideia de trabalho está ligada à de sofrimento e de punição: "Ganharás o teu pão com o suor do teu rosto" (livro do *Gênese*). Assim, é por um esforço doloroso que o homem sobrevive na natureza. Enquanto os gregos consideravam o trabalho como a expressão da miséria do homem, os latinos opunham o *otium* (lazer, atividade intelectual) ao vil *negotium* (trabalho, negócio). Por sua vez, enquanto para os filósofos modernos o trabalho que nos torna "mestres e possuidores da natureza" (Descartes) foi percebido como o remédio à alienação primeira do homem, na dialética do senhor e do escravo Hegel declara que é por seu trabalho que o escravo encontra sua liberdade e se torna o verdadeiro mestre.
4. A *divisão do trabalho*, ou seja, a repartição ou separação das tarefas necessárias à sobrevivência de um grupo entre os diversos membros desse grupo, embora já tenha existido nas sociedades pré-industriais, desenvolve-se consideravelmente com o surgimento da *sociedade industrial*. Adam Smith foi o primeiro a elaborar uma teoria sobre a repartição dos trabalhadores num espaço dado. Karl Marx deu um alcance filosófico a essa expressão, fazendo dela o fundamento lógico de todas as contradições econômicas do sistema capitalista. A divisão do trabalho atinge seu grau máximo com a *taylorização*, isto é, com a repartição altamente racional do "trabalho em cadeia", tentando englobar todos os fatores necessários a uma *produtividade* ótima.
5. Conceitos: "O trabalho não produz apenas mercadorias, ele se produz a si mesmo e produz o operário como mercadoria, e isto na medida em que produz mercadorias em geral" (Marx). "O trabalho positivo, isto é, nossa ação real e útil sobre o mundo exterior, constitui necessariamente a fonte inicial de toda riqueza material" (Comte).

Tractatus logico-philosophicus Principal obra da chamada "1ª fase" do pensamento de *Wittgenstein, publicada em 1921, trata-se na verdade da única obra que publicou em vida. Marcada pela influência de suas discussões com *Frege e *Russell acerca da natureza da *lógica e do *significado, pretende "curar" a filosofia de seus "males de linguagem". Partindo da existência de uma correspondência entre a estrutura lógica do mundo e a estrutura formal da linguagem, redefine a atividade filosófica como a vontade de desembaraçar o pensamento das armadilhas que lhe armam a linguagem. Exerceu grande influência no *Círculo de Viena e no desenvolvimento da filosofia da linguagem na década de 30. Sustenta que a filosofia não tem como objetivo acrescentar proposições filosóficas às proposições científicas, mas elaborar a lógica de nossa linguagem a fim de que sejam eliminadas as proposições desprovidas de sentido.

tradição (lat. *traditio*) Continuidade, permanência de uma doutrina, visão de mundo, ou conjunto de costumes e valores de uma sociedade, grupo social ou escola de pensamento, que se mantêm vivos pela transmissão sucessiva através de seus membros (ex.: a tradição metafísica ocidental). A filosofia *hermenêutica de H.-G. Gadamer procura recuperar um sentido positivo para a tradição, contra as críticas habituais a seu caráter conservador feitas sobretudo pelo *Iluminismo e pelo racionalismo crítico. Para Gadamer, a tradição se mantém por ser cultivada, aceita e justificada, e portanto continua a ter sentido, não sendo necessariamente transmitida de forma dogmática e nem sempre servindo aos interesses dos dominantes. No fundo, segundo essa visão, seria tão legítimo aceitar a tradição justificadamente quanto questioná-la. Além disso, a tradição seria a garantia da consciência histórica de uma cultura. Ver modernidade; revolução.

tradicionalismo Atitude conservadora de apego à *tradição, à doutrina ou aos costumes e ideias aceitos pela sociedade, grupo social, ou escola de pensamento, resistindo às críticas e inovações. Ver modernismo.

transcendência/transcendente (do lat. *transcendere*: ultrapassar, superar) 1. A noção de transcendência opõe-se à de imanência, designando algo que pertence a outra natureza, que é exterior, que é de ordem superior. Nas concepções teístas, p. ex., Deus é transcendente em relação ao mundo criado. Ver teísmo.
2. Que está além do conhecimento, além da possibilidade da experiência, que é exterior ao mundo da experiência.

transcendental (do lat. medieval *transcendentalis*) 1. Na *escolástica, termo utilizado para designar *categorias mais gerais que transcenderiam as categorias aristotélicas. Os transcendentais seriam assim o ser, o verdadeiro, o bem e o belo, caracterizando tudo aquilo que é, sendo no fundo aspectos da mesma coisa, o *Ser.
2. Na filosofia kantiana, também caracterizada como *filosofia transcendental*, trata-se do ponto de vista que considera as condições de possibilidade de todo conhecimento. Nesse sentido, não deve ser confundido com o termo "transcendente". "Chamo *transcendental* todo conhecimento que, em geral, se ocupa menos dos objetos do que de nossos conceitos *a priori* dos objetos. Um sistema de conceitos desse tipo seria denominado filosofia transcendental ... Não devemos denominar transcendental todo conhecimento *a priori*, mas apenas aquele pelo qual sabemos que e como certas representações (intuições e conceitos) são aplicadas ou possíveis simplesmente *a priori* ("transcendental" quer dizer possibilidade ou uso *a priori* do conhecimento)" (Kant, *Crítica da razão pura*).

transcendentalismo 1. Concepção filosófica, especialmente de *Kant, que considera como central o ponto de vista *transcendental, ou seja, a questão da necessidade do exame das condições de possibilidade da experiência, já que o mundo da experiência dependeria essencialmente da estrutura da consciência humana.
2. Concepção filosófica que valoriza a superação do mundo da experiência e da razão através da intuição e da visão mística. *Oposto a* imanentismo.

transferência (do lat. *transferere*: levar adiante, transportar) 1. No sentido psicológico, fenômeno pelo qual a tonalidade afetiva inicialmente ligada a um elemento (indivíduo ou objeto) se comunica a outros elementos.
2. Na psicanálise, processo pelo qual os sentimentos formados pelo sujeito no passado a respeito de seus pais ou de personalidades marcantes de sua experiência infantil deslocam-se para uma pessoa de seu meio atual; projeção (mais ou menos provisória) das tendências e dos complexos em vias de solução. Ex.: do aluno para o mestre.

transformismo Nome genérico que serve para designar as diversas doutrinas, especialmente a partir de Lamarck, segundo as quais as espécies vivas não se explicam pela teorias criacionistas e fixistas, mas pelo fato de umas se transformarem em outras. Ver fixismo; evolucionismo.

Tratado sobre a natureza humana (*A Treatise on Human Nature*) Obra fundamental de David Hume, publicada entre 1739 e 1740, constituindo uma das principais exposições da filosofia do *empirismo. Hume defende uma filosofia empirista fenomenista e associacionista que fundamenta sua concepção de *entendimento humano. Segundo ele, todos os princípios da *razão humana são derivados da experiência e das sensações, sendo que as leis da natureza reduzem-se a hábitos do homem e a projeções de nossas formas de pensar sobre o real. Hume desenvolve uma perspectiva cética criticando alguns dos pressupostos fundamentais da tradição filosófica como a noção de identidade pessoal e de *causalidade como conexão necessária entre *fenômenos. Introduz também uma defesa do *probabilismo no lugar da concepção racionalista tradicional de *certeza.

traumatismo (do gr. *trauma*: ferida) 1. Distúrbio somático ou psíquico mais ou menos durável causado por uma lesão orgânica ou por uma intensa emoção, podendo levar o indivíduo a procurar refúgio na hipocondria, no álcool ou na droga.
2. Na psicanálise freudiana, choque sexual anterior à puberdade e dotado de uma força traumática suficientemente forte para levar ao fra-

casso os mecanismos naturais de defesa do indivíduo, dando lugar ao aparecimento de *neuroses.

3. Quando o choque traumático se liga não à história individual, mas à estrutura geral do psiquismo, fala-se de "*traumatismo da infância*" (Rank).

tristeza (lat. *tristitia:* tristeza, aflição) Estado afetivo duradouro em que a consciência se vê invadida por um doloroso sentimento de insatisfação, sendo acompanhada de uma ideia de desvalorização da existência e do real: "A tristeza é a passagem do homem de uma maior a uma menor perfeição" (Espinoza).

trivium/quadrivium (lat. *trivium*: três vias; *quadrivium*: quatro vias) O *trivium* e o *quadrivium*, que juntos formam as *sete artes liberais*, constituem a base do currículo dos cursos introdutórios (*studium generale*) das faculdades de artes (principalmente filosofia), nas universidades medievais. O estabelecimento das artes liberais origina-se da obra de Marciano Capella (séc. V), intitulada *As núpcias de Mercúrio e da filologia*, que é uma espécie de síntese enciclopédica da ciência da época. Posteriormente (séc. VI), Cassiodoro, discípulo de Boécio, desenvolveu e sistematizou esses estudos, definindo as sete artes liberais e dividindo-as em dois grupos: o *trivium*, inicial, constituído pelas "ciências da linguagem", gramática, retórica e dialética; e o *quadrivium*, consistindo na aritmética, geometria, música e astronomia, e pressupondo a passagem pelo *trivium*. As sete artes liberais tiveram um papel importante como forma de preservação do saber clássico da Antiguidade greco-romana, durante o período medieval.

Troeltsch, Ernst (1865-1922) Filósofo alemão (nascido em Haunstetten) neokantista da escola de Baden. Preocupou-se principalmente com o problema da evolução do espírito religioso. Obras principais: *O caráter absoluto do cristianismo e a história da religião* (1901), *O historicismo e sua superação*, póstuma (1924). *Ver* neokantismo.

tropos (gr. *gropos*: modo) Tropos, ou modos, são argumentos ou formas de argumentação utilizados tradicionalmente pelos céticos contra as teses dos dogmáticos, sobretudo estoicos e epicuristas, tendo como objetivo levar à *époche* ou suspensão do juízo. Os mais conhecidos são os *dez tropos de Enesidemo*, que nos foram legados através de seu registro por *Sexto Empírico, principalmente em seus *Esboços pirrônicos*. Os tropos de Enesidemo enfatizam a relatividade e variabilidade da apreensão dos fenômenos tanto por fatores que dizem respeito à natureza humana quanto por fatores referentes ao contexto físico e cultural em que se dá a experiência humana. Encontram-se também em Sexto Empírico duas outras versões dos tropos. A primeira, os *cinco tropos de Agripa*, assim conhecidos devido à denominação que receberam em Diógenes Laércio, consistindo em: a) o caráter discutível de todo princípio; b) o regresso ao infinito; c) a relatividade das aparências; d) o caráter hipotético de toda premissa de um argumento; e) o *dialelo ou círculo vicioso. Outra, conhecida como os *dois tropos*, segundo a qual as formas de argumentação acima podem ser reduzidas a duas: uma coisa pode ser apreendida a partir de si própria ou a partir de outra coisa, se é apreendida a partir de si própria temos uma circularidade, se é apreendida a partir de outra, uma busca ao infinito, já que necessitaríamos de mais outra e mais outra sucessivamente. Assim, conclui-se que é impossível apreender algo.

Trotsky ou **Trotski, Leon** (1879-1940) Político e pensador marxista russo, participou da revolução de 1905 e foi um dos líderes, juntamente com Lênin, da Revolução de Outubro de 1917, sendo o criador do Exército Vermelho. Após a morte de Lênin rompe com Stálin e é forçado a viver no exílio, tendo sido finalmente assassinado no México por um agente stalinista. Teórico da *revolução permanente*, defendeu a necessidade da democracia no partido, construído sobre bases operárias, bem como a necessidade de se promover a revolução mundial, contra a visão de Stálin do socialismo em um só país. Suas principais obras são: sua autobiografia *Minha vida* (1930), a *Revolução permanente*, a *Revolução traída* (1937) e *História da revolução russa*, 3 vols. (1932).

U

ubiquidade (do lat. *ubique*: em toda parte) Sinônimo de onipresença, característica de um ser que está em toda parte. Em um sentido teológico, designa a presença espiritual de Deus em todo lugar.

Um/Uno *O Um* (sempre com inicial maiúscula), na filosofia neoplatônica, notadamente de Plotino, constitui o princípio supremo e inefável situado no cume da hierarquia das *ideias: ele é a primeira hipóstase, idêntica ao Bem absoluto. Os escolásticos, ao tematizarem a ideia aristotélica de "transcendência", distinguem uma realidade transcendental (Deus) e os "transcendentais": o Um, o Ser, o Verdadeiro e o Bem. Enquanto indiviso, o Um é idêntico ao Ser, pois todo Ser é Um. Daí Heidegger chamar a metafísica de "ontoteológica": situa-se entre o transcendente (Deus) e o transcendental (o Ser).

Umwelt (al.: mundo em torno) Em psicologia animal, aquilo que, na totalidade do mundo, é percebido por toda espécie e constitui *seu* mundo. A fenomenologia de Husserl retoma esse termo para designar a parte do mundo exterior à nossa consciência que partilhamos com outras consciências.

Unamuno, Miguel de (1864-1936) Juntamente com *Ortega y Gasset, Unamuno é um dos maiores filósofos e homens de letras da Espanha do séc. XX, responsável pelo desenvolvimento do pensamento espanhol contemporâneo e pela introdução dos grandes temas da filosofia de sua época na cena espanhola. Nascido em Bilbao, estudou na Universidade de Madri e foi depois professor de grego e de filologia na Universidade de Salamanca (1891-1934), da qual foi também reitor. O pensamento de Unamuno é profundamente humanista e existencial, valorizando de modo central a experiência humana, contra o tratamento idealista do homem em abstrato. Combate neste sentido o cientificismo e o racionalismo. Destacou-se como poeta, romancista e crítico literário, sendo suas principais obras: *Paz en la guerra* (1897), *Poesías* (1907), *Contra esto y aquello* (1912), sua obra mais conhecida, *Del sentimiento trágico de la vida* (1913), *Niebla* (1914), *La agonía del cristianismo* (1931).

unicidade Caráter daquilo que é único. Ex.: Deus, na teologia cristã e no islamismo.

universal/universais (lat. *universalis*) **1.** Universal é aquilo que se aplica à totalidade, que é válido em qualquer tempo ou lugar. *Essência, qualidade essencial existente em todos os indivíduos de uma mesma espécie e definindo-os como tais. Para Platão, universal é a *forma ou *ideia. Segundo Aristóteles, "uma vez que há coisas universais e coisas singulares (chamo *universal* aquilo cuja natureza é afirmada de diversos sujeitos e *singular* aquilo que não o pode ser: p. ex., homem é um termo universal, Cálias, um termo individual)" (*Da Interpretação*, VII). Ver universo.

2. Na lógica tradicional, uma *proposição universal* é aquela em que o sujeito é tomado em toda a sua extensão, isto é, inclui todos os indivíduos da classe considerada. Ex.: Todo homem é mortal (universal afirmativa); Nenhum cão é bípede (universal negativa). *Oposto a* singular. *Ver* quantidade.

3. Na *escolástica, a querela dos *universais* foi uma das questões mais discutidas durante todo esse período, dando origem a três correntes principais: *realismo, *conceitualismo, *nominalismo. A questão se origina de um comentário de *Boécio ao *Isagoge*, obra do filósofo neoplatônico Porfírio (c.232-c.305), que é por sua vez um comentário ao tratado aristotélico das *Categorias*. Encontramos aí a pergunta sobre se espécies (p. ex., cão) e gêneros (p. ex., animal) têm existência real ou se são apenas conceitos; se existem, são coisas materiais ou não; se são conceitos, existem apenas na mente ou independentemente dela? Os realistas platônicos vão defender a posição de que os universais são realidades abstratas, existentes independentemente da mente humana, em si mesmas. Os realistas aristotélicos dizem que os universais são as formas, existindo apenas nas *substâncias individuais, embora possam ser concebidos pela mente separadamente. Para os conceitualistas, os universais são *conceitos, entidades mentais. Os nominalistas consideram os universais como entidades linguísticas, simples termos gerais sem nenhuma realidade específica correspondente. Embora não seja mais discutida nesses termos exatamente, essa questão está longe de estar superada, encontramos ainda hoje uma discussão entre filósofos defensores dessas posições. Essa discussão se dá entretanto geralmente em relação a domínios específicos. Ex: um filósofo pode ser realista em filosofia da matemática, considerando que objetos abstratos como números e formas geométricas existem por si mesmos, e ser conceitualista em ética, considerando que os valores são apenas ideias, não possuindo nenhuma realidade própria, extramental. Ver Porfírio, árvore de; substância.

universo (lat. *universum*) 1. Em seu sentido geral, universo designa o conjunto de tudo o que existe no tempo e no espaço. O *universo* se distingue do *mundo*, pois pode haver vários mundos, ao passo que só há um universo. Nesse sentido, ele é a totalidade fenomenal.
2. *Universo do discurso*: expressão introduzida pelos lógicos (fala-se também de "universo de referência") para designar o conjunto ao qual se vincula, pelo pensamento, os objetos dos quais se fala ou que são pressupostos em um certo discurso. Ex.: "o universo da física". A proposição "os cães, os ratos e os canários não falam" é verdadeira no universo do discurso da zoologia, mas falsa no da fábula ou da literatura infantil.
3. *Universal* é um adjetivo exprimindo a ideia de extensão completa de um conjunto. Mas há vários valores de "universal": a) "que se estende a todo o universo": a gravitação universal; b) "que se estende a todos os espíritos": os princípios universais da razão; c) "que se estende a toda uma classe de objetos": "todos os homens são mortais" é uma proposição universal. Ver universal/universais.
4. Na epistemologia histórica, considera-se que a ciência moderna, inaugurada no séc. XVII, notadamente por Galileu, destruiu a representação ordenada, finita e fechada do universo como *cosmo*, imaginada pelo sistema aristotélico-ptolomaico, substituindo-a por uma nova concepção, qual seja, a de um universo aberto, infinito ou, pelo menos, indefinido. A astronomia copernicano-galileana destituiu de seu lugar dominante a concepção "cosmológica" dos antigos e inaugurou a concepção de um universo como o lugar de todos os fenômenos e o substrato de todas as experiências possíveis para o pensamento. Durante muito tempo se perguntou se o universo foi "criado" por alguma força exterior a ele ou imanente, ou se ele é "eterno". Em todo caso, os "limites" do universo são inapreensíveis diretamente, pelo pensamento, no espaço e no tempo. A teoria da *relatividade* introduziu a representação de um universo ao mesmo tempo curvo e não finito.

unívoco (do lat. tardio *univocus*) Termo que possui um único significado, que se aplica da mesma maneira a tudo a que se refere. Correspondência entre dois elementos que se dá de uma única maneira. "O termo substância não é unívoco em relação a Deus e às criaturas ..., ou seja, não há nenhum sentido dessa palavra que possamos conceber distintamente como correspondendo a Deus e às criaturas" (Descartes, *Princípios da filosofia*). A filosofia se recusa a recorrer a uma linguagem inteiramente fabricada. Considera importante precisar se um termo ou um conceito, aplicado a objetos diferentes, guarda sempre o mesmo sentido (diz-se, então, que ele é *unívoco*) ou se ele muda de sentido (diz-se que é *equívoco* ou *analógico*). Por exemplo: aplicado a Deus e às criaturas, o conceito de ser guarda sempre o mesmo sentido: é *unívoco*; mas o conceito de ser é *equívoco* se o conceito de ser aplicado a Deus e o conceito de ser aplicado às criaturas forem dois conceitos diferentes; o conceito de *ser* é *analógico* se, quando o aplicamos a Deus e às criaturas, muda de sentido, embora não tenhamos dois conceitos distintos.

utensilibilidade Diferentemente da noção moral e psicológica de *"utilitarismo", a utensilibilidade é empregada por Heidegger (em alemão, *Zeughaftigkeit*) para designar o uso que fazemos de uma coisa, o objetivo prático pelo qual a utilizamos, sem levar em conta seu valor próprio. Ex.: quando descemos uma escada, geralmente não pensamos no ser dessa escada.

utilitarismo (do ingl. *utilitarianism*) Doutrina ética defendida sobretudo por J. *Bentham e J. S. *Mill. Na definição de Mill, "as ações são boas quando tendem a promover a felicidade, más quando tendem a promover o oposto da felicidade". As ações, boas ou más, são consideradas assim do ponto de vista de suas consequências, sendo o objetivo de uma boa ação, de acordo com os princípios do utilitarismo, promover em maior grau o bem geral. As críticas ao utilitarismo geralmente apontam para a dificuldade de se estabelecer um critério de bem geral, para o fato de que essa doutrina aceita o sacrifício de uma minoria em nome do bem geral, e para a não consideração das intenções e motivos nos quais a ação se baseia, levando em conta apenas seus efeitos e consequências.

utopia 1. Termo criado por Tomás *Morus em sua obra *Utopia* (1516), significando literalmente "lugar nenhum" (gr. *ou*: negação, *topos*: lugar), para designar uma ilha perfeita onde existiria uma sociedade imaginária na qual todos os cidadãos seriam iguais e viveriam em harmonia. A alegoria de Tomás Morus serviu de contraponto através do qual ele criticou a sociedade de sua época, formulando um ideal político-social inspirado nos princípios do humanismo renascentista.

2. Em um sentido mais amplo, designa todo projeto de uma sociedade ideal perfeita. O termo adquire um sentido pejorativo ao se considerar esse ideal como irrealizável e portanto fantasioso. Por outro lado, possui um sentido positivo quando se defende que esse ideal contém o germe do progresso social e da transformação da sociedade. No período moderno são formuladas várias utopias como as de *Campanella e *Fourier.

V

validade (do lat. medieval *validitas*) **1.** Característica daquilo que é válido, legal, justificado, fundamentado no direito ou na razão. Ex.: validade de um argumento, validade de um documento.
2. Em um sentido lógico, a validade de um argumento se estabelece em relação à sua coerência interna e à sua correspondência com as leis lógicas e os princípios dedutivos, sem levar em conta sua materialidade, isto é, o conteúdo dos juízos que o compõem. A validade é, portanto, uma característica formal dos argumentos ou raciocínios lógicos. Estabelecida a validade formal do raciocínio, é necessário adicionalmente que suas premissas sejam verdadeiras para que a conclusão também o seja. Nesse sentido, um juízo ou proposição pode ser verdadeiro ou falso, mas um raciocínio apenas válido ou não válido. *Ver* dedução; silogismo.

valor (lat. *valor*) Literalmente, em seu sentido original, "valor" significa coragem, bravura, o caráter do homem, daí por extensão significar aquilo que dá a algo um caráter positivo.
1. A noção filosófica de valor está relacionada por um lado àquilo que é bom, útil, positivo; e, por outro lado, à de prescrição, ou seja, à de algo que *deve* ser realizado. *Ver* axiologia.
2. Do ponto de vista ético, os valores são os fundamentos da moral, das normas e regras que prescrevem a conduta correta. No entanto, a própria definição desses valores varia em diferentes doutrinas filosóficas. Para algumas concepções, é um valor tudo aquilo que traz a felicidade do homem. Mas trata-se igualmente de uma noção difícil de se caracterizar e sujeita a divergências quanto à sua definição. Alguns filósofos consideram também que os valores se caracterizam por relação aos fins que se pretendem obter, a partir dos quais algo se define como bom ou mau. Outros defendem a ideia de que algo é um valor em si mesmo. Discute-se assim se os valores podem ser definidos intrínseca ou extrinsecamente. Há ainda várias outras questões envolvidas na discussão filosófica sobre os valores, p. ex., se os valores são relativos ou absolutos, se são inerentes à natureza humana ou se são adquiridos etc.
3. *Juízo de valor*: *juízo que estabelece uma avaliação qualitativa sobre algo, isto é, sobre a moralidade de um ato, ou a qualidade estética de um objeto, ou ainda sobre a validade de um conhecimento ou teoria. Juízo que estabelece se algo deve ser objeto de elogio, recomendação ou censura.
4. *Valor de uso/valor de troca*: em um sentido econômico, o *trabalho humano produz um valor de uso, ou seja, um objeto que possui uma utilidade determinada. No entanto, a divisão social do trabalho introduz a noção de valor de troca, já que alguém pode produzir algo que é de utilidade para outro, e com isso pode trocar o objeto produzido por outro objeto que é, por sua vez, de utilidade para ele.

Vattimo, Gianni (1939-) Filósofo italiano formado na Universidade de Turim, da qual se tornou professor. Lecionou também em Heidelberg, com *Gadamer. Trabalhou inicialmente sobre a filosofia antiga. Depois, desenvolveu uma análise da sociedade e da cultura contemporâneas à luz da *hermenêutica. Destacou-se na política como membro do Parlamento Europeu (1999). Obras principais: *Pensamento débil* (1983), *O fim da modernidade* (1987), *Ética da interpretação* (1991), *Significado da hermenêutica para a filosofia* (1994), *Esperar crer* (1998), *Vocação e responsabilidade do filósofo* (2000), *Após a cristandade: por um cristianismo não religioso* (2004).

Vaz, Henrique Cláudio de Lima (1921-2002), Natural de Ouro Preto, pe. Vaz foi um filósofo e pensador católico de grande influência. Doutorado em filosofia pela Pontifícia Universidade Gregoriana de Roma, lecionou na Faculdade de Filosofia da Companhia de Jesus em Nova Friburgo e da UFMG (Belo Horizonte). Profundo conhecedor, não só do pensamento antigo e medieval, mas da filosofia de Hegel, teve papel importante na elaboração de um pensamento progressista inspirado na mensagem social de João XXIII e do Concílio Vaticano II. Obras principais: *Ontologia e história* (1968), *Escritos filosóficos I-VII* (1986-2002) e *Antropologia filosófica I e II* (1991-1992).

Vedanta (do sânscrito *veda*: ciência, revelação) Sistema filosófico indiano, fundamento da atual religião da Índia, o *hinduísmo*. Pretende fornecer uma explicação filosófica dos textos sagrados, ou *Vedas*, que constituem a tradição *védica*. Sua doutrina fundamental constitui um monismo repousando na noção de unidade do *eu individual* e do *eu universal*. A causa do mundo sensível é explicada pela teoria da *mayá* ou ilusão.

veleidade (lat. *velleitas*, de *velle*: querer, desejar, almejar) Pseudovontade (diferente da *abulia) em que o ato é apenas esboçado ou simplesmente imaginado, exprimindo desejos incapazes de ser realizados concreta ou completamente; trata-se de uma volição fraca e passageira, permanecendo em estado de esboço.

veracidade/verídico (lat. medieval *veracitas*; lat. *veridicus*) Veracidade é a qualidade moral do homem que, ao falar, acredita estar dizendo a *verdade, e não apenas expressando uma boa fé. Por sua vez, é *verídico* o discurso de alguém enunciando uma verdade previamente conhecida por ele.

verbalismo (do lat. *verbalis*, de *verbum*: palavra) Caráter de um discurso em que as palavras, tomando uma importância abusiva, se distanciam do pensamento e deixam de ter uma significação real. Ex.: a "virtude dormitiva" do ópio.

verdade (lat. *veritas*) 1. Classicamente, a verdade se define como adequação do *intelecto ao *real. Pode-se dizer, portanto, que a verdade é uma propriedade dos *juízos, que podem ser verdadeiros ou falsos, dependendo da correspondência entre o que afirmam ou negam e a realidade de que falam.
2. Há, entretanto, várias definições de verdade e várias teorias que pretendem explicar a natureza da verdade. Segundo a *teoria consensual*, a verdade não se estabelece a partir da correspondência entre o juízo e o real, mas resulta, antes, do consenso ou do acordo entre os indivíduos de uma determinada comunidade ou cultura quanto ao que consideram aceitável ou justificável em sua maneira de encarar o real. A teoria da verdade como *coerência* considera a verdade de um juízo ou proposição como resultante de sua coerência com um sistema de crenças ou verdades anteriormente estabelecidas, como preservando assim a ausência de contradição dentro do sistema, sendo portanto o critério de verdade interno a um sistema ou teoria determinada. Para a teoria *pragmática*, a verdade de uma proposição ou de um conjunto de proposições se estabelece a partir de seus resultados, de sua aplicação prática, concreta, de sua verificação pela experiência. *Ver* idealismo; realismo; pragmatismo; verificação/verificacionismo.
3. *Verdade necessária*: as verdades necessárias são aquelas que não dependem da experiência, mas que são estabelecidas independentemente desta, *a priori*: por definição, são, portanto, nesse sentido, verdades analíticas.
4. *Verdades primeiras* são proposições ou enunciados considerados evidentes e indemonstráveis. Ex.: "O todo é maior que suas partes". Sinônimo de *princípio ou de *axioma. A "verdade primeira" de alguém ou de algum grupo frequentemente designa uma opinião ou um preconceito que não se submete ao questionamento.
5. *Verdades eternas* designam, na filosofia *escolástica, princípios que constituem as leis absolutas dos seres e da *razão, emanadas da vontade divina e que o homem pode descobrir pelo pensamento. São proposições da razão, não de fato. Referem-se, não à existência ou inexistência deste ou daquele ser, mas à vinculação necessária das ideias. Ex.: numa figura de três lados retos, a soma dos ângulos internos é igual a dois ângulos retos; pouco importando se tal figura existe ou não fora de nosso espírito.
6. Conceitos: "Quem são os verdadeiros filósofos? Aqueles que amam a verdade" (Platão). "Há dois tipos de verdades: as do raciocínio e as de fato. As verdades do raciocínio são necessárias e seu oposto é impossível; e as de fato são contingentes e seu oposto é possível" (Leibniz). "A crença forte só prova a sua força, não a verdade daquilo em que se crê" (Nietzsche). "Não há verdade primeira, só há erros primeiros" (Bachelard).

verdadeiro Diz-se daquilo que corresponde à verdade, à realidade, ao existente e como tal se impõe à aceitação. Real, evidente. Ex.: juízo verdadeiro. Autêntico, sincero. Ex.: o verdadeiro motivo, o verdadeiro patriota. "Jamais aceitar coisa alguma como verdadeira que não a conhecesse evidentemente como tal" (Descartes, *Discurso do método*). *Ver* verdade. *Oposto a* falso.

vergonha Sentimento doloroso que alguém experimenta de sua humilhação ou de sua inferioridade diante dos outros: "A vergonha é uma tristeza que acompanha a ideia de uma ação que imaginamos ser reprovada pelos outros" (Espinoza).

verificação/verificacionismo (do lat. tardio *verificare*) 1. Procedimento que busca confirmar ou negar uma afirmação ou uma hipótese teórica através do confronto com a experiência, com a realidade empírica, por meio de observações, testes, experimentos etc.

2. O *verificacionismo*, também conhecido como princípio ou teoria da verificabilidade, é a posição teórica, em filosofia da ciência, que considera a verificação por meio da experiência como critério último de validade das hipóteses científicas. Ou seja, os enunciados complexos das leis científicas deveriam ser reduzidos por análise a enunciados simples dizendo respeito à realidade empírica, podendo assim ser concretamente verificados. Muitos são os problemas relacionados à ideia de verificação e ao verificacionismo. Ex: quando é que se pode realmente considerar uma verificação como conclusiva? Seria necessário verificar uma afirmação a cada momento em que esta é repetida? Nenhuma afirmação resultante da generalização indutiva poderia ser jamais verificada. Estas e outras objeções levam a críticas, ao verificacionismo e à formulação de alternativas, como a de *Popper, de adotar a *refutação ou falsificação como teste de validade de hipóteses. Ver fisicalismo.

Vernant, Jean-Pierre (1914-) Historiador das ideias francês e um dos melhores conhecedores do mundo mental dos gregos, que explorou com profundidade, penetrando em todos os meandros do pensamento mítico, religioso, político e filosófico da Grécia Antiga. Suas pesquisas comparadas sobre as sociedades antigas nos conduzem à culinária e à guerra, aos mitos e à ciência, a uma extraordinária apreensão da passagem do homem homérico ao homem da Cidade da idade clássica. Obras principais: *Les origines de la pensée grecque* (1962), *Mythe et pensée chez les Grecs* (1965), *Mythe et société en Grèce ancienne* (1974), *Religions, histoires, raisons* (1979), *Mythe et tragédie* (1986), *Mythe et religion en Grèce ancienne* (1990).

vício (lat. *vitium*) **1.** Em um sentido moral, o vício se opõe à *virtude, e corresponde a uma falha ou falta moral habitual que leva o indivíduo a cometer delitos, a infringir princípios morais, ex.: mentir é um vício. O *vício* pode ser entendido também como uma prática habitual moralmente condenável que impõe ao indivíduo uma conduta prejudicial à sua natureza. Ex.: o vício da droga, o vício da bebida etc.

2. Em um sentido lógico, um vício de raciocínio ou de argumentação é uma forma incorreta de tirar conclusões, não justificada pelas regras lógicas do raciocínio. Ex: O *círculo vicioso é o raciocínio em que se supõe nas premissas aquilo que se quer demonstrar na conclusão.

Vico, Giambattista (1668-1744) O jurista napolitano Giambattista Vico pode ser considerado um dos primeiros filósofos da história nos tempos modernos. Contra Descartes, ele afirma que as "ideias claras e distintas" não passam de criações secularizantes da razão, distantes da realidade e da natureza, cuja *obscuridade* e confusão constituem o objeto dos historiadores e dos filósofos políticos. Precisamos voltar aos *fatos humanos*, diz ele, para *compará-los* e *compreendê-los*. A realidade humana precisa ser definida em sua concretude e em seu progresso, não hipoteticamente pela razão. Em sua obra mais importante, *Princípios de uma nova ciência* (1725), Vico retraça a lei da história: cada época histórica é abordada com a preocupação de descrevê-la em sua vida real, com suas crenças, costumes, detalhes absurdos, paixões, imagens e mitos. Três etapas aparecem na história da humanidade e definem a lei da história: a) a era dos deuses, na qual os governos são *divinos* (teocráticos); b) a era dos heróis, na qual os governos são *heroicos* (aristocráticos); c) a era dos homens, na qual os governos são ou serão *humanos*: os homens nascem livres e conhecem a igualdade perante a lei. Assim, a filosofia, renunciando a uma reflexão abstrata, deve engajar-se na realidade, quer dizer, deve engajar-se no sentido da história.

vida (lat. *vita*) **1.** Em um sentido genérico, período compreendido entre o nascimento e a morte de um indivíduo. Designa também as diversas formas de existência e de atividade humanas, p. ex.: vida social, vida espiritual, vida religiosa.

2. Em um sentido biológico, trata-se do conjunto de características de um organismo de natureza animal ou vegetal que se define pelo nascimento, assimilação, desenvolvimento, reprodução e morte.

Vieira Pinto, Álvaro (1909-1987) De formação médica, Vieira Pinto tornou-se, nas décadas de 50 e 60, professor de história da filosofia na antiga Universidade do Brasil (atual UFRJ). Pertenceu, inicialmente, à corrente de pensamento neotomista. Em seguida, aderiu ao existencialismo sartriano e, finalmente, ao marxismo. Apoiado na ideia de intencionalidade, tentou renovar algumas teses do marxismo. Procurou conferir, por exemplo, um estatuto filosófico à teoria marxista do reflexo. Até 1964, quando foi afastado da vida universitária por razões políticas, desenvolveu intensa atividade no Instituto Superior de Estudos Brasileiros (ISEB), do qual se tornou a figura mais representativa. Juntamente com um grupo de pensadores e cultores das ciências sociais, empenhou-se no estudo interdisciplinar dos problemas brasileiros, segundo um enfoque ao mesmo tempo marxista e nacionalista. Nessa fase, seu pensamento se caracterizou pela crescente correlação estabelecida entre os aspectos filosóficos e os políticos, visando servir de suporte a um programa de governo. Nos últimos anos de sua vida, Vieira Pinto retornou às teses do marxismo tradicional, mas sem perder sua preocupação dominante com os problemas da cultura e do desenvolvimento nacionais. Obras filosóficas: *Ensaio sobre a dinâmica na cosmologia de Platão* (1950), *Ideologia e desenvolvimento nacional* (1956; 2ª ed. 1959), *Ciência e existência* (1969), *Consciência e realidade nacional*, 2 vols. (1960), *Sete lições sobre educação de adultos* (1982). *Ver* filosofia no Brasil.

Viena, Círculo de *Ver* Círculo de Viena.

violência (lat. *violentia*, de *violare*: tratar com força) **1.** Em seu sentido geral, todo ato exercido com bastante força contra um obstáculo.
2. Por extensão: comportamento de uma pessoa agindo de modo constrangedor contra outra que considera um estorvo à realização de seus desejos.
3. Em seu sentido jurídico, uso da força contra o direito ou a lei, levando à nulidade de contratos (direito civil) ou ao agravamento de infrações (direito penal).
4. Para a filosofia, esta noção interessa na medida em que nega a consciência e o poder de filosofar. Hobbes e Nietzsche a consideram de origem natural; para Rousseau e Proudhon, provêm de uma vida social mal organizada: tanto pode ser rejeitada como opressão e ausência de direito (Rousseau) quanto exaltada quando se apresenta como força libertadora opondo-se a uma violência anterior: "A violência não é um meio entre outros para se atingir o fim, mas a escolha deliberada de atingir o fim *por qualquer meio*" (Sartre).

violência simbólica Expressão elaborada por *Bourdieu para designar as normas criadas pelas instituições de ensino para se incutir dogmática e autoritariamente nos alunos, como se fossem "naturais", as representações e os valores da classe dominante.

virtualidade (do lat. *virtualis*: qualidade distintiva, energia) **1.** Aquilo que, na filosofia de Aristóteles, diferentemente da simples possibilidade lógica, tende a realizar-se e só existe em *potência, não em *ato.
2. No plano intelectual, o termo é sinônimo de implícito ou inato quando designa conhecimentos dos quais ainda não temos consciência. *Ver* potência, ato.

virtude (lat. *virtus*) **1.** Em seu sentido originário, o termo designa uma qualidade ou característica de algo, uma força ou potência que pertence à natureza de algo. Esse sentido permanece na expressão "em virtude de", p. ex., "em virtude do mau tempo, o espetáculo foi cancelado".
2. Em um sentido ético, a virtude é uma qualidade positiva do indivíduo que faz com que este aja de forma a fazer o *bem para si e para os outros. Platão considerava a virtude como inata, como uma qualidade que o indivíduo traz consigo e que, portanto, não pode ser ensinada (*Ménon*). Contrariamente a Platão, Aristóteles considerava que a virtude podia ser adquirida, sendo na realidade resultado de um hábito: "A virtude é uma disposição adquirida voluntariamente, consistindo, em relação a nós, em uma medida, definida pela razão conforme a conduta de um homem que age refletidamente. Ela consiste na medida justa entre dois extremos, um pelo excesso, outro pela falta" (*Ética a Nicômano*, 6). *Oposto a* vício.
3. Na filosofia moderna, a palavra "virtude" passou a designar a força da alma ou do caráter. Nesse sentido moral, designa uma disposição moral para o bem: "A virtude é a força de resolução que o homem revela na realização de seu dever" (Kant). *As virtudes* designam formas particulares dessa disposição para o bem: a coragem, a justiça, a lealdade.

visada (do lat. *visare*) Termo frequentemente utilizado pela fenomenologia para designar a operação pela qual a consciência, dotada de intencionalidade — só há consciência de um objeto e só há objeto para uma consciência —, volta sua atenção para este ou aquele objeto.

vital (lat. *vitalis*) **1.** Que diz respeito à vida, que se define por relação à vida, p. ex.: funções vitais.
2. *Princípio vital*: em certas concepções filosóficas como o *estoicismo, princípio energético,

análogo à alma, que presidiria a própria *natureza e seria responsável pela origem da vida em todas as suas formas. *Ver* vitalismo.

3. *Elã vital*: princípio fundamental da filosofia de *Bergson. *Ver* elã vital.

vitalismo 1. Classicamente, o vitalismo é a doutrina que considera que existe em cada indivíduo, como ser vivo, um *princípio *vital*, que não se reduz nem à alma ou à mente, nem ao corpo físico, mas que gera a vida através de uma energia própria.

2. Na epistemologia contemporânea, concepção que defende a especificidade dos fenômenos vitais, argumentando contra o *materialismo e o *mecanicismo que a dimensão físico-química "não é capaz de agrupar, de harmonizar os fenômenos na ordem e na sucessão relativas especialmente aos seres vivos" (Claude Bernard).

Vitoria, Francisco de (c.1486-1546) Por muitos considerado o fundador do direito internacional, o teólogo dominicano Vitoria (nascido na Espanha) se notabilizou por suas numerosas conferências (*Relectiones theologicae*, publicadas postumamente em 1557), estabelecendo os limites jurídicos dos poderes civil e eclesiástico, os critérios de licitude ou não das guerras e os direitos fundamentais dos índios americanos.

Volkelt, Johannes Immanuel (1848-1930) Filósofo alemão (nascido na Galícia, Polônia) neokantista; foi professor em Leipzig. A princípio hegeliano, aderiu depois ao neokantismo, chegando à conclusão de que a realidade é "transubjetiva", isto é, não consiste nem em meros objetos nem em meros casos de consciência, mas é antes uma síntese desses dois elementos da existência. Obras principais: *O inconsciente e o pessimismo* (1871), *A fantasia do sonho* (1875), *A teoria do conhecimento de Kant analisada em seus princípios fundamentais* (1879), *Sistema de estética*, em 3 vols. (1905, 1910, 1914), *O problema da individualidade* (1928). *Ver* neokantismo.

Voltaire (1694-1778) O escritor, poeta e filósofo francês (nascido em Paris) Voltaire, cujo nome real era François Marie Arouet, é conhecido sobretudo por ter sido o grande promotor da cosmologia newtoniana na França e por ter destruído a crença no poder da encantação sobre o mundo natural. Partidário da *Aufklärung* e do "despotismo esclarecido", combateu as "trevas" da ignorância e da superstição. Reconheceu explicitamente o único agente capaz de libertar o homem da mais cruel das superstições: "Nunca houve império mais universal do que o do Diabo", declarou. "E quem foi que o destronou?" Sua resposta se limitou a uma palavra: "a razão". Seus escritos filosóficos e políticos mais importantes são: *O ensaio sobre os costumes* (1756), no qual apresenta uma filosofia da história, valorizando a ideia de *progresso da razão sobre as trevas; *O século de Luís XIV* (1756), no qual ilustra o movimento precedente, mostra a grandeza do século, exalta Luís XIV como o modelo do "déspota esclarecido" e ataca a religião; *A filosofia da história*, no qual elabora uma história do espírito humano contra as forças obscurantistas que se resumem na *religião* e faz uma apologia da *razão* contra a idiotice e a crença; *O dicionário filosófico* (1764), no qual, de modo panfletário, continua sua luta contra "o infame" Cristianismo (nos verbetes "perseguição", "superstição", "milagre" etc.) e se mostra o defensor da liberdade e da monarquia constitucional (nos verbetes "liberdade", "Estado", "leis" etc.). O combate de Voltaire é o da *razão* e das *luzes* ("o evangelho da razão"), de modo irônico e causticante, contra todas as intolerâncias. *Ver* otimismo/pessimismo.

voluntarismo (do lat. *voluntarius*) **1.** Concepção filosófica que atribui à *vontade um papel central, que supõe que tudo é fruto da vontade, embora isso seja interpretado de diferentes maneiras em diferentes correntes filosóficas.

2. Segundo *Duns Scotus, uma vez que a *liberdade de *Deus é o princípio de todas as coisas, aquilo que é verdadeiro ou bom depende, em última análise, da livre determinação da vontade divina.

3. Para *Schopenhauer, a vontade é a realidade suprema, "em nossa própria consciência, a vontade se apresenta sempre como elemento primeiro e fundamental ... sua predominância sobre o intelecto é incontestável ... este é totalmente secundário, subordinado, condicionado" (*O mundo como vontade e representação*).

volúpia (lat. *voluptas*: prazer) Na origem, designava (na linguagem teológica) o prazer sexual pleno e consciente. Do ponto de vista mais psicológico, trata-se de um prazer particularmente intenso, de ordem física e moral (prazer estético) em relação com um desejo profundo, inclusive, com a personalidade do sujeito. Ex.: volúpia da vingança.

vontade (lat. *voluntas*) **1.** Disposição para agir. Exercício da atividade pessoal e consciente que resulta de um desejo e se concretiza na intenção de se obter um fim ou propósito determinado. Ex.: vontade de gritar. *Ver* ação; voluntarismo.

2. Conceito central da metafísica de *Schopenhauer, desenvolvido sobretudo em sua obra *O mundo como vontade e representação*. "A vontade é a substância íntima, o meio de toda coisa particular e do todo. Ela se manifesta na força cega da natureza e se encontra na conduta racional do homem."

3. *Vontade geral*: em um sentido político, originário principalmente de *Rousseau, a vontade una e indivisível do corpo social considerada como um todo. Constitui assim a base da legitimação de todo ato de soberania, expressando a vontade do povo expressa pela maioria nos sistemas democráticos e definindo os conceitos de lei e de justiça adotados em uma sociedade.

4. *Vontade de potência (Der Wille zur Machat)*: na filosofia de *Nietzsche, princípio afirmativo da vida, "só há vontade na vida, mas esta vontade não é querer-viver, em verdade ela é vontade de dominar ... A vida ... tende à sensação de um máximo de potência, ela é essencialmente o esforço em direção a mais potência, sua realidade mais íntima, mais profunda, é o querer".

5. Para *Kant, a *boa vontade* é o conceito fundamental da *moral: consiste em escolher aquilo que a razão reconhece como bom, independentemente de sua inclinação, submetendo-se assim ao *imperativo categórico do *dever. Ela é determinada objetivamente pela lei moral e, subjetivamente, pelo respeito a essa lei. Quando se dirige para o *mal ou quando opta por não obedecer à lei moral, a vontade se converte em *má vontade*.

Vontade de poder, A Obra na qual *Nietzsche (1895) expõe a maioria de suas teses filosóficas. Depois de percorrer a história e a filosofia, chega à conclusão de que torna-se indispensável uma mudança ou transmutação geral dos valores: os morais tradicionais e os difundidos pelo cristianismo devem ser substituídos por uma moral suscetível de defender os direitos dos seres fortes e sadios contra a massa dos escravos, débeis e fracos. Em contraposição ao "*querer-viver" pessimista de *Schopenhauer, a "vontade de poder" designa a vontade de dominar própria a toda vida; mais especialmente, a *energia conquistadora* dos homens mais dotados que serão capazes de criar novos valores depois de derrubar os tradicionais.

voyeurismo (do fr. *voyeur*: aquele que vê ou contempla) Espécie de perversão sexual consistindo em procurar excitações e prazeres eróticos no espetáculo das relações amorosas dos outros ou da nudez, especialmente em fotos e filmes pornográficos.

Vuillemin, Jules (1920-2001) Professor de filosofia das ciências (física e matemática) no Collège de France desde 1962, quando sucedeu a Merleau-Ponty, o filósofo francês Jules Vuillemin, em suas análises dos fundamentos da matemática, enfatiza a *decisão humana*, que se encontra na origem de todo conhecimento e, particularmente, da matemática, que são construções. Critica o dogmatismo de Husserl e de sua teoria das essências. E afirma que "todo conhecimento, qualquer que seja, é metafísico, pois implica, em seu princípio, decisões e opções que não pertencem à jurisdição interior desse conhecimento". Resultam quatro consequências: a) não há conhecimento neutro; b) há várias matemáticas; c) a matemática não é uma ciência positiva; d) a filosofia não possui nenhum privilégio de evidência que permita à representação tornar-se independente das decisões que engajam a atividade teórica. O objeto geral da filosofia consiste em estudar os motivos das opções metafísicas em relação com a liberdade do homem. Obras principais: *L'héritage kantien de la révolution copernicienne* (1954), *Physique et métaphysique kantiennes* (1955), *La philosophie de l'algèbre* (1962), *Leçons sur la première philosophie de Russell* (1968), *La logique et le monde sensible* (1971).

W

Waelhens, Alphonse de (1911-1981) Filósofo belga, durante muitos anos professor na Universidade de Louvain, Alphonse de Waelhens, profundo conhecedor de Husserl, Heidegger e Merleau-Ponty, formou toda uma geração de filósofos sobre questões de caráter fenomenológico-existencial, tais como o mundo, o corpo, o tempo, "o outro", a temporalidade, a transcendência etc. Contribuiu bastante para o desenvolvimento da chamada "experiência filosófica" que transforma as experiências vividas ou existenciais mediante um processo que ele chama de "dialético". Obras principais: *A filosofia de Martin Heidegger* (1942), *A filosofia moderna: os séculos XVI e XVII* (1946), *Uma filosofia da ambiguidade: o existencialismo de Merleau-Ponty* (1951), *Fenomenologia e verdade* (1953), *A filosofia e as experiências naturais* (1961).

Wahl, Jean (1888-1974) Filósofo, historiador da filosofia e poeta, Jean Wahl (nascido em Marselha, França) ocupa, na universidade francesa, um lugar à parte. Platão e Descartes foram suas primeiras influências. Mas rompendo com a tradição idealista, volta-se para as filosofias pluralistas da Inglaterra e da América. Sua preocupação básica consistiu em procurar uma dialética não exclusivamente hegeliana e suscetível de aplicar-se às atitudes existenciais. Preocupado em denunciar os perigos dos conceitos e em defender um retorno ao concreto, retorno à experiência, a uma experiência que deve abrir caminho "para o objeto, para os outros sujeitos e para nós mesmos", volta-se para os poetas e para os artistas, nos quais acredita encontrar as "fontes da filosofia". Sem ser existencialista, penetra fundo o pensamento da existência; sem ser hegeliano, faz uma interpretação existencial do jovem Hegel; sem ser cristão, seus *Estudos kierkegaardianos* põem a descoberto uma impressionante experiência religiosa. O pensamento de Jean Wahl se situa nesse ponto indefinível entre certo ceticismo, mas sempre tomando posição diante da vida, pois concebe a filosofia como uma arte-de-se-reconhecer-no-mundo. Obras principais: *Les philosophies pluralistes d'Angleterre et d'Amérique* (1920), *Le malheur de la conscience dans la philosophie de Hegel* (1929), *Vers le concret* (1932), *Études kierkegaardiennes* (1938), *Existence humaine et transcendance* (1944), *Traité de métaphysique* (1953), *Expérience métaphysique* (1965).

Weber, Max (1864-1920) Filósofo e sociólogo alemão (nascido em Erfurt), estudou nas Universidades de Heidelberg, Berlim e Göttingen, e foi professor em Freiburg (1894-1895) e Heidelberg (1895-1897), abandonando a atividade acadêmica devido a sua saúde frágil. É um dos principais responsáveis pela formação do pensamento social contemporâneo, sobretudo do ponto de vista metodológico, quanto à constituição de uma epistemologia das ciências sociais que, segundo sua visão, devem ter um modelo de explicação próprio, diferente do das ciências naturais. É de grande importância sua distinção entre a razão instrumental e a razão valorativa, sendo que os juízos de valor não podem ter sua origem nos dados empíricos. Em sua análise da formação da sociedade contemporânea, Weber investigou os traços fundamentais do Estado moderno, da sociedade industrial que o caracteriza e da burocracia que tem nele um papel central. Sua obra mais influente é *A ética protestante e o espírito do capitalismo* (1904-5), na qual procura mostrar que uma análise estritamente econômica seria insuficiente para explicar o surgimento do capitalismo, devendo ser levados em conta elementos éticos, religiosos e culturais. Escreveu inúmeros ensaios e artigos, publicados postumamente em coletâneas, dentre os quais destaca-se o volume sobre a metodologia das ciências sociais: *Ensaios sobre a teoria da ciência* (1924). Escreveu ainda *O sábio e o político*, póstumo (1922). Convencido do inacabamento essencial das ciências, Weber, profundo conhecedor de Marx, revela a natureza da ciência social e da ciência histórica.

Weil, Eric (1904-1977) Filósofo alemão de origem judaica, estudou medicina em Paris e Hamburgo e doutorou-se em filosofia sob a orientação de *Cassirer, sofrendo a influência do *neokantismo. Deixou a Alemanha em 1933 com a ascensão do nazismo, radicando-se em Paris, onde obteve a cidadania francesa. Lecionou em Lille e

Nice. Influenciado por *Kant e *Hegel, que procura conciliar, volta sua atenção para as questões centrais da *ética e da antropologia filosófica em sua historicidade. Obras principais: *Logique de la philosophie* (1950), *Philosophie politique* (1956), *Philosophie morale* (1961).

Weil, Simone (1909-1943) O pensamento filosófico de Simone Weil (judia nascida em Paris, França) pode ser caracterizado como uma "mística esclarecida". Renunciou à vida acadêmica para trabalhar como operária. Em 1938, viveu uma profunda crise religiosa que a levou ao cristianismo, mas sem abjurar sua condição judia. Os principais temas de suas meditações giram em torno desse seu aforismo: "Duas forças reinam no universo: a luz e a gravidade (peso). A luz é o sobrenatural, a graça; a gravidade é a natureza ... A luz ilumina a gravidade e a atrai para si, elevando-a." Sua experiência operária lhe deu a convicção de que a experiência religiosa não é privilégio dos "grandes" ou dos "intelectuais", mas algo que pode ser vivido pelos humildes e pelos operários. Todo o universo respira uma força "deífuga", costumava dizer. Por isso, suas meditações sempre preferiram os "motivos gregos" aos "motivos romanos", vale dizer, a caridade ao poder, a experiência à organização, a mística à prática. Todas as suas obras são póstumas: *La pesanteur et la grâce* (1948), *L'enracinement* (1949), *Attente de Dieu* (1950), *La condition ouvrière* (1951), *La source grecque* (1953), *Leçons de philosophie* (1959), *Oppression et liberté* (1963).

Weltanschauung (al.: visão do mundo, cosmovisão) **1.** Concepção global, de caráter intuitivo e pré-teórico, que um indivíduo ou uma comunidade formam de sua época, de seu mundo, e da vida em geral.
2. Forma de considerar o mundo em seu sentido mais geral, pressuposta por uma teoria ou por uma escola de pensamento, artística ou política.

Whitehead, Alfred North (1861-1947) Autor, com Bertrand Russel, dos *Principia Mathematica* (1910-1913), uma das obras que dão origem à *lógica matemática* contemporânea, Alfred N. Whitehead (nascido na Inglaterra) foi professor na Universidade de Cambridge e depois na Universidade Harvard (EUA). Sua filosofia insere-se na tradição empirista britânica, principalmente devido à sua *teoria do conhecimento*, que valoriza a experiência sensível, e sua *filosofia da natureza*, que privilegia o conteúdo da observação empírica e não a especulação sobre as causas dos fenômenos. Posteriormente, Whitehead desenvolveu uma tentativa de construir um sistema metafísico monista tomando por base o conceito de *organismo*. Suas obras principais, além dos *Principia*, são: *The Principles of Natural Knowledge* (1919), *Science and the Modern World* (1925), *Adventures of Ideas* (1933), *Nature and Life* (1934).

Windelband, Wilhelm (1848-1915) Filósofo alemão (nascido em Potsdam); foi aluno de Fischer e de Lotze, e fundou a escola de Baden (ramificação do neokantismo); exerceu influência direta sobre Rickert, de quem foi professor. Considerado o fundador da axiologia a fim de interpretar o criticismo kantiano, Windelband atribuiu à filosofia a tarefa de elucidar os valores absolutos, lógicos, morais e estéticos que constituem a *consciência normal* ou *consciência das normas*. Sua obra mais importante é a *Introdução à filosofia* (1914). Ver neokantismo.

Wittgenstein, Ludwig (1889-1951) Filósofo austríaco, viveu grande parte de sua vida na Inglaterra, tendo sido professor na Universidade de Cambridge (1929-1947, com algumas interrupções), onde havia anteriormente estudado com Russell e Moore (1912-1913). Wittgenstein é um dos fundadores da filosofia analítica e sua obra, extremamente idiossincrática e original, teve grande influência no desenvolvimento dessa corrente filosófica. Seu pensamento é tradicionalmente dividido em duas fases. A primeira corresponde ao *Tractatus logico-philosophicus* (1921), única obra que publicou em vida, e que se insere na tradição da análise lógica da linguagem iniciada por Frege e Russell e desenvolvida pelo "Círculo de Viena", o qual sofreu sua influência. Segundo essa visão, a preocupação central da filosofia deve ser a análise da linguagem, de seu alcance e de seus limites. A linguagem é vista nessa primeira obra como tendo uma estrutura lógica que reflete a estrutura lógica do real — a famosa "teoria pictórica do significado" — sendo a tarefa do filósofo estabelecer as condições dessa relação, determinando assim a possibilidade do significado. Por um período, Wittgenstein acreditou com isso ter esgotado os problemas filosóficos que pretendia tratar, chegando a abandonar a filosofia (1926). Várias questões, entretanto, dentre elas as levantadas pelo *intuicionismo em relação à lógica e aos fundamentos da matemática, fizeram com que retomasse suas preocupações filosóficas (1929), considerando, contudo, sua visão de linguagem no

Tractatus como insatisfatória. Embora continuando a considerar a tarefa da filosofia como análise da linguagem através da qual podemos entender melhor nossa forma de ver a realidade de nossa experiência, e não como construção de teorias ou de sistemas, Wittgenstein altera radicalmente sua concepção de linguagem. A noção central dessa segunda fase de seu pensamento, comumente conhecida como "o segundo Wittgenstein", é a de *jogo de linguagem*, ou seja, de uma multiplicidade de usos que fazemos de palavras e expressões, sem que haja nenhuma essência definidora da linguagem enquanto tal. A análise da linguagem passa a ser vista agora como consideração desses usos, das formas de vida a que pertencem, dos contextos de comunicação em que se inserem. O processo de elucidação, que é a prática filosófica, deve ser realizado levando-se em conta esses elementos. Por seu caráter essencialmente assistemático e fragmentário, o pensamento de Wittgenstein deu margem a um grande número de interpretações, muitas vezes divergentes, e seu caráter mais sugestivo do que teórico ou doutrinário fez com que sua influência desse origem a diferentes desenvolvimentos. Suas principais obras, publicadas postumamente, são: *Investigações filosóficas* (1953), *Observações sobre os fundamentos da matemática* (1956), *Livro azul e livro marrom* (1958), *Observações filosóficas* (1964), *Fichas* (1967), *Gramática filosófica* (1969), *Sobre a certeza* (1969), *Observações sobre a filosofia da psicologia* (1980), todas resultantes da organização de seus textos compostos nas décadas de 30 e 40.

Wolff, Christian (1679-1754) O filósofo e matemático alemão (nascido em Breslau) Christian Wolff, professor de filosofia nas universidades alemãs na primeira metade do séc. XVIII, foi um filósofo e moralista preocupado com as questões *ontológicas*. Acusado de ateísmo por defender que se pode estabelecer a moral sem recorrer a Deus, ele é um racionalista, determinista, deísta e partidário do "despotismo esclarecido". Para ele, a filosofia é a ciência dos possíveis, "a ciência de todas as coisas possíveis" procurando ensinar "como e por que elas são possíveis". Esta definição de filosofia e a do imperativo moral: "Faça o que te torna mais perfeito, a ti e a teu próximo, e te abstenhas do oposto", já anunciam Kant. Para ele, o possível "é aquilo que não é impossível", ou seja, que não implica contradição. O primeiro princípio do pensamento é o de contradição. Kant não poupa elogios a Wolff: "Na execução do plano que traça a crítica, isto é, na construção de um sistema futuro de metafísica, devemos seguir o método do ilustre Wolff, o maior de todos os filósofos dogmáticos." E quando ele critica a metafísica, é a metafísica de Wolff, a única que ele conheceu. Duas obras de Wolff são importantes: *Psychologia empirica* (1732) e *Psychologia rationalis* (1734), nas quais já anuncia a possibilidade de a psicologia tornar-se uma ciência. Sua psicologia empírica é o primeiro nome da futura psicologia experimental. Já introduz mesmo a noção de *psicometria*.

xamã ou **chaman** (de língua altaica da Ásia e Europa oriental, *shaman*: transtornado, transportado) **1.** Entre os povos primitivos, indivíduo que se relaciona com seres sobrenaturais por meio de sonhos, visões, êxtases ou possessões de espíritos, dedicando-se à cura de doenças e a funções sacerdotais.
2. Por extensão, o *xamanismo* passa a designar um sistema de práticas mágicas vinculado a uma visão de mundo sobrenatural onde os animais e as plantas são animados por espíritos. Posteriormente, a função xamânica se desloca para a gestão das almas humanas mediante a busca de contato com os mortos.

Xenócrates (c.400-314 a.C.) Filósofo grego (nascido na Calcedônia); foi discípulo e amigo de Platão. Sucedeu a Espeusipo como diretor da *Academia (em 339 a.C.). Sua filosofia procurava conciliar a teoria platônica das ideias com o pitagorismo.

Xenófanes (séc. IV a.C.) Filósofo grego, nascido em Cólofon, Ásia Menor, e fundador da escola eleática (de Eleia, Sul da Itália), Xenófanes, opondo-se aos pensadores jônicos, afirmava a unidade e a imobilidade do Ser: as mudanças não passam de aparências. Ridicularizou os deuses mitológicos e zombou das honrarias conferidas aos atletas olímpicos, porque "o nosso saber vale muito mais do que o vigor dos homens ... Não é justo preferir a força ao vigor do saber". Para ele, a substância primitiva e fundamento de tudo é a terra, "pois tudo sai da terra e volta à terra". Os próprios homens nascem da terra. E ao combater o antropomorfismo, essa doutrina que atribui a Deus uma forma humana, Xenófanes defendeu a unidade de Deus que é um e tudo, que se funde com o todo e a tudo governa com o pensamento (panteísmo que identifica Deus com o universo).

xenofobia (do gr. *xenos*: estrangeiro, e *phobos*: medo, aversão) Socioculturalmente, desconfiança e aversão *a priori*, até mesmo agressividade e ódio, em relação a estrangeiros, apresentando-se como preconceitos ou estereótipos vinculados a certa forma de *racismo ou de chauvinismo.

Xenofonte (séc. V a.C.) O historiador e ensaísta grego Xenofonte é importante, na história da filosofia, por ter sido discípulo de Sócrates e por constituir, depois de Platão, a fonte principal de conhecimento de seu ilustre mestre. Em várias de suas obras, principalmente em *Memorabilia* e em *Apologia de Sócrates*, encontramos reflexões éticas e pedagógicas de inspiração socrática, além de informações menos idealizadas do que as de Platão sobre Sócrates e seu pensamento.

Z

Zea, Leopoldo (1912-2004) Filósofo mexicano (nascido na Cidade do México), elaborou vasta obra sobre a história das ideias no México e na América espanhola. Além de historiador das ideias, Leopoldo Zea sustenta que somente podemos fazer filosofia, na América Latina, tomando consciência de nossa situação histórica e cultural. O filósofo seria alguém que vive numa situação concreta e determinada, integrando uma comunidade e uma cultura, com as quais deve "comprometer-se" e tomar consciência desse "compromisso". Obras principais: *El positivismo en México* (1943), *Ensayos sobre filosofía en la historia* (1948), *Dos etapas del pensamiento en Hispanoamérica: del romanticismo al positivismo* (1949), *Esquema para una historia de las ideas en Ibero-América* (1956), *La filosofía americana como filosofía sin más* (1969).

zen Modalidade de budismo chinês introduzida no Japão, onde toma a forma de um ensinamento tendo por objetivo dissipar as ilusões (*maya*) do mundo sensível e do egoísmo a fim de libertar o Eu da ignorância e do apego aos hábitos para que possa alcançar o Despertar interior (*nirvana* do budismo, *satori* do zen) que consagra a dissolução da consciência individual e a integração na consciência universal do "Mental Cósmico". O budismo zen, sob várias seitas, tem exercido forte influência nas artes (pintura, poesia), na prática de esportes e na cultura do Japão. *Ver* nirvana

Zenão de Cício (c.334-262 a.C.) Filósofo grego, fundador do *estoicismo; originário de Chipre, estudou em Atenas, onde por volta do ano 300 a.C. fundou a escola estoica. Suas obras se perderam e seu pensamento é conhecido sobretudo através de seu discípulo Crisipo.

Zenão de Eleia (séc. V a.C.) Filósofo grego da escola eleática; foi discípulo de Parmênides e notabilizou-se sobretudo por seus paradoxos acerca do tempo, com os quais pretendeu refutar o mobilismo e o pitagorismo, demonstrando a incoerência do pluralismo e da noção de movimento, através do método de redução ao absurdo. Dentre estes os mais conhecidos são os de Aquiles e a tartaruga, da Flecha e do estádio. O argumento central desses paradoxos parte da divisibilidade ao infinito do espaço, e da necessidade, portanto, de algum corpo em movimento percorrer um espaço infinito em um tempo finito, o que, por ser impossível, faria com que o corpo permanecesse imóvel. *Ver* paradoxo.

zétesis Conceito central da filosofia cética que indica a busca incessante da verdade e da certeza sem que jamais se tenha a possibilidade de atingi-las. A zétesis é assim uma etapa intermediária entre a *epoché, a suspensão do juízo motivada pela dúvida, e a *ataraxia, a tranquilidade gerada pelo reconhecimento de que a certeza definitiva é impossível. Uma corrente do *ceticismo considera, entretanto, que o que caracteriza a filosofia é exatamente a busca, a procura, mesmo sem a expectativa de alcançar a certeza definitiva.

Žižek, Slavoj (1949-), filósofo, cientista social e teórico da psicanálise esloveno. Doutorou-se em filosofia (Ljubljana, 1981) e em psicanálise (Paris, 1985). Professor de filosofia e de sociologia em seu país, utiliza-se da psicanálise lacaniana para analisar a cultura popular e as questões sociais e políticas numa perspectiva crítica do liberalismo e do capitalismo. Influenciado pelo marxismo, adota, em relação a ele, uma perspectiva crítica. Obras principais: *Cogito e o inconsciente* (1999), *A ética do real: Kant e Lacan* (2000), *O absoluto frágil* (2000) e *O corpo na teoria: histórias do materialismo cultural* (2000).

zonas erógenas Segundo a psicanálise, partes do corpo cuja estimulação provoca prazer sexual: boca, seios, genitália, zona anal: "uma zona erógena é uma região da epiderme ou da mucosa que, excitada de certa forma, proporciona certa sensação de prazer de qualidade particular" (Freud). *Ver* sexualidade.

Zubiri, Xavier (1898-1983) Filósofo espanhol, professor na Universidade de Madri até 1936, e depois por um curto período na Universidade de Barcelona, tendo-se dedicado a partir de então a cursos privados por ter sido afastado da universidade por motivos políticos. Foi um dos principais representantes do pensamento filosófico contemporâneo na Espanha. Dedicou-se sobretudo à investigação de problemas de ontologia, estética e filosofia da religião. Critica o racionalismo clássico, procurando superar a oposição entre sentidos e inteligência, imaginação e razão, *logos* teórico e *logos* poético. Destacam-se a esse propósito suas obras: *Inteligencia sentiente* (1980), *Inteligencia y logos* (1982) e *Inteligencia y razón* (1983), bem como *El hombre y dios* (1984).

BIBLIOGRAFIA CONSULTADA

AKOUN, André (org.), *La philosophie*, Les Encyclopédies du Savoir Moderne, Paris, CEPL, 1977.

ANGELES, Peter A., *Dictionary of Philosophy*, Nova York, Barnes & Noble, 1981.

BARTHOLY, Marie Claude et al., *Philosophie/épistémologie: précis de vocabulaire*, Paris, Magnard, 1975.

____, *La science: épistémologie générale*, Paris, Magnard, 1978.

BRUGGER, Walter, *Diccionario de filosofía* (trad. esp.), Barcelona, Herder, 1959.

CORBISIER, *Enciclopédia filosófica*, Petrópolis, Vozes, 1974.

CUVILLIER, Armand, *Vocabulário de filosofia* (trad. port.), Lisboa, Livros Horizonte, 5ª ed., 1986.

EDWARDS, Paul (org.), *The Encyclopedia of Philosophy*, Nova York, Macmillan & Free Press, 4 vols., 1972.

FERRATER MORA, José, *Diccionario de filosofía*, Madri, Alianza, 3ª ed., 4 vols., 1981.
____, *Diccionario de grandes filósofos*, Madri, Alianza, 2 vols., 1986.

FLEW, A., *A Dictionary of Philosophy*, Londres, Pan Books, 1979.

LACEY, A.R., *A Dictionary of Philosophy*, Londres, Routledge & Kegan Paul, 2ª ed., 1986.

LALANDE, André, *Vocabulaire technique et critique de la philosophie*, Paris, PUF, 6ª ed., 1951.

LEGRAND, Gérard, *Vocabulaire Bordas de la philosophie*, Paris, Bordas, 1986.

LERCHER, Alain, *Les mots de la philosophie*, Paris, Bordas, 1986.

MORFAUX, Louis-Marie, *Vocabulaire de la philosophie et des sciences humaines*, Paris, Armand Colin, 1980.

MUCCHIELLI, Roger, *Histoire de la philosophie et des sciences humaines*, Paris, Bordas, 1971.

---

* Para a elaboração deste *Dicionário* levamos em conta, além das obras mencionadas acima, várias obras de história da filosofia e os textos dos próprios filósofos. Quanto aos títulos das obras dos filósofos, optou-se por mantê-los na língua original nos casos do inglês, do francês, do espanhol e do italiano, por serem línguas mais conhecidas; nos demais casos os títulos foram traduzidos para o português, de modo a facilitar a compreensão do leitor, sem que isto indique entretanto que haja necessariamente uma tradução publicada em português.

ÍNDICE DE NOMES E ASSUNTOS

Abelardo, Pedro, 1, *ver também* conceitualismo; nominalismo; realismo; Roscelino
Absolutismo, 1, *ver também* soberano/soberania
absoluto, 1
abstração, 1, *ver também* conceito; universal/universais
abstrato, 2, *ver também* extensão
absurdo, 2, *ver também* indivíduo; Zenão de Eleia
abulia, 2
Academia, 2, *ver também* Arcesilau; Carnéades; Nova Academia
ação, 2, *ver também* prática/prático; *praxis*
acaso, 2 *ver também* indeterminismo
acidente, 3, *ver também* essência; substância
acosmismo, 3
adequação, 3, *ver também* inteligência; verdade
adequado, 3
ad hominem, argumento, 3
admiração, 3
Adorno, Theodor Wiesegrund, 3, *ver também* Frankfurt, escola de; ideologia; positivismo; teoria
adquirido/inato, 4, *ver também* ideia; inatismo
adventício, 4, *ver também* ideia
afeição, 4
aforismo, 4, *ver também* máxima
a fortiori, 4
agnosticismo, 4, *ver também* ateísmo; deísmo; teísmo
agnóstico, 4
Agostinho, sto., 4, *ver também* patrística; platonismo
Agrippa, Heinrich Cornelius, 5, *ver também* ceticismo; dúvida
Alain, 5, *ver também* liberalismo
Albert, Hans, 5
Alberto Magno, sto., 5, *ver também* escolástica
alegoria, 5, *ver também* metáfora
alegria, 6, *ver também* prazer; tristeza
Alexandre de Afrodísias, 6, *ver também* Arístocles de Messena
Alexandria, escola de, 6, *ver também* neoplatonismo
algoritmo, 6
alienação, 6, *ver também* fetichismo; reificação
alma, 6, *ver também* corpo; espírito
Alquié, Ferdinand, 7
alteridade, 7, *ver também* outro
Althusius, Johannes, 7, *ver também* direito

Althusser, Louis, 7, *ver também* Bachelard; superestrutura
altruísmo, 8
ambiguidade, 8
amicus Plato..., 8
amizade, 8
amnésia, 8
Amônio Sacas, 8, *ver também* neoplatonismo
amor, 8
amor-próprio, 8
amoral, 9
amoralismo, 9, *ver também* imoralismo
Amoroso Lima, Alceu, 9, *ver também* Maritain; filosofia no Brasil
análise, 9, *ver também* síntese
analítico/analítica, 9, *ver também* sintético
analogia, 9
anamnese, 10
anarquia, 10, *ver também* governo
anarquismo, 10, *ver também* Bakunin
anarquista, 10, *ver também* libertário
Anaxágoras, 10
Anaximandro, 10, *ver também* jônica, escola
Anaxímenes, 10, *ver também* jônica, escola
andrógino, 11
Andrônico de Rodes, 11, *ver também* Aristóteles; metafísica; Teofastro
angústia, 11
animal-máquina, 11
animal político, 11, *ver também* cidade
animismo, 11
aniquilamento, 11
Annales, escola dos, 11
Anselmo, sto., 12, *ver também* escolástica; ontológico, argumento
antecedente, 12
antinomia, 12
antipsiquiatria, 12
Antístenes, 12, *ver também* cinismo
antítese, 12, *ver também* dialética; síntese; tese
antrópico, princípio, 12, *ver também* cosmológico, argumento
antropocentrismo, 13
antropologia, 13
antropomorfismo, 13
aparência, 13, *ver também* fenômeno; realidade
aparências, salvar as, 13
apartheid, 13
apatia, 13

apeiron, 13, *ver também* Anaximandro
Apel, Karl-Otto, 13, *ver também* Frankfurt, escola de; hermenêutica; Peirce; teoria
apercepção, 14, *ver também* consciência; transcendental
apetite, 14, *ver também* escolástica
apodítico, 14, *ver também* juízo
apofântico, 14, *ver também* logos
apolíneo/apolinismo, 14
apologética, 14, *ver também* teologia
Apologia de Sócrates, 14, *ver também* Platão; Sócrates
aporético, 14, *ver também* aporia
aporia, 14
a posteriori, 14, *ver também* experiência; *a priori*
apreensão, 15
a priori, 15
apriorismo, 15
Aquiles, paradoxo de, 15, *ver também* Zenão de Eleia
Aquino, sto. Tomás de, 15
arbitrário, 15
Arcesilau, 15
Arendt, Hannah, 16
argumentação, 16
argumento, 16, *ver também* ad hominem, argumento; ontológico, argumento; proposição; teoria
Aristarco de Samos, 16, *ver também* Copérnico; heliocentrismo
Aristipo, 16
Arístocles de Messena, 16
Aristóteles, 16, *ver também* ato; causas; *Órganon*; potência
aristotelismo, 16
Aristóxeno, 17
Arnauld, Antoine, 17, *ver também* jansenismo
Aron, Raymond, 17
arqueologia, 17, *ver também* episteme
arquétipo, 17, *ver também* inconsciente; Jung
Arquitas de Tarento, 17
arquitetônica, 17
Arriano, 17
ars inveniendi/ars probandi, 18
arte, 18, *ver também* estética; *quadrivium*; *trivium*
arte, linguagem da, 18, *ver também* Aristóteles; *Crítica do juízo*; estética; Kant; sublime
arte, obra de, 18
árvore de Porfírio, 18, *ver também* Porfírio; substância
ascese, 18, *ver também* regra
ascetismo, 19
asseidade, 19, *ver também* Deus; existência
asserção, 19, *ver também* juízo
assertórico, 19, *ver também* juízo

Assim falou Zaratustra, 19, *ver também* eterno retorno; Nietzsche; super-homem; vontade de potência
associacionismo, 19, *ver também* ideia
Ataíde, Tristão de. Ver Amoroso Lima, Alceu
ataraxia, 19, *ver também* alma; *epoché*
ateísmo, 19, *ver também* deísmo; Deus; materialismo; neopositivismo; panteísmo
atividade, 19
Atlan, Henri, 20
ato, 20
ato falho, 20, *ver também* pulsão
ato voluntário, 20
atomismo, 20, *ver também* Demócrito; Epicuro; Lucrécio; Wittgenstein
átomo, 20, *ver também* matéria
atributo, 21, *ver também* predicado; sujeito
atual, 21, *ver também* ato; potência
atualização, 21, *ver também* ato; potência
Aufhebung, 21
Aufklärung, 21, *ver também* Iluminismo; razão
Aurobindo, Sri, 21, *ver também* Bergson; Plotino
Austin, John Langshaw, 21
autenticidade, 21, *ver também* *Dasein*
autismo, 22, *ver também* extroversão / introversão
autoerotismo, 22
automatismo, 22
autômato, 22
autonomia, 22, *ver também* imperativo; liberdade
auto-organização, 22
autoridade, 22, *ver também* poder; soberano/soberania
Avenarius, Richard, 22
Averróis ou Averroés, 22, *ver também* averroísmo
averroísmo, 23
Avicebrón ou Ibn Gabirol, 23
Avicena, 23
Axelos, Kostas, 23
axiologia, 23, *ver também* valor
axioma, 23, *ver também* pressuposto
axiomática, 24, *ver também* método
Ayer, Alfred Jules, 24, *ver também* Círculo de Viena; Moore; neopositivismo; Russell

Bachelard, Gaston, 25, *ver também* devaneio; imagens; imaginário
Bacon, Francis, 25, *ver também* empirismo; escolástica; ídolo; método; *Órganon*; utopia
Bacon, Roger, 26, *ver também* escolástica
Baden, escola de, 26, *ver também* neokantismo
Bakunin, Mikhail Alexandrovich, 26, *ver também* anarquismo; anarquista; socialismo
Banquete, O, 26, *ver também* amor; beleza; ideia; inteligência; Platão; Sócrates; verdade

Índice de nomes e assuntos

barbárie, 26, *ver também* civilização; cultura; humanismo
Bardili, Christoph Gottfried, 26
Barreto, Tobias, 26, *ver também* ecletismo; filosofia no Brasil; monismo
Barthes, Roland, 27, *ver também* Lacan; Saussure; semiologia
Bataille, Georges, 27
Baudrillard, Jean, 27, *ver também* Derrida; Lyotard; Nietzsche; semiologia
Bauer, Bruno, 27, *ver também* ideologia
Baumgarten, Alexander Gottlieb, 27
Bayle, Pierre, 27, *ver também* ceticismo; fideísmo; livre-arbítrio
beatitude, 27, *ver também* teologia
Beauvoir, Simone de, 28, *ver também* existencialismo; Sartre
behaviorismo, 28
beleza, 28
belo, 28, *ver também* estética; prazer; valor
bem, 28, *ver também* valor
Benjamin, Walter, 29, *ver também* Frankfurt, escola de
Bentham, Jeremy, 29, *ver também* utilitarismo
Berdiaeff, Nicolas, 29, *ver também* existencialismo; personalismo
Bergson, Henri, 29, *ver também* duração; elã vital; existencialismo; fenomenologia; intuição; kantismo; tempo
Berkeley, George, 30, *ver também* espiritualismo; idealismo dogmático; imaterialismo; solipsismo
Bernal, John Dermond, 30
Bernard, Claude, 30, *ver também* método
Bertalanffy, Ludwig von, 30, *ver também* sistema
Binswanger, Ludwig, 31
bioética, 31
biologia, 31, *ver também* Lamarck; Spencer; Teilhard de Chardin
Biran, Maine de. Ver Maine de Biran
Bloch, Ernst, 31
Blondel, Maurice, 31, *ver também* modernismo
boa consciência/má consciência, 32
Bodin, Jean, 32
Boécio, 32, *ver também* universais
Boehme, Jakob, 32
Boétie, Etienne de la. Ver La Boétie
Bolzano, Bernhard, 32
bom senso, 33, *ver também* conhecimento; "luz natural"; razão
Bonald, Louis de. Ver De Bonald/De Maistre
Boole, George, 33
Bornheim, Gerd Alberto, 33
Bosanquet, Bernard, 33, *ver também* idealismo
Bossuet, 33
Bourdieu, Pierre, 33

Bouveresse, Jacques, 33, *ver também* historicismo; relativismo
bramanismo, 34
Brentano, Franz, 34, *ver também* intencionalidade
Breton, André, 34
Brouwer, Luitzen Egbertus Jan, 34, *ver também* intuicionismo
Bruno, Giordano, 34, *ver também* infinito; mônada
Brunschvicg, Léon, 35
Buber, Martin, 35
budismo, 35
Bunge, Mario, 35, *ver também* Círculo de Viena
Buridan, o asno de, 35, *ver também* livre-arbítrio
Burke, Edmund, 35
burocracia /burocratização, 36

cabala ou kabala, 37, *ver também* Pico della Mirandola
Cabanis, Pierre Jean Georges, 37
Calvino, João, 37, *ver também* Agostinho; graça; Weber
Cambridge, escola de, 37, *ver também* neoplatonismo; platonismo
Campanella, Tommaso, 37
Camus, Albert, 38, *ver também* absurdo
Canguilhem, Georges, 38
Cannabrava, Euryalo, 38, *ver também* filosofia no Brasil
cânon ou cânone, 38, *ver também* normas; regras
caos, 38, *ver também* Cosmo
Capital, O, 38
caráter, 39, *ver também* personalidade
carisma, 39
Carnap, Rudolf, 39, *ver também* Círculo de Viena; fisicalismo; Schlick, Moritz
Carnéades, 39, *ver também* Critolau; Nova Academia
carpe diem, 39, *ver também* hedonismo
Cartas inglesas, 39, *ver também* Voltaire
cartesianismo/cartesiano, 39, *ver também* Descartes; inatismo; racionalismo
Cassirer, Ernst, 39, *ver também* Marburgo; neokantismo
Castoriadis, Cornelius, 40
casuística, 40
catarse, 40, *ver também* ritos
categoria, 40
categórico, 41, *ver também* hipotético; imperativo; juízo
categorização, 41
causa, 41
causalidade, 41, *ver também* determinismo; eficiente, causa; razão
Cavaillès, Jean, 41
caverna, alegoria da, 41

censura, 42
certeza, 42, *ver também* cogito
ceticismo, 42, *ver também* ataraxia; *epoché*; especulação; fenomenologia; Montaigne; Nova Academia; Pirro de Élida; pirronismo; relativismo; Sexto Empírico; *zétesis*
Champeaux, Guilherme de, 42
Chardin, Pierre Teilhard de. Ver Teilhard de Chardin
Charron, Pierre, 43
Châtelet, François, 43
Chestov, Leon, 43, *ver também* existencialismo; Kierkgaard
Chomsky, Noam, 43, *ver também* behaviorismo; inatismo
Cícero, 43
ciclo/cíclico, 44, *ver também* "eterno retorno"
cidade, 44, *ver também* Aristóteles; política
Cidade de Deus, A, 44, *ver também* Agostinho; história
ciência, 44, *ver também* saber
ciência e filosofia, relação entre, 44
ciência e valores, 45
ciências cognitivas, 45, *ver também* Chomsky; inteligência; mente
cientificidade, 45
cientificismo, 45
cinismo, 46
Cioran, Émile Michel, 46
círculo, 46
Círculo de Viena, 46, *ver também* fisicalismo
cirenaísmo, 47
ciúme, 47, *ver também* inquietude
civilização, 47, *ver também* barbárie; cultura; etnocentrismo
Clarke, Samuel, 47, *ver também* espaço; Leibniz; Newton; tempo
claro/obscuro, 47, *ver também* ideia
classe, 47, *ver também* luta de classes
Cleantes, 47
Clemente de Alexandria, 48, *ver também* Alexandria
coerência, 48, *ver também* verdade
cogito, 48, *ver também* Descartes
cognitivismo, 48, *ver também* ciências cognitivas
Cohen, Hermann, 48, *ver também* neokantismo
coisa, 48, *ver também* númeno
coletivismo, 48, *ver também* comunismo
Comenius, 48
complexidade, 49, *ver também* Morin; paradigma; Pascal
compreensão, 49
Comte, Augusto, 49, *ver também* positivismo; Saint-Simon
Comte-Sponville, André, 50, *ver também* Epicuro
comunismo, 50, *ver também* marxismo
comunitarismo, 50
conatural, 50
conceber, 50
conceito, 50, *ver também* ideia
conceitualismo, 51, *ver também* universais
conceitualização, 51, *ver também* concepção
concepção, 51
conclusão, 51
concreto, 51
concupiscência, 51
condição, 51
condicional, 51
condicionamento, 52, *ver também* reflexo condicionado
Condillac, Étienne Bonnot de, 52
Condorcet, 52
conduta, 52, *ver também* ação; comportamento; valor
Confissões, 53, *ver também* escolástica
conformismo, 53, *ver também* dever; Kant; moral
Confúcio, 53, *ver também* Sócrates
conhecer, 53, *ver também* conhecimento
conhecimento, 53, *ver também* crítica; gnoseologia
conhecimento aproximado, 53, *ver também* Bachelard
conjetura, 53, *ver também* hipótese
conotação, 53, *ver também* compreensão; extensão
consciência, 53, *ver também* boa consciência/má consciência; inconsciente; tomada de consciência
consciente, 54, *ver também* inconsciente; sujeito
consenso, 54
consequência, 54
consequente, 54, *ver também* inferência; raciocínio
conservadorismo, 55
constituição, 55
constitutivo, 55, *ver também* regulativo
construtivismo, 55, *ver também* Bachelard; conhecimento; dialética; lógica; Piaget; prova; razão; real; sujeito
consumismo, 55
contemplação, 55
contestação, 56
conteúdo, 56
contingência, 56, *ver também* necessário
contínuo, 56
contradição, 56
contraditório, 57, *ver também* oposição
contrapoder, 57
contrato social, 57
Contrato social, O, 57, *ver também* felicidade; liberdade; poder; Rousseau
convenção, 57, *ver também* convencionalismo

convencionalismo, 57, *ver também* convenção
conversão, 58
convicção, 58, *ver também* certeza; opinião
Copérnico, Nicolau, 58
coração, 58, *ver também* intuição
Corbisier, Roland Cavalcanti de Albuquerque, 58
corolário, 58, *ver também* consequência; teorema
corpo, 58, *ver também* espaço; extensão; objeto
corporativismo, 59
correlação, 59
corrupção, 59, *ver também* geração
corte epistemológico, 59, *ver também* Bachelard
cosmo, 59
cosmogonia, 59, *ver também* mitos; universo
cosmologia, 59, *ver também* cosmo
cosmológico, argumento, 60
cosmopolitismo, 60
cosmovisão, 60, *ver também* Weltanschauung
Cournot, Antoine Augustin, 60
Cousin, Victor, 60, *ver também* ecletismo
Crantor, 60
Crates de Atenas, 60, *ver também* Academia
Crátilo, 60
Cratipo, 60
crença, 60, *ver também* certeza; probabilidade
criação, 60
criacionismo, 61, *ver também* evolucionismo
crise, 61
Crisipo, 61, *ver também* estoicismo; Pórtico
critério, 61
crítica, 61, *ver também* criticismo
Crítica da razão prática, 61, *ver também Crítica da razão pura*; ética; Kant; postulado
Crítica da razão pura, 61, *ver também* Kant; neokantismo; númeno
Crítica do juízo, 62, *ver também* Kant
criticismo, 62
Critolau, 62
Croce, Benedetto, 62
crucial, experiência. Ver experiência crucial
Cruz Costa, João, 62, *ver também* filosofia no Brasil
Cudworth, Ralph, 63, *ver também* Cambridge; determinismo; livre-arbítrio
culpabilidade, 63, *ver também* contingência; finitude
culto, 63
cultura, 63
curiosidade, 63
Curso de filosofia positiva, 63, *ver também* Comte; positivismo
Cusa, Nicolau de. Ver Nicolau de Cusa

dado, 64, *ver também* fato
Dados imediatos da consciência, Os, 64, *ver também* Bergson; intuição

Dagognet, François, 64, *ver também* Bachelard; Canguilhem
Damáscio, 64, *ver também* Academia
darwinismo, 64
darwinismo social, 64
Dasein, 65, *ver também* ente; existência; homem
Davidson, Donald, 65, *ver também* Quine; significado; Tarski; verdade
De Bonald/De Maistre, 65, *ver também* Iluminismo; teocracia
decisão, 65
dedução, 65, *ver também* demonstração; proposição; silogismo
definir, 66
deísmo, 66, *ver também* teísmo
Deleuze, Gilles, 66
deliberação, 66
delírio, 66
Delumeau, Jean, 66
De Maistre, Joseph. Ver De Bonald/De Maistre
De Man, Paul, 67, *ver também* Derrida; Heidegger
demiurgo, 67, *ver também* Deus; forma; matéria
democracia, 67, *ver também* Montesquieu; moral; poder; política; povo; vontade
Democracia na América, Da, 67, *ver também* Tocqueville
Demócrito, 67, *ver também* acaso; eleatas; necessidade
demônio, 68, *ver também* diabo
demonstração, 68
De Natura rerum, 68, *ver também* Epicuro; Lucrécio
Dennet, Daniel C., 68
denotação, 68, *ver também* conotação; extensão
deontologia, 68
derrelição, 68, *ver também Dasein*
Derrida, Jacques, 68, *ver também* consciência; estruturalismo; fenomenologia; Heidegger; Husserl; Lacan; Lévi-Strauss; linguagem; metafísica
Descartes, René, 69, *ver também* bom senso; cogito; dúvida; razão
desconstrução, 69, *ver também* De Man; Derrida
descontínuo, 69
desejo, 69
desespero, 70
desmistificação, 70, *ver também* crítica; mito
desordem, 70
despotismo, 70, *ver também* tirania
destino, 70, *ver também* fatalidade
Destutt de Tracy, 70, *ver também* Cabanis; ideologia
desvelamento, 70, *ver também* verdade
determinação, 71
determinismo, 71, *ver também* livre-arbítrio

Deus, 71, *ver também* ateísmo; Comte; deísmo; Freud; Marx; Nietzsche; panteísmo; sagrado; teísmo; teologia; transcendente
devaneio, 72, *ver também* imaginação
dever, 72, *ver também* imperativo; necessidade
devir, 72, *ver também* historicidade
Dewey, John, 72, *ver também* pragmatismo
diabo, 73, *ver também* demônio
diacronia/sincronia, 73
díade, 73
dialelo, 73, *ver também* círculo
dialética, 73
dialética do senhor e do escravo, 74, *ver também* consciência; dialética; escravo; *Fenomenologia do espírito*; Hegel; objeto; sujeito
diálogo, 74
Diálogo sobre os dois maiores sistemas do mundo, 74, *ver também* Copérnico; cosmo; Galileu; geocentrismo; heliocentrismo
dianoia, 74, *ver também* noema/noese; *nous*
dicotomia, 74
Diderot, Denis, 74, *ver também Enciclopédia*; totalidade
diferença, 75
dignidade, 75
dilema, 75
Dilthey, Wilhelm, 75, *ver também* explicação
dinamismo, 75, *ver também* Bergson; Leibniz; mecanicismo/mecanismo
Diodoro de Tiro, 76
Diógenes, o Cínico, 76
Diógenes da Babilônia ou de Selêucia, 76
Diógenes Laércio, 76
dionisíaco, 76, *ver também* apolíneo/apolinismo; Nietzsche; vontade
dionisíaco/dionisismo. Ver apolíneo/apolinismo
direito, 76
disciplina, 76, *ver também* Foucault
discreto. Ver descontínuo
discursivo, 76
discurso, 77
discurso, universo de, 77, *ver também* juízo
Discurso do método, 77, *ver também* método
Discurso sobre a origem e os fundamentos da desigualdade entre os homens, 77, *ver também* Rousseau
disjuntivo, 77, *ver também* juízo; terceiro excluído, princípio ou lei do
distinção, 77
distinto, 77, *ver também* Descartes; evidência; Leibniz
divindade, 78, *ver também* Deus
divisão, 78
divisão do trabalho. Ver trabalho

dogma, 78
dogmática, 78
dogmatismo, 78
doutrina, 78
doxografia, 78, *ver também* Diógenes Laércio; Teofrasto
dualismo, 78, *ver também* monismo; pluralismo
Dühring, Karl Eugen, 79, *ver também* Feuerbach; materialismo; positivismo
Dummett, Michael Anthony Eardley, 79, *ver também* analítica; Frege; Wittgenstein
Duns Scotus, John, 79, *ver também* ecceidade; individuação; universal/universais
duração, 79, *ver também* tempo
Durkheim, Émile, 79
Dussel, Enrique, 80
dúvida, 80

ecceidade, 81, *ver também Dasein*; ipseidade
Eckhart, Johannes, dito Mestre, 81
ecletismo, 81, *ver também* Cousin
ecologia, 81
Édipo, complexo de, 81
efeito, 81, *ver também* causa
efetivo, 81
eficácia, 81
eficiente, causa, 82, *ver também* causa; causalidade
ego, 82
egocentrismo, 82
egoísmo, 82
eidética, 82, *ver também* essência; fenomenologia
Einstein, Albert, 82, *ver também* determinismo; espinosismo
elã vital, 82
eleatas, 82
Eleia, escola de, 83, *ver também* eleatas; mobilismo; Parmênides; Xenófanes; Zenão de Eleia
elemento, 83, *ver também* quinta-essência
Elogio da loucura, 83, *ver também* Erasmo
emanação, 83
emanatismo, 83
emergência, 83
Emerson, Ralph Waldo, 83
emoção, 83
Empédocles, 83
empiria, 83
empírico, 83
empiriocriticismo, 84, *ver também* Mach; Lênin
empirismo, 84, *ver também* fisicalismo; racionalismo
em-si, 84, *ver também* substância
em-si-para-si, 84
Enciclopédia, 84

energia, 85
Enesidemo, 85
engajamento, 85
Engels, Friedrich, 85, *ver também* Marx
Enkyridion, 85, *ver também* Epicteto
Ensaios, 85, *ver também* epicurismo; estoicismo
Ensaios sobre o entendimento humano, 85, *ver também* ideias; Locke; *Novos ensaios sobre o entendimento humano*
ente, 85
enteléquia, 86, *ver também* potência
entendimento, 86, *ver também* intelecto
entidade, 86
entropia, 86
entusiasmo,
enunciado, 86, *ver também* Círculo de Viena
éon, 86
epagógico, 87
Epicteto, 87
epicurismo, 87, *ver também* bem; conhecimento; memória; prazer; sensação; verdade
Epicuro, 87, *ver também* ataraxia; átomo; beatitude; prazer
epifenômeno, 87
Epimênides, paradoxo de, 87, *ver também* paradoxo
episteme, 87
epistêmico, sujeito, 88, *ver também* substância
epistemologia, 88
epoché, 88, *ver também* ceticismo; consciência; fenômeno; fenomenologia
equidade, 88
equipolência/equipolente, 88
equívoco, 88, *ver também* unívoco
Erasmo, 89, *ver também* livre-arbítrio
Erígena, João Escoto. Ver Escoto Erígena, João
erística, 89, *ver também* sofistas
Erlebnis, 89
Eros, 89, *ver também* amor; *Banquete, O*; dialética; Freud; Platão
erro, 89
escatologia, 89, *ver também* messianismo
Esclarecimento. Ver Iluminismo
escola, 90, *ver também* Academia; Liceu; megárica, escola; Pórtico
escolástica, 90, *ver também* Aquino; aristotelismo; patrística; platonismo; tomismo; universal
escolha, 90
Escoto Erígena, João, 90, *ver também* patrística
escravo, 90, *ver também* dialética; Hegel; Nietzsche; trabalho
escrúpulo, 90
esotérico, 91
espaço, 91

espécie, 91
especulação, 91
especulativo, 91
esperança, 91
Espeusipo, 91, *ver também* Academia
Espinoza, Baruch, 91
espinosismo, 92, *ver também* Espinoza
espiritismo, 92, *ver também* idealismo; materialismo
espírito, 92
espírito científico, 93, *ver também* Bachelard
Espírito das Leis, Do, 93, *ver também* Montesquieu
espírito de finura, 93, *ver também* compreensão; Dilthey; explicação; Pascal
espiritualismo, 93, *ver também* alma; corpo; Cousin; dualismo; espírito; matéria
espontâneo/espontaneidade, 93
esquema/esquematismo, 93, *ver também* entendimento; imaginação; sensibilidade
essência, 93
essencialismo, 94
estado, 94
estado de direito, 94
estado mental/cerebral, 94
estados, teoria dos três, 94
estética, 94
esteticismo, 95
estoicismo, 95, *ver também* ataraxia; atomismo; cosmo; Pórtico, Zenão de Cício
estoicos, 95, *ver também* estoicismo; Zenão de Cício
Estratão, 95
estrutura, 96, *ver também* Gestalt
estruturalismo, 96, *ver também* estrutura; linguagem; método
estupidez, 96
eterno/eternidade, 96
eterno retorno, 96
ética, 97, *ver também* moral
Ética, 97, *ver também* substância
Ética a Nicômaco, 97, *ver também* Aristóteles
etiologia, 97
etnocentrismo, 97
eu, filosofia do, 97, *ver também* cogito
Eubúlides de Mileto, 98, *ver também* Epimênides, paradoxo de; megárica, escola
Euclides, 98
Eudemo de Rodes, 98
eudemonismo, 98, *ver também* hedonismo
eugenia/eugenismo, 98
evidência, 98
evolução, 98
Evolução criadora, A, 98, *ver também* Bergson; duração; elã vital

evolucionismo, 98, *ver também* criacionismo; transformismo
exegese, 99
exemplarismo, 99, *ver também* arquétipo; paradigma
existência, 99, *ver também* consciência; *Dasein*; essência; existencialismo; liberdade; ser; situação
existencialismo, 99
existente, 99, *ver também Dasein*; ente; realidade
exotérico. Ver esotérico
experiência, 99, *ver também* conhecimento
experiência crucial, 100
experiencial, 100
experimentação, 100
experimentalismo, 100, *ver também* instrumentalismo
experimento. Ver experiência
explicação, 100
êxtase, 100
extensão, 100, *ver também* compreensão
externalista. Ver internalista/externalista
extrínseco. Ver intrínseco/extrínseco
extroversão/introversão, 101, *ver também* Jung

fabulação, 102, *ver também* imaginação
facticidade, 102, *ver também* existência; fenomenologia; razão
factício, 102, *ver também* ideia
faculdade, 102, *ver também* entendimento; espírito; imaginação; memória; vontade
falácia, 102, *ver também* círculo vicioso; princípio, petição de; sofisma
falsificabilidade, 102, *ver também* cientificidade; verificação/verificacionismo; verificacionista
falso, 103
falta, 103, *ver também* livre-arbítrio; norma
fanatismo, 103, *ver também* dogmatismo; sectarismo
fantasia, 103
fantasma, 103, *ver também* imagem; simulacro
Farias Brito, Raimundo de, 103, *ver também* filosofia no Brasil
fatalidade, 103, *ver também* destino
fatalismo, 103, *ver também* causalidade
fato, 103, *ver também* experiência
fatos sociais, 104
fé, 104
Fedro, 104, *ver também Banquete, O*; dialética; Platão; *República, A*
felicidade, 104, *ver também* bem; contemplação
feminismo, 104,
fenomenal, 105, *ver também* fenômeno
fenomenalismo, 105, *ver também* fenômeno

fenomenismo, 105, *ver também* fenômeno; materialismo; objetivismo; subjetivismo; substância
fenômeno, 105
fenomenologia, 105, *ver também* absoluto; consciência; empirismo; fenômeno; Hegel; Heidegger; Husserl; idealismo; intencionalidade; Merleau-Ponty; psicologismo; realismo; redução; Ricoeur; Sartre
Fenomenologia do espírito, 106, *ver também* Absoluto; consciência; Hegel
fenomenotécnica, 106
fetichismo, 106, *ver também*, libido
Feuerbach, Ludwig, 106, *ver também* alienação
Feyerabend, Paul K., 106
ficção, 107
Fichte, Johann Gottlieb, 107
Ficino, Marsílio, 107
fideísmo, 107
figuras do silogismo, 107, *ver também* silogismo
Filodemo, 107
filodoxia, 108
Filolau, 108
Fílon, 108, *ver também* Alexandria; neoplatonismo
Fílon de Larissa, 108, *ver também* Nova Academia
filosofia, 108
filosofia analítica, 108, *ver também* Carnap; Círculo de Viena; Frege; linguagem; lógica; Moore; Quine; Russell; semântica; significado; Wittgenstein
Filosofia como ciência rigorosa, A, 108, *ver também* consciência; fenomenologia; historicismo; Husserl; intencionalidade; materialismo
filosofia da história, 109, *ver também*, Hegel, Marx, Merleau-Ponty; sentido
Filosofia da miséria, A, 109, *ver também*, Proudhon
Filosofia das formas simbólicas, 109, *ver também* Cassirer
Filosofia do não, A, 109, *ver também* Bachelard
filosofia no Brasil, 109, *ver também* Amoroso Lima; analítica; Bachelard; Barreto; Canguilhem; Cannabrava; Comte; Cousin; Cruz Costa; Darwin; ecletismo; escolástica; estética; ética; Farias Brito; fenomenologia; Foucault; Frankfurt; Goldmann; Gramsci; Heidegger; Husserl; Koyré; Maine de Biran; Merleau-Ponty; naturalismo; neokantismo; neopositivismo; neotomismo; Nietzsche; Romero; Sartre; Século das Luzes; sensualismo; Wittgenstein
filosofia perene, 111
filosofia positiva, 111, *ver também* Comte; positivismo
filosofia primeira, 111, *ver também* escolástica; Ser
filosofia romântica, 111, *ver também Aufklärung*

Índice de nomes e assuntos 297

filósofo, 112, *ver também* Pitágoras
fim, 112, *ver também* finalidade
final, causa, 112, *ver também* eficiente, causa
finalidade, 112, *ver também* teleologia
finalismo, 112
finitismo, 112
finitude, 112
Fink, Eugen, 113, *ver também* fenomenologia; Husserl
Fischer, Kuno, 113
física/físico, 113, *ver também* cosmologia; matéria; metafísica; pré-socráticos
fisicalismo, 113, *ver também* Carnap; Círculo de Viena; física
fixismo, 113, *ver também* evolucionismo; transformismo
Fontenelle, Bernard le Bovier de, 113, *ver também* Descartes
forma, 114
Formação do espírito científico, A, 114, *ver também* Bachelard; obstáculo epistemológico
formal, 114, *ver também* causa
formalismo, 114
formalização, 114
foro, íntimo, 115, *ver também* consciência
fortuito, 115, *ver também* acaso
Foucault, Michel, 115
Fourier, Charles, 115
Franca, Leonel, 115, *ver também* Amoroso Lima; neotomismo
Francastel, Pierre, 116
Frankfurt, escola de, 116, *ver também* Adorno; Benjamin; Habermas; Horkheimer; Marcuse
Frege, Gottlob, 116, *ver também* lógica; logicismo
Freud, Sigmund, 116, *ver também* Brentano; inconsciente
freudomarxismo, 117, *ver também*, cultura; civilização; Freud; Marcuse; Marx; Reich
Fries, Jakob Friedrich, 117
funcionalismo, 117
fundamento, 117, *ver também* princípio
Fundamento da metafísica dos costumes, 118, *ver também* imperativo; Kant
futuro contingente, 118, *ver também* contingência; necessidade

Gadamer, Hans-Georg, 119
Galeno, Cláudio, 119, *ver também* figura; silogismo
Galileu, 119, *ver também* escolástica
Gandhi, o Mahatma, 119, *ver também* não violência
García Morente, Manuel, 119
Gassendi, Pierre, 120

genealogia, 120, *ver também* arqueologia; discursos; estruturas; Foucault; Nietzsche; querer-viver
generalização, 120, *ver também* indução; método indutivo
gênero, 120, *ver também* compreensão; extensão; universal
gênio, 120, *ver também* destino; dúvida
geocentrismo, 121, *ver também* heliocentrismo
geração, 121, *ver também* ato; corrupção; potência
geral, 121
Gestalt, teoria da, 121
Geulincx, Arnold, 121, *ver também* ocasionalismo
Gilson, Étienne, 121, *ver também* neotomismo
Girard, René, 121
Glucksmann, André, 122, *ver também* "novos filósofos"
gnose, 122, *ver também* Ruyer
gnoseologia, 122, *ver também* conhecimento, teoria do; epistemologia
gnosticismo, 122
Gödel, Kurt, 122
Goldmann, Lucien, 123
Górgias, 123
gosto, 123
graça, 123, *ver também* casuística
Gramsci, Antonio, 123
grandeza, 124
gratuito, ato, 124
gregarismo, 124
Grotius, Hugo, 124
Guattari, Felix, 124, *ver também* Deleuze
Guéroult, Martial, 124
Gurvitch, Georges, 124
Gusdorf, Georges, 124

Habermas, Jürgen, 126, *ver também* Adorno; Frankfurt, escola de; Iluminismo; Lyotard; marxismo; modernidade; Weber
habitus, 126
Hamelin, Octave, 126, *ver também* neocriticismo
Hamilton, sir William, 126, *ver também* Mill; Reid; Stewart; Duglad
harmonia preestabelecida, 126, *ver também* Leibniz; mônada
Hart, Herbert Lionel Adolphus, 127, *ver também* Bentham; Austin
Hartmann, Nicolau, 127, *ver também* fenomenologia; idealismo; neokantismo
Hayek, Friedrich August von, 127
hedonismo, 127, *ver também* epicurismo
Hegel, Georg Wilhelm Friedrich, 127, *ver também* pós-kantiano

hegelianismo, 128, *ver também* devir; historicidade; Hegel
Heidegger, Martin, 129, *ver também* Dasein; fenomenologia; Heráclito; Husserl; Parmênides; Platão; ser; verdade
Heisenberg, Carl Werner, 129, *ver também* indeterminismo
helenismo, 129, *ver também* Academia; ceticismo
heliocentrismo, 129, *ver também* Aristarco de Samos; geocentrismo
Helvétius, Claude Adrien, 129, *ver também* Enciclopédia; sensualismo
Hempel, Carl Gustav, 129, *ver também* empirismo
Heraclides do Ponto, 129
heraclitismo, 129, *ver também* devir; Heráclito
Heráclito, 129, *ver também* devir; logos
Herbart, Johann Friedrich, 130
Herder, Johann Gottfried, 130
heresia, 130
hermenêutica, 130, *ver também* interpretação
hermetismo, 130
Hessen, Johannes, 131, *ver também* fenomenologia; neokantismo
heterodoxia, 131, *ver também* heresia
heteronomia, 131, *ver também* autonomia; Kant
heurístico, 131, *ver também* erística
hilemorfismo ou hilomorfismo, 131
hilozoísmo, 131
hiperbólica, dúvida, 131, *ver também* Descartes; dúvida
Hípias de Élida, 131
hipóstase, 132, *ver também* reificação; substância
hipótese, 132
hipotético, 132, *ver também* categórico, imperativo; juízo
hipotético-dedutivo, 132, *ver também* método
história, 132, *ver também* historicidade; historicismo
história, filosofia da, 133, *ver também* Hegel; Marx; materialismo; Nietzsche; Platão
história, fim da, 133, *ver também* Baudrillard; episteme; Hegel; história; Marx; modernidade; progresso
historicidade, 133
historicismo, 133
Hobbes, Thomas, 134
Holbach, Paul Henri Dietrich, Barão de, 134, *ver também* ateísmo; destino; Enciclopédia; teísmo
holismo, 134
Holton, Gerald, 135
homem, 135, *ver também* Enciclopédia
homeomerias, 135, *ver também* nous
Homo faber, 135

Horkheimer, Max, 136, *ver também* Adorno; Frankfurt, escola de; Iluminismo; Marcuse
humanidade, 136, *ver também* humanismo
humanismo, 136
Hume, David, 136, *ver também* ceticismo; empirismo; fenomenismo; idealismo
Husserl, Edmund, 137, *ver também* Brentano; existencialismo; fenomenologia; intencionalidade; Merleau-Ponty
Huxley, Thomas Henry, 137
hybris, 137
Hyppolite, Jean, 137, *ver também* liberdade

Iâmblico, 139
Ibn Gabirol. Ver Avicebrón
Ibn Khaldun, 139
ideal, 139, *ver também* ideia
idealismo, 139, *ver também* empirismo; espírito; espiritualismo; ideal; ideia; imaterialismo; matéria; materialismo; pensamento; psicologismo; racionalismo; realismo; solipsismo
ideia, 140, *ver também* adventício; conceito; factício; representação
identidade, 140, *ver também* igualdade; indiscerníveis
ideologia, 141, *ver também* Bauer; Cabanis; Destutt; Feuerbach; Stirner; superestrutura
Ideologia alemã, A, 141, *ver também* materialismo
ideólogo, 141, *ver também* Cabanis; Desttut; ideias; ideologia; sensações
idolatria, 141
ídolo, 141, *ver também* ideologia
ignorância, 142, *ver também* erro; ilusão; opinião
ignoratio elenchi, 142, *ver também* sofisma
igualdade, 142
Iluminismo, 142, *ver também* Aufklärung; Diderot; Enciclopédia; espiritualismo; intuição; irracionalismo; Kant; modernidade; racionalismo; Schopenhauer; Voltaire
ilusão, 142, *ver também* ceticismo; númeno; percepção
Ilustração. Ver Iluminismo
imagem, 143, *ver também* ideia; imaginação; representação
imaginação, 143
imaginário, 143, *ver também* desejo; nadificar
imanência/imanente, 143, *ver também* escolásticos; panteísmo
imanentismo, 144, *ver também* natureza; panteísmo; ser
imaterialismo, 144, *ver também* idealismo
imediato, 144
imoralidade, 144
imoralismo, 144, *ver também* amoralismo; moralismo

imortalidade, 144, *ver também* dualismo; espiritualismo
imperativo, 144
Imperialismo, estádio supremo do capitalismo, O, 144, *ver também* Lênin
implicação, 144, *ver também* condicional; consequência; dedução; forma; inferência
impressão, 144
imutabilidade, 144, *ver também* metafísica; mobilismo; ser
inatismo, 145, *ver também* ideia; reminiscência
incerteza, relações de, 145
incognoscível, 145, *ver também* idealismo; númeno
incompreensível, 145
incondicionado, 145, *ver também* absoluto; Deus
inconsciente, 145
indefinido, 146, *ver também* apeiron; juízo
indeterminismo, 146, *ver também* acaso; causa; contingente; leis; livre-arbítrio
indiferença, liberdade de, 146, *ver também* livre-arbítrio; Tales de Mileto
indiscerníveis, 146
individuação, 146, *ver também* Duns Scotus; ecceidade
individualidade, 146
individualismo, 146, *ver também* anarquismo; Aristipo; Epicuro; estado; hedonismo; liberalismo; liberdade; moral; Nietzsche; Rousseau; sociedade; Stirner
indivíduo, 146, *ver também* universais
indução, 147, *ver também* método
inefável, 147
inércia, princípio de, 147
inerência, 147
inferência, 147, *ver também* dedução; implicação; lógica; silogismo
infinito, 147, *ver também* física; moderno; Zenão de Eleia
infinitos, dois, 147, *ver também* Pascal
infraestrutura, 147, *ver também* ideologia; marxismo; superestrutura
iniciação, 148
injustiça, 148
inquietude, 148
instituição, 148
instrumentalismo, 148, *ver também* Frankfurt, escola de
integrismo, 148
intelecto, 149, *ver também* apetite; cosmo; desejos; entendimento; pensamento; sensações
intelectualismo, 149, *ver também* ação; conhecimento; entendimento; intelecto; pensamento; racionalismo; razão; realidade
inteligência, 149
inteligibilidade, 149, *ver também* númeno

inteligível, 149
intemporal, 150
intenção, 150
intencional, 150, *ver também* consciência; fenomenologia; intenção; intencionalidade; objeto
intencionalidade, 150, *ver também* consciência; escolástica; fenomenologia; idealismo; realismo
interdisciplinaridade, 150
interesse, 150
internalista/externalista, 150
interpretação, 151, *ver também* hermenêutica
Interpretação dos sonhos, A, 151, *ver também* Copérnico; Darwin; Freud; Galileu; inconsciente; psicanálise
intersubjetividade, 151, *ver também* comunicação; epistemologia; fenomenologia; objetividade; outro; solipsismo; sujeito
intrínseco/extrínseco, 151
introspecção, 151
intuição, 151, *ver também* cogito
intuicionismo, 152, *ver também* conhecimento; infinito; intuição
intuitivo, 152, *ver também* intuição
Investigações filosóficas, 152, *ver também* jogo; linguagem; lógica; *Tractatus*; Wittgenstein
Investigações lógicas, 152, *ver também* Husserl; psicologismo
ioga, 152, *ver também* ascese
ipseidade, 152, *ver também* existência
ironia, 152, *ver também* maiêutica
irracional, 153, *ver também* ação; razão
irracionalismo, 153, *ver também* ceticismo; niilismo; vitalismo
isomorfismo, 153

Jacobi, Friedrich Heinrich, 154, *ver também* fideísmo; panteísmo
Jaeger, Werner, 154
Jakobson, Roman, 154, *ver também* estruturalismo
James, William, 154, *ver também* pragmatismo
Jankélévitch, Vladimir, 154
jansenismo, 155, *ver também* Arnauld; livre-arbítrio; Pascal
Jaspers, Karl, 155, *ver também* existência
jogo, 155, *ver também Investigações filosóficas*; Wittgenstein
Jonas, Hans, 156, *ver também*, moral
jônica, escola, 156, *ver também* apeiron
Jovens hegelianos, 156
juízo, 156, *ver também* Arnauld; discurso; proposição; valor
Jung, Carl Gustav, 157, *ver também* mitos
justiça, 157, *ver também* direito; ideal; moral
justo, 157

kabala. Ver cabala
Kant, Immanuel, 158, *ver também* a priori; Hume; kantismo; Leibniz; neokantismo; númeno; transcendental; Wolff
kantismo, 159, *ver também* Fichte; Hegel; idealismo; metafísica; racionalismo; Schelling; transcendental
Kardec, Allan, 159
Kelsen, Hans, 159, *ver também* escola; neokantismo
Keynes, John Maynard, 159, *ver também* Moore; Russell; Wittgenstein
Kierkegaard, Sören Aabye, 159
Kojève, Alexandre, 160
Kolakowski, Leszek, 160, *ver também* existencialismo; kantismo
Koyré, Alexandre, 160, *ver também* epistemologia
Krause, Karl Christian Friedrich, 160
Kuhn, Thomas, 161, *ver também* paradigma; revolução

Laberthonnière, Lucien, 162, *ver também* modernismo
La Boétie, Etienne de, 162, *ver também* tirania
Lacan, Jacques, 162, *ver também* inconsciente; linguagem; sujeito
Lachelier, Jules, 162
Laércio, Diógenes. Ver Diógenes Laércio
Laffitte, Pierre, 163, *ver também* Comte; positivismo
Lakatos, Imre, 163
Lalande, André, 163
Lamarck, Jean-Baptiste de Monet, 163, *ver também* biologia; Darwin; fixismo; transformismo
Lambert, Jean Henri ou Johann Heinrich, 163
La Mettrie, Jules Offray de, 164, *ver também* alma; dualismo; materialismo; substância
Lange, Friedrich Albert, 164, *ver também* neokantismo
Lao Tsé, 164
Las Casas, Bartolomeu de, 164
Lavelle, Louis, 164, *ver também* ontologia; ser; valores
laxismo, 164
lazer, 164
Lefebvre, Henri, 164
Lefort, Claude, 164
legalidade, 165
legalismo, 165, *ver também* ciência; lei
Le Goff, Jacques, 165
lei, 165
Leibniz, Gottfried Wilhelm, 166, *ver também* mônada; otimismo/pessimismo; teodiceia
Lênin, 166, *ver também* empiriocriticismo; leninismo
leninismo, 166, *ver também* marxismo; revolução

Le Senne, René, 166
Lesniewski, Stanislaw, 167
Lessing, Gotthold Ephraim, 167, *ver também* Fichte
Leucipo, 167, *ver também* atomismo; átomo; Demócrito
Leviatã, O, 167, *ver também* Hobbes
Lévinas, Emmanuel, 167, *ver também* outro
Lévi-Strauss, Claude, 167, *ver também* estruturalismo; Freud; Marx; Sartre
Lévy-Bruhl, Lucien, 168
Lewin, Kurt, 168
Lewis, Clarence Irving, 168, *ver também* modalidade
lexis, 168
liberalismo, 168
liberdade, 168, *ver também* autonomia; destino; dever; imperativo; livre-arbítrio; vontade
libertário, 169, *ver também* anarquismo
libertinagem, 169
libido, 169, *ver também* Eros
Liceu, 169
Liebmann, Otto, 169, *ver também* neocriticismo; neokantismo
limite, 169
linguagem, 169, *ver também* Chomsky; discurso; epistemologia; metalinguagem; pensamento; pragmática; proposição; realidade; semântica; significado; signo; sistema
livre, 170, *ver também* livre-arbítrio; razão
livre-arbítrio, 170, *ver também* jansenismo; liberdade
livre-exame, 170
livre-pensamento, 170, *ver também* agnosticismo
Llul, Ramon, 170, *ver também* linguagem
Locke, John, 170, *ver também* empirismo; experiência
lógica, 171, *ver também* argumentação; argumento; Arnauld; dedução; Frege; identidade; implicação; indução; inferência; intuicionismo; Leibniz; Órganon; platonismo; probabilidade; Russell; silogismo; terceiro; transcendental; Whitehead
logicismo, 172
logos, 172
Longino, Cássio, 172
Lorenzen, Paul, 172, *ver também* construtivismo
Lotze, Rudolf Hermann, 172
Lucrécio, 172, *ver também* atomismo
lugar, 173, *ver também* extensão
Lukács, Georg, 173
Lukasiewicz, Jan, 173
luta de classes, 173
Lutero, Martinho, 173
Luxemburgo, Rosa, 173, *ver também* marxismo
luxo, 174

luz natural, 174, *ver também* bom senso
Lyotard, Jean-François, 174

Mach, Ernst, 175
má consciência. Ver boa consciência/má consciência
macrocosmo/microcosmo, 175
magia/mágica, 175
maiêutica, 175, *ver também* dialética; método; reminiscência
Maimônides, Moisés, 176
Maine de Biran, 176, *ver também* ideologia
Maistre, Joseph de. Ver De Bonald/De Maistre
mais-valia, 176, *ver também* Marx; valor
mal, 176, *ver também* Kant; maniqueísmo
Malebranche, Nicolas, 177, *ver também* ocasionalismo
Malraux, André, 177
Maná, 177
maniqueísmo, 177, *ver também* bem; mal
maoismo, 177
Maquiavel, Niccolò, 177, *ver também* maquiavelismo
maquiavelismo, 178
Marburgo, escola de, 178, *ver também* neokantismo
Marcel, Gabriel, 178, *ver também* existência
Marco Aurélio, 178, *ver também* estoicismo
Marcuse, Herbert, 178, *ver também* Frankfurt, escola de
Marías, Julián, 179
Maritain, Jacques, 179, *ver também* neotomismo
Marx, Karl, 179, *ver também* Demócrito; Engels; Epicuro; materialismo
marxismo, 180, *ver também* Adorno; Althusser; Benjamin; Engels; Frankfurt, escola de; Gramsci; Habermas; Horkheimer; leninismo; Lukács; Marcuse; materialismo; socialismo; Trotsky
masoquismo, 181
matéria, 181, *ver também* materialismo
material, causa. Ver causa
materialismo, 181, *ver também* alma; atomismo; dialética; dualismo; epicurismo; estoicismo; fenomenalismo; física; história; imaterialismo; Lênin; luta de classes; matéria; Marx; marxismo; mecanicismo; método; substância
matriarcado, 182, *ver também*, patriarcado
máxima, 182
mecanicismo/mecanismo, 182, *ver também* movimento; teologia
mediação, 182
mediato, 182
meditação, 182, *ver também* Descartes; Kant

Meditações metafísicas, 182, *ver também* alma; ceticismo; cogito; infinito
medo, 183, *ver também* angústia; temor
megalomania, 183, *ver também* mitomania
megárica, escola, ou Mégara, escola de, 183, *ver também* Epimênides, paradoxo de
Meinong, Alexius von, 183, *ver também* Brentano; Russell
meio ambiente, 183, *ver também* ecologia
melancolia, 183
melhorismo, 183, *ver também* otimismo; pessimismo
memória, 183
Mendelssohn, Moses, 184, *ver também* Kant
Menipo, 184
mentalidade, 184, *ver também* ideologia
mente, 184, *ver também* dualismo
mentira, 184, *ver também* Epimênides, paradoxo de; erro; falso; intenção; Rousseau
mentiroso, paradoxo do, 184
mérito, 184
Merleau-Ponty, Maurice, 184, *ver também* existencialismo; fenomenologia
Merquior, José Guilherme, 185, *ver também* Frankfurt, escola de
Mersenne, Marin, 185, *ver também* mecanicismo
messianismo, 185
"mestre e possuidor da natureza", 185, *ver também* Descartes
metafísica, 185, *ver também* Andrônico de Rodes; teodiceia
Metafísica, 186, *ver também* acidente; Andrônico de Rodes; Aristóteles; conhecimento; contingência; essência; necessidade; substância; verdade
metáfora, 186
metalinguagem, 186
metempsicose, 186
método, 187, *ver também* axioma; ciência; dedução; dialética; hermenêutica; hipótese; maiêutica
metodologia, 187, *ver também* método
Meyerson, Emile, 187
Michel, Henry, 188, *ver também* Marx; marxismo; *praxis*
microcosmo. Ver macrocosmo/microcosmo
milagre, 188
milenarismo, 188, *ver também* mal; utopia
Mill, John Stuart, 188, *ver também* Bacon; Bentham
Mind/body problem, 188, *ver também* dualismo; funcionalismo; materialismo; mentalismo
Minerva, a coruja de, 188, *ver também* Hegel
Mirandola, Giovanni Pico della. Ver Pico della Mirandola.
misantropo, 189

misoginia, 189
misologia, 189
mistério, 189, *ver também* natureza; orfismo; pitagorismo
mística, 189, *ver também* Deus; sobrenatural; transcendente
misticismo, 189
mito, 189, *ver também* caverna, alegoria da; logos
mitologia, 189
mitomania, 189
mobilismo, 190
modalidade, 190, *ver também* juízo; oposição
modelo, 190, *ver também* Tarski; verdade
modernidade, 190, *ver também* Habermas; Lyotard; tradição
modernismo, 191, *ver também* tradição
moderno, 191
modo, 191
molinismo, 191, *ver também* jansenismo; livre-arbítrio
momento, 191, *ver também* dialética
mônada, 191, *ver também* Bruno; Leibniz; Nicolau de Cusa
monadologia ou monadismo, 192
Mondolfo, Rodolfo, 192
monismo, 192, *ver também* dualismo; espírito; espiritualismo; matéria; materialismo; naturalismo; natureza; pluralismo; princípio; ser; teísmo
monoteísmo, 192, *ver também* deísmo; panteísmo; politeísmo; teísmo
Montaigne, Michel Eyquem de, 192, *ver também* ceticismo
Montesquieu, 192
Moore, George Edward, 193, *ver também* filosofia
moral, 193, *ver também* ética
moralidade, 193
moralismo, 193
moralista, 193
More, Henry, 193, *ver também* Cambridge
Morin, Edgar, 193
morte, 194, *ver também* Dasein; finitude; númeno
Morus, Tomás, 194, *ver também* utopia
motor, primeiro. Ver primeiro motor
Mounier, Emmanuel, 194, *ver também* personalismo; pessoa
movimento, 195, *ver também* ato; cosmologia; espaço; geração; mobilismo; paradoxo; potência; tempo
mundaneidade, 195, *ver também* existencialismo
mundo, 195, *ver também* consciência; cosmo; dualismo; ideia; mente; pensamento; representação; subjetividade
Mundo como vontade e representação, O, 195, *ver também* representação; vontade

nacionalismo, 197
nada, 197
nadificar, 197, *ver também* consciência; fenomenologia; imaginação; intenção; intencionalidade; visada
Nagel, Ernest, 197
não violência, 197, *ver também* Gandhi, o mahatma; violência
narcisismo, 197
Natorp, Paul, 197, *ver também* neokantismo
natural, 197
naturalismo, 197, *ver também* epicurismo; estoicismo; natureza
natureza, 197, *ver também* essência
naturismo, 198
necessário, 198, *ver também* necessidade
necessidade, 198, *ver também* causalidade; contradição; determinismo; imperativo; lei; modalidade; necessário; proposição; ser; substância; verdade
Nédoncelle, Maurice, 198, *ver também* personalismo
Needham, Joseph, 199, *ver também* lei
negação, 199, *ver também* existencialismo; oposição; proposição
negatividade, 199
negativismo, 199, *ver também* outro
Negri, Antonio, 199
neocriticismo, 199, *ver também* Renouvier
neokantismo, 199, *ver também* kantismo
neoplatonismo, 200
neopositivismo, 200, *ver também* fisicalismo; Círculo de Viena
neotomismo, 200
nepotismo, 200
Neurath, Otto, 200, *ver também* Círculo de Viena; positivismo
neurociências, 200
neutralidade, 200, *ver também* ciência; epistemologia; racionalidade; valor
Newton, Isaac, 200, *ver também* Galileu; paradigma
Nicolau de Cusa, 201
Nicole, Pierre, 201, *ver também* Arnauld; jansenismo
Nietzsche, Friedrich, 201, *ver também* apolíneo; *Assim falou Zaratustra*; Deleuze; Foucault; Heidegger
niilismo, 202, *ver também* absoluto
nirvana, 202, *ver também* budismo; ilusão; querer-viver; Schopenhauer
noema/noese, 202, *ver também* visada
nominalismo, 202, *ver também* Condillac; convencionalismo; empirismo; Ockham; Hobbes; neopositivismo; realismo; Roscelino de Compiège; universal/universais

norma, 202
normativo, 203
nous, 203, ver também dianoia; emanação; neoplatonismo; noema/noese
Nova Academia, 203, ver também Academia; ceticismo; platonismo
Novo espírito científico, O, 203, ver também corte epistemológico
Novos ensaios sobre o entendimento humano, 203, ver também Ensaios sobre o entendimento humano; Leibniz; Locke
"novos filósofos", 203
Novum organum, 204, ver também Aristóteles; Bacon; ciência; experiência; ídolos; lógica; método; razão; técnica; verdade
númeno, 204, ver também fenômeno

objeção de consciência, 205
objetivação, 205, ver também consciência; imagem; objeto
objetividade, 205, ver também ciência; entendimento; experiência; neutralidade; objetivo; objeto; pensamento
objetivismo, 205, ver também objeto; positivismo; sujeito
objetivo, 205, ver também Duns Scotus; escolástica; ideia; pensamento; representação
objeto, 205, ver também conhecimento; ideia; representação; sujeito
obscurantismo, 205, ver também Iluminismo
obstáculo epistemológico, 206, ver também experiência; substancialismo
ocasionalismo, 206, ver também causalidade; dualismo; Malebranche
Ockham ou Occam, Guilherme de, 206, ver também nominalismo; universal/universais
ocultismo, 206, ver também cabala; hermetismo; magia; misticismo; teosofia
onirismo, 206
ôntico, 206
ontogênese, 206
ontologia, 206, ver também metafísica; ser; Wolff
ontológico, argumento, 207, ver também necessidade
onus probandi, 207
operacionalismo, 207, ver também instrumentalismo; pragmatismo
opinião, 207
oposição, 207
ordem, 208, ver também cosmo
orfismo, 208
Órganon, 208, ver também Andrônico de Rodes
Origem das espécies, A, 208, ver também criacionismo; evolucionismo; Lamarck
Orígenes, 208

originário, 208
Ortega y Gasset, José, 209, ver também neokantismo
ortodoxia, 209
ostracismo, 209
otimismo/pessimismo, 209, ver também Spengler
outro, 209

Paci, Enzo, 210, ver também existência; existencialismo; fenomenologia; marxismo
pacto social, 210, ver também contrato social
paixão, 210, ver também categoria; desejo
palingenésia, 210, ver também eternidade; Marco Aurélio; Spengler
Panécio, 210
panlogismo, 210
Panofsky, Erwin, 210
panpsiquismo, 211, ver também hilozoísmo
pansexualismo, 211, ver também sexualidade
panteísmo, 211, ver também ateísmo; teísmo
Paracelso, 211
paradigma, 211, ver também forma; ideia
paradoxo, 211, ver também metalinguagem; mobilismo; movimento; pluralismo
paralogismo, 212, ver também sofisma
parênese, 212
parenética, 212
Parmênides, 212, ver também devir; eleatas; paradoxo; ser
participação, 212, ver também indivíduo; universal/universais
particular, 212
Pascal, aposta de, 212, ver também Pascal
Pascal, Blaise, 213, ver também jansenismo
paternalismo, 213
patológico, 213
patriarcado, 213, ver também matriarcado
patrística, 213, ver também Alexandria; escolástica
Paulsen, Friedrich, 213, ver também neokantismo
Pavlov, Ivan Petrovitch, 214; ver também behaviorismo
paz, 214
pecado, 214
pedologia, 214, ver também Piaget
Peirce, Charles Sanders, 214, ver também pragmatismo; semiótica
pelagianismo, 214, ver também livre-arbítrio
pensamento, 214
Pensamentos, 215, ver também absoluto; Arnauld; Deus; infinito; Nicole; Pascal, aposta de; Pascal
percepção, 215, ver também fenomenalismo; sensação
Perelman, Chaïm, 215
perene, filosofia, 215

perfeição, 215, *ver também* Deus; natureza; predicado
peripatetismo, 215
permanência, princípio de, 215, *ver também* Kant; substância
personalidade, 215
personalismo, 216, *ver também* Mounier
Personalismo, O, 216, *ver também* Mounier
perspectivismo, 216, *ver também* Nietzsche
pessimismo. Ver otimismo
pessoa, 216, *ver também* direito; escolástica; indivíduo; liberdade; razão; substância; valor
"Philosophia ancilla theologiae", 216, *ver também* escolástica
phronesis, 216
Piaget, Jean, 216, *ver também* epistemologia
Pico della Mirandola, Giovanni, 217
piedade, 217, *ver também* outro
Pirro, 217, *ver também* ceticismo
pirronismo, 217, *ver também* ataraxia; ceticismo; epoché; Pirro de Élida
Pitágoras, 217, *ver também* filosofia; pitagorismo
pitagorismo, 217, *ver também* Pitágoras
Platão, 218, *ver também* Academia; dialética; encarnação; ideia; neoplatonismo; platonismo; reminiscência
platonismo, 218, *ver também* Alexandria; escolástica; Frege; neoplatonismo; Nova Academia; patrística; Whitehead
Plotino, 219, *ver também* gnosticismo; neoplatonismo
pluralismo, 219, *ver também* dualismo; monismo
plutocracia, 219
poder, 220, *ver também* Foucault; genealogia; Montesquieu
poético-noemático, 220
Polanyi, Michael, 220
Polémon, 220
polis, 220, *ver também* Aristóteles; democracia
politeísmo, 220, *ver também* monoteísmo; panteísmo
política, 220
Politzer, Georges, 221, *ver também* Bergson; inconsciente
Pomponazzi, Pietro, 221, *ver também* alma
Popper, Karl, 221
Porfírio, 221, *ver também* árvore de Porfírio
por si, 221
Pórtico, 221, *ver também* Zenão de Cício
Posidônio, 222
positivismo, 222, *ver também* Comte; estado; fisicalismo; idealismo; Mach; Mill; Spencer
positivo, 222, *ver também* Comte
pós-moderno. Ver modernidade

possível/possibilidade, 222, *ver também* contingência; modalidade; necessidade; probabilidade
postulado, 222, *ver também* axioma; Deus; Kant; liberdade; pressuposto; sistema
potência, 222, *ver também* potencialidade
potencialidade, 223, *ver também* potência
povo, 223
Prado Jr., Caio, 223
pragmática, 223, *ver também* Peirce
pragmatismo, 223, *ver também* pragmática
prática/prático, 223
praxeologia, 223
praxis, 224
prazer, 224, *ver também* hedonismo
preconceito, 224
predestinação, 224, *ver também* Calvino; Lutero
predicado, 224, *ver também* relação
pré-lógico, 224, *ver também* não contradição
premissa, 224, *ver também* dedução; inferência; lógica; silogismo
prenoção, 224, *ver também* epicurismo; estoicismo; pressuposto
pré-socráticos, 224, *ver também* atomismo; eleatas; jônica, escola; mobilismo; pitagorismo; sofista
pressuposto, 225
primado, 225, *ver também* matéria; pensamento
primeiro, 225, *ver também* axioma; *cogito*
primeiro motor, 225
Príncipe, O, 225, *ver também* Maquiavel; maquiavelismo; moral; política
princípio, 225, *ver também* identidade, lógica; terceiro excluído
princípio, petição de, 226, *ver também* círculo vicioso; dialeto
princípio de omni, 226
Princípios da matemática, Os, 226, *ver também* Leibniz; lógica; logicismo; Russell; Whitehead
Princípios matemáticos da filosofia natural, 226, *ver também* Crítica da razão pura; Einstein; Kant; relatividade
privação, 226
probabilidade, 226, *ver também* indução
probabilismo, 226, *ver também* Nova Academia
problema, 226
problemático/problemática, 226, *ver também* juízo; modalidade; possibilidade; problema; proposição
processo, 227
Proclo, 227
progresso, 227, *ver também* Kuhn; paradigma; relativismo

projeto, 227, *ver também* Dasein; existencialismo; Heidegger; liberdade; situação
Projeto de paz perpétua, 227, *ver também* Kant
prolegômenos, 227
prolepse. Ver prenoção
prometéico, 227, *ver também* mitologia
propedêutica, 228
proposição, 228, *ver também* estrutura; juízo; linguagem; lógica
propriedade, 228, *ver também* Locke; Proudhon
prospectiva, 228
Protágoras, 228
Proudhon, Pierre Joseph, 228
prova, 229, *ver também* modelo
providência, 229, *ver também* Deus; devir; milagre
providencialismo, 229, *ver também* Bossuet
Pseudo-Dionísio, o Areopagita, 229, *ver também* Escoto Erígena; platonismo
psicanálise, 229
psicologia, 229, *ver também* abstração; consciência; fenomenologia; ideia; inconsciente; intencional; sensação
psicológico, sujeito. Ver epistêmico, sujeito
psicologismo, 230, *ver também* empirismo; reducionismo
psicose, 230, *ver também* Foucault
psique/psiquismo, 230
pulsão, 230, *ver também* Freud; psicanálise
puro, 230
Putnam, Hilary, 230

quadrivium. Ver trivium
qualidade, 231, *ver também* acidente; categoria; quantidade; relação; substância
quantidade, 231, *ver também* categoria
querer-viver, 231, *ver também* Schopenhauer; vontade de poder
questão, 231, *ver também* Aristóteles; Heidegger
quididade, 231, *ver também* escolástica; essência
quietismo, 231
Quine, Willard van Orman, 232, *ver também* analítico; sintético
quinta-essência, 232, *ver também* elemento; essência

Rabelais, François, 233
raciocínio, 233, *ver também* dedução; indução; inferência; lógica; pensamento; razão; silogismo
racional/racionalidade, 233, *ver também* Weber
racionalismo, 233, *ver também* conhecimento; crítica; empirismo; experiência; fideísmo; razão; real; revelação; transcendental
racionalização, 234, *ver também* Frankfurt, escola de; ideologia; racionalidade

racismo, 234, *ver também* apartheid
radical, 234
radicalismo, 234, *ver também* Bentham; liberalismo; Mill; reformismo
Rawls, John, 234, *ver também* utilitarismo
razão, 234, *ver também* bom senso; determinismo; experiência; imperativo; lógica; luz; prática; raciocínio
razão, astúcia da, 235
real, 235, *ver também* ideia; possibilidade; realidade; representação
Reale, Miguel, 235, *ver também* filosofia no Brasil
realidade, 235, *ver também* real; realismo
realismo, 235, *ver também* universal
recorrência, 236
redução, 236, *ver também* absurdo; consciência; epoché; essência; fenomenologia; paradoxo
reducionismo, 236
reflexão, 236
reflexo condicionado, 236, *ver também* condicionamento; Pavlov
refutabilidade, 236, *ver também* cientificidade; refutação
refutação, 236, *ver também* absurdo; ciência; Popper; positivismo; verificação
regra, 237, *ver também* dedução; inferência; método; norma; sistema
regulativo, 237, *ver também* constitutivo
Reich, Wilhelm, 237
Reichenbach, Hans, 237, *ver também* Carnap; Círculo de Viena
Reid, Thomas, 237, *ver também* empirismo; Hamilton; Hume; idealismo; Stewart
reificação, 237, *ver também* alienação; representação
Reinhold, Karl Leonhard, 238
reino, 238
reino dos fins, 238
relação, 238, *ver também* categoria; predicado
relatividade, teoria da, 238, *ver também* Einstein; movimento
relativismo, 238, *ver também* relativo
relativo, 238, *ver também* relação; relativismo
religião, 239, *ver também* escolástica
reminiscência, 239, *ver também* alma; anamnese; forma; inatismo; maiêutica; metempsicose; mundo
remorso, 239
Renan, Ernest, 239
Renascimento, 239, *ver também* humanismo; modernidade
Renouvier, Charles, 239, *ver também* neokantismo
representação, 239, *ver também* conceito; consciência; ideia; imagem; mente; objeto; racionalismo

República, A, 240, *ver também* caverna, alegoria da; justiça
responsabilidade, 240, *ver também* intenção; liberdade
ressentimento, 240
retórica, 240, *ver também* Perelman; silogismo; sofista
revelação, 240
revolução, 241, *ver também* Copérnico; tradição
Revolução dos orbes celestes, A, 241, *ver também* Aristarco de Samos; Copérnico; cosmo; Galileu; Newton
Rickert, Heinrich, 241, *ver também* neokantismo
Ricoeur, Paul, 241, *ver também* hermenêutica; interpretação
rigorismo, 242, *ver também Crítica da razão prática*; dever; Kant; pragmatismo; utilitarismo
rito, 242
robinsonada, 242, *ver também* Marx
Rogers, Carl, 242
romantismo, 242
Romero, Sílvio, 242, *ver também* filosofia no Brasil
Rorty, Richard, 242, *ver também* analítica; Derrida; Dewey; estruturalismo; fenomenologia; Habermas; Heidegger; hermenêutica; Lyotard; modernidade; Wittgenstein
Roscelino, 243, *ver também* nominalismo
Rousseau, Jean-Jacques, 243
Russell, Bertrand, 243, *ver também* análise; Mill; Whitehead; Wittgenstein
Ruyer, Raymond, 244
Ryle Gilbert, 244, *ver também* behaviorismo; dualismo

saber/sabedoria, 245
Sacas, Amônio. Ver Amônio Sacas
sadismo, 245, *ver também* masoquismo
sagrado, 245
Saint-Simon, conde de, 245
saint-simonismo, 245, *ver também* Saint-Simon
salvação, 245
Sánchez Vásquez, Adolfo, 245
Santayana, George, 246
Sartre, Jean-Paul, 246, *ver também* determinismo; existencialismo; fenomenologia; Heidegger; humanismo; Husserl; liberdade; materialismo; outro
Savonarola, Jerônimo, 247
Schaff, Adam, 247, *ver também* analítica; existencialismo; marxismo
Scheler, Max, 247
Schelling, Friedrich, 247, *ver também* absoluto
Schleiermacher, Friedrich Ernst Daniel, 247
Schlick, Moritz, 248, *ver também* Círculo de Viena; fisicalismo; positivismo

Schopenhauer, Arthur, 248, *ver também* absoluto; querer-viver; representação; vontade
Schultz, Alfred, 248, *ver também* fenomenologia
Scotus, João Duns. Ver Duns Scotus, João
Searle, John Rogers, 248, *ver também* Austin; intencionalidade
sectarismo, 249
Século das Luzes. Ver Iluminismo
segregação, 249, *ver também* apartheid
seita, 249
semântica, 249, *ver também* pragmática; semiologia; significado; sintaxe
semelhança/similaridade, 249, *ver também* diferença
semiologia/semiótica, 249, *ver também* Peirce; pragmática; semântica
Sêneca, 249
sensação, 249, *ver também* empirismo; impressão; percepção
sensibilidade, 250, *ver também* espaço; fenômeno; intuição; representação; tempo
senso, 250, *ver também* bom senso; objeto; razão; sentido
sensualismo, 250, *ver também* Condillac; empirismo
sentido, 250, *ver também* Frege; linguagem
sentimento, 250
ser, 250, *ver também* metafísica; ontologia
ser de razão, 251
Ser e o nada, O, 251, *ver também* absurdo; angústia; existencialismo; nada; ser
Ser e tempo, 251, *ver também* angústia; *Dasein*
Serres, Michel, 251
servidão, 251, *ver também* La Boétie
Sexto Empírico, 251, *ver também* ceticismo; Pirro
sexualidade, 252, *ver também* Eros; libido; pulsão
Sigério de Brabant, 252, *ver também* Averróis; averroísmo; intelecto
significado, 252, *ver também* Frege; inconsciente; Lacan; Quine; semântica; signo; Wittgenstein
signo, 252, *ver também* convenção; interpretação; regra; semiótica; símbolo
silêncio, 252, *ver também* Deus; outro
silogismo, 253, *ver também* escolástica; figuras do silogismo; Frege; lógica; modalidade
simbolismo/símbolo, 253, *ver também* signo
Simmel, Georg, 253, *ver também* neokantismo
simpatia, 253
simples, 253, *ver também* análise; átomo; essência
simulacro, 254, *ver também* sensação
sincategoremático, 254
sincretismo, 254, *ver também* ecletismo
sincronia. Ver diacronia
singular, 254
singularidade, 254

sintaxe, 254, *ver também* semiótica
síntese, 254, *ver também* antítese; consciência; dialética; sensibilidade; tese
sintético, 254, *ver também* a priori; empírico; predicado; sujeito; transcendental
Sísifo, mito de, 254, *ver também* absurdo; Camus
sistema, 255
sistemático, 255, *ver também* sistema
situação, 255, *ver também* categoria; existencialismo
Skinner, Burrhus Frederick, 255, *ver também* behaviorismo; Chomsky
Sloterdijk, Peter, 255, *ver também* Habermas; Heidegger; Nietzsche
Smith, Adam, 255, *ver também* fisiocratas; Hume; liberalismo; mais-valia; Marx
soberano/soberania, 256
sobrenatural, 256, *ver também* graça
sociabilidade, 256, *ver também* Aristóteles
socialismo, 256, *ver também* comunismo; Fourier; Marx; marxismo; Proudhon; revolução; Saint-Simon
sociedade, 256, *ver também* contrato
sociologismo, 256
Sócrates, 256
Sócrates, demônio de, 257
sofisma, 257
sofista, 257, *ver também* Aristóteles; Górgias; Hípias de Élida; metafísica; Platão; Protágoras; relativismo; Sócrates; sofística
sofística, 257, *ver também* sofistas
solidariedade, 258
solipsismo, 258, *ver também* cogito; objetivismo; subjetivismo
sorte, 258
Spencer, Herbert, 258
Spengler, Oswald, 258, *ver também* historicismo; otimismo/pessimismo
Spinoza, Baruch. Ver Espinoza, Baruch
Stein, Edith, 259, *ver também* escolástica; fenomenologia
Steiner, Rudolf, 259, *ver também* antroposofia
Stewart, Dugald, 259, *ver também* Hamilton; Reid; senso
Stirner, Max, 259
Strawson, Peter Frederick, 259, *ver também* nominalista; Russell
Stuart Mill, John. Ver Mill, John Stuart
Suárez, Francisco, 259
subjetividade, 260
subjetivismo, 260, *ver também* fenomenismo; idealismo; substancialismo
subjetivo, 260, *ver também* consciência; subjetividade; sujeito
sublime, 260, *ver também* belo

substância, 260, *ver também* acidente; atributo; categoria; escolástica; essência; forma; predicado; qualidade; realidade; sujeito; universal
substancialismo, 260, *ver também* objetivismo; realismo
substrato, 260, *ver também* acidente; atributo; escolástica; substância
subsumir, 261
sujeito, 261, *ver também* cogito; consciência; Descartes; entendimento; epistêmico, sujeito; espírito; indivíduo; Kant; mente; objeto; predicado; propriedade; racionalismo; razão; sensibilidade; substância; transcendental
Suma teológica, 261, *ver também* Deus; escolástica; fé cristã; razão
superestrutura, 261, *ver também* estrutura; infraestrutura
super-homem, 261
superstição, 262
Swedenborg, Emanuel, 262

tabu, 263
tabula rasa, 263, *ver também* adquirido/inato
Taine, Hippolyte, 263
talento, 263
Tales de Mileto, 263
Tarski, Alfred, 263
tautologia, 263
técnica, 264
Teilhard de Chardin, Pierre, 264
teísmo, 264, *ver também* ateísmo; deísmo; Deus; panteísmo
teleologia, 264
teleológico, 264
teleonomia, 264
Telesio, Bernardino, 264
temor, 265, *ver também* medo
temperamento, 265
temperança, 265
tempo, 265, *ver também* Aristóteles; Bergson; categoria; cosmologia; duração; espaço; física; Kant
temporal, 265
temporalidade, 265, *ver também* Dasein; fenomenologia; Heidegger; Merleau-Ponty; Sartre; tempo
tendência, 265, *ver também* pulsão; querer-viver; vontade
teocracia, 265
teodiceia, 265, *ver também* Deus; mal
Teofrasto, 266, *ver também* Liceu
teologia, 266, *ver também* escolástica; metafísica; patrística
teorema, 266

teorético, 266
teoria, 266, *ver também* ciência; explicação; método; modelo; prática
teórico/teorético, 266, *ver também* especulativo; prática; teoria
teosofia, 266
terceiro excluído, princípio ou lei do 267, *ver também* lógica
terceiro homem, argumento do, 267
tese, 267, *ver também* dialética; síntese
Thuillier, Pierre, 267
Timeu, 267
tirania, 267, *ver também* despotismo
Tocqueville, Charles Alexis Clérel de, 267
todo, 267
tolerância, 267, *ver também* fanatismo; relativismo
tomada de consciência, 268
Tomás de Aquino, sto. Ver Aquino, sto. Tomás de
Tomás Morus. Ver Morus, Tomás
tomismo, 268, *ver também* Aquino; escolástica; neotomismo
tópica, 268
Tópica, 268, *ver também* dialética; Órganon
totalidade, 268, *ver também* categoria
totalitário, 268
totem, 268, *ver também* tabu
totemismo, 268, *ver também* Lévi-Strauss; totem
Touraine, Alain, 269
trabalho, 269, *ver também* praxis; reificação
Tractatus logico-philosophicus, 269, *ver também* Círculo de Viena; Frege; lógica; Russell; significado; Wittgenstein
tradição, 269, *ver também* hermenêutica; Iluminismo; modernidade; revolução
tradicionalismo, 270, *ver também* modernismo; tradição
transcendência/transcendente, 270, *ver também* teísmo
transcendental, 270, *ver também* categoria; escolástica; ser
transcendentalismo, 270 *ver também* Kant; transcendental
transferência, 270
transformismo, 270, *ver também* evolucionismo; fixismo
Tratado sobre a natureza humana, 270, *ver também* causalidade; certeza; empirismo; entendimento; fenômeno; probabilismo; razão
traumatismo, 270, *ver também* neurose
tristeza, 271
trivium/quadrivium, 271
Troeltsch, Ernst, 271, *ver também* neokantismo
tropos, 271, *ver também* dialelo; Sexto Empírico
Trotsky ou Trotski, Leon, 271

ubiquidade, 272
Um/Uno, 272, *ver também* ideia
Umwelt, 272
Unamuno, Miguel de, 272, *ver também* Ortega y Gasset
unicidade, 272
universal/universais, 272, *ver também* árvore de Porfírio; Boécio; conceito; conceitualismo; escolástica; essência; forma; ideia; nominalismo; proposição; quantidade; realismo; substância; universo
universo, 273, *ver também* universal/universais
unívoco, 273
utensilibilidade, 273, *ver também* utilitarismo
utilitarismo, 273, *ver também* Bentham; Mill
utopia, 274, *ver também* Campanella; Fourier; Morus

validade, 275, *ver também* dedução; silogismo
valor, 275, *ver também* axiologia; juízo; trabalho
Vattimo, Gianni, 275, *ver também* Gadamer; hermenêutica
Vaz, Henrique Cláudio de Lima, 275
Vedanta, 276
veleidade, 276, *ver também* abulia
veracidade/verídico, 276, *ver também* verdade
verbalismo, 276
verdade, 276, *ver também* axioma; escolástica; idealismo; intelecto; juízo; princípio; razão; real
verdadeiro, 276, *ver também* verdade
vergonha, 276
verificação/verificacionismo, 276, *ver também* fisicalismo; Popper; refutação
Vernant, Jean-Pierre, 277
vício, 277, *ver também* círculo; virtude
Vico, Giambattista, 277
vida, 277
Vieira Pinto, Álvaro, 277, *ver também* filosofia no Brasil
Viena, Círculo de. Ver Círculo de Viena
violência, 278
violência simbólica, 278, *ver também* Bourdieu
virtualidade, 278, *ver também* ato; potência
virtude, 278, *ver também* bem
visada, 278
vital, 278, *ver também* Bergson; elã vital; estoicismo; natureza; vitalismo
vitalismo, 279, *ver também* materialismo; mecanicismo; vital
Vitoria, Francisco de, 279
Volkelt, Johannes Immanuel, 279, *ver também* neokantismo
Voltaire, 279, *ver também* otimismo/pessimismo; progresso

voluntarismo, 279, *ver também* Deus; Duns Scotus; liberdade; Schopenhauer; vontade
volúpia, 279
vontade, 279, *ver também* ação; imperativo; Kant; mal; moral; Nietzsche; Rousseau; Schopenhauer; voluntarismo
Vontade de poder, A, 280, *ver também* Nietzsche; querer-viver; Schopenhauer
voyeurismo, 280
Vuillemin, Jules, 280

Waelhens, Alphonse de, 281
Wahl, Jean, 281
Weber, Max, 281
Weil, Eric, 281, *ver também*, Cassirer; ética; Hegel; Kant; neokantismo
Weil, Simone, 282
Weltanschauung, 282
Whitehead, Alfred North, 282
Windelband, Wilhelm, 282, *ver também* neokantismo

Wittgenstein, Ludwig, 282, *ver também* intuicionismo
Wolff, Christian, 283

xamã ou chaman, 284
Xenócrates, 284, *ver também* Academia
Xenófanes, 284
xenofobia, 284, *ver também* racismo
Xenofonte, 284

Zea, Leopoldo, 285
zen, 285, *ver também* nirvana
Zenão de Cício, 285, *ver também* estoicismo
Zenão de Eleia, 285, *ver também* paradoxo
zétesis, 285, *ver também* ataraxia; ceticismo; epoché
Žižek, Slavoj, 285
zonas erógenas, 285, *ver também* sexualidade
Zubiri, Xavier, 285

1ª EDIÇÃO [1989]
2ª EDIÇÃO [1991]
3ª EDIÇÃO [1996]
4ª EDIÇÃO [2006] 5 reimpressões

ESTA OBRA FOI COMPOSTA POR FUTURA EDITORAÇÃO EM TIMES E
FUTURA E IMPRESSA EM OFSETE PELA GRÁFICA PAYM
SOBRE PAPEL ALTA ALVURA DA SUZANO S.A. PARA
A EDITORA SCHWARCZ EM JULHO DE 2021

A marca FSC® é a garantia de que a madeira utilizada na fabricação do papel deste livro provém de florestas que foram gerenciadas de maneira ambientalmente correta, socialmente justa e economicamente viável, além de outras fontes de origem controlada.